Peter M. Senge

A QUINTA DISCIPLINA

ARTE E PRÁTICA DA ORGANIZAÇÃO QUE APRENDE

Tradução
OP Traduções

Consultoria
Zumble Aprendizagem Organizacional

22ª Edição

EDITORA BEST SELLER

CIP-Brasil. Catalogação-na-fonte
Sindicato Nacional dos Editores de Livros, RJ.

S479q
22ª ed.

Senge, Peter M.
A quinta disciplina: arte e prática da organização que aprende / Peter M. Senge; tradução OP Traduções; consultoria Zumble Aprendizagem Organizacional – 22ª ed. – Rio de Janeiro: Best*Seller*, 2006.

Tradução de: The fifth discipline
Apêndice
ISBN 85-7123-621-6

1. Eficiência organizacional. 2. Grupos de trabalho. I. Título.

04-2790

CDD – 658.4
CDU – 65.011.4

Título original norte-americano
THE FIFTH DISCIPLINE

Publicado mediante acordo com Doubleday, uma divisão da Bantam Doubleday Dell Publishing Group, Inc.

Impresso no Brasil

ISBN 85-7213-621-6

PEDIDOS PELO REEMBOLSO POSTAL
Caixa Postal 23.052 – Rio de Janeiro, RJ – 20922-970

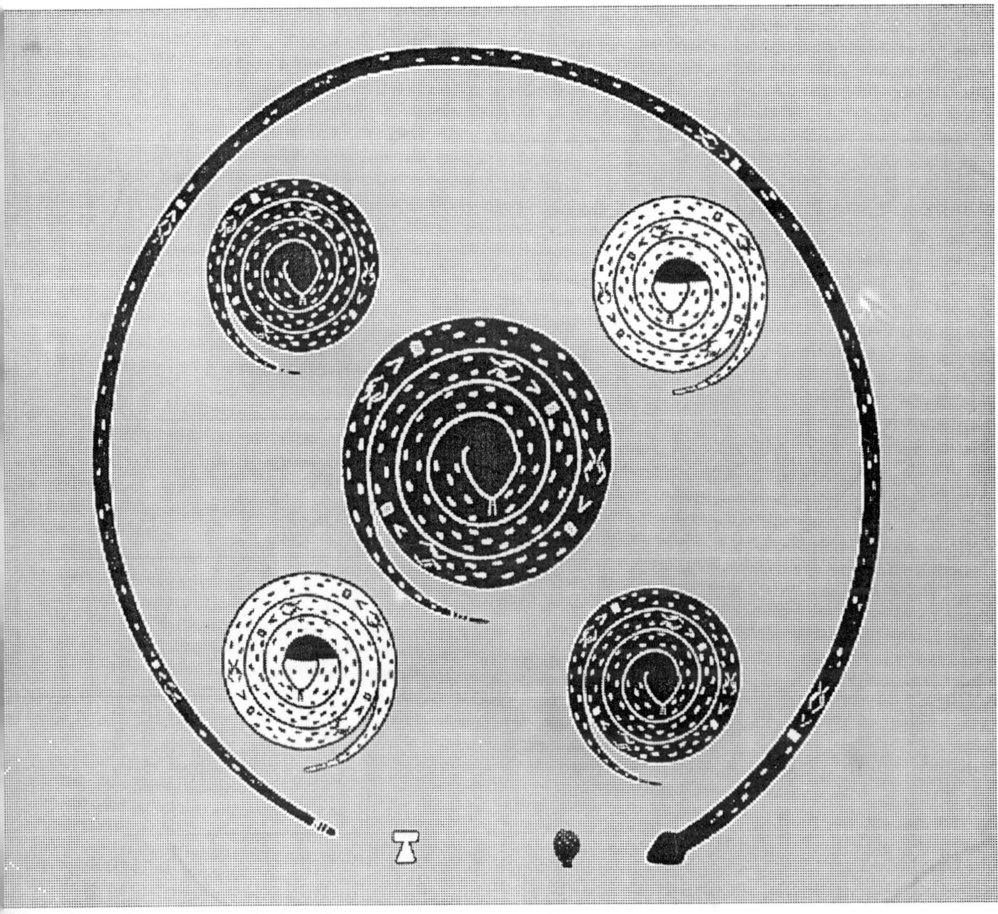

SUMÁRIO

PARTE V
Coda

Agradecimentos

Ao escrever este livro, muitas vezes me senti mais como um repórter do que como um escritor. O trabalho de muitas pessoas é abordado e o de tantas outras fica nos bastidores, e esse é meu maior medo, esquecer alguém que deveria ser mencionado nessas páginas.

Por isso, irei prosseguir cronologicamente, na esperança de que essa seja a estratégia mais à prova de falhas. Minha introdução ao pensamento sistêmico como disciplina gerencial e de liderança veio de Jay W. Forrester, meu mentor há uns vinte anos. Meu débito para com Jay é enorme — mais obviamente por sua sabedoria, menos por seus persistentes padrões de excelência e mais sutilmente por seu compromisso com a atenção incessante nos problemas mais importantes, e não nos mais palatáveis.

Harriet Rubin e Arie de Geus foram de grande auxílio prático no lançamento desse projeto. Agradeço muito a Harriet por sua crença (ainda a ser comprovada) em um autor novato. Seu entusiasmo verdadeiro por este projeto e suas notáveis intuições foram um deleite contínuo. Aprendi a ouvir sempre seus comentários, especialmente quando minha "mente acadêmica" tentava intervir. Arie me apresentou à idéia das organizações que aprendem há muito tempo, e depois, há cerca de dois anos, sugeriu a necessidade de um livro sobre o assunto. Infelizmente, seus deveres na Shell impediram-no de participar da produção deste livro como eu gostaria. Contudo, seu pensamento e sua paixão pela idéia são evidentes.

Muitos colegas do MIT, Harvard e da Innovation Associates deram contribuições relevantes para aspectos específicos do livro: John Sterman, Jennifer Kemeny e Dan Kim contribuíram para os capítulos sobre pensamento sistêmico; Bill Isaacs e Diana Smith ajudaram muito com o material sobre modelos mentais e aprendiz em equipe; Charlie Kieffer, Charlotte Roberts e Bryan Smith emprestaram seus consideráveis conhecimentos nas áreas de domínio pessoal e construção da visão compartilhada. Alain Gauthier leu os originais e deu várias sugestões úteis. Agradeço especialmente a David Bohm e Chris Argyris por me ajudarem a fundamentar meus estudos de forma tão extensiva em seus importantes trabalhos.

A experiência prática e grande parte da inspiração por trás desse esforço vieram de oportunidades, ao longo dos anos, de trabalhar com líderes que se propõem a viver o que descrevi aqui — portanto, há mais de vocês do que eu poderia descrever. Uma especial ajuda, nesse projeto, veio dos meus bons amigos Bill O'Brien, da Hanover Insurance, Ed Simon, da Herman Miller, e Ray Stata, da Analog Devices. Todos deram pacientemente seu tempo e generosamente seu espírito. Agradeço também a Bart Bolton, da Digital; e a Geri Prusko, Bob Bergin e Paul Stimson, da Hanover, por auxiliarem com discussões de aplicações específicas.

O trabalho artístico de Don Ryan foi essencial para meu conceito de livro como algo além de uma série de afirmações "lineares" reunidas. Gostaria de agradecer também a Janet Coleman, da Doubleday, por milhares de facilidades para "ter o livro pronto". Enquanto isso, Janet Gould e Nan Lux mantiveram nosso centro de pesquisa em funcionamento enquanto eu desaparecia; e Angela Lipinski, além de me ajudar, como sempre, com o que fosse necessário, simplesmente cuidou das minhas obrigações profissionais externas durante meu período de hibernação. O apoio moral de Robert Fritz foi bastante importante, pois ele também aprendeu a escrever livros, tornando-se um excelente autor com uma rapidez impressionante (como é de praxe para alguém cuja especialidade é criar). Da mesma forma agradeço o apoio de Michael Goodman e Donella Meadows.

Três colegas merecem destaques especiais. Bill Isaacs e Dan Kim ajudaram praticamente em todas as facetas do projeto, trazendo à tona áreas de especialidade críticas e ajudando a moldar o produto geral. Dan até assumiu a onerosa tarefa de completar todas as notas e referências (com a ajuda da pesquisadora Judith Bruk). E sem Art Kleiner, que atuou como "treinador", crítico, organizador e, no caso de algumas sessões-chave, co-autor (como na história da Lover's Beer), este livro simplesmente não seria o mesmo. No verão passado, ele me pediu para descrever minha tese para o livro em uma frase — iniciou-se então um novo foco e reorganização (e, por fim, o processo de reescrever) de originais com os quais eu vinha "lutando" por mais de um ano. Jamais me esquecerei de sua paciência, seu esforço incansável (ou quase incansável) e seu espírito imperturbável. Todavia, acredito que ele e Faith não sentirão falta de minhas ligações às três da manhã.

Por fim, agradeço ao meu filho Nathan por ser meu mestre diário nas alegrias e tristezas de viver a vida como um aprendiz, e agradeço repetidas vezes a Diane. Nosso filho mais novo, Ian, chegou exatamente no momento em que eu estava começando a "pegar impulso" na reestruturação do livro. Cuidar dos dois "projetos" simultaneamente seria trabalho para quatro pais. Obrigado, Diane, pela paciência e perseverança. Acima de tudo, obrigado por compartilhar da visão. Eu sempre soube que você não deixaria que eu fizesse menos do que fosse possível.

Prefácio à edição brasileira

Vivemos em uma era de enormes mudanças institucionais, talvez sem precedentes desde o início da Era Industrial. É difícil encontrar instituições — governamentais, educacionais ou empresariais —, em qualquer lugar, que estejam correspondendo às expectativas da sociedade. Embora a riqueza aumente para alguns, crescem também a desigualdade, a deterioração do meio ambiente e a fragmentação social. No coração desses fracassos está o aumento da conscientização de que nossos problemas não surgiram dos nossos esforços de melhoria, mas sim, e apesar disso, por causa desses esforços — que a causa dos problemas pode estar, como declarou o pioneiro da qualidade total, dr. W. Edwards Deming, no próprio "sistema de gerência" que alimentou nosso espetacular progresso industrial nos últimos cem anos.

Durante a maior parte do século 20 as empresas bem-sucedidas caracterizaram-se pelas progressivas capacidades de marketing de massa, controle gerencial e sofisticação financeira. Ao longo desse mesmo período a maior parte das organizações caracterizou-se por "habilidades humanas mínimas". As organizações industriais viam as pessoas como mais um "insumo" da produção, "recursos humanos", para usar o termo em voga hoje. Entretanto, esse termo supostamente esclarecido na verdade não implica alteração alguma nas premissas subjacentes: o próprio termo "recurso" significa literalmente estar disponível para ser usado. É exatamente essa orientação — ver as pessoas como recursos a serem usados pela organização — que hoje funciona como obstáculo ao desenvolvimento de empresas de sucesso para o próximo milênio.

É impossível dizer como serão a forma e o caráter das empresas líderes do século 21, mas algumas de suas dimensões já começam a delinear-se na bruma. Parece que elas serão caracterizadas pela maior distribuição do poder decisório, pela liderança de indivíduos em todos os níveis e pelo desenvolvimento do pensamento sistêmico como forma de incrementar o pensamento reducionista tradicional. As habilidades humanas mínimas serão substituídas por habilidades pessoais e interpessoais tão sofisticadas quanto as atividades de marketing, produção e finanças da presente era.

Por exemplo, pode muito bem ser que os novos produtos mais eficazes sejam desenvolvidos pelos próprios clientes, trabalhando em íntimas parcerias com as organizações que fornecem tais produtos e serviços. Mas isso reduz a nitidez da fronteira entre empresa e cliente, enfatizando por sua vez a interdependência entre os dois. A Visa International, uma das empresas mais bem-sucedidas do final do século 20, é uma organização, onde os associados são simultaneamente produtores, fornecedores e concorrentes — todos fazem parte de um empreendimento comum, administrado sob uma mesma filosofia e sistema de governança. O que significam essas mudanças para gerentes orientados ao controle, acostumados com fronteiras nítidas de autoridade e tradicionais processos decisórios hierárquicos?

Talvez a aprendizagem se tornará mais importante do que o controle. Muitos se referem às organizações emergentes como "organizações baseadas no conhecimento" ou como "organizações que aprendem": organizações inerentemente mais flexíveis, adaptáveis e mais capazes de continuamente "reinventarem-se". Tais organizações terão como base a crença de que, em um mundo de mudanças cada vez mais aceleradas e crescente interdependência, como observou o ex-vice-presidente de Planejamento da Royal Dutch/Shell, Arie de Geus, "a fonte básica de toda vantagem competitiva está na capacidade relativa da empresa de aprender mais rápido do que seus concorrentes".

Indubitavelmente, essa crescente consciência da importância da aprendizagem e da criação do conhecimento contribuiu para a surpreendente popularidade de *A Quinta Disciplina*. Publicado originalmente nos Estados Unidos em 1990, esta obra tinha tudo que um livro de negócios precisaria para garantir a sua obscuridade. O refrão teórico principal, a emergência da perspectiva sistêmica na administração, era abstrato e desafiador do ponto de vista intelectual. O livro era ao mesmo tempo bastante pessoal e altamente crítico com relação à administração tradicional, desafiando a própria possibilidade de os gerentes poderem "controlar" de alguma forma um sistema humano complexo, e argumentando que a maioria das intervenções gerenciais pioram ainda mais as coisas, em vez de melhorá-las. A solução "proposta" era ameaçadora: o compromisso fundamental com o desenvolvimento de uma série de sofisticadas habilidades de aprendizagem individuais e coletivas que, em grande parte, estavam quase ausentes nas organizações tradicionais: alimentar a visão pessoal e construir visões genuinamente compartilhadas; o trabalho com uma diversidade de "modelos mentais" e com os conflitos que inevitavelmente surgem deles, e a compreensão das causas sistêmicas subjacentes a questões complexas e altamente interdependentes.

Entretanto, o livro acabou sendo muito mais bem-sucedido do que eu jamais teria imaginado (na última contagem mais de meio milhão de cópias foram vendidas só nos EUA). Essa popularidade parece ter vários motivos, e cada um deles tem a sua relevância específica para o Brasil.

Primeiro, ficou cada vez mais aparente para os gerentes da década de 90 que não estávamos passando por um período de "ajuste de curto prazo ou desestabilização temporária". Na verdade, estávamos ingressando em uma era de "águas espumantes permanentes",[i] nas palavras de Peter Vaill. As antigas crenças no controle e na previsibilidade já não se aplicavam mais. Na verdade, todos tinham que estar preparados para aprender e desaprender.

Segundo, o panorama da estrutura competitiva em muitos setores já havia claramente mudado. A ascensão do Japão, e depois de Taiwan e da Coréia, e mais tarde de Cingapura, Tailândia, Malásia, Indonésia e outros países vizinhos estava transformando a competição em setores antes dominados pelo Ocidente. De maneira mais significativa, sem impugnar as recentes crises financeiras, as forças competitivas das economias asiáticas eram diferentes. A maioria carecia de recursos naturais e de mão-de-obra barata e abundante — os principais ativos nos quais se baseavam os estreantes anteriores na economia global, como o Brasil. No extremo, países como Cingapura não tinham nenhum dos "recursos" que tradicionalmente determinaram o sucesso econômico na era industrial. O que eles tinham, nas palavras de um dos ministros de Cingapura, "era apenas a si mesmos". Quando um país encara o fato de que "nós só temos a nós mesmos", ele percebe que a única maneira de desenvolver vantagem competitiva é através da utilização da inteligência e do comprometimento das suas pessoas. Aqui está o segredo da entrada na "nova era econômica" ou, nas palavras de Peter Drucker, "a era da competição baseada no conhecimento (e não mais baseada em recursos)".

Terceiro, os gerentes começaram a entender que a filosofia da gestão para aprendizagem e criação do conhecimento partia diretamente da filosofia da gestão da qualidade ou TQM[ii], que já começara a revolucionar muitos setores. A filosofia da melhoria contínua de "processos físicos" como montagem e distribuição de produtos podia ser prontamente estendida ao desenvolvimento contínuo do conhecimento sobre os sistemas sociais. Muitas das empresas que mais progrediram no desenvolvimento dos tipos de capacidades de aprendizagem propostos em *A Quinta Disciplina* também foram pioneiras no TQM, como são muitas empresas no Brasil.

Além dessas características gerais, acredito que o interesse por *A Quinta Disciplina* na verdade surgiu pela forma com que conecta o imperativo da aprendizagem e da geração de conhecimento com ferramentas e métodos específicos que permitem novas formas de pensar e interagir. A premissa-chave subjacente ao nosso trabalho sempre foi a de que as organizações funcionam da forma como funcionam porque nós funcionamos dessa forma, que nenhuma mudança organizacional

---

i Do inglês *permanent white waters*. *White waters* simboliza águas agitadas e de cor branca, em razão da espuma produzida (N. do T.).

ii Iniciais da expressão em inglês Total Quality Management, ou "Administração com Qualidade Total" (N. do E.).

significativa pode ser realizada sem que se efetuem profundas mudanças nas formas de pensar e interagir das pessoas. A pergunta-chave é como fazer isso. Os princípios e ferramentas apresentados a princípio em *A Quinta Disciplina*, e posteriormente desenvolvidos em *A Quinta Disciplina — Caderno de Campo*, são os pontos de partida.

Ao tentar elaborar algumas palavras simples que ajudassem os brasileiros na leitura de *A Quinta Disciplina*, fui tomado por uma ansiedade compreensível. Primeiro, não conheço o país nem a cultura brasileira. Tive o prazer de conhecer alguns brasileiros, porém nunca tive a oportunidade de ficar no Brasil durante um longo período. Por isso, apresento os comentários a seguir com humildade e com a expectativa de que eles podem estar mais equivocados do que certos.

Talvez as preocupações descritas acima ocupem cada vez mais a atenção dos gerentes brasileiros inovadores. O Brasil é considerado, há muito tempo, um dos mais promissores países industrializados em ascensão. Mas, se o sucesso no próximo século for determinado mais pela qualidade de nossas capacidades humanas do que pela abundância de nossos recursos naturais, que implicações isso terá para o Brasil? Talvez reoriente os brasileiros para as qualidades mais profundas da sua cultura e o espírito do seu povo. Comparações entre diferentes países mostram que o povo brasileiro continua sendo "um dos mais otimistas do mundo". Se esse otimismo levar a uma visão positiva do futuro, à confiança e à disposição de experimentar e aprender, talvez esses atributos demonstrem-se mais importantes para o futuro do Brasil do que somente os seus recursos naturais. Entretanto, o excesso de otimismo também pode gerar uma compreensão equivocada da realidade atual. Pode gerar, talvez, impaciência no confronto com problemas complexos e altamente interdependentes. Pode levar ao vício de soluções paliativas e à negligência com relação às causas mais profundas dos problemas. Será que o Brasil conseguirá equilibrar seu entusiasmo com paciência, seu otimismo com o desenvolvimento da inteligência coletiva?

Profundas mudanças internas serão necessárias para gerar competitividade externa e perspectiva global. Em nenhum outro lugar essas mudanças serão mais demandantes do que naqueles que ocupam posições de poder e de influência. Mudanças na cultura organizacional como as descritas a seguir não podem ser mandadas "do topo". Tentativas de se fazer isto irão "sair pela culatra". Neste campo, a gerência sênior só pode liderar pelo exemplo. E eles precisarão de muita ajuda. Se nós buscamos organizações com maior capacidade de adaptação e evolução, isto acontecerá devido às capacidades das pessoas de refletir e pensar conjuntamente. Essas capacidades precisam ser alimentadas pelos gerentes seniores; não se pode simplesmente impô-las aos outros. Como a organização é menos "reativa", as pessoas têm maior capacidade de se orientar para o que realmente lhes importa. Isso proporciona uma certa estabilidade em meio à turbulência, um senso de direção apesar das mudanças a curto prazo. Assim como o mestre de aikido[i], que se movimenta com grande agilidade e extraordinária rapidez, mantendo um centro claro e calma interior, as verdadeiras organizações que aprendem incorporam o paradoxo de serem mais lentas e mais rápidas.

Por fim, nenhum sistema gerencial pode prosperar sem um sistema alinhado de educação pública. Se nossos ativos humanos forem cada vez mais a chave para a competitividade global, então não existe área de maior alavancagem do que o desenvolvimento de pessoas através da educação de alta qualidade. Faz pouco sentido começar a ensinar o pensamento sistêmico aos adultos, quando em toda sua vida escolar o foco era desmembrar os problemas em pequenas partes para encontrar "a resposta certa". Faz pouco sentido cultivar a capacidade de reflexão e a visão pessoal em adultos, quando essas capacidades críticas são ativamente desestimuladas na educação tradicional. Muitos educadores nos Estados Unidos lutam atualmente para promover tais mudanças nas escolas norte-americanas, mas o sistema educacional norte-americano tornou-se tão politizado e fragmentado que é difícil efetuar mudanças. É muito provável que a verdadeira liderança na criação do sistema educacional do século 21 venha de países menos atrelados ao sistema escolar do tipo "linha de montagem" da era industrial. O Brasil pode ser um desses países, desenvolvendo novas abordagens à educação pública como um elemento fundamental para a construção de uma "sociedade que aprende".

A idéia da "organização que aprende" é uma visão. Ela incorpora um tipo de ideal ao qual muitos aspiram. Embora muitas organizações estejam seriamente envolvidas no desenvolvimento dos tipos de capacidades de aprendizagem descritos neste livro, nenhuma delas "chegou lá". Não existem "organizações que aprendem" no sentido de dominar as respostas certas, somente algumas organizações são mais sérias e estão mais adiante que outras. De uma forma que pode parecer estranha, acredito que, em épocas de profunda mudança, olhar sobre nossos ombros para "como as organizações bem-sucedidas chegaram lá é uma boa forma de nos manter ancorados ao passado. Os aviões não foram inventados a partir do estudo das locomotivas".

Além do mais, não existe uma fórmula sobre como seguir o caminho. As empresas brasileiras, como as outras ao redor do mundo, enfrentam desafios extraordinários de mudanças para se tornarem competidores globais. Para alcançar estes desafios, não será possível copiar outros países. O Brasil precisa encontrar seu próprio caminho.

Assim, este não é um livro sobre "como fazer" ou sobre "como as organizações bem-sucedidas chegaram lá". Ao contrário, este é um livro de princípios e ferramentas que podem contribuir para a construção do

---

i Arte japonesa de defesa pessoal na qual movimentos circulares são usados para explorar a força e o peso do adversário em vantagem própria (N. do E.).

alicerce de um sistema de gestão fundamentalmente novo, mais voltado para a aprendizagem. Se estamos enfrentando profundas mudanças no pensamento e na prática gerencial, o principal desafio é desenvolver a "ciência", a "tecnologia" e a infra-estrutura da próxima era. Isso não acontecerá rápido. Exigirá audácia e paciência e, se a nossa experiência nos Estados Unidos ao longo dos últimos sete anos puder ajudar, exigirá também disposição para a colaboração entre as organizações que pretendam ser líderes no próximo século.

Para esse processo, espero que o Brasil possa contribuir com seu talento peculiar e com uma visão de um futuro do qual todos possamos nos orgulhar.

Peter M. Senge
Cambridge, Massachusetts
Julho de 1997

Introdução

A visão que se concretizou em *A Quinta Disciplina* nasceu numa manhã de outono de 1987. Durante minha meditação, naquela manhã, de repente me conscientizei de que "a organização que aprende" provavelmente se tornaria uma nova coqueluche da administração. Tendo visto o desenvolvimento de modismos semelhantes (como a "criação de visões compartilhadas") no passado, sabia que o trabalho que estava sendo realizado no MIT[i], na Innovation Associates e por colegas em outros lugares, representava uma perspectiva singular e um corpo de conhecimento prático que poderiam contribuir para a aprendizagem organizacional. Percebi também que, se quiséssemos influenciar o modismo, precisaríamos "fincar uma estaca no chão" — estabelecer uma posição quanto ao que era possível, uma posição que se tornaria um ponto de referência ao longo do ciclo de desenvolvimento do modismo.

Sendo um pensador sistêmico incurável, vi em minha mente, naquela manhã, um gráfico de "padrão de comportamento" que se delineava ao longo do tempo, representando a inevitável ascensão e queda dos modismos. Imaginei que, assim como todos os modismos que se desenvolvem, o interesse nas organizações que aprendem cresceria rapidamente. Depois, haveria um nivelamento, seguido por um declínio. Embora os defensores de um novo modismo geralmente façam todo o possível para acelerar o período de crescimento, na verdade as perguntas mais importantes dizem respeito à fase de declínio. Quão precipitada será a queda? Como pode ser influenciada? O que restará depois que passar? Os modismos puros são caracterizados por um rápido declínio e um colapso total do interesse depois que caem na obscuridade. Hula Hoops, Pet Rocks e muitas das "novas idéias gerenciais" da década de 80 (como os círculos de qualidade) têm uma coisa em comum: uma vez que foram embora, não retornam mais.

No entanto, outras novas idéias não caíram na obscuridade mesmo depois de passado o modismo. Pareceu-me que uma das formas de influenciar o impacto de longo prazo da "organização que aprende" seria definir, no início do ciclo do modismo, uma base de idéias e ferramentas intelectualmente desafiadoras. A "estaca" que eu queria fincar no solo estabeleceria o pensamento sistêmico, os modelos men-

i Massachusetts Institute of Technology ou Instituto de Tecnologia de Massachusetts (N. do T.).

tais, o domínio pessoal, a visão compartilhada, a aprendizagem em equipe e o diálogo como elementos inevitáveis do desenvolvimento das organizações que aprendem. Se eu tivesse traçado a curva naquela manhã, teria colocado uma seta bem no início do período de crescimento. Se você vai escrever um livro, que faz parte do ciclo de um modismo, é melhor que ele seja publicado no início do ciclo.

Embora essas constatações tenham surgido na minha cabeça, literalmente em questão de instantes, a opção final por colocá-las em prática consumiu uma boa parte dos dois anos e meio seguintes, resultando no livro que está nas suas mãos agora.

Reconhecer que a maioria das novas idéias sobre gestão nos Estados Unidos ficam presas à dinâmica do ciclo do modismo leva a algumas questões sérias. E se o tempo necessário para compreender, aplicar e finalmente assimilar as novas capacidades sugeridas por uma "nova idéia" for maior do que o ciclo de modismo em si? Se as organizações tiverem um "período de atenção" de apenas um ou dois anos (há quem diga um ou dois meses), é possível aprender coisas novas que poderiam exigir cinco ou dez anos? Como as tentativas iniciais de exploração e os experimentos no desenvolvimento de capacidades de aprendizagem, que inevitavelmente terão um misto de sucesso e fracasso, podem levar a um processo de aprendizagem progressivo que aumente continuamente a capacidade?

Em uma sessão recente de um curso introdutório de cinco dias para empresas no Centro de Aprendizagem Organizacional do MIT, uma gerente de engenharia da Ford elaborou a questão essencial sucintamente. "Depois de alguns dias", disse ela, "estou começando a 'captar' o que é essa coisa toda de pensamento sistêmico e modelos mentais. Isso me faz lembrar de quando estudei cálculo pela primeira vez. No começo, eu estava totalmente perdida. Cálculo era uma forma de pensar inteiramente nova para mim... Mas depois comecei a 'captar'. Em um ano, eu havia dominado o básico. Em cinco anos, tornou-se uma parte essencial das minhas capacidades profissionais." Ela então acrescentou: "Se o cálculo fosse inventado hoje, nenhuma de nossas empresas seria capaz de aprendê-lo. Enviaríamos as pessoas para cursos de três dias. Então, daríamos três meses para experimentar e ver se 'funciona'. Depois que tivesse fracassado, concluiríamos que tinha pouco valor e seguiríamos adiante com outra coisa".

Como no caso em questão, considere os resultados de longo prazo do modismo da Gestão da Qualidade Total (TQM) nos Estados Unidos. Embora esteja claro que os princípios e práticas da gestão da qualidade tiveram efeitos revolucionários no Japão e em outros lugares, e obtiveram aparentemente profunda penetração em empresas norte-americanas, um estudo realizado em 1992 pela Arthur D. Little sobre os programas de qualidade revelou que apenas um terço dos quinhentos gerentes norte-americanos que participaram da pesquisa achavam que seu programa de Qualidade Total teve impacto competitivo. Um estudo da McKinsey, na Europa e nos Estados Unidos, revelou que dois terços dos programas de qualidade nas empresas "simplesmente foram interrompidos por causa de sua incapacidade de produzir resultados que pudessem ser mais expressivos".[i] A qualidade do produto realmente melhorou em alguns setores norte-americanos. E as ferramentas básicas da qualidade, como a análise estatística de processos, tornaram-se amplamente aceitas (graças a inúmeros programas de treinamento internos e externos). Entretanto, em seus últimos anos de vida, W. Edwards Deming, talvez a figura mais conhecida do mundo em gestão da qualidade e ele mesmo um estatístico, muitas vezes se referia à estatística como "2 por cento do trabalho". Os outros 98 por cento, acreditava Deming, envolvem mudanças básicas nas formas pelas quais as pessoas são reconhecidas e recompensadas e alterações fundamentais na gestão — da definição de metas e direcionamento das pessoas para realizações com foco na melhoria contínua dos "sistemas" que governam o funcionamento da organização. Parece haver reduzida quantidade de empresas norte-americanas nas quais mudanças tão profundas quanto essas desenvolveram raízes — onde habilidades, capacidades e comprometimento necessários estão presentes. O modismo da Qualidade Total foi embora e seus impactos de longo prazo ainda "merecem ser estudados".

UMA ONDA CRESCENTE DE INTERESSE E ABERTURA

Olhando para trás hoje, eu fico surpreso em como os acontecimentos dos quatro últimos anos seguiram a intuição inicial que me levou a escrever *A Quinta Disciplina.* A organização que aprende tornou-se um importante modismo de administração da primeira metade da década de 90 — pelo menos a julgar pela cobertura da imprensa especializada em negócios, pelo número de conferências organizadas e pelo reconhecimento de instituições de prestígio como a American Management Association[ii].

Mais importante, até certo ponto a perspectiva que eu esperava ajudar a estabelecer foi alcançada. Em um relatório de 1994 para a SRI International, Diane McGinty Weston traça a evolução do interesse em aprendizagem organizacional como tendo início no livro de Don

i Publicado no artigo "The Cracks in Quality", na revista *The Economist*, edição de 18 de abril de 1992 (N. do A.).

ii Ver, por exemplo, o artigo de John Byrne, "Management's New Gurus", publicado na revista *Business Week*, edição de 31 de agosto de 1992, página 44, e uma edição especial sobre organizações que aprendem, na revista da American Management Association, chamada *Organizational Dynamics*, outono de 1993 (N. do A.).

Michael de 1973, *On Learning to Plan — and Planning to Learn*[i]. Com base em um levantamento realizado com executivos de catorze empresas com reconhecidas atividades de aprendizagem organizacional tais como a 3M, Hewlett-Packard, Corning, Procter & Gamble e Shell International, Weston identifica três elementos de "contexto", os quais ela define como "criadores de significado e definidores da perspectiva" nos esforços da organização que aprende:

(1) visão, valores e integridade;
(2) diálogo e
(3) pensamento sistêmico.

Ela identifica também três "práticas essenciais para a integração da aprendizagem com o trabalho cotidiano", sendo a primeira a "modelagem mental" (as outras são "aprendizagem na ação" e "alavancagem da aprendizagem"). Assim, parece que a estaca foi fincada.

Em um nível mais pessoal, fiquei bastante tocado pelo interesse genuíno e pelos sinceros esforços de milhares de pessoas para colocar essas idéias em prática. Não apenas de pessoas em empresas. Fiquei impressionado com o interesse de escolas. Não acredito que a expressão "educação pública" apareça em *A Quinta Disciplina*. No entanto, creio que o número de cópias de livros adquiridos por educadores seja equivalente ao número de cópias compradas por profissionais de negócios. Também não tinha idéia do interesse que viria a se desenvolver entre as pessoas que trabalham em organizações de assistência médica, órgãos governamentais, instituições sem fins lucrativos, empresas familiares e naquelas que se esforçam para a melhoria da sociedade como um todo. Hoje existem centenas, talvez milhares de grupos de estudo nos quais as pessoas estão tentando colocar as disciplinas individuais em prática. Cheguei a receber cartas de homens e mulheres do clero dizendo que estão usando o livro em seus "estudos espirituais" pessoais. Como você pode imaginar, esses comentários são profundamente modestos.

Estar no meio de tudo isso tornou-me consciente das forças maiores dentro das quais esse pequeno livro se insere. Passei a acreditar que atualmente existe abertura para um novo movimento de significação e mudança. Nossas formas tradicionais de gerenciar e governar estão se desmantelando. A queda da General Motors e da IBM tem uma

---

i Ver D. M. Weston, *Organization Learning as Strategy*, Menlo Park, Califórnia — EUA, SRI International, Business Intelligence Program, 333 Ravenswood Avenue, Menlo Park, CA 94025-3476 — USA, Publicação R827, 1993 e também *Organization Learning in Practice*, Menlo Park, Califórnia, SRI International, 1993, Publicação D94-1817, disponível pela SRI ou pela Weston Consulting, 325 Tuolumne Drive, Fremont, CA 94539 — USA. Weston se refere a Donald N. Michael, *On Learning to Plan — and Planning to Learn*, San Francisco, Jossey-Bass, 1973 (N. do A.).

coisa em comum com as crises nas escolas norte-americanas e com o "impasse" em Washington — um alerta de que o mundo onde vivemos apresenta desafios sem precedentes para os quais nossas instituições não estão preparadas.

Vemos essa nova abertura com muita clareza nas pesquisas sobre diálogo, um elemento básico da aprendizagem em equipe, as quais foram conduzidas nos dois últimos anos no MIT[i]. As pesquisas começaram como uma tentativa de exploração de uma abordagem radical para melhorar as conversas em situações gerenciais práticas. Guiado pela redescoberta das origens da palavra "diálogo" — do grego *dialogos*, "fluxo de significado" — e pelo pioneiro trabalho teórico do físico David Bohm e outros, o projeto começou estabelecendo vários grupos de diálogo contínuo. Logo isto já havia se espalhado rapidamente. Hoje formam-se grupos de diálogo em diversos contextos, tanto no setor público quanto no setor privado. No entanto, o mais surpreendente é o impacto que esse trabalho parece ter nas pessoas. Estamos aprendendo que existe um profundo desejo de redescoberta de nossa capacidade de conversarmos uns com os outros.

Um diálogo, envolvendo reuniões regulares durante mais de um ano entre líderes sindicais e a gerência de uma siderúrgica do Meio-Oeste americano, levou o presidente do sindicato a dizer: "Eles me contrataram do pescoço para baixo. Agora comecei a pensar, pela primeira vez depois de 25 anos". Um diálogo contínuo envolvendo os principais participantes do sistema de assistência médica de uma comunidade de médio porte do Colorado, realizado ao longo dos dois últimos anos, levou a observações profundamente comoventes, como o seguinte comentário, feito por um administrador: "Sempre acreditamos que os médicos se sentiam superiores a todos. Estou começando a ver o quanto eles também estão sofrendo no atual sistema. As pessoas literalmente os responsabilizam pela morte de um ente querido". Recentemente o chefe de um dos hospitais na comunidade sugeriu que talvez sua organização devesse se fundir a outro hospital, um tradicional concorrente, "pelos melhores interesses da comunidade como um todo".

Essas explorações sobre o diálogo parecem estar revelando algo muito antigo e muito central em nossa história. Bohm, por exemplo, acreditava que a compreensão e a prática do diálogo remontam a uma época anterior aos gregos. Como americano, sempre me perguntei como um grupo tão diverso e discordante de "pais fundadores" de mentalidade tão independente pôde ser capaz de, juntos, declarar que "Nós sustentamos essas verdades para serem axiomáticas" — no final concordando com uma convicção tal que "garantimos uns aos outros

---

i Ver William Isaacs, "Taking Flight: Dialogue, Collective Thinking, and Organizational Learning", *Organizational Dynamics*, outono de 1993, página 24 (N. do A.).

nossas Vidas, nossas Fortunas e nossa sagrada Honra"? Já foi dito que os Estados Unidos foram o primeiro país da era moderna fundado a partir de uma visão. É possível que em um sentido muito real essa visão tenha nascido da capacidade de dialogar?

Achei-me ponderando sobre essas questões novamente como resultado da participação em uma conferência, a "Cúpula para Reinventar o Governo", patrocinada pelo vice-presidente norte-americano, Al Gore, em junho de 1993. A reunião foi realizada no Edifício do Congresso, em Filadélfia, onde foi realizada a convenção constitucional original dos EUA, e onde o Congresso norte-americano reuniu-se durante dez anos, antes de a sede do governo mudar para Washington, D.C., em 1800. Fazer parte dessa conversa foi uma experiência estimulante. O Edifício do Congresso é um espaço projetado para conversação. A acústica é excepcional. Cento e cinqüenta pessoas podem conversar como se estivessem sentadas em uma sala de estar. Construído em uma época anterior às clarabóias, o lugar é, não obstante, cheio de luz. As janelas cercam a área de reunião a uma altura onde podem iluminar o espaço sem distrair a atenção. Os participantes ficam muito conscientes do mundo natural que existe fora do edifício, embora continuem concentrados na conversa em curso. As cadeiras são dispostas em um semicírculo, permitindo que todos possam ver a todos. Certamente os projetistas do local entenderam que conversação e autogoverno estão intrinsecamente interligados. Se perdermos a capacidade de conversar uns com os outros, perderemos a capacidade de governar a nós mesmos.

Ao final da reunião, o vice-presidente disse: "Foi uma notável troca de idéias. Peter Senge nos explicou a distinção entre discussão e diálogo e, em sua apresentação da palavra diálogo, definiu-a como um processo pelo qual o significado flui através. Acredito que a sessão de hoje qualifica-se para tal descrição". O tempo dirá se o fluxo de significado iniciado naquele dia continuará e se pôde contribuir para uma mudança fundamental no governo. Mas é difícil imaginar que tal mudança ocorra em sua ausência.

De um modo geral, eu caracterizaria esses primeiros anos de interesse público disseminado nas organizações que aprendem como estimulantes — ainda que inconclusivos. Para muitos, ficou claro que é preciso haver uma inovação básica nos métodos tradicionais de gestão e governo. Na arena dos negócios a crescente incerteza, a turbulência econômica e política e a crescente interdependência de mercados e empresas globais levaram a chamados por mudanças radicais. Existe, no mundo como um todo, uma crescente consciência de que as tendências atuais do consumo insustentável de recursos, poluição, desintegração social e falta de governabilidade constituem ameaças sem precedentes ao nosso futuro. Muitos reconhecem hoje as necessidades de capacidades de aprendizagem disseminadas por toda a organização, existentes nas organizações tradicionais autoritárias e hierárquicas inexistentes.

Mas acredito que outra constatação igualmente importante é menos disseminada: as mudanças necessárias não ocorrerão apenas "em nossas organizações", mas também dentro de nós. A mensagem central de *A Quinta Disciplina* é mais radical do que o "redesenho radical da organização" — ou seja, que nossas organizações funcionam da forma que funcionam por causa de nossa forma de pensar e de interagir. Só mudando nossa forma de pensar é que podemos modificar políticas e práticas profundamente enraizadas. Só mudando nossa forma de interagir poderemos estabelecer visões e compreensões compartilhadas, e novas capacidades de ação coordenada. Essa noção é bem nova para a maioria de nós. Temos uma profunda tendência a ver as mudanças que precisamos efetuar como estando no mundo exterior, não em nosso mundo interior. É desafiante pensar que, enquanto reconcebemos as estruturas manifestas de nossas organizações, precisamos também reconceber as estruturas internas de nossos "modelos mentais". Qualquer coisa que não faça isso será insuficiente para levar a cabo as mudanças necessárias. As empresas que fizeram "a reengenharia nelas mesmas" em torno de processos horizontais freqüentemente descobrem que "têm pouca ou nenhuma experiência no funcionamento real em tais ambientes", diz Michael Hammer. "A mudança radical na forma de execução do trabalho leva inevitavelmente à definição de novos trabalhos com novas exigências de habilidades, que por sua vez demandam novos tipos de pessoas."[i].

Porém, "reconceber modelos mentais" não é como reprojetar um equipamento de engenharia. Não "temos" modelos mentais. "Somos" nossos modelos mentais. Eles são o meio através do qual nós e o mundo interagimos. Estão profundamente enraizados em nossa história de vida e na noção que temos de quem somos. Existe um antigo ditado que diz: "Um olho não vê o outro olho". A aprendizagem que altera os modelos mentais é altamente desafiadora, desorientadora. Pode ser assustadora ao confrontarmos crenças e pressupostos consagrados. Não pode ser feita solitariamente. Só ocorre dentro de uma comunidade de aprendizes.

UMA COMUNIDADE DE INDAGAÇÃO E EXPERIMENTAÇÃO

Quando chegava ao fim o processo de escrita de *A Quinta Disciplina*, um quadro nítido da próxima etapa começou a se formar diante de

---

i Ver Michael Hammer, "Reengineering: The Mistakes and Misunderstandings", *World Link*, janeiro/fevereiro de 1994, publicado pelo World Economic Forum, em Davos, Suíça (N. do A.).

mim. Esse quadro, em parte, nasceu dos desafios que eu sabia que as pessoas encontrariam na prática das disciplinas descritas neste livro. O primeiro desafio diz respeito à necessidade de esforço sustentado. É relativamente fácil fazer com que as pessoas se interessem por novas idéias como pensamento sistêmico e modelos mentais. Sustentar o esforço na "prática das disciplinas" é outra conversa — especialmente se levarmos em consideração que a prática é contínua e para sempre. Na construção de organizações que aprendem não existe "lá", não existe um destino final, apenas uma jornada infinita.

Encarar a "organização que aprende" como um estado final a se alcançar é muito difícil para nós, ocidentais, sempre voltados para um objetivo. Não tanto para as culturas orientais. Em chinês, "aprender" significa literalmente "estudar e praticar constantemente". Isso ilustra o segundo desafio básico — que a construção de organizações que aprendem implica profundas mudanças culturais.

Na maioria das organizações atuais, ser um gerente de sucesso significa ser decisivo, estar "no controle", saber o que está acontecendo, ter respostas e defender vigorosamente seu ponto de vista de modo a conseguir que os outros o "comprem". Disciplinas como o pensamento sistêmico, reflexão sobre os modelos mentais, construção de visões compartilhadas (*versus* visões impostas) e a prática do diálogo envolvidas na aprendizagem em equipe correm em uma direção muito diferente. As mudanças culturais que surgem quando as pessoas começam a operar com uma verdadeira orientação para a aprendizagem variam de empresa para empresa mas, de um modo geral, representam profundas mudanças universais na cultura tradicional da gestão no Ocidente. Empreender tais mudanças é uma tarefa audaciosa, talvez até impossível, para as empresas, trabalhando sozinhas.

A idéia que começou comigo e com muitos colegas do MIT, em 1990, é mais fácil de descrever hoje do que era naquela época. Era a idéia de uma comunidade, uma comunidade de pessoas em organizações diversas, trabalhando juntas num esforço sustentado para assentar as disciplinas de aprendizagem na prática gerencial do dia-a-dia. Trabalhando juntos, poderíamos entender e superar as barreiras culturais à aprendizagem que poderiam, por fim, impedir o progresso nas empresas que trabalhavam isoladamente. Trabalhando juntos poderíamos realizar uma gama mais ampla de experimentos com as ferramentas e métodos existentes, desenvolvendo melhores ferramentas e métodos do que seria possível para as empresas individualmente. Trabalhando juntos, poderíamos começar a testar toda a estrutura conceitual das cinco disciplinas sobre a qual se baseia este livro. Poderíamos aprender muita coisa e verificar se as cinco disciplinas bastavam para levar a mudanças significativas, se algumas eram mais importantes do que outras e se outros princípios e métodos eram igualmente importantes.

Essa idéia acabou criando raízes sob a forma do Centro de Aprendizagem Organizacional, fundado em 1991, no MIT. O Centro é um consórcio de empresas, entre elas Ford, Harley-Davidson, Federal Express, EDS, Intel, Herman Miller, AT&T, Philips Display Components (uma operadora norte-americana da Philips Electronics), Merck, Shell Oil, US West e GS Technologies (antes Armco Grinding Systems). Algumas são organizações de grande porte. Outras são menores. Elas representam diversos setores e diversas histórias e culturas.

Embora ainda esteja em sua infância, o "Centro de Aprendizagem" está começando a provar os méritos do ideal de cooperação que levou à sua fundação. Estamos aprendendo que:

1. Quando desenvolvidas em conjunto, as disciplinas de aprendizagem podem ter um impacto significativo e mensurável sobre o desempenho. Alguns projetos-piloto no Centro levaram a importantes saltos na eficácia das equipes de trabalho, embora os membros da equipe ainda acreditem estar tocando apenas na ponta do iceberg do que é possível.
2. Para cada história de sucesso existe pelo menos uma "história de fracasso". Projetos que começam e não criam raízes ou são abandonados depois de alguns meses. Outros que falham em penetrar até as mudanças profundas na cultura e nas práticas tradicionais. Parece ocorrer frustração nos contextos em que as equipes buscam desenvolver suas capacidades de aprendizagem e (primeiro) não têm poder de agir nos domínios sobre os quais estão aprendendo, (segundo) não têm apoio organizacional para sustentar tempo e energia suficientes para desenvolver novas capacidades de aprendizagem e (terceiro) não desenvolvem o profundo comprometimento em fazer o trabalho árduo requerido delas, pessoalmente e interpessoalmente.
3. Na melhor das hipóteses, os esforços para desenvolver capacidades de aprendizagem misturam mudanças "comportamentais" e "técnicas". Quero dizer com isso que as pessoas estão trabalhando em si mesmas, ao mesmo tempo que estão trabalhando em "seus sistemas". Um grupo poderia estar estudando como seria possível melhorar seu processo de desenvolvimento de produtos, mas sua *maneira* de realizar seu estudo envolve uma profunda reflexão sobre seus próprios pressupostos e formas de operação nesse sistema. Essa mistura técnica e comportamental está incrustada nas disciplinas básicas, que vão de profundamente pessoais (*domínio pessoal* e *modelos mentais*) a altamente conceituais (*pensamento sistêmico*).
4. A liderança nasce de uma intensa convicção pessoal. Quando um grupo dos representantes das empresas no Centro de Aprendizagem se reuniu para refletir sobre a "arquitetura do

engajamento", segundo a qual as organizações se envolvem no desenvolvimento de novas capacidades de aprendizagem, identificou três elementos-chave. O primeiro foi a identificação da "predisposição" das pessoas que lideram o início desse trabalho. Essas pessoas apreciam bastante a necessidade de uma perspectiva sistêmica, de expressão dos pressupostos subjacentes, de descoberta de aspirações profundas e de mais conversas generativas. Elas não têm que ser convencidas. Alguns ressoam quase imediatamente na mesma freqüência que essas idéias. Para outros, a predisposição pode estar bem abaixo da superfície. De qualquer forma, os representantes das empresas sentiram que muitas vezes era necessária uma "experiência pessoal penetrante" para que as pessoas conectassem seu próprio pensamento e compreensão anterior com as disciplinas de aprendizagem, a fim de começar a ver as conexões entre as mudanças em como as pessoas pensam e interagem e como as organizações funcionam. Dentro do Centro, o programa de cinco dias mencionado anteriormente muitas vezes desempenha esse papel. Durante muitos anos o programa de liderança e domínio pessoal da Innovation Associates teve esse impacto em muitas pessoas.

Independentemente dos que lideram as iniciativas no começo ou depois de algum tempo de aprendizagem, todos são idealistas pragmáticos. Estão convencidos de que o pensamento sistêmico e as disciplinas a ele relacionadas levarão a conseqüências significativas em seus negócios. Mas também são atraídos a esse trabalho porque tem um significado para eles. Em um sentido muito interessante, não o fazem pela empresa. Fariam mesmo se não estivessem na empresa. Para mim, incorporam uma orientação capturada de forma eloqüente por Robert Frost, que disse: "Todas as grandes coisas são feitas para o seu próprio bem".

5. Quando o trabalho ultrapassa o núcleo de defensores iniciais, ele ganha corpo provando seus méritos práticos. Nessa mesma conversa, o terceiro elemento-chave identificado pelos representantes das empresas no Centro de Aprendizagem foi a necessidade de experimentação prática e testes contínuos. Isso tem duas funções cruciais. Primeiro, mantém a honestidade de todos nós. Impede-nos de ser defensores só porque "acreditamos nesse trabalho". Força-nos a testar continuamente os méritos de nossas idéias e métodos. Segundo, oferece os meios pelos quais círculos cada vez maiores de pessoas se engajam e aprendem. O grupo central de defensores iniciais será inevitavelmente pequeno. A maioria das pessoas se envolverá no

desenvolvimento de novas capacidades de aprendizagem em função dos benefícios práticos para seu trabalho.

6. Todas as disciplinas são importantes. Houve muitos esforços para elevar uma ou outra à categoria de "mais importante", mas eu acredito que isso só serviu para provar que uma fica limitada sem as outras. Os esforços para eliminar as coisas brandas e se concentrar na aplicação prática das "ferramentas sistêmicas", destinadas a analisar e aperfeiçoar sistemas organizacionais, batem de frente com problemas de implementação. As pessoas descobrem que quando não confiam umas nas outras e não desenvolvem aspirações e modelos mentais genuinamente compartilhados, nem as melhores novas idéias sistêmicas se traduzem em ação. Por outro lado, durante anos cientistas sociais e consultores para formação de equipes tentaram estimular a maior confiança e abertura nas equipes gerenciais, apenas para descobrir que a mudança acaba sendo limitada se as pessoas não encontrarem novas formas de entender seus problemas práticos de negócios — não apenas melhores formas de interagir.
7. Em muitas situações parece ser mais difícil alcançar progressos significativos no pensamento sistêmico do que nas outras disciplinas. Parte do problema é de origem motivacional. Disciplinas como trabalhar com modelos mentais, diálogo e visão compartilhada exercem grande atração porque muitos de nós reconhecemos o fechamento e o medo que permeiam a maioria das organizações. Um número menor de pessoas aceita que, mesmo que sejamos abertos e confiáveis, mesmo que nossas aspirações genuínas sejam altamente alinhadas, mesmo que possamos trazer à tona e questionar com eficácia os pressupostos subjacentes, nossos modelos mentais compartilhados talvez continuem altamente fragmentados e estáticos. Muitos de nós passamos a vida inteira aprendendo a desmembrar problemas complexos, a nos concentrar na parte que conhecemos melhor e a "consertar" os sintomas do problema, normalmente sem entender as causas mais profundas. É difícil para nós enxergarmos os limites de formas de pensar tão arraigadas.

   Parte do problema é cultural. Parece haver uma inapetência específica, em muitas empresas norte-americanas, pelo árduo trabalho de articulação conceitual de nossos modelos mentais. O desenvolvimento de modelos sistêmicos explícitos de assuntos complexos, tanto de modelos conceituais quanto de complicadas simulações de computador, para testar políticas e estratégias alternativas, dá a impressão a muitos gerentes orientados para a ação como sendo algo demasiadamente teórico. Isso é particularmente problemático à luz das dificuldades reconhecidas que afligem tantas empresas norte-americanas na transferência da aprendizagem de um grupo para o outro. "Sem teoria não há aprendizagem", costumava dizer Deming. Se não conseguirmos expressar nossos pressupostos, de forma que os outros possam entender e construir sobre eles, não haverá um processo maior para testá-los e, assim, construirmos um conhecimento público.

Por fim, o desenvolvimento de novas habilidades conceituais desafiadoras é um trabalho árduo. Exige um nível de paciência e perseverança ausente na maioria dos esforços de melhoria de equipes. Por outro lado, nos casos em que essas capacidades começam a se desenvolver, em conjunto com as outras disciplinas, os resultados são excelentes e invariavelmente o apetite por mais progresso fica maior.

8. O progresso eficaz pode começar tanto nos níveis gerenciais médios quanto no topo da organização. Alguns dos projetos-piloto mais eficazes do Centro de Aprendizagem começaram sem a consciência ou o apoio da alta administração. Alguns estão começando a levar a mudanças em toda a organização e ao interesse da alta administração. Por outro lado, em outros casos a liderança ativa do principal executivo demonstrou-se insuficiente para produzir progressos significativos. O essencial é haver uma "liderança local de linha" dos esforços de aprendizagem. Em todos os casos em que houve progresso significativo os líderes dos esforços tiveram poder para agir com relação a questões de negócio específicas. Ao desenvolverem suas capacidades de aprendizagem, novas idéias e formas de trabalhar juntos traduzem-se automaticamente em decisões e ações.

   Essas equipes de aprendizagem podem também estar no topo. Mas as da alta administração muitas vezes estão afastadas das políticas operacionais-chave e têm menos influência para a criação da mudança do que normalmente se pressupõe. Portanto, na melhor das hipóteses, elas podem fazer parte de um esforço de aprendizagem maior, em vez de serem os "propulsores", responsáveis por fazer a mudança acontecer.

O Centro de Aprendizagem do MIT é apenas um *locus* de um esforço concentrado mantido para o desenvolvimento das organizações que aprendem. Existem muitos outros lugares onde estão sendo feitos progressos significativos. Captar e disseminar essa aprendizagem constitui, em si, uma tarefa essencial e intimidadora. No ano passado, participei de uma experiência interessante para dar voz a essa comunidade crescente — uma nova publicação, *A Quinta Disciplina — Caderno de*

Campo[i]. Trabalhando com Art Kleiner, Charlotte Roberts, Richard Ross e Brian Smith, tentamos reunir histórias do que as pessoas estão fazendo — junto com recursos, ferramentas e métodos para ajudá-las. Desenvolvemos uma forma para o caderno de campo que, esperamos, ajudará os leitores a se sentirem parte dessa comunidade, conscientes de que ninguém tem as respostas, mas que surgirão de nossos esforços coletivos.

Periódicos, redes eletrônicas e reuniões de diversos tipos serão importantes para alimentar o desenvolvimento contínuo da comunidade de profissionais das organizações que aprendem. Esse processo de construção dessa comunidade sem dúvida será tão importante quanto o trabalho permanente para o avanço constante das próprias disciplinas subjacentes.

---

i Peter Senge, Art Kleiner, Charlotte Roberts, Richard Ross e Brian Smith, *A Quinta Disciplina* — caderno de campo: estratégias e ferramentas para construir uma organização que aprende, Qualitymark, 1995 (N. do A.).

Dicas para quem está lendo pela primeira vez

Através de muitos contatos com pessoas que leram e usaram *A Quinta Disciplina*, tive a oportunidade de avaliar as necessidades de diversos leitores em contextos diferentes quando se deparam com este trabalho pela primeira vez.

1. "Estou apenas interessado em aprender mais."

Para os que estão entrando em contato com este trabalho pela primeira vez, minha recomendação mais forte é que honrem o seu próprio estilo de aprendizagem — suas próprias preferências, interesses e predileções. Pessoalmente, eu raras vezes leio um livro do início ao fim, e jamais esperei que as pessoas fizessem isso com *A Quinta Disciplina*, especialmente devido à extensa gama de materiais contidos nele. Na verdade, uma das grandes maravilhas da "tecnologia" dos livros é a possibilidade de abri-los em uma página qualquer. Este livro é organizado tematicamente, e não de forma linear. Explore as disciplinas pelas quais se sentir mais atraído.

Dito isso, também é importante perceber a perspectiva sistêmica que o permeia, pois ela está presente em todas as disciplinas componentes. Mas adote a percepção que funcione melhor para você. Sabendo que o pensamento sistêmico é um campo desafiador e complexo, tentei dividi-lo em várias partes menores. Para muitos, o capítulo que descreve "o jogo da cerveja" (Capítulo 3) é divertido e atraente, oferecendo-lhes uma percepção intuitiva de por que a perspectiva sistêmica é importante. Para os que gostam de começar com um resumo de princípios eu recomendo o Capítulo 4, "As leis da quinta disciplina". Os Capítulos de 5 a 8 introduzem algumas ferramentas básicas de construção de diagramas, destinadas à *prática* do pensamento sistêmico. Alguns leitores pararam por aqui, desencorajados, sem ter seguido na leitura do livro. Se isso começar a acontecer, pule esses capítulos e vá direto ao domínio pessoal ou a uma das outras disciplinas, voltando quando achar que é a hora.

Para alguns, começar com os capítulos (13 a 18) da Parte 4, "Protótipos", fornece uma percepção de como seria a vida nas organizações que aprendem, especialmente no que se refere a suas possíveis preocupações específicas. Em seguida pode-se retornar às disciplinas subjacentes com uma percepção mais apurada de um contexto de questões contemporâneas. Por exemplo, o Capítulo 16, "Acabando com a guerra entre o trabalho e a família", aborda questões essenciais para a maioria de nós nas organizações frenéticas, estressantes e "vítimas do downsizing" da década de 90. Uma outra alternativa, "Localismo" (Capítulo 14), relaciona grande parte do que está acontecendo atualmente com o *empowerment* dos funcionários.

2. "Faço parte de um grupo de estudo sobre organizações que aprendem."

Esses grupos organizam-se por várias razões — de esforços concentrados na realização de mudanças bastante específicas, usando idéias do livro como ajuda, a amplas explorações dedicando um mês ou mais a cada uma das disciplinas. Meu principal conselho aos grupos de estudo é estabelecer um domínio de ação onde as pessoas possam testar o que estão aprendendo. Todo aprendizado relaciona-se à ação. O aprendizado nunca ocorre exclusivamente através do estudo passivo. Busque uma área específica onde haja motivação genuína para melhoria, mas também onde as pessoas estejam presas a modelos mentais cristalizados ou visões aparentemente conflitantes. Recomendo veementemente a identificação de uma área onde o grupo tenha poder de ação, contudo o risco de fracasso seja compatível com o nível de competência de um iniciante. Freqüentemente as pessoas predispõem-se ao fracasso porque se concentram em um problema que está além de qualquer expectativa razoável de sucesso. Por exemplo, se um grupo de estudo iniciante tenta revolucionar o processo de desenvolvimento de produtos de sua empresa usando apenas *A Quinta Disciplina* como guia, provavelmente terá problemas se não contar com a ajuda de alguém com experiência prática na aplicação das disciplinas em situações semelhantes.

3. "Faço parte de uma empresa que está tentando se tornar uma 'organização que aprende', seja lá o que isso signifique."

Se você acordou hoje pela manhã e descobriu que sua organização foi mordida pelo mosquito da organização que aprende, não se desespere. Às vezes esse mosquito não dura muito e a vida volta ao normal rapidamente. Se isto durar talvez seja uma indicação de que algumas pessoas levam realmente a sério a necessidade de mudança, e estão explorando as organizações que aprendem como uma forma de focalizar essa mudança.

Se você está nessa situação eu tenho duas recomendações. Primeira, determine para si mesmo seu grau de interesse nesse trabalho. *A Quinta Disciplina* deve ser útil a esse propósito. Segunda, se descobrir que está realmente inclinado a mergulhar mais fundo, procure criar uma comunidade de pessoas, mesmo que sejam apenas algumas, que compartilhem seu interesse e queiram trabalhar juntas. Um pequeno grupo de pessoas verdadeiramente interessadas e comprometidas fará uma imensa diferença em meio à confusão e às inconsistências que surgem invariavelmente nos movimentos que afetam a organização como um todo. Em minha experiência esses movimentos raramente levam a mudança profunda, a não ser que se desenvolvam redes informais de líderes que traduzam as "ordens de cima" em idéias e mudanças que façam sentido para o pessoal da linha de frente da organização.

Em relação ao futuro pode-se dizer algumas coisas com confiança. O ciclo do modismo seguirá sua dinâmica intrínseca. Não importa se ainda estamos na fase ascendente, no pico ou se o ultrapassamos e o modismo passará. Dentro dos próximos dois ou três anos grande parte do alvoroço em torno das organizações que aprendem (e em torno da reengenharia e da reconcepção dos processos de negócios) terá passado. Uma nova "nova idéia" terá despertado a atenção de empresas que buscam respostas nesses tempos imprevisíveis.

A pergunta-chave é: o que restará quando o ciclo do modismo concluir seu curso? Isso dependerá do que todos nós realizarmos nesse meio tempo.

Peter M. Senge
Cambridge, Massachusetts
Abril de 1994

PARTE I

Como as nossas ações criam a nossa realidade... e como podemos modificá-la

CONCEITO DE ORG APRENDENTE P. 34 (2016)

DESMEMBRAR PROBLEMAS, FRAGMENTAR O MUNDO

PERDEMOS A NOÇÃO DE CONEXÃO COM O TODO

NÃO PODEMOS ENXERGAR UM REFLEXO

J&J
QUALIDADE É ATENDER OS REQUISITOS DOS SEUS CLIENTES

A APRENDIZAGEM ORGANIZACIONAL É POSSÍVEL

NÃO BASTA TER UMA PESSOA APRENDENDO PELA EMPRESA

COMPROMETIMENTO E CAPACIDADE DE APRENDER DEVE ESTAR PRESENTE EM TODOS OS NÍVEIS DA ORGANIZAÇÃO.

TODOS SÃO APRENDIZES

PENSAMENTO SISTÊMICO

COMPARTILHAVA O MESMO OBJETIVO

ACIMA DOS OBJETIVOS INDIVIDUAIS

CONFIANÇA MÚTUA

EXPANDIAM OS PONTOS FORTES

COMPENSAVAM AS FRAQUEZAS

RESULTADOS EXTRAORDINÁRIOS

1

"DÊ-ME UMA ALAVANCA LONGA O BASTANTE... E, COM UMA DAS MÃOS, MOVEREI O MUNDO"

ARQUIMEDES

Aprendemos, desde muito cedo, a desmembrar os problemas, a fragmentar o mundo. Aparentemente, isso torna tarefas e assuntos complexos mais administráveis, mas, em troca, pagamos um preço oculto muito alto. Não conseguimos mais perceber as conseqüências das nossas ações; perdemos a noção intrínseca de conexão com o todo. Quando queremos divisar "o quadro geral", tentamos montar os fragmentos em nossa mente, listar e organizar todas as peças. Mas, como diz o físico David Bohm, a tarefa é inglória — é como tentar montar os fragmentos de um espelho quebrado para enxergar um reflexo verdadeiro. Depois de algum tempo, acabamos desistindo de ver o todo.

As ferramentas e idéias apresentadas neste livro servem para acabar com a ilusão de que o mundo é feito de forças separadas, sem relação entre si. Quando desistirmos dessa ilusão, poderemos construir as "organizações que aprendem", organizações nas quais as pessoas expandem continuamente sua capacidade de criar os resultados que realmente desejam, onde se estimulam padrões de pensamento novos e abrangentes, a aspiração coletiva ganha liberdade e onde as pessoas aprendem continuamente a aprender juntas.

Como publicou recentemente a revista *Fortune*: "Esqueça suas antigas idéias sobre liderança. A empresa mais bem-sucedida da década de 90 será a organização que aprende." "A capacidade de aprender mais rápido do que seus concorrentes", disse Arie de Geus, ex-vice-presidente de Planejamento da Royal Dutch/Shell, "pode ser a única vantagem competitiva sustentável." À medida que o mundo torna-se mais interligado e os negócios mais complexos e dinâmicos, o trabalho precisa ligar-se em profundidade à aprendizagem. Não basta mais ter uma única pessoa aprendendo pela empresa, um Ford, um Sloan ou um Watson.[i] Simplesmente não é mais possível encontrar soluções na alta gerência e fazer com que todos os outros sigam as ordens do "grande estrategista". As organizações que realmente terão sucesso no

i O autor refere-se a Henry Ford, fundador da Ford Motor Company, Alfred Sloan, da General Motors, e Thomas Watson, fundador da IBM (N. do E.).

futuro serão aquelas que descobrirem como cultivar nas pessoas o comprometimento e a capacidade de aprender em *todos* os níveis da organização.

As organizações que aprendem são possíveis porque, no fundo, todos somos aprendizes. Não é preciso ensinar uma criança a aprender. Na verdade, não é preciso ensinar nada às crianças. Elas são intrinsecamente curiosas, excelentes aprendizes, que aprendem a andar, falar e viver por conta própria. As organizações que aprendem são possíveis não só porque aprender faz parte da natureza humana, mas também porque adoramos aprender. A maioria de nós, em uma ou outra ocasião, já participou de uma excelente "equipe", um grupo de pessoas que funcionavam juntas de uma forma extraordinária — que confiavam umas nas outras, que complementavam seus pontos fortes e compensavam suas limitações, que tinham um objetivo em comum maior do que os objetivos individuais e que geravam resultados extraordinários. Conheci várias pessoas que experimentaram esse tipo de trabalho em equipe — nos esportes, no teatro ou nos negócios. Muitas dizem que passaram grande parte de suas vidas tentando reviver essa experiência. Elas participaram de uma organização que aprende. A equipe que se tornou excelente não começou excelente — *aprendeu* a produzir resultados extraordinários.

Poder-se-ia argumentar que a comunidade de negócios global está, como um todo, aprendendo a aprender em conjunto, tornando-se uma comunidade que aprende. Se antes muitos setores eram dominados por um único e incontestável líder — uma IBM, uma Kodak, uma Procter & Gamble, uma Xerox — hoje existem, em todos os setores, principalmente no industrial, dezenas de excelentes companhias. O exemplo dos japoneses impulsiona as empresas norte-americanas e européias; as coreanas e européias, por sua vez, impulsionam os japoneses. Ocorrem melhorias radicais na Itália, na Austrália e em Cingapura — que rapidamente passam a influenciar o mundo inteiro.

Existe também outro movimento, mais profundo em alguns aspectos, rumo à organização que aprende, que faz parte da evolução da sociedade industrial. A afluência material da maioria alterou gradualmente a forma pela qual as pessoas encaram o trabalho — que evoluiu do que Daniel Yankelovich chamou de visão "instrumental" do trabalho, onde este era apenas um meio para um fim, para uma visão mais "sagrada", onde as pessoas buscam os benefícios "intrínsecos" do trabalho.[1] "Nossos avós trabalhavam seis dias por semana para ganhar o que hoje a maioria de nós recebe em uma única tarde", diz Bill O'Brien, diretor-presidente da Hanover Insurance. "A agitação na administração de empresas continuará até construirmos organizações que sejam mais coerentes com as mais elevadas aspirações humanas, as que estão além de comida, abrigo e posses."

E mais: muitas das pessoas que cultivam esses valores encontram-se atualmente em cargos de liderança. Conheço um número cada vez maior de líderes organizacionais que, embora ainda sejam minoria, sentem-se parte de uma profunda evolução na natureza do trabalho como instituição social. "Por que não podemos realizar um bom serviço no trabalho?", perguntou recentemente Edward Simon, presidente da Herman Miller. "A meu ver, a empresa é hoje a única instituição com chances de atenuar fundamentalmente as injustiças existentes no mundo. Antes, porém, teremos de derrubar as barreiras que nos impedem de aprender e de nos direcionarmos de acordo com nossas visões."

Talvez o motivo mais notável para a construção de organizações que aprendem é o fato de só agora estarmos começando a entender as aptidões que tais organizações devem possuir. Durante muito tempo, os esforços para criá-las resumiam-se a tatear no escuro até descobrir as habilidades, as áreas de conhecimento e os caminhos para o seu desenvolvimento. O que distinguirá fundamentalmente as organizações que aprendem das "organizações controladoras" e autoritárias tradicionais será o domínio de determinadas disciplinas básicas. Por isso as "disciplinas da organização que aprende" são vitais.

DISCIPLINAS DA ORGANIZAÇÃO QUE APRENDE

Em uma manhã fria e clara de dezembro de 1903, em Kitty Hawk, Carolina do Norte, EUA, o frágil avião de Wilbur e Orville Wright provou para os norte-americanos que voar com um sistema motorizado era possível. Inventou-se assim, para nós, o avião; no entanto, o público em geral só teve acesso à aviação comercial trinta anos depois.

Os engenheiros dizem que uma nova idéia é "inventada" quando funciona comprovadamente em laboratório. Ela só se torna uma "inovação" quando pode ser reproduzida de modo confiável em uma escala significativa a custos razoáveis. Se for suficientemente importante, como o telefone, o computador digital ou o avião comercial, a idéia é chamada de "inovação básica", e cria um novo setor da economia ou transforma um já existente. Nesse sentido, as organizações que aprendem foram inventadas, mas ainda não constituem uma inovação.

Em engenharia, quando uma idéia passa de invenção a inovação, reúnem-se diversas "tecnologias componentes."[i] Provenientes de progressos realizados em diversos campos de pesquisa, esses componentes formam gradualmente "um conjunto de tecnologias imprescindíveis ao sucesso umas das outras. Até que esse conjunto se forme, a idéia, embora possível em laboratório, não pode ser colocada em prática".[2]

Os Irmãos Wright provaram que o vôo motorizado era possível,

---

i Em inglês, *component technologies*, que no contexto tem como significado as ferramentas que fazem parte da inovação, não sendo elas necessariamente técnicas (N. do E.).

mas o McDonnell Douglas DC-3, lançado em 1935, inaugurou a era das viagens aéreas comerciais. O DC-3 foi o primeiro avião capaz de se sustentar tanto econômica quanto aerodinamicamente. Durante esses trinta anos que se passaram (período típico de incubação das inovações básicas) diversos experimentos em aviação comercial fracassaram. Assim como os experimentos iniciais com as organizações que aprendem, os primeiros aviões não eram confiáveis e eficazes em relação aos custos em uma escala adequada.

O DC-3, pela primeira vez, reuniu cinco tecnologias componentes críticas que formaram um conjunto de sucesso. Eram elas: a hélice de inclinação variável, o trem de pouso retrátil, um tipo de fuselagem leve chamado "monocoque", um motor radial refrigerado a ar e *flaps* de asa. Para dar certo, o DC-3 precisava de todos os cinco; quatro não bastavam. Um ano antes, fora introduzido o Boeing 247 com todos os elementos, menos os *flaps* de asa. Os engenheiros descobriram que sem eles o avião era instável na decolagem e aterrissagem e tiveram de reduzir o tamanho do motor.

Hoje, acredito, cinco novas "tecnologias componentes" estão gradualmente convergindo para inovar as organizações que aprendem. Embora desenvolvidas em separado, cada uma delas, na minha opinião, será essencial para o sucesso das outras, como ocorre em qualquer conjunto. Cada uma proporciona uma dimensão vital na construção de organizações realmente capazes de "aprender", de ampliar continuamente sua capacidade de realizar suas mais altas aspirações:

Pensamento sistêmico. As nuvens ficam pesadas, o céu escurece, as folhas giram no chão: sabemos que vai chover. Sabemos também que, depois da tempestade, a água da chuva alimentará os lençóis d'água, a quilômetros de distância, e que pela manhã o céu estará claro outra vez. Todos esses eventos estão distantes no tempo e no espaço, mas estão conectados em um mesmo padrão. Um tem influência sobre o outro, uma influência que, em geral, não é aparente. Só poderemos entender o sistema de uma tempestade contemplando o todo, não uma parte individual do padrão.

As empresas e os outros feitos humanos também são sistemas. Estão igualmente conectados por fios invisíveis de ações inter-relacionadas, que muitas vezes levam anos para manifestar seus efeitos umas sobre as outras. Como nós mesmos fazemos parte desse tecido, é duplamente difícil ver o padrão de mudança como um todo. Ao contrário, tendemos a nos concentrar em fotografias de partes isoladas do sistema, perguntando-nos por que nossos problemas mais profundos parecem nunca se resolver. O pensamento sistêmico é um quadro de referência conceitual, um conjunto de conhecimentos e ferramentas desenvolvido ao longo dos últimos cinqüenta anos para esclarecer os padrões como um todo e ajudar-nos a ver como modificá-los efetivamente.

Embora as ferramentas sejam novas, a visão de mundo subjacente é extremamente intuitiva; experimentos realizados com crianças pequenas mostram que elas aprendem o pensamento sistêmico com muita rapidez.

Domínio pessoal. A palavra *domínio* poderia sugerir controle sobre as pessoas ou sobre as coisas. Mas pode significar também um nível especial de proficiência. Um perito artesão não controla a arte da cerâmica ou da tecelagem. As pessoas com alto nível de domínio pessoal conseguem concretizar os resultados mais importantes para elas — na verdade, vêem a vida como um artista veria uma obra de arte. Fazem isso comprometendo-se com seu próprio aprendizado ao longo da vida.

Domínio pessoal é a disciplina de continuamente esclarecer e aprofundar nossa visão pessoal, de concentrar nossas energias, de desenvolver paciência e de ver a realidade objetivamente. Como tal, é uma pedra de toque essencial para a organização que aprende — seu alicerce espiritual. A capacidade e o comprometimento de uma organização em aprender não podem ser maiores do que de seus integrantes. As raízes dessa disciplina estão nas tradições espirituais ocidentais e orientais, bem como em tradições seculares.

Porém, surpreendentemente, poucas organizações estimulam o crescimento de seus funcionários dessa forma. Isso resulta em um desperdício de recursos: "Ao ingressarem nas empresas, as pessoas são brilhantes, bem-educadas, com alto grau de energia, cheias de vontade e desejo de fazer diferença", afirma O'Brien, da Hanover. "Quando chegam aos trinta anos, poucas estão em rápida ascendência; as outras cumprem seu horário para fazer o que é importante para elas no fim de semana. Perdem o senso de compromisso, de missão, e a vitalidade com a qual iniciaram suas carreiras. Aproveitamos muito pouco de sua energia e quase nada de seu espírito."

E é surpreendente como poucos adultos trabalham no sentido de desenvolver rigorosamente seu próprio domínio pessoal. Quando perguntamos à maioria o que querem da vida, eles primeiro falam de coisas das quais gostariam de se livrar. "Gostaria que a minha sogra se mudasse lá de casa" ou "gostaria de me ver livre das minhas dores nas costas." A disciplina do domínio pessoal, por outro lado, começa esclarecendo as coisas que são realmente importantes para nós, levando-nos a viver a serviço de nossas mais altas aspirações.

Neste livro, estou muito interessado na conexão entre aprendizagem pessoal e aprendizagem organizacional, nos compromissos recíprocos entre indivíduo e organização, e no espírito especial de uma empresa composta de pessoas dispostas a aprender.

Modelos mentais. "Modelos mentais" são pressupostos profundamente arraigados, generalizações ou mesmo imagens que influenciam nossa forma de ver o mundo e de agir. Muitas vezes, não estamos conscientes de nossos modelos mentais ou de seus efeitos sobre o nosso comportamento. Por exemplo, podemos observar que uma colega de trabalho se veste com elegância e dizer a nós mesmos: "Ela é uma pessoa de classe". E, quanto a alguém que se veste de forma mais descuidada, podemos achar: "Ela não se importa com a opinião dos outros". Os modelos mentais do que pode ou não ser feito em diferentes contextos gerenciais não são menos arraigados. Muitas idéias novas sobre novos mercados ou sobre práticas organizacionais obsoletas não são colocados em prática porque entram em conflito com poderosos modelos mentais implícitos.

A Royal Dutch/Shell, uma das primeiras grandes organizações a entender as vantagens da aceleração da aprendizagem organizacional, percebeu isso ao constatar quão difusas eram as influências dos modelos mentais ocultos, principalmente daqueles que se haviam tornado amplamente compartilhados. O extraordinário sucesso da Shell no seu gerenciamento em meio às mudanças radicais e à imprevisibilidade da crise mundial do petróleo nas décadas de 70 e 80 decorreu, em grande parte, do aprendizado de como trazer à tona e questionar os modelos mentais dos gerentes (no início da década de 70, a Shell era a mais fraca das grandes sete empresas de petróleo; no final da década de 80, tornara-se a mais forte). Arie de Geus, ex-vice-presidente de Planejamento, aposentado recentemente da Shell, diz que a adaptação e o crescimento contínuos em um ambiente de negócios em mudança dependem da "aprendizagem institucional, processo pelo qual as equipes gerenciais compartilham os modelos mentais da empresa, de seus mercados e de seus concorrentes. Por esse motivo, pensamos no planejamento como aprendizagem e no planejamento corporativo como aprendizagem institucional".[3]

O trabalho com modelos mentais começa por virar o espelho para dentro; aprender a desenterrar nossas imagens internas do mundo, a levá-las à superfície e mantê-las sob rigorosa análise. Inclui também a capacidade de realizar conversas ricas em aprendizados, que equilibrem indagação e argumentação, em que as pessoas exponham de forma eficaz seus próprios pensamentos e estejam abertas à influência dos outros.

A construção de uma visão compartilhada. Se existe uma idéia sobre liderança que tenha inspirado as organizações durante milhares de anos foi a capacidade de ter uma imagem compartilhada do futuro que buscamos criar. É difícil pensar em alguma organização que tenha se mantido em uma posição de grandeza na ausência de metas, valores e missões profundamente compartilhados na organização. A IBM tinha o "serviço"; a Polaroid a fotografia instantânea; a Ford tinha o transporte público para as massas e a Apple a computação para as massas. Embora radicalmente diferentes, em termos de conteúdo e tipo, todas essas organizações conseguiram reunir as pessoas em torno de uma identidade e um senso de destino comuns.

Quando existe uma visão genuína (em oposição à famosa "declaração de missão"), as pessoas dão tudo de si e aprendem, não porque são obrigadas, mas porque querem. Porém, muitos líderes têm visões pessoais que nunca se traduzem nas visões compartilhadas que impulsionam uma organização. Muitas vezes, a visão compartilhada de uma empresa gira em torno do carisma de um líder ou de uma crise que estimula temporariamente a todos. No entanto, se tiverem escolha, a maioria das pessoas opta por perseguir um objetivo nobre, não apenas em épocas de crise, mas o tempo todo. O que falta é uma disciplina capaz de traduzir a visão individual em uma visão compartilhada — não um "livro de receitas", mas um conjunto de princípios e práticas orientadoras.

A prática da visão compartilhada envolve as habilidades de descobrir "imagens de futuro" compartilhadas que estimulem o compromisso genuíno e o envolvimento, em lugar da mera aceitação. Ao dominar essa disciplina, os líderes aprendem como é contraproducente tentar ditar uma visão, por melhores que sejam as suas intenções.

Aprendizagem em equipe. Como uma equipe de gerentes comprometidos, com QI acima de 120, pode ter, coletivamente, um QI de 63? A disciplina da aprendizagem em equipe enfrenta esse paradoxo. Sabemos que as equipes podem aprender; nos esportes, no teatro, na ciência e até mesmo, ocasionalmente, nos negócios existem exemplos notáveis nos quais a inteligência da equipe excede a inteligência de seus membros, e nos quais o grupo desenvolve capacidades excepcionais de ação coordenada. Quando as equipes realmente estão aprendendo, não só produzem resultados extraordinários como também seus integrantes crescem com maior rapidez do que ocorreria de outra forma.

A disciplina da aprendizagem em equipe começa pelo "diálogo", a capacidade dos membros de deixarem de lado as idéias preconcebidas e participarem de um verdadeiro "pensar em conjunto". Para os gregos, *dia-logos* denotava o livre fluxo de significado em um grupo, permitindo novas idéias e percepções que os indivíduos não conseguiriam ter sozinhos. É interessante observar que muitas culturas "primitivas", como a dos índios norte-americanos, preservaram a prática do diálogo, mas essa prática se perdeu quase que totalmente na sociedade moderna. Hoje, os princípios e as práticas do diálogo estão sendo redescobertos e inseridos em um contexto contemporâneo. (Diálogo difere de "discussão", que é mais comum e tem suas raízes em "percussão" e "concussão", que significam literalmente atirar as idéias de um lado para outro em uma competição do tipo "tudo ou nada".)

A disciplina do diálogo envolve também o reconhecimento dos padrões de interação que dificultam a aprendizagem nas equipes. Os padrões de defesa freqüentemente são profundamente enraizados na forma de operação da equipe. Se não forem detectados, minam a aprendizagem. Se percebidos, e trazidos à tona de forma criativa, podem realmente acelerar a aprendizagem.

A aprendizagem em equipe é vital, pois as equipes, e não os indivíduos, são a unidade de aprendizagem fundamental nas organizações modernas. Esse é um ponto crucial: se as equipes não tiverem capacidade de aprender, a organização não a terá.

Se uma organização que aprende fosse uma inovação de engenharia, como o avião ou um computador pessoal, os componentes seriam chamados de "tecnologias". Para uma inovação no comportamento humano, os componentes precisam ser vistos como *disciplinas*. Não entendo por "disciplina" uma "ordem cumprida" ou "forma de punição", mas sim um corpo de teoria e técnica, as quais devem ser estudadas e dominadas para serem colocadas em prática. Uma disciplina é um caminho de desenvolvimento para a aquisição de determinadas habilidades ou competências. Em qualquer disciplina — de tocar piano à engenharia elétrica — há pessoas que nascem com um "dom", mas todos podem ter proficiência através da prática.

Praticar uma disciplina é ser um eterno aprendiz. Nunca se "chega" a um lugar; passa-se a vida aprimorando disciplinas. Jamais podemos dizer "somos uma organização que aprende", da mesma forma que não podemos dizer "sou uma pessoa iluminada". Quanto mais aprendemos, mais nos conscientizamos de nossa ignorância. Assim, uma empresa não pode ser "excelente" no sentido de ter chegado a um estado permanente de excelência; encontra-se sempre no estado de praticar as disciplinas de aprendizagem, de se tornar melhor ou pior.

A idéia de que as organizações podem se beneficiar de disciplinas não é inteiramente nova. Afinal, disciplinas gerenciais como a contabilidade existem há muito tempo. Mas as cinco disciplinas diferem das disciplinas gerenciais mais familiares na medida em que são disciplinas "pessoais". Cada uma tem a ver com nossa forma de pensar, com o que realmente queremos, e como interagimos e aprendemos uns com os outros. Nesse sentido, assemelham-se mais às disciplinas artísticas do que às disciplinas gerenciais tradicionais. Além disso, embora a contabilidade seja útil para acompanhar os números, nunca abordamos as tarefas mais sutis de construir organizações, de ampliar suas capacidades de inovação e criatividade, de desenvolver uma estratégia e elaborar políticas e estruturas por meio da assimilação de novas disciplinas. Talvez seja por isso que, muito freqüentemente, as grandes organizações subam de modo acelerado, desfrutando do seu momento ao sol, e depois voltem silenciosamente à sua posição de mediocridade.

Praticar uma disciplina é diferente de emular "um modelo". Muitas vezes, as inovações gerenciais são descritas em termos das "melhores práticas" das chamadas empresas líderes. Embora seja interessante, freqüentemente acredito que essas descrições podem causar mais danos do que benefícios, levando a cópias graduais e à eterna tentativa de imitação do modelo. Não acredito que as grandes organizações tenham se desenvolvido tentando emular outras, assim como não se pode alcançar a grandeza individual tentando copiar outra "grande personalidade".

Quando as cinco tecnologias componentes convergiram para criar o DC-3, nasceu o setor da aviação comercial. Mas o DC-3 não foi o fim do processo. Ao contrário, foi o precursor de um novo setor. Da mesma forma, à medida que convergirem, as cinco disciplinas da aprendizagem não criarão *a* organização que aprende, mas sim uma nova onda de experimentação e progresso.

A QUINTA DISCIPLINA

É vital que as cinco disciplinas se desenvolvam como um conjunto. Isso é desafiador, pois é muito mais difícil integrar novas ferramentas do que simplesmente aplicá-las separadamente. Mas as recompensas são enormes.

Por isso o pensamento sistêmico é a quinta disciplina, aquela que integra as outras, fundindo-as em um corpo coerente de teoria e prática. Impede-as de serem truques separados ou o mais recente modismo para mudança organizacional. Sem uma orientação sistêmica, não há motivação para analisar as inter-relações entre as disciplinas. Ampliando cada uma das outras disciplinas, o pensamento sistêmico nos lembra continuamente que a soma das partes pode exceder o todo.

Por exemplo, a visão sem o pensamento sistêmico acaba projetando lindos quadros do futuro, sem uma compreensão profunda das forças que precisam ser dominadas para que possamos andar daqui para lá. Esse é um dos motivos pelos quais muitas empresas que adotaram o modismo da visão recentemente viram que uma visão nobre, isoladamente, não transforma o destino da empresa. Sem o pensamento sistêmico, a semente da visão é plantada em terreno árido. Se o pensamento não-sistêmico predominar, descumpre-se a primeira condição para uma visão estimulante: a crença genuína de que podemos transformar nossa visão em realidade no futuro. Diremos: "Podemos concretizar nossa visão" (a maioria dos gerentes norte-americanos são condicionados a acreditar nisso), mas nossa visão tácita da realidade atual como um conjunto de condições criadas por outra pessoa nos trai.

Porém, para concretizar seu potencial, o pensamento sistêmico também precisa das disciplinas de construção de uma visão compartilhada, modelos mentais, aprendizagem em equipe e domínio pessoal. Construir uma visão compartilhada estimula o compromisso com o longo prazo. Os modelos mentais concentram-se na abertura necessária para revelar as limitações em nossas formas atuais de ver o mundo. A aprendizagem em equipe desenvolve a habilidade dos grupos de buscarem uma visão do quadro como um todo, que está além das perspectivas individuais. E o domínio pessoal estimula a motivação pessoal de aprender continuamente como nossas ações afetam nosso mundo. Sem o domínio pessoal, as pessoas ficam tão envolvidas na mentalidade reativa ("alguém/alguma coisa está criando meus problemas") que se sentem profundamente ameaçadas pela perspectiva sistêmica.

Por fim, o pensamento sistêmico torna compreensível o aspecto mais sutil da organização que aprende — a nova forma pela qual os indivíduos se percebem e ao seu mundo. No coração da organização que aprende encontra-se uma mudança de mentalidade — em vez de nos vermos como algo separado do mundo passamos a nos ver conectados ao mundo; no lugar de considerar os problemas como causados por algo ou alguém "lá fora", enxergamos como nossas próprias ações criam os problemas pelos quais passamos. Uma organização que aprende é um lugar onde as pessoas descobrem continuamente como criam sua realidade. E como podem mudá-la. Como disse Arquimedes: "Dê-me uma alavanca longa o bastante... e, com uma das mãos, moverei o mundo".

METANÓIA — UMA MUDANÇA DE MENTALIDADE

Quando perguntamos às pessoas como é a experiência de fazer parte de uma excelente equipe, o que destacam é o significado dessa experiência. As pessoas falam em fazer parte de algo maior do que elas mesmas, de estarem conectadas, de serem produtivas. Fica bastante claro que, para muitas delas, suas experiências como parte de equipes realmente excelentes sobressaem como períodos singulares, vividos ao máximo. Algumas passam o resto da vida buscando formas de recapturar esse espírito.

Na cultura ocidental, a palavra que descreve com maior precisão o que acontece em uma organização que aprende não foi muito usada nos últimos séculos. Trata-se de uma palavra que empregamos em nosso trabalho com as organizações há algumas décadas, mas sempre as advertimos, bem como a nós mesmos, para fazer uso dela comedidamente em público. A palavra é "metanóia" e significa mudança de mentalidade. Esse termo tem uma história rica. Para os gregos, significava uma mudança ou alteração fundamental ou, mais literalmente, transcendência (*"meta"* — acima ou além, como em "metafísica") da mente (*"noia"* — da raiz *"nous"*, de mente). Na tradição cristã gnóstica mais recente, assumiu um significado especial — o despertar da intuição compartilhada e o conhecimento direto de Deus. "Metanóia" provavelmente era um termo-chave para os primeiros cristãos, como João Batista. Na tradição católica, a palavra metanóia acabou sendo traduzida como "arrependimento".

Entender o sentido de "metanóia" é entender o significado mais profundo de "aprendizagem", pois essa também envolve uma alteração fundamental ou movimento da mente. O problema de se falar sobre "organizações que aprendem" é que "aprendizagem" perdeu seu significado central no uso contemporâneo. A maioria das pessoas chega a desviar o olhar quando falamos sobre "aprendizagem" ou "organizações que aprendem". Não é surpresa, portanto, que no uso cotidiano aprendizado tenha se tornado sinônimo de "internalização de informações". "Sim, aprendi isso naquele curso de ontem." No entanto, a internalização de informações tem pouca relação com o verdadeiro aprendizado. Seria um contra-senso dizer: "Acabei de ler um excelente livro que ensina a andar de bicicleta — agora já sei andar de bicicleta".

A verdadeira aprendizagem chega ao coração do que significa ser humano. Através da aprendizagem, nos recriamos. Através da aprendizagem tornamo-nos capazes de fazer algo que nunca fomos capazes de fazer. Através da aprendizagem percebemos novamente o mundo e nossa relação com ele. Através da aprendizagem ampliamos nossa capacidade de criar, de fazer parte do processo gerativo da vida. Existe dentro de nós uma intensa sede para este tipo de aprendizagem. É, nas palavras de Bill O'Brien, da Hanover Insurance, "tão fundamental para o ser humano quanto o desejo sexual".

É esse, portanto, o significado básico de uma "organização que aprende" — uma organização que está continuamente expandindo sua capacidade de criar seu futuro. Para uma organização como essa, não basta apenas sobreviver. "A aprendizagem visando a sobrevivência" ou o que conhecemos mais comumente como "aprendizagem adaptativa" é importante — na verdade, é necessária. Mas, para uma organização que aprende, a "aprendizagem adaptativa" deve ser somada à "aprendizagem generativa", a aprendizagem que amplia nossa capacidade de criar.

Algumas corajosas empresas pioneiras estão indicando o caminho, mas o território do desenvolvimento das organizações que aprendem continua, em grande parte, inexplorado. Tenho grande esperança de que este livro possa acelerar essa exploração.

COLOCANDO AS IDÉIAS EM PRÁTICA

Não clamo para mim o crédito pela criação das cinco grandes disciplinas deste livro. As cinco disciplinas descritas a seguir representam as experiências, as pesquisas, os escritos e as invenções de centenas de pessoas. Mas trabalho com todas as disciplinas há anos, aperfeiçoando idéias sobre elas, colaborando em pesquisas e introduzindo-as em organizações ao redor do mundo.

Quando iniciei o curso de pós-graduação no Massachusetts Institute of Technology, em 1970, já estava convencido de que grande parte dos problemas que a humanidade enfrentava dizia respeito à nossa falta de capacidade de entender e gerenciar os sistemas cada vez mais complexos de nosso mundo. De lá para cá aconteceram poucas coisas capazes de modificar minha visão. Hoje, a corrida armamentista, os problemas ambientais, o comércio internacional de drogas, a estagnação do Terceiro Mundo e os persistentes déficits orçamentários e comerciais dos Estados Unidos atestam em favor de um mundo onde os problemas tornam-se cada vez mais complexos e interligados. Desde o início do meu curso no MIT, senti-me atraído pelo trabalho de Jay Forrester, pioneiro da computação que havia mudado de área para desenvolver o que chamou de "dinâmica de sistemas".[i] Jay afirmava que as causas de muitos dos maiores problemas públicos, da decadência urbana à ameaça ao meio ambiente global, estão nas políticas muito bem-intencionadas que foram desenvolvidas para resolvê-los. Esses problemas eram "de fato sistemas" que levaram os governantes a intervenções concentradas em sintomas óbvios, e não nas causas subjacentes, o que produzia benefícios a curto prazo mas também danos a longo prazo, e estimulava a necessidade de outras intervenções sintomáticas.

Quando iniciei minha tese de doutorado, tinha pouco interesse pela administração de empresas. Achava que as soluções para os grandes

---

i Dinâmica de sistemas é uma metodologia para a construção de modelos de simulação em computador com o objetivo de se estudar o comportamento dos sistemas. Como referência consulte *Industrial Dynamics*, de Jay Forrester (Productivity Press, 1961). (N. do E.)

problemas estavam no setor público. Mas logo comecei a conhecer líderes empresariais que vinham visitar nosso grupo do MIT para aprender sobre o pensamento sistêmico. Eram pessoas profundamente conscientes das inadequações dos métodos gerenciais predominantes. Estavam envolvidas no desenvolvimento de novos tipos de organizações — descentralizadas e não-hierárquicas, dedicadas ao bem-estar e crescimento dos funcionários, bem como ao sucesso. Algumas haviam criado filosofias empresariais radicais baseadas em valores essenciais de liberdade e responsabilidade. Outras haviam desenvolvido projetos organizacionais inovadores. Todas tinham em comum o comprometimento e a capacidade de inovar, ausentes no setor público. Aos poucos, fui percebendo por que a empresa é o *locus* da inovação em uma sociedade aberta. Apesar de qualquer influência que as antigas formas de pensar possam ter exercido sobre a mentalidade empresarial, a empresa tem uma liberdade de experimentar ausente no setor público e, muitas vezes, em organizações sem fins lucrativos. Possui também um "resultado" claro, permitindo assim que os experimentos possam ser avaliados, pelo menos em princípio, por critérios objetivos.

Mas por que essas pessoas estavam interessadas no pensamento sistêmico? Muitas vezes, os experimentos organizacionais mais audaciosos estavam fracassando. A autonomia local produzia decisões de negócios desastrosas para a organização como um todo. Exercícios de "formação de equipes" programavam atividades de canoagem para colegas de trabalho, mas quando voltavam para casa eles continuavam discordando fundamentalmente sobre os problemas empresariais. As empresas uniam-se em épocas de crise, para depois perder toda a inspiração quando os negócios melhoravam. Organizações que começaram como sucessos estrondosos, com as melhores intenções possíveis com relação aos clientes e funcionários, viam-se presas em espirais descendentes que pioravam a cada vez que se tentava revertê-las.

Por isso todos nós acreditávamos que as ferramentas do pensamento sistêmico poderiam ser importantes nessas empresas. Ao trabalhar com empresas diferentes, passei a ver por que o pensamento sistêmico, em si, não bastava. Era necessário um novo tipo de profissional que realmente tirasse o maior proveito desse pensamento. Na época, meados da década de 70, começa a surgir uma noção de como poderia ser esse profissional, porém essa noção ainda não havia se cristalizado. Está se cristalizando hoje com os líderes do nosso grupo no MIT: William O'Brien, da Hanover Insurance; Edward Simon, da Herman Miller, e Ray Stata, diretor-presidente da Analog Devices. Todos eles estão envolvidos em empresas inovadoras e influentes. Todos os três participam de nosso programa de pesquisas há vários anos, junto com líderes da Apple, Ford, Polaroid, Royal Dutch/Shell e Trammell Crow.

Durante onze anos, também participei do desenvolvimento e da realização dos *workshops* sobre liderança e domínio pessoal da Innovation Associates (IA), que apresentavam pessoas de todos os níveis às idéias da quinta disciplina derivadas do nosso trabalho no MIT, combinadas ao trabalho inovador da IA na construção de uma visão compartilhada e domínio pessoal. Mais de quatro mil gerentes participaram de nossos *workshops*. Começamos com um foco específico nos executivos seniores das empresas, mas logo descobrimos que as disciplinas básicas como pensamento sistêmico, domínio pessoal e visão compartilhada eram relevantes para professores, administradores públicos e autoridades eleitas, estudantes e pais. Todos ocupavam importantes posições de liderança. Todos estavam em "organizações" que ainda tinham um potencial oculto para a criação de seu futuro. Todos sentiam que, para aproveitar esse potencial, era necessário desenvolver suas próprias capacidades, ou seja, aprender.

Portanto, este livro destina-se aos aprendizes, especialmente àqueles interessados na arte e prática da aprendizagem coletiva.

Para os gerentes, este livro deve servir para identificar as práticas, habilidades e disciplinas específicas que façam com que a construção de organizações não continue sendo uma arte secreta (ainda que permaneça uma arte).

Para os pais, este livro deve ajudar a deixar que nossos filhos sejam nossos mestres, e nós os seus — pois eles têm muito a nos ensinar sobre a aprendizagem como forma de vida.

Para os cidadãos, o diálogo sobre os motivos pelos quais as organizações contemporâneas não são especialmente boas aprendizes — e sobre o que é necessário para construir uma organização que aprende — revela algumas das ferramentas necessárias às comunidades e sociedades que querem se tornar aprendizes mais aptas.

2

SUA ORGANIZAÇÃO TEM UMA DEFICIÊNCIA DE APRENDIZAGEM?

São poucas as grandes empresas que chegam à idade média de uma pessoa. Em 1983, um levantamento da Royal Dutch/Shell revelou que um terço das "quinhentas" relacionadas pela revista *Fortune*, em 1970, havia desaparecido.[1] A Shell estimou que o tempo de vida médio das grandes indústrias é inferior a quarenta anos, praticamente metade do tempo de vida de um ser humano! As chances são de 50 por cento de que os leitores deste livro vejam a empresa em que trabalham desaparecer ao longo de sua carreira profissional.

Na maioria das empresas que "desaparecem", há muitos indícios prévios da existência de problemas. Entretanto, esses indícios são ignorados, mesmo quando alguns gerentes têm ciência deles. A organização como um todo não consegue reconhecer as ameaças iminentes, compreender-lhes as implicações ou a elas encontrar alternativa.

Talvez, segundo a lei da "sobrevivência do mais apto", a morte contínua de empresas seja benéfica à sociedade. Por mais doloroso que seja para seus funcionários e donos, trata-se simplesmente da rotatividade do solo econômico, redistribuindo os recursos de produção a novas empresas e culturas. Mas e se a taxa de mortalidade das empresas for apenas um sintoma de problemas mais profundos que afligem a *todas*, e não apenas as que morrem? E se até as empresas bem-sucedidas são incapazes de aprender e apenas sobrevivem sem jamais explorar todo o seu potencial? E se, à luz do que as organizações *poderiam ser*, "excelência" for, na verdade, "mediocridade"?

Não é por acaso que a maioria das organizações tem dificuldades de aprendizagem. A forma como são projetadas e gerenciadas, a maneira como os cargos são definidos e, mais importante, o modo como todos fomos ensinados a pensar e interagir (não só nas organizações mas em uma perspectiva mais ampla), tudo isso cria deficiências cruciais de aprendizagem. Essas ocorrem independentemente dos grandes esforços de profissionais brilhantes e comprometidos. Geralmente, quanto mais tentam resolver os problemas, piores os resultados. No entanto, alguma aprendizagem desenvolve-se a despeito dessas deficiências, visto que ela permeia, em maior ou menor grau, todas as organizações.

Se as deficiências de aprendizagem são trágicas em crianças, especialmente quando não detectadas, mais alarmantes ainda se mostram nas organizações, onde em geral são amplamente ignoradas. A primeira etapa para corrigir tal situação é começar a identificar as sete deficiências de aprendizagem:

1. "EU SOU MEU CARGO"

Somos treinados para sermos leais ao cargo que ocupamos — tanto que o confundimos com a nossa própria identidade. Uma grande siderúrgica norte-americana, que começou a fechar fábricas no início da década de 80, ofereceu treinamento aos operários realocados em novas funções. Porém, o treinamento nunca "deslanchou"; os operários preferiram o desemprego ou "fazer bicos". Psicólogos foram contratados para descobrir o porquê e perceberam que eles estavam sofrendo de uma crise aguda de identidade. "Como posso fazer outra coisa?", diziam. "*Sou* torneiro mecânico."

Quando alguém pergunta a uma pessoa o que ela faz para viver, a maioria descreve as tarefas que executa no dia-a-dia, e não o *propósito* maior da empresa onde trabalha. A maioria se vê dentro de um "sistema" sobre o qual tem pouca ou nenhuma influência. Elas "fazem seu trabalho", dedicam seu tempo e tentam conviver com forças sobre as quais não exercem controle algum. Conseqüentemente, tendem a considerar suas responsabilidades limitadas às fronteiras do próprio cargo.

Recentemente, alguns gerentes de uma indústria de automóveis em Detroit contaram-me que desmontaram um carro japonês para descobrir como os concorrentes conseguiam produzir automóveis com extraordinária precisão e confiabilidade a um custo baixo executando um determinado processo de montagem. Descobriram que o mesmo modelo de parafuso era usado em três locais diferentes do bloco do motor. Em cada ponto, o parafuso era utilizado para fixar um tipo diferente de componente. No carro norte-americano, o mesmo processo de montagem utilizava três parafusos distintos, que exigiam três chaves específicas e três estoques de parafusos diferentes — tornando a montagem do carro muito mais lenta e cara. Por que os norte-americanos usam parafusos diferentes? Porque a organização responsável pelo projeto em Detroit contava com três grupos de engenheiros, cada grupo responsável "exclusivamente pelo seu componente". Os japoneses tinham um único projetista responsável pela montagem do motor e, provavelmente, com muitas outras responsabilidades. A ironia é que cada grupo de engenheiros norte-americanos considerava seu trabalho bem-sucedido porque *seu* parafuso e *sua* montagem funcionavam perfeitamente bem.

Quando as pessoas na organização se concentram exclusivamente no cargo que ocupam, elas têm pouco senso de responsabilidade em relação aos resultados da interação de todos os outros cargos. Além disso, quando os resultados são frustrantes, talvez seja muito difícil descobrir as razões. Resta apenas presumir que alguém "fez alguma besteira".

2. "O INIMIGO ESTÁ LÁ FORA"

Certa vez um amigo, técnico de futebol, contou-me a história de um menino que, depois de cruzar três bolas na grande área, sem sucesso, tirou as chuteiras e caminhou para o vestiário. "Será que ninguém consegue cabecear uma bola nesse maldito campo?"

Existe em cada um de nós uma propensão de encontrar alguém ou algo, uma razão externa para culpar quando as coisas não dão certo. Algumas organizações elevam essa propensão ao status de mandamento: "Encontrarás sempre um agente externo para culpar". O marketing culpa a produção: "Não conseguimos cumprir as metas de vendas porque nossa qualidade não é competitiva". A produção culpa a engenharia. A engenharia culpa o marketing: "Se pelo menos eles parassem de estragar nossos projetos e nos deixassem fazer o que sabemos fazer, seríamos líderes do setor".

Na verdade, a síndrome de "o inimigo está lá fora" é um subproduto de "eu sou meu cargo", e das formas não-sistêmicas de olhar o mundo favorecidas por essa abordagem. Quando nos concentramos apenas no cargo que ocupamos, não conseguimos enxergar como nossas ações se estendem além dessas fronteiras. Quando as conseqüências acabam retornando e nos prejudicando, interpretamos incorretamente esses novos problemas como se fossem provocados por causas externas. Como uma pessoa que está sendo perseguida pela própria sombra, aparentemente não conseguimos nos livrar deles.

A síndrome de "o inimigo está lá fora" não se limita à culpa *dentro* da organização. Durante os últimos anos de operação, a antes extremamente bem-sucedida People Express reduziu preços, impulsionou o marketing e comprou a Frontier Airlines — tudo isso em uma tentativa desesperada de combater o que considerava a *causa* da crise da empresa: concorrentes cada vez mais agressivos. Contudo, nenhuma dessas iniciativas recuperou os prejuízos crescentes ou resolveu o problema essencial da empresa, a qualidade do serviço, que havia diminuído tanto que a redução de tarifas era a única forma de atrair os clientes.

Para muitas empresas norte-americanas, "o inimigo" passou a ser a concorrência japonesa, os sindicatos, as medidas do governo ou os clientes que "nos traem" comprando produtos de uma outra empresa. "O inimigo está lá fora", entretanto, é quase sempre uma história incompleta. Normalmente, "lá fora" e "aqui dentro" pertencem a um sistema único. Essa deficiência de aprendizagem torna praticamente impossível detectar mecanismos de alavancagem que podemos usar para lidar com os problemas que ocorrem "aqui dentro" e aumentam a distância entre nós e o "lá fora".

3. A ILUSÃO DE ASSUMIR O CONTROLE

A moda é ser "proativo". Freqüentemente, os gerentes proclamam a necessidade de assumir o controle ao enfrentar problemas difíceis. O que querem dizer com isso é que devemos enfrentar as dificuldades, parar de esperar que uma outra pessoa faça alguma coisa, e resolver os problemas antes que se transformem em crises. Em especial, "ser proativo" normalmente é considerado antídoto para "ser reativo" — esperar até que a situação fuja do controle para tomar uma atitude. Mas será que apenas assumir uma atitude enérgica contra um inimigo externo é ser proativo?

Não faz muito tempo, a equipe gerencial de uma empresa de seguros com a qual estávamos trabalhando foi contaminada pelo vírus da "proatividade". O chefe da equipe, um talentoso vice-presidente, estava prestes a fazer um discurso anunciando que a empresa dispensaria os serviços de advogados externos, que faziam um número cada vez maior de acordos fora dos tribunais. A empresa criaria sua própria equipe jurídica, a fim de levar um maior número de processos a julgamento, em lugar de resolvê-los fora dos tribunais.

Foi então que eu e outros membros da equipe começamos a analisar de uma perspectiva mais sistêmica os efeitos possíveis dessa idéia; o provável percentual de processos que poderiam ser ganhos nos tribunais, o quase certo percentual de processos perdidos, os custos mensais diretos e indiretos, independentemente de ganhar ou perder uma disputa, e o tempo de permanência dos processos em litígio. (A ferramenta que utilizamos será discutida no Capítulo 17, "Micromundos: a tecnologia da organização que aprende".) O interessante é que os cenários da equipe indicavam um *aumento* dos custos totais, pois, devido à qualidade da investigação realizada no início da maioria dos casos, a empresa simplesmente não conseguiria vencer um número deles suficiente para compensar os custos do aumento de litígios. O vice-presidente rasgou seu discurso.

Com bastante freqüência, "proatividade" é reatividade disfarçada. Quando nos tornamos apenas mais agressivos, combatendo "o inimigo lá fora", estamos reagindo — independentemente de como chamamos essa atitude. *A verdadeira proatividade consiste em perceber qual é a nossa contribuição para nossos próprios problemas.* É um produto da nossa maneira de pensar, e não do nosso estado emocional.

4. A FIXAÇÃO EM EVENTOS

Duas crianças começam a brigar em um playground e você corre para separá-las. Mariazinha diz: "Bati nele porque ele pegou a minha bola". Joãozinho retruca: "Peguei a bola dela porque ela não me deixa brincar com seu avião". Mariazinha rebate: "Ele não pode brincar com o meu avião porque ele quebrou a hélice". O adulto, em sua sabedoria, argumenta: "Parem com isso, crianças. Vamos lá, façam as pazes". Porém, será que somos diferentes das crianças quando tentamos explicar os problemas em que nos metemos? Estamos condicionados a ver a vida como uma série de acontecimentos e, para cada um deles, acreditamos haver uma causa óbvia.

Nas organizações, as conversas são dominadas por uma preocupação com os eventos: as vendas do mês passado, os novos cortes no orçamento, o faturamento do último trimestre, quem acaba de ser promovido ou demitido, o novo produto que os concorrentes acabaram de anunciar, o atraso no lançamento do nosso novo produto e assim por diante. A mídia reforça a ênfase nos eventos a curto prazo — afinal, se aconteceu há mais de dois dias, já não é mais "notícia". O foco nos eventos leva-nos a "explicar" tudo utilizando eventos: "A queda média do índice Dow Jones hoje foi de dezesseis pontos", anuncia o jornal, "provocada pelos baixos lucros do quarto trimestre divulgados ontem." Essas explicações, embora possam ser verdadeiras, nos impedem de identificar os padrões de mudança a longo prazo que estão por trás e de compreender as causas que provocam esses padrões.

Na verdade, nossa fixação nos eventos é parte de nossa programação evolutiva. Se você quisesse criar um homem das cavernas com chances de sobrevivência, a habilidade de contemplar o cosmos não seria um critério de projeto altamente valorizado. O *importante* é a habilidade de olhar sobre o ombro esquerdo e enxergar o tigre-dos-dentes-de-sabre, e reagir rápido. A ironia é que, *hoje, as principais ameaças à sobrevivência, tanto nas organizações quanto em nossas sociedades, não vêm dos eventos súbitos mas de processos lentos e graduais:* a corrida armamentista, a degeneração do meio ambiente, a erosão do sistema educacional público de uma sociedade, o capital físico cada vez mais obsoleto e a queda da qualidade do projeto ou produto (pelo menos em relação à qualidade dos concorrentes) são processos lentos, graduais.

Não se pode manter a aprendizagem generativa em uma organização se a mentalidade das pessoas for dominada pelos eventos de curto prazo. Se nos concentrarmos neles, a alternativa mais eficaz é prever o evento antes que ocorra, para que possamos reagir da melhor forma possível. Mas não aprendemos a criar com isso.

5. A PARÁBOLA DO SAPO ESCALDADO

A inadaptação às crescentes ameaças à sobrevivência aparece com tanta freqüência nos estudos sistêmicos dos fracassos das empresas que está dando origem à parábola do "sapo escaldado". Se você colocar um sapo em uma panela de água fervendo, ele tentará pular para fora da panela imediatamente. Mas, se colocar o sapo em uma panela com água a temperatura ambiente, sem assustá-lo, ele ficará dentro da panela. Agora, se colocar a panela no fogo e aumentar gradativamente a temperatura, acontecerá uma coisa bastante interessante. Quando a temperatura aumentar de 20 para 30 graus, o sapo não se mexerá. Na verdade, dará sinais de que está gostando. Porém, à medida que a temperatura for aumentando gradativamente, o sapo ficará cada vez mais tonto, até que não será mais capaz de sair da panela. Embora nada o impeça de pular, ele continuará na panela, até ser escaldado. Por quê? Porque, nos sapos, o mecanismo interno que detecta as ameaças à sobrevivência é regulado para identificar mudanças súbitas do meio ambiente, e não mudanças lentas e graduais.

A mesma coisa aconteceu com a indústria automobilística norte-americana. Na década de 60, dominava o mercado nos EUA. Essa situação começou a mudar muito devagar. Com certeza, as Três Grandes de Detroit[i] não consideravam o Japão uma ameaça séria à sua sobrevivência em 1962, quando a participação japonesa no mercado norte-americano era inferior a 4 por cento. Nem em 1967, quando era menos de 10 por cento. Nem em 1974, quando era inferior a 15 por cento. As Três Grandes só começaram a analisar de uma forma crítica suas próprias práticas e premissas básicas no início da década de 80, quando a participação japonesa no mercado norte-americano cresceu para 21,3 por cento. Em 1989, os japoneses detinham cerca de 30 por cento do mercado e a indústria automobilística norte-americana era responsável apenas por aproximadamente 60 por cento dos carros vendidos nos Estados Unidos.[2] Ainda não se sabe com certeza se esse sapo, em especial, terá força suficiente para pular para fora da panela de água quente.

Para aprendermos a identificar processos lentos e graduais, precisamos reduzir nosso ritmo frenético e prestar atenção tanto aos eventos sutis quanto aos drásticos. Se você sentar às margens de uma lagoa e ficar observando, inicialmente não verá coisa alguma. Entretanto, basta continuar olhando e, cerca de dez minutos depois, subitamente a lagoa ganhará vida. Um mundo de belas criaturas sempre esteve lá; no entanto, esse mundo se movimenta um pouco mais lento, o que impede que você o veja imediatamente. O problema é que nossa mente está bloqueada em uma única freqüência — é como se só pudéssemos ver em 78 rpm; não conseguimos enxergar em 33 rpm. Não conseguiremos nos livrar do destino do sapo enquanto não aprendermos a diminuir o ritmo e perceber os processos graduais que, freqüentemente, representam as maiores ameaças.

6. A ILUSÃO DE APRENDER COM A EXPERIÊNCIA

O aprendizado mais poderoso vem da experiência direta. Na verdade, aprendemos a comer, engatinhar, caminhar e nos comunicar através de um processo direto de tentativa e erro — tomamos uma

i As Três Grandes de Detroit são a General Motors, a Ford e a Chrysler (N. do E.).

atitude, observamos as conseqüências e então assumimos ou não outra diferente. Mas o que ocorre quando não podemos mais observar os resultados de nossas ações? O que acontece quando as principais conseqüências de nossas atitudes ocorrem em um futuro distante ou em uma parte longínqua do sistema maior no qual atuamos? Cada um de nós tem um "horizonte de aprendizado", uma amplitude de visão no tempo e no espaço dentro da qual avaliamos nossa eficácia. Quando nossas atitudes geram conseqüências que se estendem além do nosso horizonte de aprendizado, torna-se impossível aprender com a experiência direta.

Aí está o *dilema essencial da aprendizagem* que as organizações têm de enfrentar: *aprendemos melhor com a experiência, todavia nunca experimentamos diretamente as conseqüências de nossas decisões mais importantes.* As mais críticas dentro de uma organização geram conseqüências que atingem o sistema como um todo e se estendem por anos ou décadas. Decisões na área de P&D geram conseqüências de primeira ordem no marketing e na produção. O investimento em novas instalações e processos de produção influencia a qualidade e a confiabilidade da entrega durante uma década ou mais. A promoção dos profissionais certos a posições de liderança pode influenciar a estratégia e o clima organizacional de uma empresa durante anos. Estas são exatamente as decisões em que há a menor oportunidade de aprendizagem por tentativa e erro.

É difícil identificar os ciclos e, conseqüentemente, aprender com eles, quando o seu tempo de duração é superior a um ou dois anos. Draper Kauffman Jr., autor que se dedica ao pensamento sistêmico, ressalta que a maioria das pessoas tem memória curta. "Quando ocorre uma disponibilidade excessiva de mão-de-obra em uma área específica", escreveu, "todos comentam o grande excedente e os jovens se afastam dessa área. Em alguns anos, isto gera uma carência, o número de oportunidades de emprego aumenta bastante e os jovens são freneticamente atraídos em direção a essa área — gerando um novo excedente. Obviamente, o melhor momento para começar um treinamento em uma função é quando as pessoas já estão comentando a sobra de mão-de-obra há alguns anos e pouca gente está entrando nessa área. Desta forma, você conclui o treinamento no momento em que a carência aparece."[3]

Tradicionalmente, as organizações tentam superar a dificuldade de enfrentar a amplitude do impacto das decisões dividindo sua estrutura em componentes. Instituem hierarquias funcionais que as pessoas conseguem "abraçar" com mais facilidade. Contudo, as divisões funcionais se transformam em feudos e o que um dia foi uma conveniente divisão do trabalho se transforma em "chaminés" que eliminam o contato entre as funções. Resultado: a análise dos problemas mais importantes da empresa, as questões complexas que atravessam os limites funcionais, torna-se um exercício arriscado ou inexistente.

7. O MITO DA EQUIPE GERENCIAL

Sempre preparada para enfrentar esses dilemas e deficiências, surge a "equipe gerencial", um conjunto de gerentes sensatos e experientes que representam as diferentes funções e áreas de *expertise*[i] da organização. Juntos, espera-se que identifiquem questões interfuncionais complexas, críticas à organização. Todavia, como podemos acreditar realmente que uma equipe típica de gerentes será capaz de superar essas deficiências de aprendizagem?

Com muita freqüência, as equipes tendem a gastar seu tempo lutando pelo seu pedaço, impedindo que qualquer coisa as faça parecer pessoalmente incompetentes e fingindo que todos apóiam a estratégia coletiva da equipe — mantendo a aparência de um grupo coeso. Para manter a imagem, buscam abafar as divergências; pessoas com sérias reservas evitam manifestá-las publicamente e as decisões conjuntas são compromissos diluídos, refletindo algo com que todos podem conviver ou a visão de uma pessoa imposta à equipe. Quando há divergências, normalmente elas são expressas de forma a atribuir culpa, polarizar opiniões, sem revelar as diferenças subjacentes nas premissas e experiências de cada um, nem permitir que a equipe como um todo aprenda.

"A maioria das equipes gerenciais rompe sob pressão", escreve Chris Argyris, professor de Harvard — um antigo estudioso da aprendizagem nas equipes gerenciais. "A equipe pode funcionar muito bem com os problemas de rotina. Porém, quando enfrenta problemas complexos que podem ser embaraçosos ou ameaçadores, o 'espírito de equipe' parece ir para o buraco."[4]

Argyris argumenta que a maioria dos gerentes considera a indagação coletiva inerentemente ameaçadora. A escola nos educa para nunca admitir que não sabemos a resposta e a maioria das empresas reforça essa lição, recompensando as pessoas competentes em defender seus pontos de vista, e não em indagar sobre problemas complexos. (Quando foi a última vez em que você viu um colega de trabalho ser recompensado por levantar questões difíceis sobre as atuais políticas da empresa, em lugar de resolver problemas urgentes?) Mesmo quando nos sentimos inseguros ou ignorantes, aprendemos a nos proteger da dor de parecer inseguro ou ignorante. Esse processo por si só bloqueia novas compreensões que possam nos ameaçar. A conseqüência é o que Argyris chama de "incompetência hábil" — equipes repletas de pessoas inacreditavelmente qualificadas em impedir a sua aprendizagem.

---

i O termo *expertise* tem o significado de perícia, especialidade ou destreza. (N. do E.)

DEFICIÊNCIAS E DISCIPLINAS

Convivemos com essas deficiências de aprendizagem há muito tempo. Em *The March of Folly*, Barbara Tuchman traça a história de devastadoras políticas de larga escala "que foram contra os interesses pessoais dos seus idealizadores",[5] da queda de Tróia ao envolvimento norte-americano no Vietnã. Em histórias sucessivas, os líderes não foram capazes de perceber as conseqüências de suas próprias políticas, mesmo quando alertados previamente de que sua própria sobrevivência corria risco. Nas entrelinhas do texto de Tuchman, pode-se perceber que os monarcas franceses da dinastia Valois no século 14 sofriam de deficiências do tipo "eu sou meu cargo" — quando desvalorizaram a moeda, literalmente não perceberam que estavam conduzindo a nova classe média francesa em direção à insurreição.

Em meados do século 18, a Grã-Bretanha registrou um terrível caso de sapo escaldado. Segundo Tuchman, "os ingleses viveram uma década de conflito crescente com as colônias [norte-americanas] sem que um único representante [oficial inglês], muito menos um ministro, atravessasse o Atlântico... para descobrir o que estava ameaçando o relacionamento..."[6] Em 1776, com o início da Revolução Norte-Americana, o relacionamento foi irreversivelmente ameaçado. Em uma outra passagem, Tuchman descreve os cardeais da Igreja Católica nos séculos 15 e 16, uma "equipe" gerencial trágica, cuja fidelidade exigiu manter uma aparência de harmonia. Entretanto, as punhaladas pelas costas (em alguns casos, literalmente punhaladas pelas costas) trouxeram à cena papas oportunistas, cujos abusos de poder provocaram a Reforma Protestante.

Os tempos de hoje não são menos perigosos e persistem as mesmas deficiências de aprendizagem, além de suas conseqüências. Acredito que as cinco disciplinas das organizações que aprendem podem atuar como antídotos a essas deficiências de aprendizagem. Mas, primeiro, é preciso enxergá-las mais claramente — pois, com assiduidade, elas se encontram perdidas em meio aos violentos eventos do dia-a-dia.

3

PRISIONEIROS DO SISTEMA OU PRISIONEIROS DO NOSSO PRÓPRIO PENSAMENTO?

Para que as deficiências de aprendizagem sejam vistas funcionando, é útil começar com uma experiência de laboratório — um microcosmo do funcionamento da organização verdadeira, onde podemos perceber as conseqüências das nossas decisões com mais clareza do que seria possível nas organizações do mundo real. Por isso, várias vezes convidamos pessoas para participar de uma simulação chamada "o jogo da cerveja", desenvolvido inicialmente na década de 60 na Sloan School of Management do MIT. Em função de ser uma "réplica em laboratório" de um contexto real, e portanto não ser a realidade em si, podemos isolar as deficiências e suas causas com maior precisão do que seria possível nas organizações do mundo real. Isto revela que os problemas têm sua origem mais nas formas básicas de pensar e interagir do que nas peculiaridades da estrutura e política organizacionais.

O jogo da cerveja desempenha este papel ao nos colocar em um tipo de organização pouco percebido, mas amplamente predominante: um sistema responsável por produzir e expedir bens comerciais, como acontece em todos os países industrializados. Nesse caso, trata-se de um sistema de produção e distribuição de uma única marca de cerveja. Os jogadores, em qualquer posição, têm total liberdade para tomar qualquer decisão que lhes pareça prudente. Sua única meta é administrar sua posição da melhor forma possível, a fim de maximizar seus lucros.[1]

Assim como em muitos outros jogos, as instruções do jogo da cerveja podem ser expostas na forma de uma história. Existem três personagens principais — um varejista, um atacadista e o diretor de marketing.[2] Essa história é contada sob o ponto de vista de cada um dos jogadores.

O VAREJISTA

Faça de conta que você é um comerciante varejista. Talvez o gerente de uma das lojas superiluminadas de uma cadeia de lojas 24 horas, localizada em uma das esquinas de um bairro no subúrbio. Ou então dono de uma mercearia familiar em uma rua com casas de tijolos aparentes, de estilo vitoriano. Ou mesmo proprietário de uma distribuidora de bebidas em uma estrada secundária.

Independentemente da aparência da loja, ou do que você vende, a cerveja é a alma do seu negócio. Não é só uma boa fonte de lucros como um chamariz para aqueles que, talvez, possam entrar na loja e comprar também pipocas e batatas fritas. Você possui em estoque pelo menos uma dúzia de marcas diferentes e mantém um certo controle de quantas caixas tem no estoque.

Uma vez por semana um caminhão de entrega estaciona nos fundos da loja. Você entrega ao motorista um formulário com o pedido da semana. O motorista, depois de terminar seu itinerário, entrega seu pedido ao atacadista, que o processa, organiza os pedidos a serem entregues numa seqüência adequada e expede a encomenda para a sua loja. Em função de todo esse processamento, você está acostumado a um atraso de quatro semanas, em média, na entrega dos pedidos; em resumo, a mercadoria chega à sua loja quatro semanas depois do pedido ser feito.

Você e o atacadista da cerveja nunca conversam pessoalmente. Comunicam-se apenas através das anotações no formulário de pedidos. Você nem sequer o encontrou; conhece apenas o motorista do caminhão. E há um bom motivo para isso: existem centenas de produtos na sua loja. Dezenas de atacadistas os entregam. Enquanto isso, o atacadista que lhe vende a cerveja lida com entregas a várias centenas de lojas, em dezenas de cidades diferentes. Entre o seu fluxo uniforme de clientes e o atendimento dos pedidos pelo atacadista, quem tem tempo para jogar conversa fora?

Uma das marcas de cerveja mais solicitadas é chamada Lover's Beer. Você ouviu dizer que é fabricada por uma cervejaria pequena, porém eficiente, localizada a uns 500 quilômetros. Não é uma marca muito famosa; na verdade, a cervejaria nem faz propaganda. Porém, toda semana, tão regular quanto a entrega matinal do seu jornal, saem de suas prateleiras quatro caixas da Lover's Beer. Claro, seus clientes são jovens — na faixa dos vinte e poucos anos — e volúveis; mas, de alguma forma, para cada um que evolui para uma Antarctica ou para uma Brahma há um irmão ou uma irmã mais nova para substituí-lo.

Para certificar-se de que você sempre tenha Lover's Beer, você procura manter sempre doze caixas na loja. Isso significa fazer o pedido de quatro caixas toda segunda-feira, quando chega o caminhão de entrega. Uma semana após a outra. A essa altura, você toma como certa a rotatividade de quatro caixas no estoque; é algo inteiramente atrelado à imagem que você tem em mente sobre o desempenho da cerveja. Não é preciso pensar muito para fazer o pedido. A ladainha é sempre a mesma: "Ah sim, Lover's Beer: quero quatro caixas".

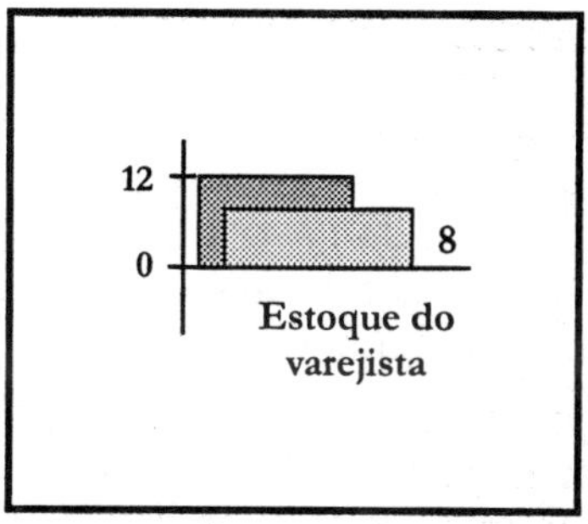

Semana 2

Semana 2: Sem aviso prévio, em uma dada semana de outubro (vamos chamá-la de Semana 2), as vendas da cerveja dobram. Pulam de quatro para oito caixas. Tudo bem, raciocina: você guarda um excedente de oito caixas na loja. Todavia, não sabe por que a marca passou a vender mais de uma hora para outra. Talvez alguém esteja dando uma festa. E, para repor essas caixas extras, você eleva o seu pedido para oito caixas. Assim, seu nível de estoque voltará ao normal.

Semana 3: Na semana *seguinte* você também vende oito caixas da Lover's Beer. E não é nenhum feriado prolongado. De vez em quando, naqueles raros momentos entre uma venda e outra, você fica tentando imaginar a razão. A cervejaria não está fazendo nenhuma campanha promocional; você certamente teria recebido algum folheto informativo. A não ser que a correspondência tenha se perdido, ou que a tenha jogado no lixo sem querer. Ou talvez o motivo seja outro... Mas entra um cliente na loja e você esquece o assunto.

No momento em que o caminhão de entrega chega, você ainda não pensou muito sobre a Lover's Beer, mas analisa sua planilha e vê que dessa vez ele só trouxe quatro caixas. (Elas vêm do pedido feito por você há quatro semanas.) Você tem apenas quatro caixas em estoque, o que significa que — a não ser que haja uma queda nas vendas — você venderá todas as caixas da Lover's Beer esta semana. A prudência exige um pedido de pelo menos oito caixas para acompanhar as vendas. Apenas por precaução você pede doze caixas, para que assim possa repor seu estoque.

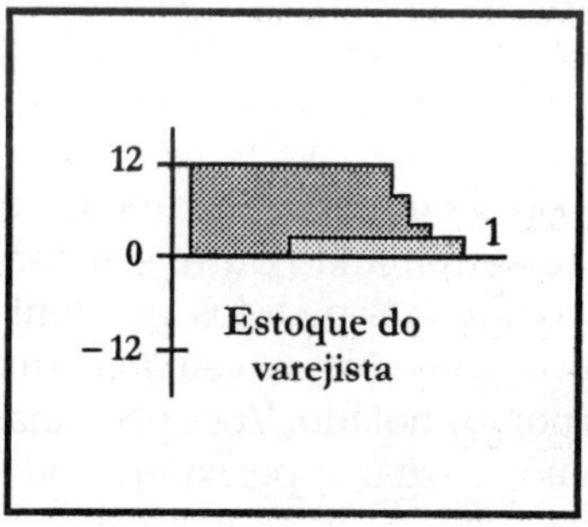

Semana 4

Semana 4: Na terça-feira você encontra tempo para abordar um ou dois dos seus clientes mais jovens. Acaba descobrindo que há mais ou menos um mês apareceu um novo videoclipe na televisão. O grupo que o gravou, chamado Os Iconoclastas, termina a música com o seguinte verso: "Tomo um último gole da Lover's Beer e corro para o sol". Você não sabe por que eles usaram esse verso, mas seu atacadista teria lhe comunicado se houvesse algum novo contrato de merchandising. Você pensa em ligar para o atacadista, contudo uma entrega de batatas fritas está para chegar e o assunto da Lover's Beer perde-se na sua mente.

Quando chega a próxima entrega de cerveja, você recebe apenas cinco caixas. Você fica aflito, pois resta apenas uma caixa em estoque. Você já vendeu quase todas. E, graças a esse videoclipe, a demanda pode aumentar *ainda mais*. No entanto, você sabe que já pediu algumas caixas extras, porém não exatamente quantas. É melhor pedir pelo menos dezesseis.

Semana 5: Você vende a última caixa na segunda-feira pela manhã. Por sorte, recebe uma remessa com outras sete de Lover's (aparentemente o atacadista está ameaçando reagir aos seus pedidos maiores). Mas você vende tudo até o final da semana, ficando com o estoque no zero absoluto. Você lança um olhar triste à prateleira vazia. É melhor pedir mais dezesseis caixas. Você não quer ter a reputação de não ter cervejas populares em seu comércio.

Semana 6: Como previsto, os clientes começam a procurar a cerveja no início da semana. Dois são fiéis para esperar a chegada do pedido pendente: "Avise-nos assim que a cerveja chegar", dizem, "e a gente volta para comprar". Você anota o nome e o telefone deles: cada um prometeu adquirir uma caixa.

Na próxima entrega, chegam apenas seis. Você liga para os dois clientes que estavam à espera. Eles vão até a loja e cada um leva a sua; o restante acaba até o final da semana. Novamente, dois clientes deixam o nome e o telefone, pedindo que você entre em contato assim que chegar a próxima remessa. Você fica imaginando o quanto poderia ter vendido a mais se as prateleiras não estivessem vazias. Parece estar havendo grande procura pela cerveja: nenhuma das lojas das redondezas tem essa marca. A cerveja está na moda e, aparentemente, ficando cada vez mais popular.

Após dois dias diante da prateleira vazia, não parece certo encomendar menos de dezesseis caixas. Você fica tentado a solicitar mais, mas se contém, pois sabe que os pedidos que você vem fazendo logo chegarão. Mas quando?

Semana 7: O caminhão de entrega traz apenas cinco caixas, o que significa que você estará enfrentando outra semana de prateleiras vazias. Logo que são atendidos os pedidos pendentes, a Lover's Beer acaba, dessa vez em dois dias. Nessa semana, surpreendentemente, cinco clientes deixam o nome anotado. Você pede mais dezesseis caixas, reza para que comecem a chegar e pensa em todas as batatas fritas que deixou de vender.

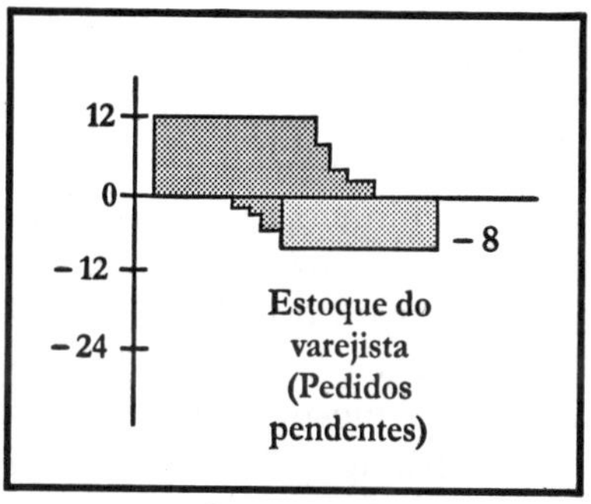

Semana 8

Semana 8: A essa altura, você vem acompanhando as vendas da Lover's Beer mais de perto do que qualquer outro produto que comercializa. O suspense é evidente: toda vez que um cliente compra um pacote de seis latas da cerveja, você nota. As pessoas parecem estar falando sobre a cerveja. Você aguarda ansiosamente pelo caminhão de entregas com as *esperadas* dezesseis caixas...

Mas chegam apenas cinco. "Como assim só cinco?", você pergunta desesperado. "Olha, eu não sei de nada...", justifica-se o entregador. "Acho que eles estão com muitos pedidos pendentes. As que faltam vou conseguir entregá-las dentro de algumas *semanas*." Algumas semanas!?! Quando você ligar para os clientes que estão à espera da cerveja, você já terá vendido toda a mercadoria disponível e ficará sem uma única garrafa da Lover's na prateleira durante a semana inteira. Como ficará a sua reputação?

Você pede mais 24 caixas — o dobro do que havia planejado. O que esse atacadista *está fazendo comigo,* você imagina. Será que tem noção da demanda de mercado que existe por aqui? O que se passa na cabeça dele, afinal?

O ATACADISTA

Como gerente de uma empresa de distribuição por atacado, cerveja é a sua vida. Você passa o dia diante de uma mesa metálica de um pequeno armazém, cercado de pilhas de caixas de cervejas de todas as marcas concebíveis: Antarctica, Brahma, Kaiser, Skol, algumas cervejas importadas — e, obviamente, cervejas regionais, como a Lover's Beer. A região que você abastece inclui uma cidade grande, várias pequenas cidades-satélites, alguns subúrbios e áreas rurais mais afastadas. Você não é o único atacadista do local, entretanto está bem consolidado. No caso de várias marcas pequenas, incluindo a Lover's Beer, você é o distribuidor exclusivo da área.

Na maioria das vezes, você se comunica com a fábrica através do mesmo método que os varejistas usam para entrar em contato com você. Escreve números em um formulário, que entrega toda semana ao motorista do caminhão. Quatro semanas depois, em média, a cerveja é entregue. Em vez de solicitar por caixa, contudo, você faz por grosa. Cada grosa é suficiente para carregar um pequeno caminhão, e por isso você pensa nelas em termos de carregamentos de caminhão. Da mesma forma que a cada semana os varejistas encomendam cerca de quatro caixas da Lover's Beer, você pede quatro carregamentos para a fábrica. Isso é suficiente para que você sempre tenha em estoque, a qualquer momento, o equivalente a doze carregamentos da cerveja.

Na Semana 8, você está quase tão frustrado e mal-humorado quanto os seus varejistas. A Lover's Beer sempre foi uma marca com uma demanda confiavelmente uniforme. Mas, de algumas semanas para cá — na Semana 4, para ser mais preciso —, de forma abrupta os pedidos começaram a subir. Na semana seguinte, os pedidos dos varejistas haviam aumentado ainda mais. Na Semana 8, a maioria das lojas estava pedindo o triplo ou o quádruplo da quantidade normal da cerveja.

Inicialmente, você tinha conseguido atender aos pedidos adicionais com facilidade, usando seu próprio estoque. E você se preveniu: notando que havia uma tendência, aumentou imediatamente a quantidade de Lover's Beer que encomendava à cervejaria. Na Semana 6, depois de ler um artigo no *Jornal dos Distribuidores de Cerveja* sobre o novo videoclipe, você aumentou mais ainda seus pedidos, chegando ao absurdo de vinte carregamentos por semana. Era um pedido cinco vezes maior do que o normal. Porém, precisava de tudo aquilo: a julgar pela demanda das lojas, a popularidade da cerveja estava dobrando, triplicando, ou até quadruplicando.

Na Semana 6, você havia expedido toda a cerveja que restava e entrado na terrível fila de pedidos pendentes. Em todas as semanas você expedia o que podia e enviava às lojas notas promissórias que equivaliam ao restante que não tenha sido entregue. Algumas das maiores cadeias ligaram e conseguiram o tratamento preferencial que você pôde oferecer; entretanto, seu estoque da Lover's Beer estava esgotado. Pelo menos você sabia que faltavam apenas algumas semanas para que os pedidos adicionais começassem a chegar.

Na Semana 8, quando ligou para a cervejaria para saber se havia alguma forma de acelerar as entregas (e para notificá-los de que estava aumentando o pedido para trinta carregamentos), você ficou desanimado ao descobrir que eles haviam acelerado a produção há apenas duas semanas. Só agora percebiam o aumento do consumo. Como é que podiam ser tão lentos?

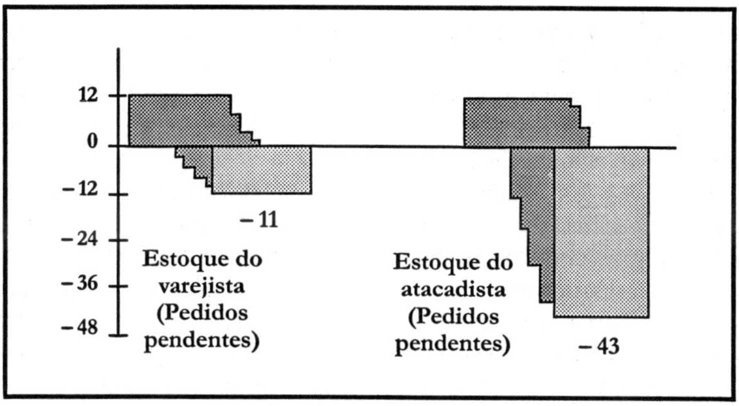

Semana 9

Semana 9: Você, atacadista, está recebendo pedidos semanais de vinte carregamentos da Lover's Beer, mas ainda não conta com a mercadoria. No final da última semana, o volume de pedidos pendentes chegava a vinte e nove carregamentos. Seus funcionários vêm recebendo tantos telefonemas perguntando sobre a cerveja que lhe pediram para instalar uma secretária eletrônica com uma explicação sobre o problema. Mas você está confiante de que, nesta semana, os vinte carregamentos que pediu há um mês finalmente chegarão.

Entretanto, chegaram apenas seis. A cervejaria aparentemente ainda está tentando atender os pedidos pendentes e as produções maiores só agora começam a ser expedidas. Você liga para algumas das suas maiores cadeias de clientes para lhes assegurar que a cerveja solicitada chegará em breve.

Semana 10: A essa altura está todo mundo louco. As entregas extras de cerveja que esperava — o equivalente a pelo menos doze carregamentos — não são feitas. A cervejaria não conseguiu acelerar a produção com tanta rapidez. Pelo menos é o que você imagina. Eles só enviam oito carregamentos. É impossível conseguir falar com alguém da fábrica — aparentemente todos estão no chão-de-fábrica, gerenciando os equipamentos de produção.

Enquanto isso, as lojas estão vendendo a cerveja como nunca. Você vem recebendo pedidos sem precedentes — 26 carregamentos essa semana. Ou talvez estejam fazendo pedidos tão altos porque *elas* não conseguem receber a cerveja de você. De uma forma ou de outra, você tem de tentar acompanhá-los. E se não conseguir entregar a cerveja e resolverem procurar um dos concorrentes?

Você pede quarenta carregamentos à cervejaria.

Semana 11: Você já se sente tentado a ficar tomando café, durante a tarde inteira, no bar da esquina. Chegam apenas *doze* carregamentos da Lover's Beer. Você continua sem conseguir falar com ninguém da fábrica de cervejas. E ainda tem pedidos de mais de *cem* carregamentos para entregar: 77 em pedidos pendentes e outros 28 de lojas que foram feitos nessa semana. Algumas das notas promissórias de pedidos pendentes vencem e você está com medo de dizer ao seu contador.

Precisa mais do que nunca conseguir a cerveja: você pede *outros* quarenta carregamentos à cervejaria.

Semana 12: As coisas ficam claras. Essa nova demanda de Lover's Beer é uma mudança muito maior do que se esperava. Você suspira, resignado, pensando no dinheiro que poderia ter ganho se tivesse um volume de estoque suficiente. Como a cervejaria pôde *fazer isso com você*? Por que a demanda aumentou com *tanta rapidez*? Como você poderia acompanhá-la? Tudo o que sabe é que jamais se deixará cair em outra situação como essa. Solicita, então, mais sessenta carregamentos.

Nas quatro semanas que se seguem, a demanda continua a superar sua oferta.

Semana 13: Você não consegue reduzir os pedidos pendentes.

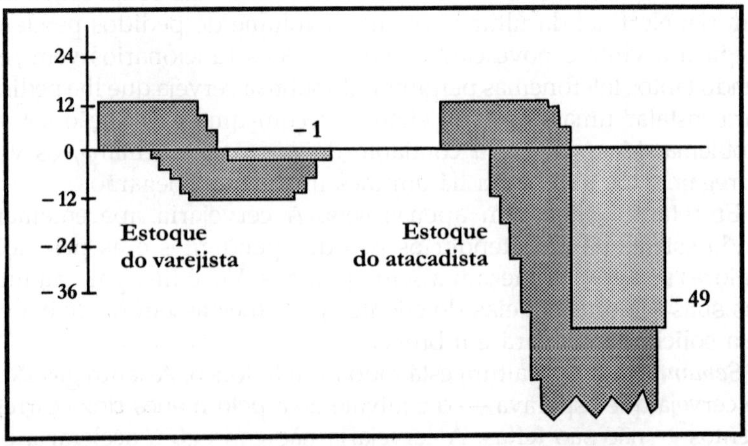

Semana 14

Semanas 14 e 15: Finalmente você começa a receber entregas em maior volume da cervejaria. Ao mesmo tempo, os pedidos das lojas começam a cair um pouco. Você raciocina que talvez nas semanas anteriores os varejistas tenham feito encomendas grandes demais. A essa altura, qualquer coisa que ajude a diminuir o volume de pedidos pendentes é um alívio.

Semana 16: Agora sua distribuidora recebe quase *toda* a cerveja que pedira nas semanas anteriores: 55 carregamentos. A mercadoria chega no início da semana e você anda pela seção do armazém para dar uma olhada nas caixas empilhadas nos *pallets*. A quantidade é semelhante à que você armazena para as outras grandes marcas. E logo essa mercadoria escoará.

Ao longo da semana, você aguarda ansiosamente os pedidos das lojas. Chega a ir à recepção ver os formulários de pedidos um a um. Mas, em todos eles, aparece sempre o mesmo número: zero. Zero. Zero. Zero. Zero. O que está acontecendo com essa gente? Há quatro semanas todos estavam loucos pela cerveja e agora já não a querem mais.

De repente, você tem uma intuição. Logo depois do seu motorista de caminhão sair para fazer o seu itinerário, que inclui a cervejaria, você sai também e consegue alcançá-lo. Você pega o formulário e risca os 24 carregamentos que havia pedido, substituindo-o por um zero.

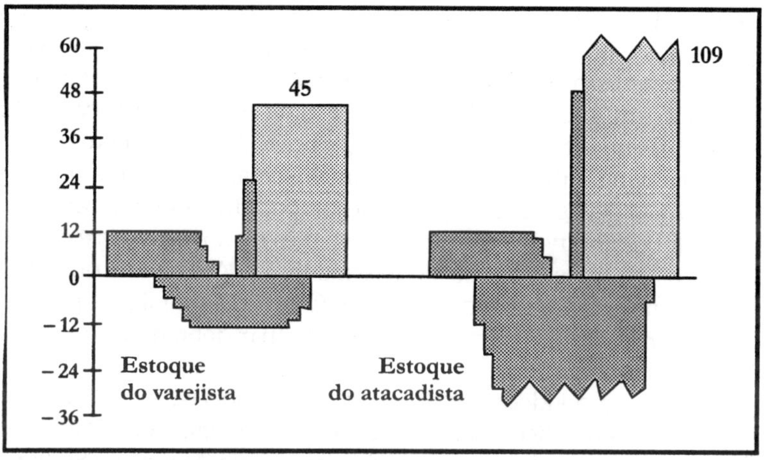

Semana 17

Semana 17: Chegam mais sessenta carregamentos da Lover's Beer. As lojas continuam não fazendo solicitações do mesmo modo que você à cervejaria. Cento e nove carregamentos da mercadoria perfazem seu estoque. Poderia tomar um banho de cerveja todo dia, sem que isso fizesse a mínima diferença.

Com certeza as lojas vão querer mais cerveja *nessa* semana. Afinal, o videoclipe ainda está no ar. No fundo, gostaria de mandar os varejistas, um a um, para as profundezas do inferno, local reservado às pessoas que não cumprem suas promessas.

E, de fato, os varejistas não fazem pedido algum da Lover's Beer. Você, por sua vez, também não o faz à cervejaria. E, mesmo assim, a fábrica continua entregando cerveja. Outros sessenta carregamentos são entregues em seu depósito. Por que foi acontecer logo com você? Quando isso terminará?

A CERVEJARIA

Imagine que você tenha sido contratado há quatro meses para gerenciar a parte de distribuição e marketing de uma fábrica de cervejas, na qual Lover's Beer é apenas um entre vários produtos. Trata-se de uma cervejaria pequena, conhecida pela sua qualidade, não pelo arrojo do seu marketing. Por isso mesmo o contrataram.

Está fazendo a coisa certa. Isso porque, já no seu segundo mês na empresa (Semana 6 desse jogo), o volume de novos pedidos aumentou drasticamente. No final do terceiro mês no cargo, você sentiu a satisfação de receber pedidos de quarenta grosas de cerveja *por semana*, muito mais que os pedidos de quatro grosas de quando você assumiu. E você expediu... bem, expediu trinta.

Isso acontece porque existem pedidos pendentes também nas cervejarias. São necessárias (pelo menos na sua cervejaria) duas semanas do momento em que se decide produzir uma garrafa de cerveja até o instante em que está pronta para a expedição. Arbitrariamente, você mantinha estoque suficiente para algumas semanas, mas ele acabou na Semana 7, apenas duas depois que os pedidos aumentaram. Na seguinte, embora houvesse pedidos pendentes de nove grosas e outras 24 em novos pedidos, você só pôde expedir 22. A essa altura, havia se tornado um herói dentro da empresa. O gerente da fábrica já dava a todos os funcionários incentivos para trabalhar dobrado e recrutava novos trabalhadores.

Teve sorte com o videoclipe do grupo Os Iconoclastas que mencionava a cerveja. Você ficou sabendo do clipe na Semana 3 — através de cartas escritas por adolescentes para a cervejaria. Mas só na Semana 6 é que o clipe começou a render pedidos maiores.

Mesmo na Semana 14, a fábrica *ainda* não havia conseguido dar conta das pendências. Você tinha pedido regularmente lotes de setenta grosas ou mais e ficava imaginando quanto ganharia de bônus esse ano. Talvez pudesse propor um percentual dos lucros, pelo menos depois que desse conta dos pedidos pendentes. Chegara mesmo a se ver na capa da *Propaganda & Marketing*.

Finalmente, na Semana 16, você *conseguiu* dar conta de todas as encomendas. Porém, na semana seguinte, seus distribuidores haviam pedido apenas dezenove grosas. E na última, a Semana 18, os pedidos simplesmente cessaram. Em alguns dos formulários de pedidos, os números estavam até riscados.

Semana 19: Você tem em estoque cem grosas de cerveja. E os pedidos, mais uma vez, praticamente não solicitam novas entregas. Nada de cerveja. Enquanto isso, a produção de cerveja que você tinha iniciado continua. Você dá o temido telefonema para seu chefe. "É melhor segurarmos a produção por uma ou duas semanas", diz você. "Nós temos..." e usa uma palavra que aprendeu na faculdade de administração — "...uma descontinuidade na demanda." Faz-se silêncio do outro lado da linha. "Mas tenho certeza de que é apenas temporária", acrescenta.

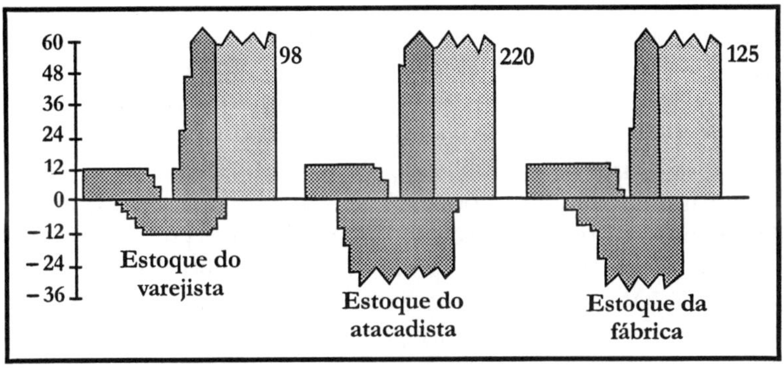

Semana 21

Semanas 20, 21, 22 e 23: Nada se altera durante essas quatro semanas que se seguem: Aos poucos, suas esperanças de reaquecimento das vendas diminuem e suas desculpas soam cada vez mais frágeis. Esses distribuidores acabaram conosco, diz para seus botões. Os varejistas não compraram cerveja suficiente. A imprensa e o videoclipe exploraram demais a cerveja e todos acabaram enjoando. Em suma, foram aqueles adolescentes volúveis — no final das contas, não existe lealdade. Como puderam comprar centenas de caixas em um mês e, no mês seguinte, simplesmente parar de comprar?

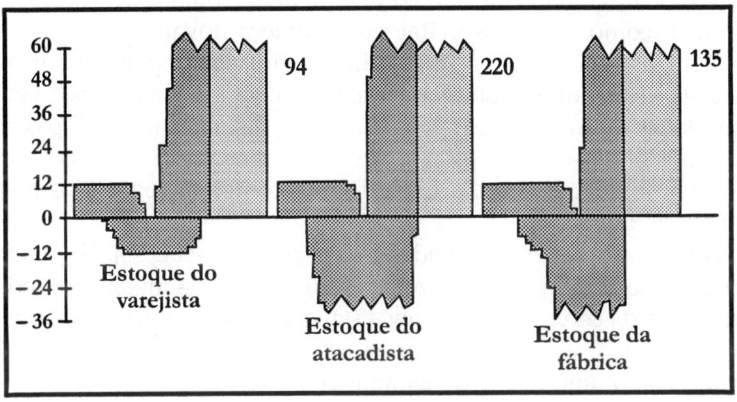

Semana 24

Semana 24: Ninguém dá por sua falta quando você pega emprestado o carro da cervejaria na segunda-feira. A primeira parada é o escritório do atacadista. Não só é a primeira vez que você o encontra como também a segunda que se falam. Antes da crise, não havia nada a ser dito. Vocês se cumprimentam sem muito entusiasmo, e então o atacadista leva-o até o armazém dos fundos. "Estamos sem receber um pedido sequer da marca de sua fábrica há dois meses", diz o atacadista.

"Sinto-me como se tivessem me passado a perna. Olha só isso! Nós ainda temos 220 carregamentos em estoque!"

O que deve ter acontecido foi um aumento súbito da demanda, seguido de uma queda rápida. Outro exemplo de como o público é volúvel. Se os varejistas tivessem acompanhado a situação e lhes avisado, isso jamais teria acontecido.

No caminho de volta, você está pensando no que escreverá no próximo relatório de estratégia de marketing, quando, por impulso, decide parar na loja de um varejista perto do seu caminho. Por acaso, o dono está na loja. Você se apresenta e o varejista dá um sorrisinho irônico. Deixando um assistente encarregado pela loja, vocês dois caminham até uma lanchonete próxima para tomar um café.

O varejista levou consigo uma cópia dos registros de estoque da loja, e espalha-os sobre a mesa. "Você não imagina como eu gostaria de tê-lo estrangulado há alguns meses."

"Por quê?", pergunta você.

"Veja, temos 93 caixas de cerveja em estoque. Nesse ritmo, vamos levar umas seis semanas para vender tudo."

Seis semanas, pensa você com seus botões. E tira do bolso uma calculadora. Se *todos* os varejistas dessa área esperarem seis semanas para pedirem mais cerveja, e depois só encomendarem algumas caixas por semana, levará um ano ou mais para escoar todos aqueles 220 carregamentos estocados no atacadista.

"É uma tragédia", constata você. "Quem deixou isso acontecer... quero dizer, como podemos evitar que aconteça novamente?"

"Bem, a culpa não é *nossa*", explica o varejista, depois de outro gole de café. "Estávamos vendendo quatro caixas de cerveja por semana quando foi lançado aquele videoclipe. Depois, na Semana 2, passamos a vender oito."

"E em seguida as vendas explodiram", completa você. "Mas por que caíram de novo?"

"Não, você não está entendendo", retrucou o varejista. "A demanda nunca cresceu demais. E ela nunca caiu. *Ainda* continuamos vendendo oito caixas da cerveja, semana após semana. Mas *vocês* não nos enviaram a quantidade que pedimos. Por isso continuamos fazendo os pedidos, apenas como uma forma de garantir o atendimento aos clientes."

"Mas nós enviamos a cerveja sempre que era necessário."

"Então, talvez, o atacadista tenha causado esse problema de alguma forma", arrisca o varejista. "Venho pensando mesmo em mudar de fornecedor. De qualquer forma, seria bom se vocês fizessem uma promoção ou coisa parecida, assim eu poderia cobrir parte dos meus custos. Gostaria de descarregar uma parte dessas 93 caixas."

Você paga o café. No caminho de volta, pensa nas palavras que usará em sua carta de demissão. Obviamente, será sua a culpa pelas demissões e até mesmo o possível fechamento da fábrica decorrentes dessa crise. Da mesma forma que o atacadista culpou o varejista e o varejista culpou o atacadista, todos vão querer culpá-lo. Pelo menos o processo ainda está no início e você pode pedir demissão com dignidade. Se ao menos pudesse explicar que a culpa não foi sua; provar que você foi a vítima e não o culpado...

LIÇÕES DO JOGO DA CERVEJA

1. **A estrutura influencia o comportamento**
   Pessoas diferentes, na mesma estrutura, tendem a produzir resultados qualitativamente semelhantes. Quando ocorre algum problema ou quando o desempenho não corresponde às expectativas, é fácil encontrar alguém ou alguma coisa sobre a qual colocar a culpa. *Porém, com mais freqüência do que percebemos, são os sistemas que causam suas próprias crises, e não as forças externas ou os erros dos indivíduos.*

2. **A estrutura dos sistemas humanos é sutil**
   Temos a tendência de pensar em "estrutura" como sendo limitações externas impostas aos indivíduos. No entanto, a *estrutura* nos sistemas vivos complexos, como a "estrutura" dos múltiplos "sistemas" no corpo humano (por exemplo, o sistema cardiovascular e neuromuscular), *representa as inter-relações básicas que controlam o comportamento.* Nos sistemas humanos, a estrutura inclui o modo como as pessoas tomam suas decisões — as "políticas de operação" segundo as quais traduzimos percepções, metas, regras e normas em ações.

3. **A alavancagem freqüentemente vem de novas formas de pensar**
   Nos sistemas humanos, as pessoas quase sempre têm uma alavancagem potencial que não exercitam porque se concentram apenas em suas próprias decisões, ignorando como estas afetam os outros. No jogo da cerveja, os jogadores têm o poder de eliminar as instabilidades extremas que invariavelmente ocorrem, mas não o fazem porque não entendem como eles mesmos estão criando a instabilidade.

As pessoas, nos ambientes de negócio, amam os heróis. Adoramos elogiar e promover os indivíduos que alcançam resultados visíveis. Porém, quando algo sai errado, achamos intuitivamente que alguém deva ter feito algo de errado.

No jogo da cerveja, esses tais culpados não existem. Não há ninguém a quem atribuir a culpa. Todos os três jogadores da nossa história tinham a melhor das boas intenções: atender bem os seus clientes, manter o produto fluindo suavemente pelo sistema e evitar problemas. Cada participante fez julgamentos a partir de bons motivos, claramente justificáveis, com base em conjecturas razoáveis sobre o que poderia acontecer. Não havia vilões, mas, no entanto, existia uma crise — inerente à estrutura do sistema.

Nos últimos trinta anos, o jogo da cerveja foi utilizado milhares de vezes em aulas e em seminários de treinamento gerencial. Foi aplicado nos cinco continentes, por pessoas de todas as idades, nacionalidades, origens culturais e de ramos de negócio dos mais variados. Alguns jogadores nunca tinham ouvido falar de um sistema de produção/distribuição antes de conhecer o jogo; outros haviam passado boa parte da vida nessa área. Entretanto, toda vez que se promove o jogo, surge a mesma crise. Primeiro, há uma demanda crescente que não pode ser suprida. Os pedidos se acumulam no sistema. Os estoques chegam ao fim. Os pedidos pendentes aumentam. Depois, a cerveja começa a chegar em massa, enquanto os pedidos caem repentinamente. No final da experiência, quase todos os jogadores se encontram com estoques enormes que não conseguem descarregar. Não é incomum encontrarmos, por exemplo, fábricas, com centenas de caixas em estoque, recebendo pedidos semanais dos atacadistas na casa das oito, dez ou doze caixas de cerveja.[3]

Se literalmente milhares de jogadores, com experiências muito diversas, geram os mesmos padrões de comportamento qualitativo, as causas do comportamento devem estar além dos indivíduos. Devem estar na estrutura do jogo em si.

Cada vez mais, estruturas do tipo do jogo da cerveja geram crises semelhantes nos sistemas reais de produção/distribuição. Por exemplo, em 1985, chips de memória para computadores pessoais eram baratos e disponíveis para pronta entrega; as vendas caíram 18 por cento e os produtores norte-americanos sofreram perdas de 25 por cento a 60 por cento.[4] Porém, no final de 1986, desenvolveu-se uma repentina escassez, ampliada pelo pânico e pelo excesso de pedidos. O resultado foi um aumento de 100 por cento a 300 por cento no preço dos mesmos chips.[5] Um ciclo semelhante de surto e colapso da demanda ocorreu no setor de semicondutores, entre 1973 e 1975. Depois de um enorme acúmulo de pedidos e do aumento do atraso das entregas em todo o setor, a demanda começou a cair e era possível obter, da noite para o dia, praticamente qualquer produto que se desejasse de qualquer fornecedor. Alguns anos mais tarde, Siemens, Signetics, Northern Telecom, Honeywell e Schlumberger entraram no negócio comprando fábricas de semicondutores fragilizados.[6]

Em meados de 1989, a General Motors, a Ford e a Chrysler, nas palavras da edição de 30 de maio do *Wall Street Journal*, "estavam produzindo muito mais carros do que vendiam, e os estoques das concessionárias se acumulavam... As empresas já estão fechando fábricas e demitindo funcionários em um ritmo que não se via há anos".[7] Várias economias nacionais passam pelos mesmos tipos de surtos de demanda e ajuste exagerado de estoque, *devido ao que os economistas chamam de teoria da "aceleração de estoques" dos ciclos de negócios.*

Ciclos semelhantes de explosão e colapso do consumo continuam ocorrendo em diversas empresas de serviços. Por exemplo, o setor imobiliário é notoriamente cíclico, muitas vezes alimentado pelos especuladores que empurram os preços para cima a fim de atrair investidores para novos projetos. "O telefone tocava em nosso escritório", diz Paul Quinn, empreendedor de condomínios de Massachusetts em 1989, "e nós dizíamos 'Como vamos administrar isso? Vamos dizer às pessoas para enviar um cheque de US$ 5 000, acompanhado do respectivo nome, e vamos colocá-las na lista'. Quando nos demos conta, havia mais de 150 cheques sobre a mesa." Em seguida, o excesso de oferta aconteceu rapidamente. "Era um sentimento de que estávamos afundando, devagar", disse Quinn, entrevistado em uma cidade litorânea repleta de imóveis que não haviam sido vendidos. "Agora, chegou a hora de começar a construir para a próxima explosão de consumo. Infelizmente, as pessoas que atuam no ramo imobiliário estão ocupadas demais tentando resolver os problemas que sobraram da última vez."[8]

Na verdade, a realidade dos sistemas de produção/distribuição freqüentemente é pior que a do jogo da cerveja. Na vida real, um varejista pode fazer pedidos a três ou quatro atacadistas ao mesmo tempo, esperar o primeiro lote de pedidos chegar e cancelar os outros. Os produtores da vida real lutam com limites de capacidade de produção que não estão presentes no jogo, amplificando assim o pânico no sistema de distribuição. Os produtores, por sua vez, investem em capacidade de produção adicional por acreditarem que os atuais níveis de demanda continuarão existindo no futuro, e depois vêem-se presos ao excesso de capacidade de produção quando a demanda entra em colapso.

A dinâmica dos sistemas de produção/distribuição, como a do jogo da cerveja, ilustra o primeiro princípio do pensamento sistêmico:

A ESTRUTURA INFLUENCIA O COMPORTAMENTO

Quando colocadas em um mesmo sistema, as pessoas, mesmo com diferentes perfis, tendem a produzir resultados semelhantes.

A perspectiva sistêmica nos diz que precisamos enxergar além dos erros individuais ou do azar para entendermos os problemas importantes. Precisamos enxergar além das personalidades e dos eventos. Olhar dentro das estruturas subjacentes que moldam as ações individuais e criam as condições em que certos tipos de evento tornam-se mais típicos. Como diz Donella Meadows:

> Um insight realmente profundo e diferente ocorre quando começamos a ver que o sistema causa seu próprio comportamento.[9]

Essa mesma percepção foi expressada há mais de cem anos por um adepto do pensamento sistêmico de uma geração anterior. Depois de dois terços de *Guerra e Paz,* Leon Tolstói interrompe sua narrativa da história de Napoleão e da Rússia czarista para contemplar os motivos pelos quais os historiadores, em geral, não conseguem dar boas explicações:

> Os primeiros quinze anos do século 19 apresentam o espetáculo de um extraordinário movimento de milhões de homens. Os homens deixam de lado suas buscas habituais; correm de um lado para o outro da Europa; saqueiam, matam uns aos outros, triunfam e se desesperam; o fluxo da vida se transforma e apresenta uma atividade mais intensa, primeiro movendo-se em velocidade crescente, e depois relaxando de novo. Qual a causa dessa atividade, ou de que leis surgiu, perguntou o intelecto humano.
>
> Os historiadores, em resposta a essa indagação, despejam diante de nós os dizeres e ações de algumas dezenas de homens de um dos prédios da cidade de Paris, resumindo esses feitos e dizeres em uma única palavra — revolução. Em seguida, apresentam-nos uma biografia detalhada de Napoleão e de algumas pessoas dispostas de maneira favorável ou hostil com relação a ele; falam sobre a influência de algumas dessas pessoas sobre outras; e depois dizem que é a isso que se deve a atividade; e essas são as suas leis.
>
> Mas o intelecto humano não só recusa-se a acreditar nessa explicação, como também declara francamente que o método de explicação não está correto... A soma dos desejos humanos individuais produziu tanto Napoleão quanto a revolução; e somente a soma desses desejos os fez resistir, para depois destruí-los.
>
> "Porém, toda vez que existiram guerras, existiram grandes líderes militares; toda vez que existiram revoluções nos Estados, existiram grandes homens", diz a história. "Toda vez que existiram grandes líderes militares surgiram, de fato, as guerras", responde a razão humana; "mas isso não prova que os generais tenham sido a causa da guerra, e que os fatores que levaram à guerra podem ser encontrados nas ações pessoais de um homem..."[10]

Tolstói argumenta que somente na tentativa de entender as subjacentes "leis da história", seu sinônimo próprio para o que chamamos hoje de estruturas sistêmicas, é que existe qualquer esperança de uma compreensão mais profunda:

> Para investigar as leis da história, devemos mudar o sujeito das nossas observações, deixando os reis, ministros e generais de lado, e estudar os elementos homogêneos e infinitesimais pelos quais as massas são lideradas. Ninguém pode dizer até que ponto se permitiu que o homem avançasse neste rumo à compreensão das leis da história. Mas é óbvio que só nessa direção existe a possibilidade de se descobrir as leis históricas; e que o intelecto humano por enquanto não dedicou a esse método de pesquisa um milionésimo da energia que os historiadores dedicaram à descrição dos feitos de vários reis, ministros e generais...[11]

O termo "estrutura", conforme usado aqui, não significa a "estrutura lógica" de um argumento desenvolvido com cuidado ou a "estrutura" representada em um organograma empresarial. Ao contrário, "estrutura sistêmica" diz respeito às inter-relações mais importantes que influenciam o comportamento ao longo do tempo. Não são inter-relações entre as pessoas, mas sim entre variáveis-chave, como população, recursos naturais e produção de alimentos em um país em desenvolvimento; ou as idéias dos engenheiros sobre um produto e o *know-how* técnico e gerencial em uma empresa de alta tecnologia.

No jogo da cerveja, a estrutura que causou imensas variações nos pedidos e nos estoques envolvia uma cadeia de suprimentos de múltiplas etapas e as defasagens de tempo entre elas, as informações limitadas disponíveis em cada etapa do sistema e as metas, os custos, as percepções e os temores que influenciaram os pedidos individuais de cerveja. Contudo, é muito importante entender que, quando usamos o termo "estrutura sistêmica", não nos referimos apenas à estrutura externa ao indivíduo. A natureza da estrutura nos sistemas humanos é sutil porque *nós* fazemos parte da estrutura. Isso significa que sempre temos o poder para alterar as estruturas dentro das quais operamos.

No entanto, na maioria das vezes, não nos damos conta desse poder. Na verdade, não vemos as estruturas em ação. Ao contrário, *simplesmente nos sentimos compelidos a agir de determinadas formas.*

Em 1973, o psicólogo Philip Zimbardo realizou uma experiência na qual estudantes universitários tinham que assumir o papel de prisioneiros e guardas em uma prisão fictícia, montada no porão do departamento de psicologia em Stanford. O que começou como resistência branda por parte dos "prisioneiros" e repreensão por parte dos "guardas" aos poucos se transformou em crescente rebeldia e abuso de autoridade, até que os "guardas" começaram a abusar fisicamente dos "prisioneiros" e os responsáveis pelo experimento acharam que a situação estava fugindo do controle. A experiência foi encerrada prematuramente, depois de seis dias, quando os alunos começaram a sofrer de depressão, crises de choro incontroláveis e doenças psicossomáticas.[12]

Jamais me esquecerei de um exemplo particularmente assustador do poder da estrutura na política internacional. Ocorreu em uma reunião privada com um funcionário da alta administração da embaixada soviética, alguns meses depois que os soviéticos haviam enviado suas tropas ao Afeganistão. O oficial falou, com eloqüência e grande sinceridade, de como a União Soviética fora a primeira a reconhecer o país após a sua fundação. A União Soviética fora o primeiro país a prestar socorro, repetidas vezes, nas ocasiões de conflitos internos ou instabilidade. A partir do final da década de 70, quando aumentaram as ameaças das facções de guerrilha, o governo em exercício pediu maior auxílio aos soviéticos. A ajuda modesta inicial levou à necessidade maior de um apoio mais amplo. Chegou-se a um ponto, explicou o oficial, em que "realmente não nos restou outra opção senão a intervenção militar".

Ao ouvir essa história, não pude deixar de pensar em como os varejistas ou atacadistas no jogo da cerveja explicarão, quando o jogo terminar, que realmente não tinham outra opção senão continuar aumentando seus pedidos. Isso me fez lembrar também de histórias semelhantes de militares norte-americanos, há dez ou quinze anos, que tentavam explicar como os Estados Unidos se envolveram na Guerra do Vietnã.

O que significa dizer que as estruturas geram determinados padrões de comportamento? Como essas estruturas controladoras podem ser reconhecidas? Como esse conhecimento poderia nos ajudar a ter mais sucesso em um sistema complexo?

O jogo da cerveja é um laboratório que nos permite explorar como a estrutura influencia o comportamento. Cada jogador — varejista, atacadista e cervejaria — tomava apenas uma decisão por semana: a quantidade de cerveja a ser pedida. O varejista é o primeiro a aumentar os pedidos, que atingem seu pico por volta da Semana 12. Nesse ponto, a cerveja esperada não chega a tempo — por causa dos pedidos pendentes no atacado e dos níveis de produção na cervejaria. Mas o varejista, sem pensar, aumentou-os drasticamente a fim de obter a cerveja a qualquer custo. Esse salto repentino nos pedidos estende-se então pelo sistema como um todo — primeiro através do atacadista, depois da cervejaria. Os pedidos do atacadista atingem seu auge em torno das 40 caixas, enquanto o pico de produção da cervejaria fica em torno de 80.

O resultado é um padrão característico de acúmulo e declínio nos pedidos em todas as posições, cuja intensidade aumenta à medida que avançamos "a montante", dos varejistas às cervejarias. Em outras palavras, quanto mais afastado do cliente final, maior o volume dos pedidos e maior a queda. Na verdade, praticamente todos os que jogam nas cervejarias passam por grandes crises, terminando com uma produção próxima de zero, semanas depois de ter produzido quarenta, sessenta, cem ou mais grosas por semana.[13]

Podemos observar outro padrão de comportamento característico do jogo nos estoques e pedidos pendentes. O estoque do varejista começa a cair abaixo de zero por volta da Semana 5. Os pedidos pendentes do varejista continuam a crescer durante várias semanas, e eles não retornam a um estoque positivo até por volta das Semanas de 12 a 15. De maneira similar, o atacadista tem pedidos pendentes da Semana 7 até as Semanas de 15 a 18, e a cervejaria da Semana 9 até as Semanas de 18 a 20. Quando os estoques começam a se acumular, chegam a valores altos (quarenta para o varejista, de oitenta a 120 para o atacadista e de sessenta a oitenta para a cervejaria na Semana 30) — muito superiores ao que se pretendia. Assim, cada posição passa por um ciclo de estoque-pedidos pendentes: primeiro, os estoques são insuficientes, depois, há mercadoria demais em estoque.

Esses padrões de surto e colapso nos ciclos de pedidos e estoque-pedidos pendentes ocorrem *apesar da estabilidade na demanda dos clientes.* Os pedidos dos clientes passaram por apenas uma mudança. Na Semana 2, as solicitações dos clientes dobraram — de quatro caixas de cerveja por semana para oito caixas. Eles continuaram no patamar de oito caixas por semana durante o restante do jogo.

Em outras palavras, depois de um único aumento, a demanda do cliente, durante o restante da simulação, foi uniforme! Obviamente, nenhum dos jogadores, à exceção do varejista, conhecia a demanda dos clientes, e até mesmo os varejistas viam a demanda apenas semana a semana, sem pistas sobre o que viria a seguir.

Depois do jogo da cerveja, pedíamos às pessoas que desempenhavam os papéis do atacadista e da cervejaria para desenhar um gráfico do que achavam que teriam sido os pedidos dos clientes. A maioria desenhava uma curva que sobe e desce, da mesma forma que seus pedidos subiam e desciam.[14] Em outras palavras, os jogadores presumem que, se os pedidos no jogo aumentaram e diminuíram, isso se devia a um surto e um colapso nos pedidos do cliente. Tais pressupostos de uma "causa externa" são característicos do pensamento não-sistêmico.

As conjecturas dos jogadores a respeito da demanda do cliente lançam luz sobre a nossa necessidade profunda de encontrar alguém ou algo sobre o qual se possa colocar a culpa quando surgem problemas. Inicialmente, depois que o jogo termina, muitos acreditam que os culpados são os jogadores das outras posições. Essa crença cai por terra quando se vê que os mesmos problemas surgem todas as vezes em que se aplica o jogo, independentemente de quem está desempenhando as diferentes posições. Muitos então direcionam ao cliente sua busca por um bode expiatório. "Deve ter havido um acúmulo e um colapso na demanda dos clientes", argumentam. Porém, quando suas conjecturas são comparadas com as demandas uniformes dos clientes, esta teoria é desmentida também.

Isso tem um impacto devastador sobre alguns jogadores. Jamais me esquecerei do presidente de uma grande empresa de transportes recostado na cadeira, com os olhos arregalados diante dos gráficos do jogo da cerveja. No intervalo seguinte, ele correu ao telefone.

"O que houve?", perguntei quando ele voltou.

"Pouco antes de virmos aqui", respondeu ele, "minha equipe de gerentes havia concluído uma análise das operações, que levou três dias. Havia flutuações instáveis no uso da frota em uma de nossas divisões. Parecia óbvio que o presidente da divisão não tinha a capacidade necessária para fazer um bom trabalho. Nós logo colocamos a culpa sobre ele, da mesma forma que nesta experiência nós culpamos a cervejaria. Ocorreu-me então que os problemas provavelmente eram estruturais, não pessoais. Corri para ligar para a sede da empresa e cancelar o processo de demissão dele."

Quando vêem que não podem mais culpar uns aos outros, ou o cliente, os jogadores têm um último recurso — *culpar o sistema.* "O sistema é inadministrável", dizem alguns. "O problema é que não conseguimos nos comunicar uns com os outros." Essa, no entanto, parece ser uma posição difícil de sustentar. Na verdade, dado o "sistema físico" de estoques, atrasos nas remessas e informações limitadas, existe espaço considerável para melhorar a maioria dos desempenhos das equipes.

REDEFINIÇÃO DO ESCOPO DE INFLUÊNCIA: COMO MELHORAR O DESEMPENHO NO JOGO DA CERVEJA

Para começar a ver as possibilidades de melhoria, considere quais seriam os resultados se cada jogador nada fizesse para corrigir seu estoque ou pedidos pendentes. Seguindo a estratégia de "não adotar estratégia alguma", cada jogador simplesmente faria novos pedidos equivalentes aos que já havia recebido. Essa provavelmente é a política de pedidos mais simples possível. Se você receber novos pedidos de quatro caixas de cerveja, pedirá mais quatro. Se receber pedidos de oito caixas, pedirá mais oito. Levando-se em consideração o padrão de demanda do cliente nesse jogo, isso significa pedir quatro caixas ou carregamentos por semana — até receber o seu primeiro pedido de oito. Aí então você solicitaria oito.

Quando todos os jogadores adotam essa estratégia sem questionamento, na Semana 11 todas as três posições chegam a uma forma de estabilidade. O varejista e o atacadista nunca conseguem colocar em dia os pedidos pendentes. Estes aparecem, como no jogo normal, devido à defasagem no recebimento deles. Os pedidos pendentes se mantêm porque os jogadores não se esforçam para corrigi-los — porque a estratégia de "não seguir estratégia alguma" impede que se façam encomendas acima dos pedidos recebidos necessários para minimizar os pendentes.

Essa estratégia de "não seguir estratégia alguma" dá certo? A maioria dos jogadores provavelmente diria que não. Afinal, a estratégia persiste em gerar pedidos pendentes. Isso significa que todos no sistema ficam esperando mais tempo do que o necessário para terem seus pedidos atendidos. Na vida real, sem dúvida tal situação seria um convite à entrada de concorrentes no mercado, capazes de oferecer melhores serviços de entrega. Só os produtores/distribuidores com monopólios de mercado poderiam adotar tal estratégia.[15]

Porém, a estratégia elimina o acúmulo e a queda dos pedidos, e a oscilação brutal dos estoques. Além disso, o custo total gerado por todas as posições de cadeia no cenário da estratégia de "não seguir estratégia alguma" é menor do que 75 por cento das equipes conseguem quando participam do jogo![16] Em outras palavras, a maioria dos jogadores, muitos deles gerentes experientes, agem de maneira muito pior do que se apenas fizessem pedidos iguais àqueles que recebem. Na tentativa de corrigir os descompassos que resultam do "fazer nada", a maioria dos jogadores fazem as situações ficarem piores, e em vários casos bastante piores.

Por outro lado, cerca de 25 por cento dos jogadores adotam uma estratégia melhor que a "não seguir estratégia alguma", e cerca de 10 por cento têm uma estratégia muito melhor. Em outras palavras, o sucesso é possível. Mas exige uma mudança de perspectiva por parte da maioria dos jogadores. Significa chegar ao âmago das disparidades fundamentais entre formas comuns de pensar sobre o jogo — o que chamaremos mais adiante de nosso "modelo mental" — e a realidade de como funciona. A maioria dos jogadores vê sua tarefa como o "gerenciamento das suas posições", isolados do resto do sistema. É preciso ver como sua posição interage com o sistema como um todo.

Imagine como você se sentiria caso fosse um jogador típico em qualquer posição. Você pode prestar muita atenção ao seu próprio estoque, seus custos, pedidos pendentes, pedidos e entregas. Os pedidos que estão entrando vêm de "fora" — a maioria dos atacadistas e das cervejarias, por exemplo, choca-se diante do mistério indecifrável dos pedidos da segunda metade do jogo, que deveriam ser de altos volumes, mas que aparecem, uma semana atrás da outra, como "zero, zero, zero, zero". Você reage aos novos pedidos expedindo cerveja; no entanto, você tem uma pequena idéia de como essas entregas irão influenciar a nova rodada de pedidos. Da mesma forma, você tem apenas uma vaga noção do que acontece com os seus novos pedidos; você simplesmente espera que surjam sob a forma de novas entregas depois de uma defasagem de tempo razoável. Sua perspectiva do sistema assemelha-se à figura a seguir:

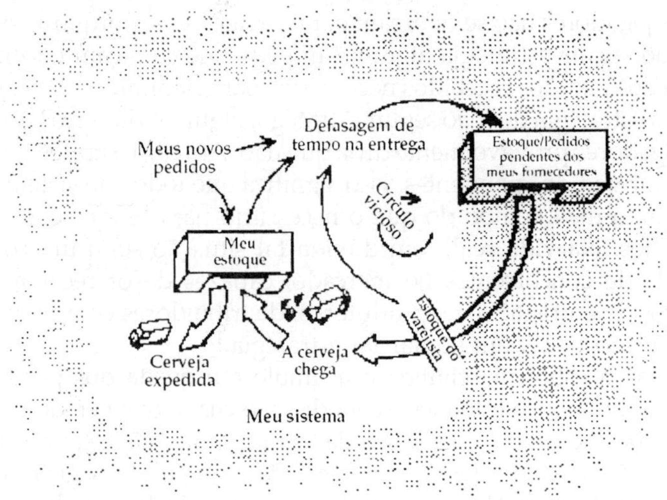

Dada essa representação da situação, se você precisa de cerveja, faz sentido fazer mais pedidos. Se eles não chegam, você fará outros. Dada essa representação da situação, sua tarefa é "gerenciar a sua posição", reagindo às mudanças nas "entradas externas" de pedidos que chegam, entregas de cerveja e as defasagens de tempo na entrega do seu fornecedor.

O que essa perspectiva típica de "gerenciar a sua posição" não se dá conta são as formas pelas quais seus pedidos interagem com os pedidos dos outros, influenciando as variáveis que você percebe como "externas". Os jogadores fazem parte de um sistema maior que a maioria percebe de forma nebulosa. Por exemplo, se eles fizerem um grande número de pedidos, podem acabar com o estoque do seu fornecedor, o que fará com que a defasagem de tempo nas entregas aumente. Se eles então reagirem (como fazem muitos) fazendo mais pedidos ainda, eles criam um "círculo vicioso", que aumenta os problemas em todo o sistema.

Esse círculo vicioso pode ser iniciado por qualquer jogador que entre em pânico, em qualquer parte do sistema — seja ele o varejista ou o atacadista. Até as fábricas podem criar o mesmo efeito deixando de produzir cerveja suficiente. Por fim, como um círculo vicioso influencia outros círculos viciosos, o pânico resultante se espalha por todo o meio de produção/distribuição. Depois que o pânico se instala, eu já vi jogadores fazerem pedidos que são de vinte a cinqüenta vezes maiores do que seria de fato necessário para corrigir os reais desequilíbrios dos estoques.

Para melhorar o desempenho no jogo da cerveja, os jogadores precisam redefinir o seu escopo de influência. Como jogador, em qualquer que seja a sua posição, sua influência é maior do que os limites da sua própria posição. Você não faz simplesmente pedidos que somem no espaço e voltam como entregas de cerveja; esses pedidos influenciam o comportamento dos seus fornecedores. Por sua vez, seu sucesso não é influenciado apenas pelos seus pedidos; ele é, também, pelas ações de todos os outros participantes do sistema. Por exemplo, se a cerveja acaba na cervejaria, em bem pouco tempo todos também ficarão sem cerveja. Ou o sistema como um todo funciona, ou a sua posição não funcionará. *É interessante observar que no jogo da cerveja, e em muitos outros sistemas, para que você tenha sucesso, é preciso que os outros também o tenham.* Além disso, cada jogador precisa compartilhar desse ponto de vista sistêmico — pois, se um único jogador entrar em pânico e fizer um pedido maior, o medo tende a se generalizar.

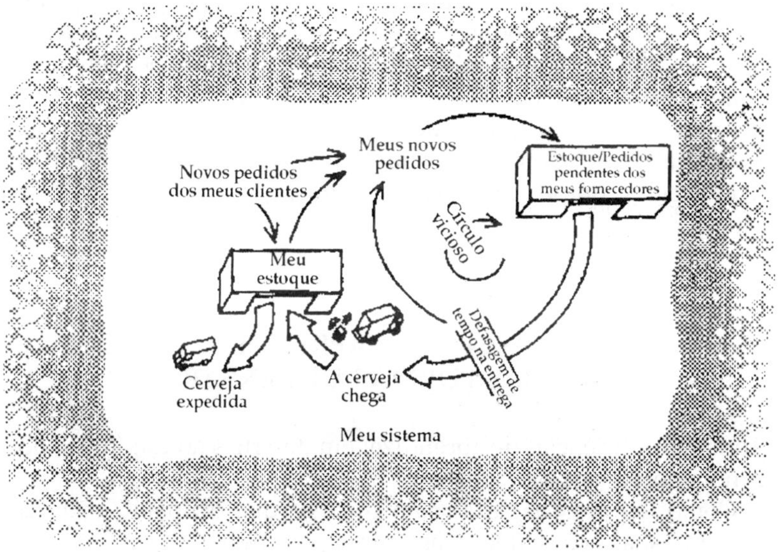

Existem duas diretrizes principais para os jogadores.

Primeiro, tenha sempre em mente a cerveja que você pediu mas que, devido à defasagem de tempo, ainda não chegou. Chamo isso de a regra do "tome duas aspirinas e espere". Se você estiver com dor de cabeça e precisar tomar uma aspirina, não continuará tomando uma aspirina a cada cinco minutos até que a dor de cabeça desapareça. Espera pacientemente que faça efeito, porque sabe que a aspirina funciona com uma defasagem de tempo. Muitos dos jogadores continuam pedindo cerveja todas as semanas até que essa discrepância de estoque desapareça.

Segundo, não entre em pânico. Quando seu fornecedor não puder lhe entregar a cerveja no prazo de costume, a pior coisa que você pode fazer é pedir mais cerveja. Entretanto, é exatamente o que muitos jogadores fazem. É preciso disciplina para conter o desejo compulsivo de solicitar mais enquanto os pedidos pendentes se acumulam e seus clientes começam a gritar. Porém, sem essa disciplina, você e todos os outros sofrerão.

Essas diretrizes são desprezadas pela maioria dos jogadores, pois só ficam evidentes se você entender as interações que cruzam as fronteiras entre as diferentes posições. A diretriz de "tomar uma aspirina e esperar" vem da compreensão da defasagem embutida na resposta do seu fornecedor às mudanças nos seus novos pedidos. A diretriz de "não entrar em pânico" vem da compreensão do círculo vicioso criado quando os seus novos pedidos ampliam a defasagem no tempo de entrega do fornecedor.

Como se sairão os jogadores que seguirem essas diretrizes?

Não é exeqüível eliminar totalmente todos os aumentos nos pedidos e todos os ciclos de estoques/pedidos pendentes. É possível manter estas instabilidades em um nível muito modesto, uma pequena fração do que ocorreu no caso da Lover's Beer. É factível alcançar custos totais na faixa de um quinto do valor da estratégia de "não adotar estratégia alguma", ou cerca de um décimo dos custos normalmente atingidos pelas equipes. Em outras palavras, é possível obter melhorias substanciais.

AS DEFICIÊNCIAS DE APRENDIZAGEM E NOSSAS FORMAS DE PENSAR

Todas as deficiências de aprendizagem descritas no Capítulo 2 ocorrem no jogo da cerveja:

- Como "as pessoas se tornam o cargo que ocupam", não vêem como suas ações afetam as outras posições.
- Conseqüentemente, quando aparecem os problemas, as pessoas rapidamente culpam umas às outras — "o inimigo" vem a ser os jogadores nas outras posições, ou até mesmo os clientes.
- Quando se tornam "proativos" e fazem mais pedidos, pioram ainda mais as coisas.
- Como o excesso de pedidos acumula-se gradativamente, as pessoas só percebem o perigo da situação quando já é tarde demais.
- Na maioria dos casos, elas não aprendem com a própria experiência porque as conseqüências mais importantes das suas ações ocorrem em outras partes do sistema, e acabam voltando para criar os próprios problemas cuja culpa colocaram nos outros.[17]
- As "equipes" que assumem diferentes posições (normalmente, existem dois ou três indivíduos em cada posição) se desgastam ao culpar os outros jogadores pelos seus problemas, eliminando as oportunidades de aprender com a experiência uns dos outros.[18]

As novas percepções mais profundas no jogo da cerveja vêm da percepção de como essas deficiências de aprendizagem estão relacionadas a formas alternativas de raciocínio em situações complexas. Para muitos, a experiência geral de participar do jogo é insatisfatória, pois é meramente reativa. No entanto, a maioria das pessoas acaba percebendo que a fonte da sua reação está em seu próprio foco nos eventos que ocorrem uma semana após a outra. A maioria dos jogadores fica abalada com a escassez de estoque, os surtos nos pedidos dos clientes e as decepcionantes novas entregas de cerveja. Quando solicitados a explicar suas decisões, dão clássicas "explicações baseadas em eventos". "Pedi quarenta caixas na Semana 11 porque os varejistas pediram 36 e acabaram com meu estoque." Enquanto persistirem em focalizar nos eventos, estarão condenados à reatividade.

A perspectiva sistêmica mostra que existem diversos níveis de explicações em qualquer situação complexa, conforme sugere o diagrama a seguir. Em certo sentido, todas são igualmente "verdadeiras". Mas a sua utilidade é bastante diferente. As explicações baseadas em eventos — "quem fez o que com quem" — condenam as pessoas a uma conduta reativa. Como discutimos antes, as explicações baseadas em eventos são bastante comuns na cultura contemporânea e é exatamente esse o motivo da predominância da gerência reativa.

Estrutura sistêmica (generativa)

↓

Padrões de comportamento (responsiva)

↓

Eventos (reativa)

As explicações baseadas no padrão de comportamento focalizam a identificação das tendências de longo prazo e a avaliação das suas implicações. Por exemplo, no jogo da cerveja, uma explicação baseada no padrão de comportamento seria: "Os sistemas de produção e distribuição são inerentemente propensos a ciclos e à instabilidade, que se agravam quanto mais você se afasta do varejista. Portanto, cedo ou tarde, surgirão graves crises na cervejaria". As explicações baseadas no padrão de comportamento começam a quebrar nosso costume de reagir com o foco a curto prazo. Pelo menos sugerem como, a longo prazo, podemos *responder* às mudanças nas tendências.[19]

O terceiro nível de explicação, a explicação "estrutural", é a menos comum e a mais poderosa. Concentra-se em responder à seguinte pergunta: "O que causa os padrões de comportamento?" No jogo da cerveja, uma explicação estrutural deve mostrar como os novos pedidos, as entregas e o estoque interagem a fim de gerar os padrões de instabilidade e ampliação observados; deve levar em conta os efeitos das defasagens de tempo acumuladas no atendimento de novos pedidos e o círculo vicioso que surge quando as maiores defasagens de tempo nas entregas levam a mais novos pedidos. Embora raras, as explicações estruturais, quando nítidas e amplamente compreendidas, têm impacto considerável.

Um exemplo excepcional de um líder que oferece tais novas percepções foi Franklin Roosevelt, quando foi ao rádio em 12 de março de 1933, para explicar o "feriado bancário" de quatro dias nos Estados Unidos. Em uma época de pânico, Roosevelt explicou tranqüilo como funcionava o sistema bancário, estruturalmente. "Deixe-me colocar o simples fato de que quando você deposita dinheiro em um banco, o banco não coloca esse dinheiro em um cofre", disse ele. "Investe o seu dinheiro em várias formas diferentes de crédito — ações, hipotecas. Em outras palavras, o banco usa seu dinheiro para manter o motor em funcionamento..." Ele explicou como os bancos precisavam manter reservas, mas como essas reservas seriam inadequadas se todos resolvessem sacar seu dinheiro; e por que o fechamento dos bancos durante quatro dias era necessário para restaurar a ordem. Ao fazê-lo, ele obteve apoio popular para uma ação radical porém necessária, e iniciou uma reputação de mestre da comunicação pública.[20]

As explicações estruturais são muito importantes porque somente elas abordam as causas subjacentes do comportamento em um nível no qual os padrões de comportamento *podem ser modificados*. A estrutura produz comportamentos e as mudanças nas estruturas subjacentes podem gerar padrões de comportamento diferentes. Nesse sentido, as explicações estruturais são inerentemente *generativas*. Além disso, como a estrutura nos sistemas humanos inclui as "políticas de operação" dos tomadores de decisão do sistema, a redefinição dos nossos processos decisórios redefine a estrutura do sistema.[21]

Para a maioria dos participantes do jogo, a nova percepção mais profunda normalmente surge quando eles percebem que seus problemas, e suas esperanças de melhoria, estão intrinsecamente associados à sua forma de pensar. O aprendizado generativo não se sustenta em uma organização onde predomina o pensamento baseado em eventos. É necessário um quadro conceitual de pensamento "estrutural" ou sistêmico, a capacidade de descobrir as causas estruturais do comportamento. Entusiasmo pela "criação do nosso futuro" não basta.

Quando os participantes do jogo da cerveja começam a entender as estruturas que causam seu comportamento, eles vêem com mais clareza seu poder de mudar esse comportamento, adotando políticas que funcionam no sistema como um todo. Descobrem, também, uma pitada de sabedoria eterna, oferecida há muito tempo por Walt Kelly na sua famosa fala em Pogo: "Conhecemos o inimigo — somos nós".

PARTE II

A quinta disciplina: a pedra fundamental da organização que aprende

4

AS LEIS DA QUINTA DISCIPLINA[1]

1. Os problemas de hoje vêm das "soluções" de ontem.

Era uma vez um mercador de tapetes que percebeu que havia uma grande ondulação no centro de seu mais belo tapete.[2] Pisou na ondulação para achatá-la — e conseguiu. Mas a ondulação surgiu em um outro lugar. Pisou de novo e ela desapareceu — por um momento, até reaparecer em outro lugar. O mercador continuou a pular sobre o tapete, pisando e achatando, com raiva, as ondulações, até que por fim levantou uma das pontas do tapete e viu uma cobra furiosa sair de debaixo dele.

Sempre ficamos intrigados com as causas de nossos problemas quando, na verdade, deveríamos recordar as soluções que demos para outros problemas no passado. Uma empresa bem estabelecida descobre que suas vendas no trimestre caíram vertiginosamente. Por quê? Porque uma promoção muito bem-sucedida realizada no trimestre anterior atraiu muitos clientes, que preferiram gastar durante a promoção, deixando de comprar agora. Ou um novo gerente decide atacar os custos elevados de estoque e "resolve" o problema — só que os vendedores gastam agora 20 por cento a mais do seu tempo atendendo a reclamações de clientes que ainda não receberam seus produtos e o restante tentando convencer potenciais clientes que "podem pedir a cor que quiserem contanto que seja preta".

A polícia identificaria sua própria versão dessa lei: ao prender os traficantes de drogas de uma rua, nota que o centro do crime deslocou-se para outra rua. Ou, o que é ainda mais trágico, percebe que a explosão do índice de criminalidade relacionada às drogas na cidade é resultado da apreensão de um grande carregamento de narcóticos pela Polícia Federal — o que reduziu o suprimento de drogas, aumentou o preço e levou os viciados a cometer mais crimes para sustentar o vício.

Soluções que transferem os problemas de uma parte do sistema para outra freqüentemente não são detectadas pois, ao contrário do mercador de tapetes, os que "resolveram" o primeiro problema não são os mesmos que herdaram o novo.

2. Quanto mais você empurra, mais o sistema empurra de volta.

Em *A Revolução dos Bichos*, de George Orwell, o cavalo Boxer tinha sempre a mesma resposta para todas as dificuldades: "Vou trabalhar ainda mais". No início, sua boa intenção serviu de inspiração a todos, mas, aos poucos, seu esforço começou a gerar novas conseqüências de maneira sutil. Quanto mais trabalhava, mais tinha que trabalhar. O que Boxer não sabia era que os porcos que administravam a fazenda estavam manipulando todos os animais em seu próprio benefício. Na verdade, a boa vontade de Boxer ajudou a impedir que os outros animais vissem o que os porcos estavam fazendo.[3] O pensamento sistêmico tem um nome para esse fenômeno: "feedback de compensação" — ou seja, as intervenções bem-intencionadas provocam respostas do sistema que eliminam os benefícios da intervenção. Todos sabemos o que é enfrentar um feedback de compensação — quanto mais você empurra, mais o sistema empurra de volta; quanto mais se esforça para resolver os problemas, maior parece ser o esforço necessário para solucioná-los.

Existem inúmeros exemplos de feedback de compensação. Muitas das intervenções bem-intencionadas do governo transformam-se em vítimas de suas próprias boas intenções. Na década de 60, o governo norte-americano criou vários programas habitacionais para populações de baixa renda e programas de treinamento para aprimorar as habilidades profissionais em cidades decadentes do interior. Entretanto, apesar da ajuda do governo, várias dessas cidades estavam em condições ainda piores na década de 70. Por quê? Uma das razões foi a migração da população de baixa renda de outras cidades e áreas rurais para as cidades beneficiadas pelos programas assistenciais. As novas unidades habitacionais tornaram-se superpovoadas e os programas de treinamento superlotados de candidatos. Ao mesmo tempo, o orçamento municipal continuou a diminuir, aprisionando um número ainda maior de pessoas nas áreas economicamente depauperadas.

Processos semelhantes de feedback de compensação frustraram os programas de distribuição de alimentos e assistência agrícola realizados nos países em desenvolvimento. A maior quantidade disponível de alimentos foi "compensada" pela diminuição das mortes provocadas pela desnutrição, pelo aumento do índice de crescimento populacional e, conseqüentemente, pelo aumento da desnutrição.

Da mesma forma, nos Estados Unidos, em meados da década de 80, os esforços para corrigir o desequilíbrio da balança comercial desvalorizando o dólar foram compensados pela queda proposital dos preços dos produtos estrangeiros (nos países cuja moeda estava "associada ao dólar", os preços se ajustaram automaticamente). Os esforços empreendidos por exércitos estrangeiros para combater guerrilheiros freqüentemente aumentam a legitimidade da causa das guerrilhas, fortalecendo seu propósito e o apoio que recebem, aumentando sua resistência.

Muitas empresas experimentam o feedback de compensação quando um de seus produtos começa a perder seu poder de atração no mercado. Apelam para o marketing mais agressivo: essa estratégia sempre deu certo, não é mesmo? Gastam mais em propaganda e baixam os preços; esses métodos podem recuperar temporariamente os clientes, mas consomem o dinheiro da empresa, obrigando-a a cortar despesas para compensá-los. A qualidade dos serviços (por exemplo, o tempo de entrega ou o cuidado na inspeção de qualidade) começa a cair. A longo prazo, quanto mais a empresa vende, mais clientes perde.

O feedback de compensação também não se limita aos "grandes sistemas" — há inúmeros exemplos individuais. Considere uma pessoa que pára de fumar, engorda, começa a ter problemas com sua autoimagem e volta a fumar para aliviar o estresse. Ou pense na mãe protetora que se preocupa tanto com o relacionamento do filho com os colegas de escola que vive interferindo nos problemas entre eles, não deixando que o filho aprenda a resolver suas diferenças por conta própria. Ou imagine uma nova funcionária tão empenhada em agradar os colegas que não responde às críticas ao seu trabalho e acaba ressentida e rotulada como "uma pessoa com quem é difícil de trabalhar".

Insistir, seja através de uma intervenção cada vez mais agressiva, seja através da repressão cada vez mais estressante dos instintos naturais, é uma estratégia exaustiva. Contudo, como indivíduos ou como organizações, além de nos deixarmos capturar pelo feedback de compensação, muitas vezes glorificamos o sofrimento que ele provoca. Quando nossos esforços iniciais não geram resultados duradouros, "empurramos mais forte" — crédulos, como Boxer, de que o esforço pode superar todos os obstáculos, sem perceber o quanto estamos contribuindo para o aparecimento desses mesmos obstáculos.

3. O comportamento melhora antes de piorar.

As intervenções de baixa alavancagem seriam bem menos atraentes se não fosse pelo fato de que muitas realmente funcionam, a curto prazo. Novas casas são construídas. Desempregados são treinados. Crianças famintas são alimentadas. As vendas aumentam. Paramos de fumar, aliviamos o estresse de nossos filhos e evitamos um confronto com um novo colega de trabalho. O feedback de compensação envolve uma "defasagem", um lapso de tempo entre o benefício a curto prazo e o prejuízo a longo prazo. A revista *The New Yorker* publicou certa vez uma tira de quadrinhos na qual um homem, sentado em uma poltrona, empurra um dominó gigante que está caindo sobre ele à sua esquerda. "Agora posso relaxar", pensa o homem do quadrinho. O que ele não vê é que o dominó derruba outro que derruba outro e outro, dando a volta na poltrona e atingindo-o pela direita.

As respostas que melhoram antes de piorar de muitas das intervenções gerenciais são o que tornam o processo decisório político contraproducente. Chamo de "processo decisório político" as situações nas quais têm influência outros motivos além dos méritos intrínsecos dos cursos de ação alternativos — fatores como o objetivo de desenvolver uma base pessoal de poder ou a intenção de "parecer bom" ou "agradar ao chefe". Em sistemas humanos complexos, sempre há várias alternativas para melhorar as coisas a curto prazo. Porém, o feedback de compensação pode voltar depois para assombrá-lo.

A palavra-chave é "posteriormente". A defasagem existente, por exemplo, no círculo de dominós explica por que é tão difícil identificar problemas sistêmicos. Uma solução sempre parece maravilhosa quando cura primeiro os sintomas. As coisas podem melhorar ou talvez até o problema seja resolvido. Talvez, somente daqui a dois, três ou quatro anos ele volte ou surjam novos, ainda piores. A essa altura, dada a rapidez com que as pessoas mudam de emprego, uma outra estará sentada nessa mesma cadeira.

4. A saída mais fácil normalmente nos leva de volta para dentro.

Em uma versão moderna de uma antiga parábola muçulmana, um transeunte encontra um bêbado ajoelhado no chão, junto a um poste de luz. Oferece-lhe ajuda e descobre que o bêbado está procurando as chaves de casa. Após alguns minutos, pergunta: "Onde perdeu as chaves?" O bêbado responde que as deixou cair à porta de casa. "Então por que está procurando aqui?", quer saber o transeunte. "Porque não há luz na frente da minha casa."

Todos gostamos de utilizar soluções conhecidas para resolver as dificuldades, optando por aquilo que conhecemos melhor. Às vezes as chaves estão mesmo sob a luz do poste, mas freqüentemente estão no meio da escuridão. Afinal, se a solução *fosse* fácil de enxergar ou óbvia a todas as pessoas, já teria sido encontrada. Insistir cada vez mais na busca de soluções familiares, deixando que os problemas básicos persistam ou se acentuem, é um indício claro de que o pensamento não-sistêmico está sendo adotado — o que chamamos, freqüentemente, de síndrome de "o que precisamos aqui é um martelo maior".

5. A cura pode ser pior do que a doença.

Quase sempre, a solução fácil ou familiar não é apenas ineficaz, mas perigosa, podendo criar dependência. O alcoolismo, por exemplo, pode começar com o simples hábito de beber socialmente — uma solução para um problema de auto-estima baixa ou para o estresse provocado pelo excesso de trabalho. Aos poucos, a cura torna-se pior do que a doença; entre outros problemas, diminui ainda mais a auto-estima e aumenta o estresse.

A longo prazo, a conseqüência mais perigosa da utilização de soluções não-sistêmicas é a crescente necessidade de doses cada vez maiores da solução. É por isso que as intervenções governamentais mal concebidas não são apenas ineficazes, mas "viciam", estimulando a dependência cada vez maior, diminuindo a capacidade das pessoas de resolver os próprios problemas. O fenômeno das melhorias a curto prazo que levam à dependência a longo prazo é tão comum que, entre os pensadores sistêmicos, é chamada de "Transferência de Responsabilidade a um Interventor". O interventor pode ser a ajuda do governo federal ao governo municipal, os programas de combate à fome ou os programas de bem-estar social. Todas essas soluções, embora "ajudem", acabam deixando o sistema ainda mais fraco e carente do que antes.

Como diz a especialista em recursos naturais e escritora Donella Meadows, identificar exemplos de situações em que a responsabilidade é transferida a um interventor "é fácil, divertido e, às vezes, terrível"[4], e raramente esses exemplos se limitam às intervenções do governo. Transferimos a responsabilidade de efetuar cálculos matemáticos simples do nosso conhecimento de aritmética para a dependência das calculadoras. Prejudicamos o lado bom das famílias extensas[i] e transferimos a responsabilidade de cuidar dos idosos aos asilos. Nas cidades, transferimos a responsabilidade de diversas comunidades locais para projetos habitacionais. A Guerra Fria transferiu a responsabilidade da paz das negociações para os armamentos, fortalecendo — desse modo — as forças militares e os setores industriais afins. Nos negócios, podemos transferir a responsabilidade aos consultores ou a outros profissionais que "ajudam" a empresa, tornando-a dependente de seus serviços, em lugar de treinar os gerentes-clientes para que possam resolver seus próprios problemas. Ao longo do tempo, o poder do interventor cresce — seja o poder da droga sobre uma pessoa, do orçamento militar sobre a economia de um país, do tamanho e escopo das agências internacionais de auxílio sobre os países ou do orçamento para processos de recolocação de pessoal recém-demitido nas organizações.

As estruturas usadas de "transferência de responsabilidade" mostram que qualquer solução a longo prazo deve, segundo Meadows, "fortalecer a habilidade do sistema de arcar com as próprias responsabilidades". Algumas vezes isso é difícil; outras é surpreendentemente fácil. Um gerente que transfere a responsabilidade de seus problemas de pessoal a um especialista em Recursos Humanos talvez descubra que o mais difícil é assumir, de novo, essa responsabilidade; uma vez que isso ocorra, aprender a lidar com as pessoas é principalmente uma questão de tempo e comprometimento.

---

i Em sociologia, famílias extensas são aquelas onde os avós — e também vários tipos de parentes — vivem sob o mesmo teto. (N. do E.)

6. Mais rápido significa mais devagar.

Essa é uma fábula antiga: a tartaruga pode ser mais lenta, entretanto vence a corrida. Para a maioria dos homens e mulheres de negócios norte-americanos, o ritmo de crescimento ideal é o rápido, o mais ligeiro possível. Contudo, todos os sistemas naturais, dos ecossistemas aos animais e às organizações, possuem seu próprio ritmo ideal de crescimento. O ritmo ideal é muito mais lento do que o crescimento mais rápido possível. Quando o crescimento se torna excessivo — como ocorre com o câncer — o próprio sistema buscará compensá-lo, diminuindo o ritmo e, provavelmente, colocando em risco a sobrevivência da organização. No Capítulo 8, a história da empresa aérea People Express fornece uma boa ilustração de como, a longo prazo, mais rápido pode significar mais devagar — ou até totalmente estagnado.

Observando essas características de sistemas complexos, o famoso biólogo e ensaísta Lewis Thomas disse: "Quando você está lidando com um sistema social complexo, por exemplo, um centro urbano ou um rato de laboratório, e observa características que o desagradam e que deseja corrigir, não basta se envolver na situação e começar a consertar os erros acreditando que está ajudando. Essa é uma das principais frustrações do século."[5]

Quando começarem a perceber que esses princípios sistêmicos podem frustrar suas próprias intervenções, os gerentes podem se sentir desapontados ou desmotivados. Os princípios sistêmicos podem até servir de desculpa para a inatividade — ou seja, não fazer nada em lugar de tomar decisões que possam provocar um efeito contrário ou até piorar as coisas. Esse é um caso clássico de "pouco conhecimento sobre um assunto que se torna perigoso". A verdadeira conseqüência da perspectiva sistêmica não é a inatividade, mas um novo tipo de atitude baseado em uma nova forma de pensar — o pensamento sistêmico é mais desafiador e, *ao mesmo tempo*, mais promissor do que os mecanismos usuais de lidar com os problemas.

7. Causa e efeito não estão próximos no tempo e no espaço.

Por trás de todos os problemas citados, está uma característica fundamental dos sistemas humanos complexos: "causa" e "efeito" não *estão* próximos no tempo e no espaço. Chamo de "efeitos" os sintomas óbvios que indicam a existência de problemas — uso abusivo de drogas, desemprego, crianças famintas, declínio nos pedidos, queda nos lucros. Como "causa", refiro-me à interação do sistema subjacente, que é a maior responsável pela geração dos sintomas e que, quando identificada, pode gerar mudanças, resultando em melhorias duradouras. Por que isso é um problema? Porque a maioria de nós pressupõe, a maior parte do tempo, que causa e efeito estão próximos no tempo e no espaço.

Quando somos crianças e brincamos, parece que os problemas nunca estão distantes das soluções — desde que a brincadeira se limite a um grupo de brinquedos. Anos depois, como gerentes, tendemos a acreditar que o mundo funciona da mesma forma. Se existe um problema na linha de produção, buscamos a causa na produção. Se os vendedores não conseguem cumprir as metas, acreditamos que é preciso criar incentivos e promoções de vendas. Se o número de habitações não é suficiente, construímos mais casas. Se falta comida, a solução deve ser mais comida.

Como percebem os jogadores do jogo da cerveja descrito no Capítulo 3, a origem de nossas dificuldades não está nos problemas recalcitrantes nem nos adversários cruéis — mas em nós mesmos. Existe uma diferença fundamental entre a natureza da realidade nos sistemas complexos e a forma predominante de como pensamos a respeito dessa realidade. O primeiro passo para corrigir essa desigualdade é abandonar a idéia de que causa e efeito estão próximos no tempo e no espaço.

8. Pequenas mudanças podem produzir grandes resultados — mas, freqüentemente, as áreas de maior alavancagem são as menos óbvias.

Há quem diga que o pensamento sistêmico é a "nova ciência desoladora", pois ensina que as soluções óbvias não funcionam — na melhor das hipóteses, melhoram os problemas a curto prazo, somente para piorá-los a longo prazo. No entanto, há o outro lado da história. O pensamento sistêmico também mostra que pequenas atitudes bem focalizadas podem produzir melhorias significativas e duradouras, desde que atuem no lugar certo. Os pensadores sistêmicos referem-se a esse princípio como "alavancagem".

Em geral, a solução de um problema difícil é uma questão de descobrir onde está a maior alavancagem, uma mudança que — com o mínimo de esforço — resultaria em melhoria duradoura e significativa.

O único problema é que as mudanças de alta alavancagem *não são óbvias* para a maioria dos envolvidos no sistema. Não estão "próximas no tempo e no espaço" dos sintomas óbvios do problema. É isso que torna a vida tão interessante.

Buckminster Fuller demonstra o que é alavancagem, utilizando a metáfora da "aleta auxiliar". A aleta auxiliar é um pequeno "leme do leme" de um navio. Tem apenas uma fração do tamanho do leme. Sua função é facilitar a manipulação do leme, e, conseqüentemente, as manobras do navio. Quanto maior o navio, maior a importância da aleta auxiliar, pois o grande volume de água que flui em volta do leme dificulta as manobras.

Porém, o que transforma a aleta auxiliar em uma metáfora tão maravilhosa para alavancagem não é apenas sua eficácia, mas a falta de obviedade. Se você não entendesse absolutamente nada de hidrodinâmica e visse um grande petroleiro em alto-mar, como faria se quisesse virá-lo à esquerda? Com certeza, tentaria empurrar a proa para a esquerda. Você faz idéia da força que seria necessária para virar a proa de um petroleiro navegando a quinze nós? A alavancagem consiste em empurrar a popa do navio para a direita, a fim de virar a proa à esquerda. Obviamente, essa é a função do leme. Mas em que direção o leme deve virar para virar a popa do navio à direita? À esquerda, evidentemente.

O navio muda de direção porque a popa é "sugada". O leme, ao ser virado na mesma direção pela qual a água escoa, comprime o fluxo de água e cria um diferencial de pressão. Quando você vira o leme, o diferencial de pressão empurra a popa na direção oposta. É exatamente assim que funciona o avião: a asa cria um diferencial de pressão e o avião é "sugado" para cima.

A aleta auxiliar — um pequeno dispositivo que exerce um enorme efeito sobre o imenso navio — funciona da mesma forma em relação ao leme. Quando você vira a aleta auxiliar para um lado ou para outro, comprime o fluxo de água em torno do leme e cria um pequeno diferencial de pressão que "suga o leme" na direção desejada. Mas se você quer virar o leme à esquerda, em que direção deve virar a aleta auxiliar? À direita, naturalmente.

O sistema inteiro — o navio, o leme e a aleta auxiliar — é um maravilhoso mecanismo construído com base no princípio da alavancagem. Contudo, seu funcionamento não é tão óbvio assim, se você não compreender a força da hidrodinâmica.

Desse modo, as mudanças de alta alavancagem nos sistemas humanos também não são óbvias, *até* entendermos as forças que fazem parte desses sistemas.

Não há regras simples para se encontrar mudanças de alta alavancagem, embora haja formas de raciocínio que as tornem mais prováveis. Um ponto de partida é aprender a ver as "estruturas" subjacentes, em lugar dos "eventos"; os "arquétipos de sistemas" desenvolvidos mais adiante no livro sugerem áreas de mudança de alta e baixa alavancagem. Uma outra forma alternativa de raciocínio é pensar em termos de processos de mudança, ao invés de considerar uma mudança "instantânea".

9. Você pode assobiar e chupar cana — mas não ao mesmo tempo.

Às vezes, os dilemas mais complexos, quando analisados do ponto de vista sistêmico, não são absolutamente dilemas. São resultado do raciocínio "instantâneo", e não do pensamento baseado em "processo", e podem ser vistos de forma diferente quando você analisa conscientemente as mudanças ao longo do tempo.

Por exemplo, durante anos, os industriais norte-americanos acreditaram que era preciso escolher entre baixo custo e alta qualidade. "A fabricação de produtos de alta qualidade é mais cara", pensavam. "A montagem leva mais tempo, exige materiais e componentes mais caros e inclui controles mais rigorosos de qualidade." Não consideraram todas as possibilidades do aumento da qualidade e da redução dos custos ocorrerem lado a lado ao longo do tempo. Não perceberam que melhorias básicas nos processos de trabalho poderiam eliminar o retrabalho, eliminar os inspetores de qualidade, reduzir as reclamações dos clientes, os custos de garantia, aumentar a lealdade dos consumidores e reduzir os gastos de propaganda e promoções de vendas. Não notaram que era possível alcançar as duas metas se estivessem dispostos a esperar por uma enquanto se concentrassem na outra. Investir tempo e dinheiro no desenvolvimento de novas habilidades e padrões de montagem, inclusive métodos que envolvam todos os responsáveis pela melhoria da qualidade, é um "custo" em primeiro lugar. A qualidade *e* os custos podem aumentar nos primeiros meses. Embora seja possível obter algumas economias a curto prazo (a redução do retrabalho, por exemplo), talvez sejam necessários vários anos para que dê frutos a redução total dos custos.

Muitos dilemas aparentes, como controle central *versus* controle local, funcionários felizes e comprometidos *versus* custos competitivos de mão-de-obra e recompensa às realizações individuais *versus* valorização de todos os funcionários são subprodutos do pensamento estático. Parecem opções rígidas do tipo "esse ou aquele", porque pensamos no que é possível num determinado momento. No mês seguinte, talvez tenhamos que escolher uma ou outra, todavia a verdadeira alavancagem consiste em ver como ambas podem ser melhoradas ao longo do tempo.[6]

10. Dividir um elefante ao meio não produz dois pequenos elefantes.

Os sistemas vivos têm integridade. Seu caráter depende do todo. O mesmo ocorre com as organizações; para compreender as questões gerenciais mais complexas é preciso ver o sistema inteiro responsável pelo problema.

Uma outra fábula muçulmana ilustra muito bem essa lei. Três homens cegos encontraram um elefante. "É uma coisa grande e áspera, larga e ampla, como um tapete", disse o primeiro, segurando uma das orelhas. O segundo, segurando a tromba, disse: "Eu sei o que é isso: é um tubo reto e oco". E o terceiro, segurando uma perna dianteira, disse: "É sólido e firme, como uma coluna". Será que esses três cegos são diferentes dos chefes de produção, marketing e pesquisa de muitas empresas? Cada um vê os problemas da empresa claramente, mas nenhum percebe como as políticas de seus departamentos interagem com as dos outros. A fábula termina com uma observação interessante: "O raciocínio desses homens jamais deixará que saibam o que é um elefante".

O fato de ver "o elefante inteiro" não significa que todos os problemas de uma organização só podem ser compreendidos analisando-se a organização como um todo. Alguns problemas *podem* ser compreendidos analisando-se exclusivamente a interação entre as principais funções como produção, marketing e pesquisa, mas há outros nos quais forças sistêmicas críticas surgem dentro de uma determinada área funcional, e outros ainda nos quais a dinâmica do setor como um todo deve ser considerada. O princípio fundamental, chamado "princípio dos limites do sistema", é que as interações que devem ser examinadas são as mais importantes para o problema em questão, *independentemente* dos limites organizacionais.

O que dificulta a prática desse princípio é a maneira como as organizações são projetadas, impedindo que as pessoas vejam as interações importantes. Uma maneira óbvia é reforçar as divisões internas rígidas que inibem a indagação fora dos limites das divisões, como as que se formam entre marketing, produção e pesquisa. Outra é "deixar" os problemas para trás, esperando que alguém os resolva. Muitas cidades européias contornaram os problemas de criminalidade, pobreza e desamparo que afligem tantas metrópoles norte-americanas porque se dispuseram a lutar em prol do equilíbrio que toda área urbana saudável deve manter. Algumas optaram pela criação de grandes "cinturões verdes" em torno de si, desencorajando o crescimento de bairros periféricos e reduzindo o problema de transporte das pessoas que trabalham no centro mas moram na periferia. Em contrapartida, várias cidades norte-americanas encorajaram a expansão contínua de bairros periféricos, permitindo que os habitantes mais ricos se mudassem para locais afastados do centro da cidade e de seus problemas. (Áreas hoje empobrecidas, como o Harlem em Nova York e Roxbury em Boston, eram bairros de classe alta.) As empresas fazem a mesma coisa adquirindo continuamente as concorrentes e "colhendo" os frutos das que consideram "maduras", em lugar de reinvestir nelas próprias.

Quase sempre, as pessoas insistem em dividir um elefante ao meio. O resultado não são dois pequenos elefantes — o resultado é uma confusão. Quando falo assim, refiro-me a um problema complicado no qual não se consegue identificar pontos de alavancagem, pois ela está nas interações, que não podem ser identificadas quando se analisa apenas a parte que se está segurando.

11. Não existem culpados.

Nossa tendência é culpar as circunstâncias externas pelos nossos problemas. "Alguém" lá fora — os concorrentes, a imprensa, as mudanças do mercado, o governo — fez isso ou aquilo a nós. O pensamento sistêmico mostra-nos que não existe "lá fora", que você e a causa de seus problemas fazem parte de um único sistema. A cura está no seu relacionamento com o seu "inimigo".

5

UMA MUDANÇA DE MENTALIDADE

ENXERGANDO O MUNDO COM OUTROS OLHOS

Há alguma coisa dentro de todos nós que adora montar um quebra-cabeça, que adora ver surgir a imagem do todo. A beleza de uma pessoa ou de uma flor ou de um poema reside em vê-los por inteiro. É interessante que as palavras *whole* (todo) e *health* (saúde) vêm do mesmo radical *hal*, do inglês arcaico, como na expressão *hale and hearty* ("firme e forte", em português). Portanto, não é surpresa que a falta de saúde do mundo atual seja diretamente proporcional à nossa incapacidade de vê-lo como um todo.

O pensamento sistêmico é uma disciplina para ver o todo. É um quadro referencial para ver inter-relacionamentos, ao invés de eventos; para ver os padrões de mudança, em vez de "fotos instantâneas". É um conjunto de princípios gerais — destilados ao longo do século 20, abrangendo campos tão diversos quanto as ciências físicas e sociais, a engenharia e a administração. É também um conjunto de ferramentas e técnicas específicas, originárias de duas linhas de pensamento: a dos conceitos de feedback da cibernética e a da teoria de "servomecanismo" da engenharia, datadas do século 19. Durante os últimos trinta anos, essas ferramentas foram utilizadas para compreender uma ampla variedade de sistemas empresariais, urbanos, regionais, econômicos, políticos, ecológicos e até fisiológicos.[1] E o pensamento sistêmico é uma sensibilidade à sutil interconectividade que dá aos sistemas vivos o seu caráter único.

Hoje, o pensamento sistêmico é mais necessário do que nunca, pois nos tornamos cada vez mais desamparados diante de tanta complexidade. Talvez, pela primeira vez na história, a humanidade tenha a capacidade de criar muito mais informações do que o homem pode absorver, de gerar uma interdependência muito maior do que o homem pode administrar e de acelerar as mudanças com uma velocidade muito maior do que o homem pode acompanhar. Certamente a escala de complexidade é sem precedentes. Tudo à nossa volta é exemplo de "colapsos sistêmicos" — problemas como o aquecimento global, a diminuição da camada de ozônio, o tráfico internacional de drogas e o déficit comercial e orçamentário norte-americano —, problemas que não possuem uma simples causa local. Da mesma forma, as organizações também entram em colapso, apesar da inteligência individual e dos produtos inovadores, pois elas são incapazes de reunir suas diversas funções e talentos para criar um todo produtivo.

A complexidade pode facilmente minar a confiança e a responsabilidade — como no freqüente refrão, "É tudo muito complexo para mim" ou "Não posso fazer nada. É o sistema". O pensamento sistêmico é o antídoto para essa sensação de impotência que muitas pessoas sentem ao entrar na "era da interdependência". O pensamento sistêmico é uma disciplina para ver as "estruturas" subjacentes às situações complexas e para discernir entre mudanças de alta e de baixa alavancagem. Ou seja, ao ver o todo *(whole)*, aprendemos a fomentar a saúde *(health)*. Para fazer isso, o pensamento sistêmico oferece uma linguagem que começa com a reestruturação do modo como pensamos.

Chamo o pensamento sistêmico de a quinta disciplina porque ele é a pedra fundamental conceitual subjacente a todas as cinco disciplinas descritas neste livro. Todas envolvem uma mudança de mentalidade, de ver as partes para ver o todo, de considerar as pessoas como reativas e impotentes para considerá-las como participantes ativas na formação de sua realidade, deixando de reagir ao presente para criar o futuro. Uma vez que sejam colocadas em prática, sem o pensamento sistêmico, não há nem incentivo nem os meios para integrar as disciplinas de aprendizagem. O pensamento sistêmico é a pedra fundamental que determina como as organizações que aprendem pensam a respeito do seu universo.

Não há exemplo mais tocante da necessidade do pensamento sistêmico do que a corrida armamentista norte-americana e soviética. Durante os últimos quarenta anos, enquanto o mundo todo assistia, as duas maiores potências políticas do mundo engajaram-se em uma corrida para ver quem chegaria mais rápido aonde ninguém queria chegar. Não conheço uma única pessoa que seja a favor da corrida armamentista. Mesmo as que a consideram absolutamente necessária ou que lucraram com ela confessam, na sua intimidade, que prefeririam que ela não fosse necessária. A corrida armamentista drenou a economia norte-americana e devastou a economia soviética. Ela prejudicou sucessivas administrações de líderes políticos e aterrorizou duas gerações de cidadãos do mundo.

As raízes da corrida armamentista não estão em ideologias políticas rivais e nem nas armas nucleares, mas em uma forma de pensar compartilhada por ambos os lados. Os Estados Unidos, por exemplo, tinham o seguinte ponto de vista sobre a corrida armamentista:

Armas soviéticas → **Ameaça aos norte-americanos** → **Necessidade dos norte-americanos de construir armas**

Ao mesmo tempo, os líderes soviéticos tinham o seguinte ponto de vista sobre a corrida armamentista:

Armas norte-americanas → **Ameaça aos soviéticos** → **Necessidade dos soviéticos de construir armas**

Do ponto de vista norte-americano, os soviéticos eram os agressores e a expansão de armas nucleares, uma resposta defensiva às ameaças impostas. Da mesma forma, para os soviéticos, eram os norte-americanos os agressores e a produção em grande escala de armas nucleares soviéticas, uma defesa ao perigo representado pelo poderio bélico norte-americano.

Mas as duas linhas retas acima formam um círculo. Os pontos de vista individuais, "lineares" ou não-sistêmicos dos dois países interagem criando um "sistema", um conjunto de variáveis que se influenciam mutuamente:

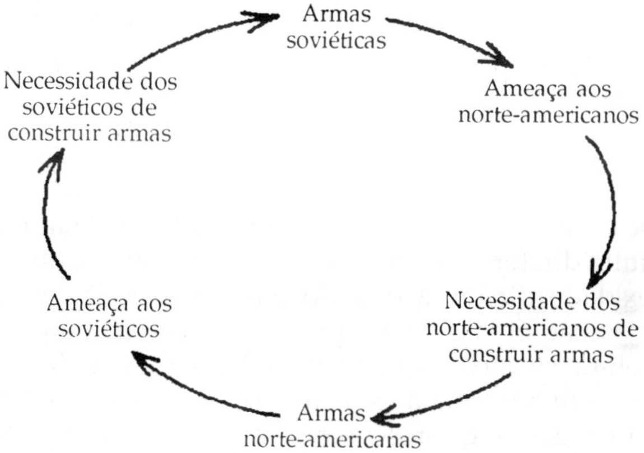

A visão sistêmica da corrida armamentista mostra um ciclo perpétuo de agressão. Os Estados Unidos respondem ao que percebem como uma "Ameaça aos norte-americanos" aumentando as "Armas norte-americanas", o que aumenta a "Ameaça aos soviéticos", o que... e assim por diante, indefinidamente. Do ponto de vista individual, ambos os lados alcançam seu objetivo a curto prazo. Ambos respondem ao que percebem como uma ameaça. Mas suas atitudes acabam criando um resultado oposto a longo prazo, aumentando cada vez mais a ameaça. Nesse, como em muitos outros sistemas, *fazer o óbvio não produz o resultado óbvio e desejado.* A longo prazo, os esforços dos dois lados para aumentar a segurança ampliaram o temor de todos, resultando em um estoque de armas nucleares dez mil vezes maior que o poder de fogo da Segunda Guerra Mundial.

É interessante observar que nenhum dos dois países conseguiu, em todos esses anos, adotar uma visão realmente sistêmica, apesar dos inúmeros "analistas de sistemas", das análises sofisticadas dos arsenais nucleares de ambos e das simulações computadorizadas complexas sobre cenários de guerra, com ataques e contra-ataques.[2] Por que, então, essas ferramentas, que deveriam tratar a complexidade, não nos ajudam a escapar da falta de lógica da corrida armamentista?

A resposta é a mesma que explica por que ferramentas sofisticadas de projeção e análise de negócios e planos estratégicos elegantes, em geral, não conseguem produzir rupturas drásticas na administração de uma empresa. Todos esses mecanismos foram projetados para tratar um tipo de complexidade que lida com muitas variáveis: *a complexidade de detalhes. Mas existem dois tipos de complexidade.* O segundo tipo é a *complexidade dinâmica*, situações nas quais causa e efeito são sutis, nas quais os efeitos das intervenções, ao longo do tempo, não são óbvios. Os métodos tradicionais de projeção, planejamento e análise não são capazes de lidar com a complexidade dinâmica. A mistura de vários ingredientes em um ensopado envolve a complexidade de detalhes; o mesmo ocorre quando se segue um conjunto de instruções complexas para montar uma máquina ou determinar o estoque de uma loja de varejo. Mas nenhuma dessas situações é especialmente complexa do ponto de vista dinâmico.

A complexidade dinâmica aparece quando a mesma ação provoca efeitos drasticamente diferentes a curto e a longo prazos. Quando uma ação provoca um conjunto de conseqüências localmente e um outro conjunto muito diferente de conseqüências em outra parte do sistema. Há complexidade dinâmica quando intervenções óbvias produzem conseqüências não óbvias. Um giroscópio é uma máquina dinamicamente complexa: se você empurrar uma das extremidades para baixo, o giroscópio se movimenta à esquerda; se empurrar a outra extremidade para a esquerda, o giroscópio se movimenta para cima. Entretanto, o giroscópio é um mecanismo extremamente simples quando comparado à dinâmica complexa de uma empresa, que precisa de dias para fabricar alguma coisa, semanas para desenvolver uma nova promoção de marketing, meses para contratar e treinar novos funcionários e anos para desenvolver novos produtos, estimular o talento de sua equipe de gerentes e construir uma reputação de qualidade — e todos esses processos interagem continuamente.

Na maioria das situações gerenciais, a verdadeira alavancagem está em compreender a complexidade dinâmica, e não a complexidade de detalhes. Equilibrar o crescimento do mercado e a capacidade de expansão é um problema dinâmico. Desenvolver um lucrativo *mix* de preço, qualidade do produto (ou do serviço), projeto e disponibilidade, que possibilita uma sólida posição no mercado, constitui um problema dinâmico. A melhoria da qualidade, a redução dos custos totais e a satisfação dos clientes de uma forma sustentável são problemas dinâmicos.

Infelizmente, a maioria das "análises de sistemas" focaliza a complexidade de detalhes, e não a complexidade dinâmica. Simulações com milhares de variáveis e complexos conjuntos de detalhes podem nos distrair, impedindo que vejamos os padrões e os inter-relacionamentos principais. De fato, infelizmente, para a maioria das pessoas "pensamento sistêmico" significa "combater complexidade com complexidade", gerando soluções cada vez mais "complexas" (ou deveríamos dizer "detalhadas") para problemas cada vez mais "complexos". Na verdade, essa é a antítese do verdadeiro pensamento sistêmico.

A corrida armamentista é, fundamentalmente, um problema de complexidade dinâmica. A descoberta das causas e possíveis soluções exige que se identifiquem os inter-relacionamentos, por exemplo, entre as ações norte-americanas para aumentar a sua segurança e a ameaça que criavam para os soviéticos. Exige que vejamos a defasagem entre a ação e a conseqüência, como, por exemplo, a defasagem de tempo entre uma decisão norte-americana de fabricar armas e uma contra-decisão soviética de também fabricar mais armas. Exige que vejamos os padrões de mudança como uma escalada contínua, e não apenas uma foto instantânea.

Ver os principais inter-relacionamentos subjacentes a um problema leva a novas descobertas sobre o que pode ser feito. No caso da corrida armamentista, como em qualquer dinâmica de escalada contínua, a pergunta óbvia é: "Será possível reverter o ciclo vicioso?" "Será possível reverter a corrida armamentista?"

"Talvez seja exatamente isso que esteja acontecendo atualmente. As iniciativas do primeiro-ministro soviético Mikhail Gorbachev para redução de armas iniciaram uma nova "corrida pela paz", com ambos os lados se esforçando para manter o mesmo passo do outro na redução dos arsenais nucleares. É cedo demais para dizer se as mudanças políticas iniciadas pelos soviéticos em 1988 e 1989 conseguirão desacelerar de modo sustentável a corrida armamentista entre norte-americanos e soviéticos. Há muitos outros fatores no sistema global geopolítico além da simples interação Estados Unidos-União Soviética. Mas, aparentemente, estamos testemunhando o primeiro sinal de uma abordagem verdadeiramente sistêmica.[3]

A essência da disciplina do pensamento sistêmico reside numa mudança de mentalidade:

- ver inter-relacionamentos, em vez de cadeias lineares de causa-efeito
- ver os processos de mudança, em vez de simples fotos instantâneas.

A prática do pensamento sistêmico começa com a compreensão de um conceito simples chamado feedback, que mostra como as ações podem se reforçar ou neutralizar (equilibrar) umas às outras. *Ela permite aprender a reconhecer os tipos de "estruturas" continuamente recorrentes:* a corrida armamentista é um padrão genérico ou arquétipo de escalada, pois, na sua essência, não difere de uma guerra entre duas gangues de rua, da dissolução de um casamento ou das batalhas publicitárias entre duas empresas de bens de consumo que disputam uma fatia de mercado. Por fim, o pensamento sistêmico forma uma linguagem rica para descrever uma ampla gama de inter-relacionamentos e padrões de mudança. Em última análise, o pensamento sistêmico *simplifica* a vida por ajudar-nos a ver os padrões mais profundos, subjacentes aos eventos e aos detalhes.

No princípio, aprender uma linguagem nova é difícil. Mas quando você começa a dominar os elementos básicos, fica mais fácil. Pesquisas com crianças mostraram que muitas aprendem o pensamento sistêmico com uma rapidez incrível.[4] Parece que todos nós temos habilidades latentes de pensadores sistêmicos não desenvolvidas, e que são até mesmo reprimidas pela educação formal baseada no pensamento linear. Espero que os conceitos descritos a seguir ajudem a redescobrir algumas dessas habilidades latentes, revelando o pensador sistêmico que existe dentro de cada um de nós.

ENXERGANDO OS CÍRCULOS DE CAUSALIDADE[5]

A realidade é constituída de círculos, mas nós vemos linhas retas. Aí estão nossas primeiras limitações como pensadores sistêmicos.

Uma das razões que explicam essa fragmentação do pensamento deriva da nossa linguagem. A linguagem forma a percepção. O que nós *enxergamos* depende do que estamos preparados para ver. Os idiomas ocidentais, com sua estrutura sujeito-verbo-objeto, tendem a favorecer uma visão linear.[6] Se queremos ver os inter-relacionamentos do sistema como um todo, precisamos de uma linguagem de inter-relacionamentos, uma linguagem feita de círculos. Sem tal linguagem, nossa forma habitual de ver o mundo produz visões fragmentadas e ações contraproducentes — como fez com os responsáveis pelas decisões na corrida armamentista. Essa linguagem é importante para enfrentar de forma dinâmica problemas complexos e escolhas estratégicas, especialmente quando indivíduos, equipes e organizações precisam ver além dos eventos, penetrando nas forças que configuram a mudança.

Para ilustrar os elementos básicos dessa nova linguagem, considere um sistema muito simples — encher um copo de água. Talvez você pense: "Isso não é um sistema — é simples demais". Mas raciocine novamente.

Do ponto de vista linear, dizemos: "Estou enchendo um copo de água". A figura a seguir mostra a imagem que a maioria de nós tem na cabeça:

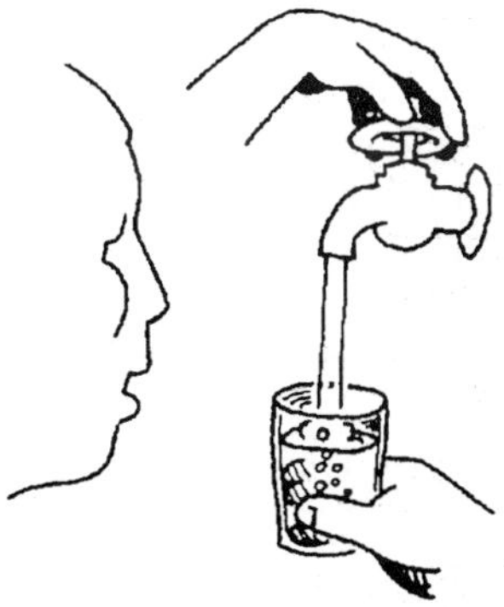

Mas, na verdade, ao encher o copo, estamos observando o nível da água subir. Monitoramos a diferença entre o nível atual e a nossa meta, "o nível desejado de água". Quando a água se aproxima do nível desejado, ajustamos a posição da torneira para reduzir o fluxo de água, até fechá-la quando o copo estiver cheio. Na verdade, quando enchemos o copo de água, estamos operando em um sistema de "regulagem de água", envolvendo cinco variáveis: nosso nível desejado de água, o nível atual de água no copo, a diferença entre os dois, a posição da torneira e o fluxo de água. Essas variáveis estão organizadas em um círculo ou *loop* de relacionamentos de causa e efeito, chamado de "processo de feedback". O processo funciona continuamente para fazer com que a água alcance o nível desejado.

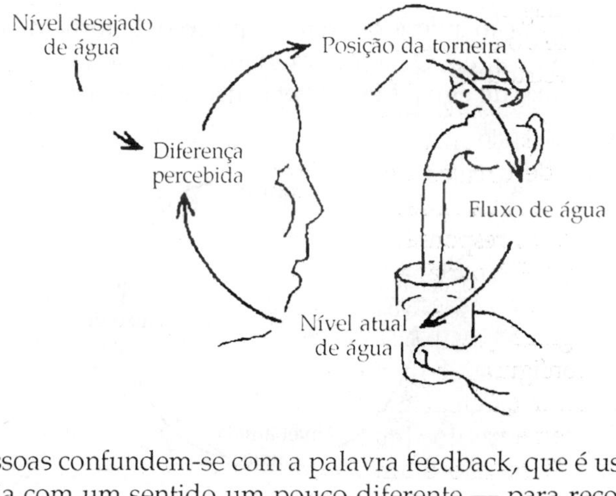

As pessoas confundem-se com a palavra feedback, que é usada com freqüência com um sentido um pouco diferente — para recolher opiniões sobre uma atitude que tomamos. "Dê-me um feedback sobre minha decisão na cervejaria", você pode dizer no jogo da cerveja. "O que você acha da forma como lidei com a situação?" Nesse contexto, "feedback positivo" significa observações encorajadoras e "feedback negativo" significa más notícias. Mas, no pensamento sistêmico, feedback é um conceito mais amplo. Significa qualquer fluxo recíproco de influência. No pensamento sistêmico há o axioma de que toda influência é ao mesmo tempo causa e efeito. Nada é sempre influenciado em apenas uma única direção.

COMO INTERPRETAR UM DIAGRAMA SISTÊMICO

A chave para interpretar a realidade sistemicamente é enxergar círculos de influência, ao invés de linhas retas. Esse é o primeiro passo para romper com a mentalidade reativa que vem, inevitavelmente, do pensamento "linear". Todo círculo conta uma história. Ao traçar os fluxos de influência, você pode ver os padrões que se repetem continuamente, melhorando ou piorando as situações.

A partir de um dos elementos da situação, você pode traçar setas que representam a influência sobre outro elemento:

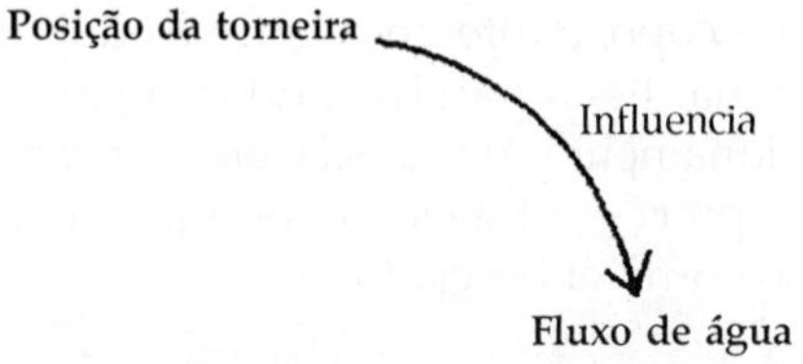

Na ilustração anterior, a seta da posição da torneira aponta para o fluxo de água. Qualquer mudança na posição da torneira alterará o fluxo de água. Mas as setas não existem isoladamente.

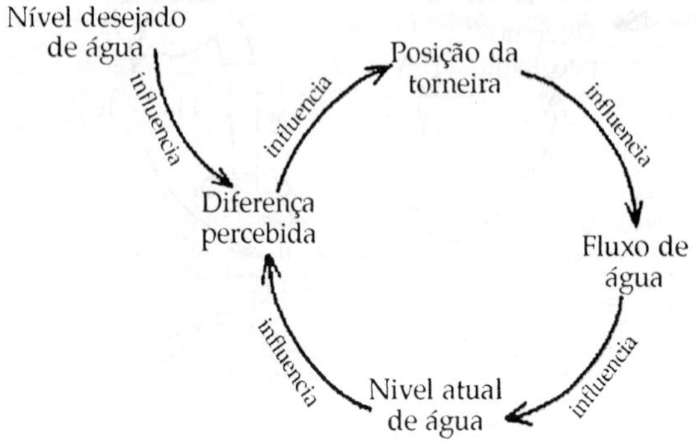

Para acompanhar a história, comece em qualquer elemento e observe a ação resultante, percorrendo o círculo como um trem de brinquedo percorre os trilhos de uma linha circular. Um bom lugar para começar é a atitude tomada pelo responsável pela decisão:

Ajusto a posição da torneira, que ajusta o fluxo de água, que muda o nível da água. Enquanto o nível da água muda, a diferença percebida (entre os níveis atual e desejado) muda. Quando a diferença muda, a posição da minha mão na torneira muda novamente. E assim por diante...

Ao ler um diagrama circular de feedback, o importante é ver a "história" que o diagrama conta: como a estrutura cria um padrão específico de comportamento (ou, em uma estrutura complexa, vários padrões de comportamento) e como esse padrão pode ser influenciado. Nesse caso, a história é encher um copo de água e fechar gradativamente a torneira à medida que o copo enche.

Embora conceitualmente simples, o círculo de feedback derruba idéias extremamente arraigadas — como a causalidade. Na linguagem do dia-a-dia dizemos: "Estou enchendo o copo de água", sem pensar no verdadeiro significado dessa afirmação. A frase implica uma causalidade em uma única direção — "Estou provocando a elevação do nível da água". Mais precisamente "Minha mão na torneira está controlando o fluxo de água que cai no copo". Claramente, essa afirmação descreve apenas metade do processo de feedback: as ligações entre "posição da torneira", "fluxo de água" e "nível da água".

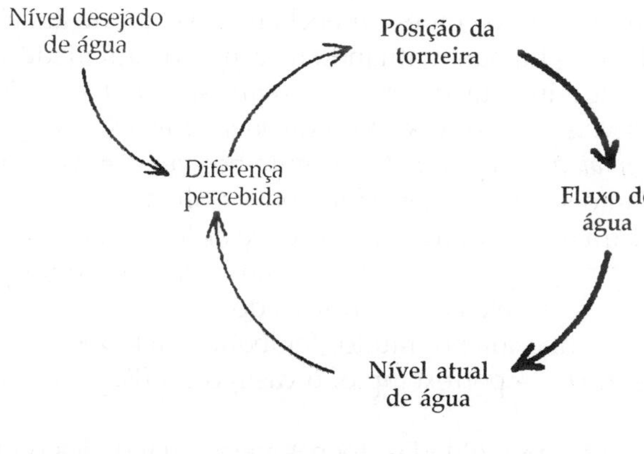

Entretanto, seria igualmente verdadeiro descrever apenas a outra "metade" do processo. "O nível da água no copo está controlando a minha mão."

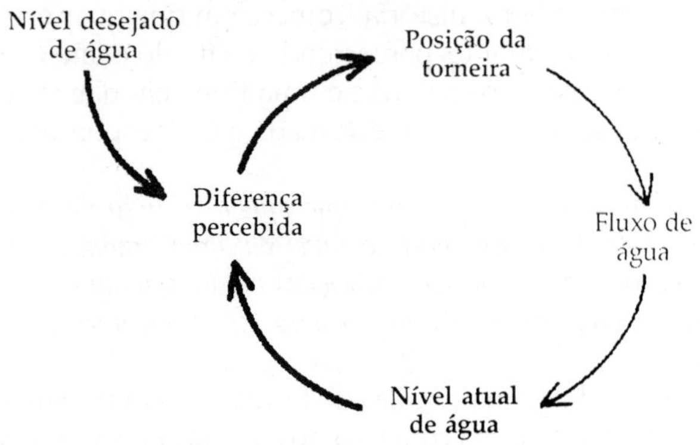

As duas afirmações são igualmente incompletas. Uma afirmação mais perfeita de causalidade é que minha intenção de encher o copo de água cria um sistema que faz o líquido fluir para dentro do copo quando o nível está baixo e interrompe o fluxo de água quando o copo está cheio. Em outras palavras, a estrutura causa o comportamento. Essa distinção é importante porque ver somente as ações individuais e ignorar a estrutura subjacente a essas ações, como vimos no jogo da cerveja no Capítulo 3, constitui a essência de nossa sensação de impotência nas situações complexas.

Na verdade, todas as atribuições causais feitas na linguagem do dia-a-dia são altamente suspeitas! A maioria incorpora visões lineares. Na melhor das hipóteses, são parcialmente precisas, inerentemente tendenciosas a descrever partes de processos recíprocos, e não os processos inteiros.

Uma outra idéia derrubada pela perspectiva de feedback é a de antropocentrismo — a visão de nós mesmos como centro das atividades. A simples descrição "Eu estou enchendo o copo de água" sugere um mundo de seres humanos atuando no centro da atividade, atuando em uma realidade inanimada. *Na perspectiva sistêmica, o ser humano é parte de um processo de feedback, não ficando à parte dele. Isso representa uma profunda mudança na percepção.* Permite-nos ver como estamos continuamente tanto sendo influenciados pela realidade quanto influenciando-a. Essa é a mudança de percepção tão ardorosamente defendida pelos ecologistas quando insistem que nos vejamos como parte da natureza, e não como elementos dissociados dela. Essa é a mudança de percepção reconhecida por muitos (embora nem todos) dos grandes sistemas filosóficos — por exemplo, o castigo do *Bhagavad-Gita*:

> Todas as ações são moldadas apenas pelas qualidades da natureza. O eu, iludido pelo egoísmo, pensa: "Eu sou o autor".[7]

Além disso, o conceito de feedback complica a questão ética da responsabilidade. Na corrida armamentista, quem é o responsável? Segundo a visão linear de cada um dos lados, a responsabilidade é claramente atribuída ao outro. "As atitudes agressivas e o propósito nacionalista deles é que estão nos estimulando a fabricar nossas armas." Uma visão linear sempre sugere um único local de responsabilidade. Quando as coisas dão errado, isto é visto como culpa dos outros — "ele, ela, aquilo fez isso" — ou como nossa culpa — "eu fiz." Se analisarmos com mais profundidade, não há diferença entre esses dois tipos de culpa, pois ambos resultam de percepções lineares. Sob esse ponto de vista, estamos sempre procurando alguém ou alguma coisa que possa ser responsável — podemos até atribuir a culpa a agentes ocultos dentro de nós mesmos. Quando meu filho tinha quatro anos, ele costumava dizer "Meu estômago não me deixa comer isso", quando não queria comer verduras. Pode parecer engraçado, mas será que esse mecanismo de atribuição de responsabilidade é realmente diferente do mecanismo utilizado por um adulto quando diz "Minhas neuroses não me deixam confiar nas pessoas"?

Ao dominar o pensamento sistêmico, abandonamos a premissa de que existe um indivíduo ou agente individual responsável. A perspectiva de feedback sugere que *todos compartilham a responsabilidade dos problemas gerados por um sistema.* Isso não significa necessariamente que todos os envolvidos podem exercer o mesmo poder de alavancagem para mudar o sistema. Mas significa que a busca de bodes expiatórios — uma diversão encantadora em culturas individualistas como a norte-americana — é um beco sem saída.

Finalmente, o conceito de feedback ressalta as limitações de nossa linguagem. Quando tentamos descrever com palavras até um sistema muito simples, como encher um copo de água, isso se torna muito difícil: "Ao encher um copo de água, existe um processo de feedback que me faz regular a posição da torneira, que ajusta o fluxo do líquido e altera o seu nível. A meta do processo é elevar o nível da água à posição que eu desejo". É exatamente por isso que precisamos de uma nova linguagem para descrever o sistema. Se é tão complicado descrever um sistema tão simples quanto encher um copo de água, *imagine as dificuldades de usar a linguagem do dia-a-dia para descrever os múltiplos processos de feedback em uma organização.*

Precisamos nos acostumar com tudo isso. Estamos imersos em uma linguagem linear para descrever nossas experiências. Sentimo-nos mais familiarizados e confortáveis com afirmações simples sobre causalidade e responsabilidade. Não se trata de abandoná-las, assim como não abandonamos o português para aprender o francês. Há muitas situações, nas quais descrições lineares simples são suficientes e a busca de processos de feedback seria uma perda de tempo. Mas isso não acontece quando estamos lidando com problemas de complexidade dinâmica.

FEEDBACK DE REFORÇO, FEEDBACK DE EQUILÍBRIO E DEFASAGENS: OS ELEMENTOS BÁSICOS DO PENSAMENTO SISTÊMICO

Existem dois tipos distintos de processos de feedback: de reforço e de equilíbrio. Os processos de feedback de *reforço* (ou de amplificação) são os propulsores do crescimento. Sempre que você estiver em uma situação em que as coisas estão crescendo, pode ter certeza de que o feedback de reforço está em ação. O feedback de reforço também pode produzir declínio acelerado — um padrão de declínio no qual pequenas quedas se acumulam transformando-se em quedas cada vez maiores, como acontece, por exemplo, com o ativo de um banco, nos casos de pânico financeiro.

O feedback de *equilíbrio* (ou de estabilização) entra em ação sempre que existe um comportamento orientado para uma meta. Se a meta é ficar parado, o feedback de equilíbrio atua como o freio de um carro. Se a meta é se movimentar a 60 quilômetros por hora, o feedback de equilíbrio provocará uma aceleração até alcançar os 60 quilômetros por hora, não mais do que isso. A "meta" pode ser um alvo explícito, como quando a empresa almeja uma determinada fatia de mercado, ou implícita, como um mau hábito, do qual não conseguimos nos livrar.

Além disso, muitos processos de feedback contêm *"defasagens"*, interrupções no fluxo de influência que tornam graduais as conseqüências das ações.

Todas as idéias contidas na linguagem do pensamento sistêmico são desenvolvidas a partir desses elementos, assim como as frases são construídas a partir de substantivos e verbos. Depois de aprender os elementos básicos, podemos começar a construir histórias: os arquétipos de sistemas discutidos no próximo capítulo.

FEEDBACK DE REFORÇO: DESCOBRINDO COMO PEQUENAS MUDANÇAS PODEM CRESCER

Se você está num sistema de feedback de reforço, pode não perceber como as pequenas ações podem evoluir transformando-se em grandes conseqüências — para melhor ou para pior. Ver o sistema permite a você influenciar seu funcionamento.

Por exemplo, os gerentes freqüentemente não conseguem avaliar até que ponto suas próprias expectativas influenciam o desempenho de seus subordinados. Quando acredito que uma pessoa tem um grande potencial, dedico-lhe atenção especial para que ela desenvolva esse potencial. Quando ela desabrocha, acho que minha avaliação estava correta e continuo a ajudá-la. Por outro lado, como não dedico nenhuma atenção às pessoas que considero com baixo potencial, elas trabalham com desinteresse, justificando em minha mente a falta de atenção que lhes dedico.

O psicólogo Robert Merton identificou pela primeira vez esse fenômeno como a "profecia auto-realizável".[8] O fenômeno também ficou conhecido como "efeito Pigmalião", depois da famosa peça de teatro de George Bernard Shaw (que mais tarde se tornou *My Fair Lady*). Shaw emprestou o título de Pigmalião de um personagem da mitologia greco-romana que acreditava tanto na beleza da estátua que acabara de esculpir que essa estátua ganhou vida.

O efeito Pigmalião foi demonstrado em inúmeras situações.[9] Um bom exemplo é o das escolas, onde a opinião do professor em relação a um aluno influencia o comportamento deste. Jane é tímida e está se saindo muito mal no primeiro semestre na nova escola (porque os pais de Jane vivem brigando). Isso contribui para que o professor forme a opinião de que Jane é uma aluna desmotivada. No semestre seguinte, o professor dá menos atenção a Jane, que se sai mal novamente, e se torna ainda mais retraída. Com o tempo, Jane torna-se prisioneira de uma espiral, que aumenta cada vez mais sua timidez, piora seu desempenho, faz com que seja "rotulada" pelos professores, aumenta sua desatenção e aumenta ainda mais sua timidez. Portanto, embora não intencionalmente, o aluno é "associado" a uma auto-imagem superestimada de suas habilidades, conquistando mais atenção dos professores, ou a uma auto-imagem inferiorizada, que reforça o seu mau desempenho e o aprisiona em uma espiral cada vez mais degradante.

Nos *processos de reforço*, como no efeito Pigmalião, as pequenas mudanças se acentuam. Qualquer movimento que ocorra é amplificado, produzindo mais movimentos na mesma direção.

Uma pequena ação cresce, acumulando, como uma *bola-de-neve*, o mesmo interesse. Alguns processos de reforço (amplificadores) são "círculos viciosos", nos quais as coisas começam mal e pioram à medida que crescem. A "crise da falta de combustível" é um exemplo clássico. Os boatos de que poderia faltar gasolina iniciaram uma corrida aos postos para encher os tanques dos automóveis. Ao ver as longas filas de carros, as pessoas convenceram-se de que havia mesmo uma crise. Estabeleceu-se o pânico e as pessoas começaram a estocar gasolina. Logo estavam "enchendo" o tanque quando ainda estava quase cheio, para não serem surpreendidas quando a gasolina acabasse. Outros exemplos são a corrida aos bancos (por causa de boatos) e outras estruturas de escalada, como a corrida armamentista ou as guerras de preços.

Mas isso não significa que os círculos de reforço têm uma natureza inerentemente negativa. Também há "círculos virtuosos" — processos que se reforçam na direção desejada. Assim, o exercício físico pode se transformar em uma espiral de reforço: você faz exercícios, sente-se melhor, exercita-se mais, sente-se satisfeito porque está se sentindo melhor e faz mais exercícios. A corrida armamentista evoluindo na direção contrária, se puder ser sustentada, criará um outro círculo virtuoso. O crescimento de um novo produto envolve espirais de reforço. Por exemplo, muitos produtos crescem devido à propaganda boca a boca. A propaganda boca a boca pode reforçar uma sensação crescente de bem-estar (como ocorreu com o Fusca da Volkswagen e com os mais recentes carros importados japoneses), quando clientes satisfeitos conversam com outros consumidores, que se transformam em novos clientes satisfeitos e conversam com outros consumidores, gerando um efeito bola-de-neve. O diagrama a seguir representa esse processo:

COMO INTERPRETAR UM DIAGRAMA DE CÍRCULO DE REFORÇO

Processo de reforço de vendas provocado por clientes que conversam com outros sobre seu produto

Esse diagrama mostra um processo de feedback de reforço no qual as ações sofrem o efeito bola-de-neve. Mais uma vez, você pode acompanhar o processo, percorrendo o círculo.

Se o produto é bom, mais vendas significam mais clientes satisfeitos, o que significa mais propaganda boca a boca. Isso resultará em um aumento ainda maior das vendas, o que significará mais propaganda boca a boca... e assim por diante. Por outro lado, se o produto é ruim, o círculo virtuoso se transforma em círculo vicioso: as vendas resultam em clientes menos satisfeitos, menos propaganda boca a boca positiva e menos vendas, levando a menos propaganda boca a boca positiva e reduzindo ainda mais as vendas.

O comportamento que resulta de um círculo de reforço é um crescimento ou um declínio acelerado. Por exemplo, a corrida armamentista produz um crescimento acelerado do arsenal de armas:

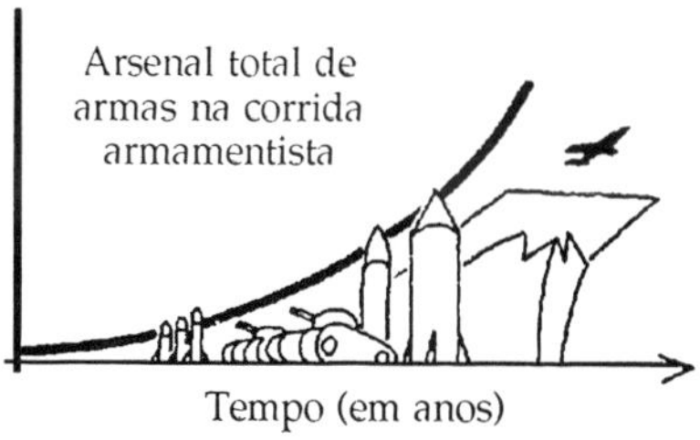

A propaganda boca a boca positiva produziu um rápido aumento nas vendas do Fusca na década de 50 e do videocassete na década de 80. A corrida a um banco produz uma queda acelerada dos depósitos nesse banco.

A sabedoria popular chama os círculos de reforço de "efeito bola-de-neve", "efeito maria-vai-com-as-outras" ou "círculo vicioso" e os descreve em sistemas específicos: "os ricos ficam cada vez mais ricos e os pobres cada vez mais pobres". Nos negócios, sabemos que "o momentum é tudo" quando se trata de gerar confiança em um novo produto ou em uma organização inexperiente. Conhecemos também outras espirais de reforço, que se movimentam na direção errada. A frase "Os ratos estão abandonando o navio" sugere uma situação na qual a deserção de algumas pessoas que perderam a confiança resultará em novas deserções, criando uma espiral viciosa de desconfiança. A propaganda boca a boca também pode facilmente funcionar na direção oposta (como ocorreu com os remédios contaminados vendidos nas farmácias), produzindo uma catástrofe no mercado.

Os círculos de reforço, tanto de boas quanto de más notícias, evoluem tão rapidamente que muitas vezes surpreendem as pessoas. Uma história infantil francesa ilustra esse processo. No início, havia apenas uma vitória-régia às margens de um lago. Mas o número de vitórias-régias duplica a cada dia. Em trinta dias, as plantas cobrem o lago, mas até o vigésimo oitavo dia, ninguém percebe. Subitamente, no vigésimo nono dia, metade do lago está coberta de vitórias-régias e a população da aldeia fica alarmada. Mas já não há muito a fazer. No dia seguinte, o medo dos aldeões transforma-se em realidade. É por isso que os riscos ambientais preocupam tanto, especialmente os que seguem padrões de reforço (por isso muitos ambientalistas têm tanto medo de poluentes como o CFC). No momento em que o problema é percebido, pode ser tarde demais. A extinção de espécies freqüentemente segue padrões de declínio lento, que se aceleram gradativamente durante longos períodos de tempo, até uma rápida extinção. O mesmo ocorre com a extinção de empresas.

Mas o processo de crescimento ou declínio acelerado raramente passa despercebido na natureza, pois os processos de reforço raramente ocorrem isoladamente. Em um determinado momento, o processo encontra limites que podem desacelerar, interromper, desviar ou até reverter o crescimento. Até as vitórias-régias param de crescer quando encontram as margens do lago. Os limites são uma *forma de feedback* de equilíbrio que, depois dos processos de reforço, é o segundo elemento básico do pensamento sistêmico.

PROCESSOS DE EQUILÍBRIO: DESCOBRINDO AS FONTES DE ESTABILIDADE E RESISTÊNCIA

Se você está em um sistema de equilíbrio, você está em um sistema que busca a estabilidade. Se você está de acordo com a meta do sistema, você ficará satisfeito. Caso contrário, se sentirá frustrado em todos os seus esforços para mudar as coisas, a não ser que possa mudar a meta do sistema ou enfraquecer sua influência.

A natureza adora o equilíbrio — mas, muitas vezes, os humanos responsáveis pelas decisões agem contrariamente a esse equilíbrio e pagam o preço por isso. Por exemplo, os gerentes pressionados por orçamentos enxutos freqüentemente reduzem o número de funcionários para diminuir os custos, mas acabam percebendo que os funcionários mantidos ficam sobrecarregados e que seus custos não diminuíram — porque o trabalho foi desviado para consultores ou porque o pagamento de horas extras compensa a diferença. Os custos não diminuem porque *o sistema tem sua própria agenda*. Existe uma meta implícita que, embora não seja mencionada, é bastante real — o volume de trabalho que se espera que seja feito.

Em um sistema de equilíbrio (estabilização), existe uma autocorreção que tenta manter a meta ou o objetivo. Encher um copo de água é um processo de equilíbrio: a meta é um copo cheio de água. Contratar novos funcionários é um processo de equilíbrio: a meta é uma força de trabalho específica ou uma taxa de crescimento. Dirigir um carro e andar de bicicleta também são exemplos de processos de equilíbrio, nos quais a meta é se deslocar na direção desejada.

Os processos de feedback de equilíbrio estão em toda parte. Estão incorporados em todos os comportamentos orientados para uma meta. Organismos complexos como o corpo humano contêm milhares de processos de feedback de equilíbrio que mantêm a temperatura e o equilíbrio, cicatrizam feridas, ajustam a visão de acordo com a intensidade da luz e nos alertam para o perigo. Um biólogo diria que todos esses processos são mecanismos através dos quais nosso corpo atinge a *homeostase* — a capacidade de manter as condições de sobrevivência em um ambiente dinâmico. O feedback de equilíbrio nos impele a comer quando precisamos de alimento e a dormir quando precisamos descansar ou — como mostra o diagrama a seguir — a nos agasalhar quando está frio.

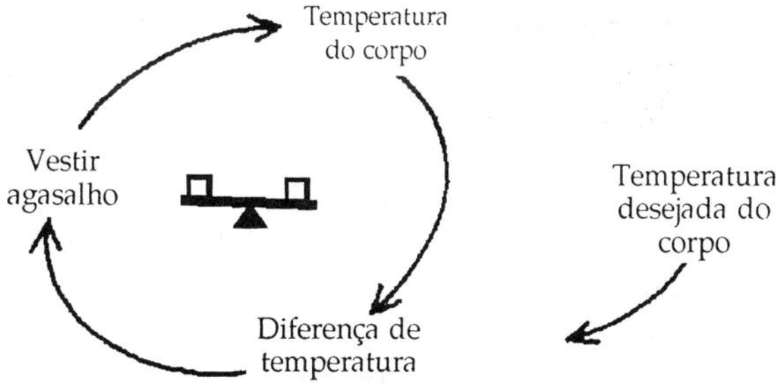

Como em todo processo de equilíbrio, o elemento crucial — a temperatura de nosso corpo — gradualmente ajusta-se à temperatura desejada.

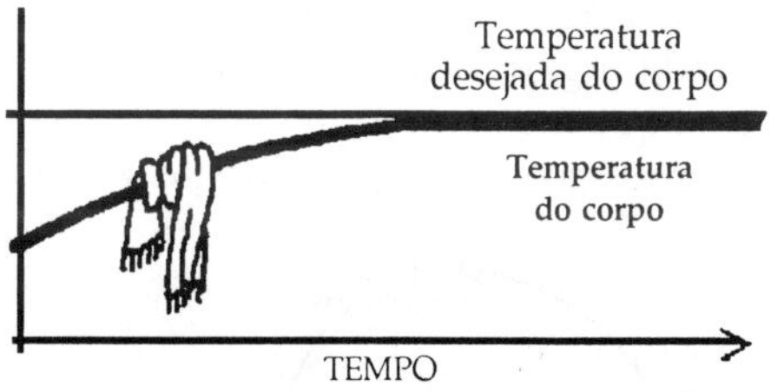

As organizações e as sociedades assemelham-se aos organismos complexos porque também possuem uma infinidade de processos de feedback de equilíbrio. Nas empresas, os processos de produção e compra de materiais se ajustam constantemente em resposta a mudanças nos pedidos que chegam; os preços de curto prazo (descontos) e de longo prazo (lista) ajustam-se em resposta às mudanças na demanda ou nos preços dos concorrentes; e os financiamentos ajustam-se às mudanças no saldo de caixa ou nas necessidades financeiras.

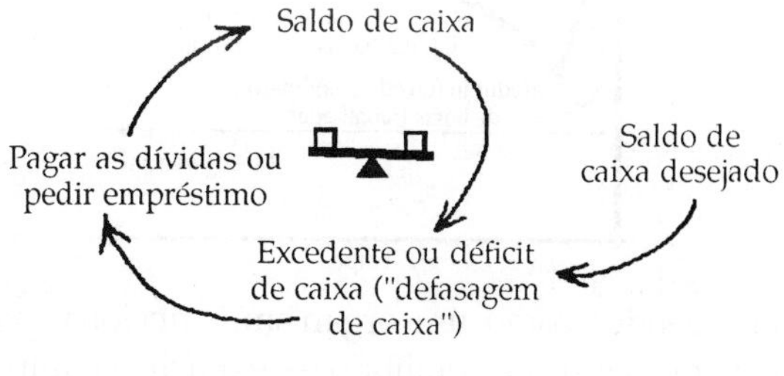

O planejamento cria processos de equilíbrio de longo prazo. Um plano de recursos humanos deve estabelecer metas de crescimento de longo prazo para o número de funcionários e o perfil de habilidades dos funcionários, a fim de satisfazer as necessidades previstas. Os planos de pesquisa de mercado e P&D influenciam o desenvolvimento de novos produtos e o investimento em pessoal, tecnologia e ativos de capital, visando criar vantagem competitiva.

Na administração de negócios, o que dificulta os processos de equilíbrio é o fato de as metas serem implícitas e de ninguém perceber a existência do processo de equilíbrio. Lembro-me de um amigo que tentou, em vão, reduzir a estafa dos profissionais de sua empresa de treinamento que crescia rápido. Redigiu memorandos, reduziu o número de horas de trabalho e chegou a fechar o escritório mais cedo — na tentativa de impedir que as pessoas trabalhassem demais. Mas todas essas medidas foram em vão — as pessoas ignoravam os memorandos, desobedeciam o novo horário de trabalho e levavam trabalho para casa quando o escritório passou a ser fechado mais cedo. Por quê? Porque uma norma não escrita da organização estabelecia que os *verdadeiros* heróis, as pessoas realmente comprometidas, que progrediam dentro da organização, trabalhavam setenta horas por semana — uma norma que meu amigo havia estabelecido para si mesmo com base em sua prodigiosa energia e longas jornadas de trabalho.

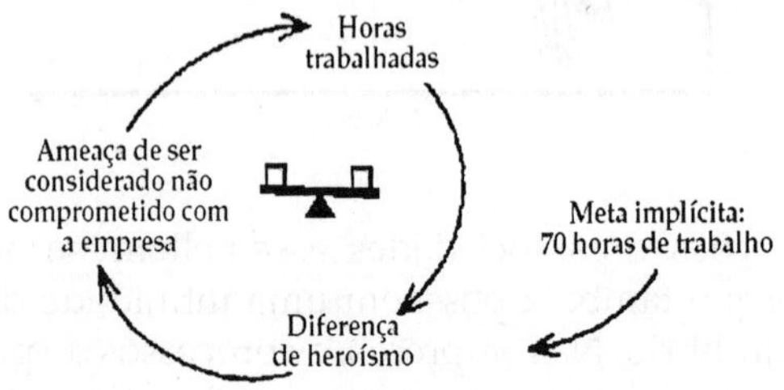

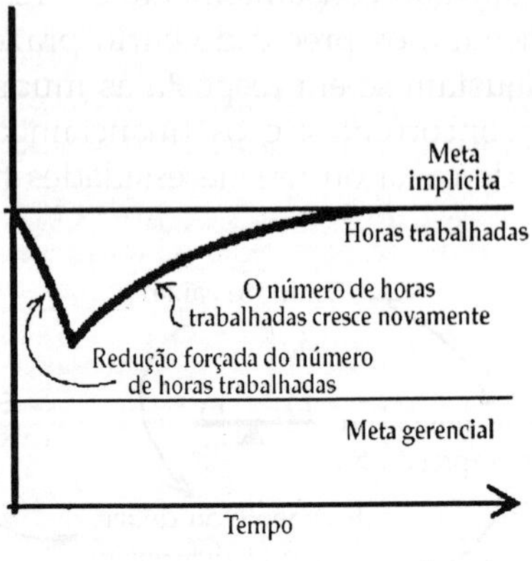

Para compreender como um organismo funciona, precisamos compreender seus processos de equilíbrio — explícitos e implícitos. Poderíamos conhecer uma longa lista de partes do corpo, órgãos, ossos, veias e artérias e, mesmo assim, não compreender como o corpo humano funciona — só quando compreendêssemos como o sistema neuromuscular mantém o equilíbrio ou como o sistema cardiovascular mantém a pressão arterial e os níveis de oxigênio. É por isso que muitas tentativas de reestruturação dos sistemas sociais fracassam. A economia controlada pelo Estado não funciona porque serve aos múltiplos processos de autocorreção que atuam em um mercado livre.[10] É por isso que as fusões de empresas freqüentemente fracassam. Há alguns anos, dois hospitais em Boston, ambos com uma excelente tradição no atendimento dos pacientes, fundiram-se. O novo hospital, embora possuísse instalações no estado da arte, perdeu o espírito de atendimento personalizado e a lealdade dos funcionários característicos das instituições originais. No novo hospital, os processos sutis de equilíbrio adotados pelos antigos hospitais para monitorar a qualidade, atender as necessidades dos funcionários e manter um relacionamento cordial com os pacientes foram destruídos pelas novas estruturas e pelos novos procedimentos administrativos.

COMO INTERPRETAR UM DIAGRAMA DE CÍRCULO DE EQUILÍBRIO

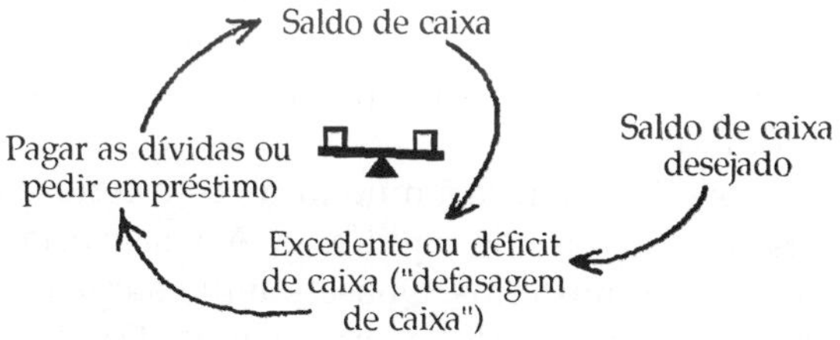

Processo de equilíbrio para ajustar o saldo de caixa ao excedente ou déficit de caixa

Este diagrama mostra um processo de feedback de equilíbrio.

Para acompanhar o processo, em geral, é mais fácil começar pela defasagem — a discrepância entre o que se deseja e o que existe:

Nesse caso, há um desnível entre o caixa disponível e as necessidades de fluxo de caixa. (Em outras palavras, existe uma defasagem entre os saldos de caixa desejado e real.)

Em seguida, veja as medidas tomadas para corrigir a diferença.

Pedimos um empréstimo, aumentando o saldo de caixa e diminuindo a defasagem.

O gráfico mostra que um processo de equilíbrio sempre funciona visando reduzir a defasagem entre o que se deseja e o que existe. Além disso, metas como o saldo de caixa desejado mudam ao longo do tempo com o crescimento ou declínio do negócio. Independentemente disso, o processo de equilíbrio continua funcionando, ajustando o saldo real de caixa às necessidades, mesmo quando a meta é dinâmica.

Embora conceitualmente simples, os processos de equilíbrio podem gerar um comportamento surpreendente e problemático, caso não sejam detectados.

Em geral, os círculos de equilíbrio são mais difíceis de identificar do que os círculos de reforço, porque, na maioria das vezes, *parece* que nada está acontecendo. As vendas não crescem drasticamente, nem as despesas de marketing, nem o arsenal nuclear, nem as vitórias-régias. Ao contrário, o processo de equilíbrio mantém o *status quo*, mesmo quando todos os participantes querem mudanças. Segundo Lewis Carroll em *Queen of Hearts*, a sensação da necessidade de "correr o mais rápido possível para se manter no mesmo lugar" é um sinal de que pode haver um círculo de equilíbrio por perto.

Os líderes que tentam mudar a organização freqüentemente se surpreendem ao verem-se aprisionados em processos de equilíbrio. Para eles, é como se seus esforços enfrentassem uma súbita resistência que parece vir do nada. Na verdade, como percebeu meu amigo quando tentou reduzir a estafa dos seus funcionários, a resistência é uma resposta do sistema, na tentativa de manter uma meta implícita ao sistema. Enquanto essa meta não for reconhecida, os esforços de mudança estarão condenados ao fracasso. Enquanto o líder continuar sendo o "modelo", seus hábitos de trabalho estabelecerão a norma. Ou ele muda seus hábitos ou estabelece novos e diferentes modelos.

Sempre que existe "resistência à mudança", com certeza existem um ou mais processos "ocultos" de equilíbrio. A resistência à mudança não tem caprichos nem mistérios. Quase sempre surge de ameaças às normas e formas tradicionais de fazer as coisas. Essas normas estão associadas aos relacionamentos de poder estabelecidos. Uma norma é arraigada porque a distribuição de autoridade e controle é arraigada. Em vez de tentar insistentemente vencer a resistência à mudança, líderes habilidosos identificam a fonte de resistência. Concentram-se diretamente nas normas implícitas e nos relacionamentos de poder associados a essas normas.

DEFASAGENS: QUANDO AS COISAS ACONTECEM... FINALMENTE

Como vimos anteriormente, os sistemas parecem ter uma mentalidade própria. E isso se torna ainda mais evidente nas defasagens — tempo transcorrido entre as ações e as conseqüências. As defasagens podem distanciá-lo de sua meta ou podem exercer um efeito positivo, se você aprender a reconhecê-las e a trabalhar com elas.

"Um dos maiores pontos de alavancagem para melhoria do desempenho do sistema", segundo Ray Stata, CEO da Analog Devices, "é a minimização das defasagens do sistema." Stata está se referindo a uma crescente conscientização por parte das indústrias norte-americanas de que, enquanto se dedicavam ao controle tradicional rígido do volume de estoque nos depósitos, suas concorrentes japonesas se concentraram na redução das defasagens — um esforço muito mais bem-sucedido. "Os mecanismos usados pelas empresas líderes de mercado para gerenciar o tempo", diz George Stalk, vice-presidente do Boston Consulting Group, — "na produção, no desenvolvimento de novos produtos, nas vendas e na distribuição — representam a nova fonte mais poderosa de desvantagem competitiva."

As defasagens entre as ações e as conseqüências estão por toda a parte nos sistemas humanos. Investimos agora para colher benefícios no futuro distante; contratamos uma pessoa hoje, mas talvez sejam necessários meses para que ela se torne totalmente produtiva; investimos em um novo projeto sabendo que levará anos para que comece a gerar lucro. Mas defasagens são sempre inapetentes e levam a instabilidade. Por exemplo, os responsáveis pelas decisões no jogo da cerveja avaliaram incorretamente diversas vezes as defasagens que impediram o atendimento dos pedidos.

A defasagem, o tempo entre o efeito de uma variável sobre outra, constitui o terceiro elemento básico da linguagem sistêmica. Praticamente todos os processos de feedback têm alguma forma de defasagem. Mas, freqüentemente, as defasagens não são identificadas ou compreendidas. Isso pode fazer com que se "ultrapasse a meta", indo além do necessário para alcançar um resultado desejado. A defasagem entre comer e se sentir satisfeito pode estragar um saboroso jantar; não nos sentimos plenamente satisfeitos quando deveríamos parar de comer; então continuamos comendo até nos sentirmos empanturrados. A defasagem entre iniciar um novo projeto de construção e concluí-lo resulta na saturação dos mercados imobiliários e no conseqüente declínio da atividade. No jogo da cerveja, a defasagem entre fazer e receber o pedido resulta constantemente no excesso de pedidos.

As defasagens não identificadas também podem resultar em instabilidade e colapso, especialmente quando são prolongadas. Ajustar a temperatura do chuveiro, por exemplo, é muito mais difícil quando a defasagem de ajuste é de dez segundos, comparando a uma situação em que essa defasagem é de apenas um ou dois segundos.

COMO INTERPRETAR UMA DEFASAGEM

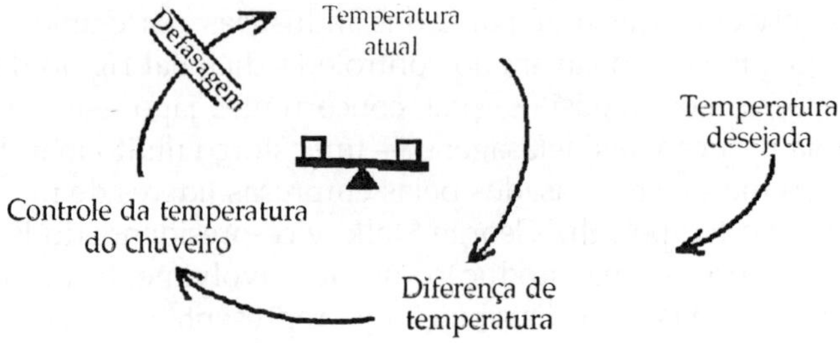

Processo de equilíbrio com defasagem: chuveiro com defasagem de ajuste de temperatura

Repetimos aqui o diagrama de feedback da "torneira d'água" — dessa vez, com um sistema de encanamento antiquado. Nesse exemplo, há uma defasagem significativa entre o momento em que você abre a torneira e o momento em que começa a ver a mudança no fluxo de água. As duas linhas transversais à seta representam a defasagem.

As setas não indicam quantos segundos (ou anos) demora a defasagem. Sabe-se apenas que é suficiente para fazer a diferença.

Ao acompanhar uma seta associada a uma defasagem, acrescente a palavra "possivelmente" à história que está contando mentalmente. "Abri a torneira e modifiquei o fluxo de água." Ou "Iniciei um novo projeto de construção e possivelmente as casas ficarão prontas". Talvez você queira estabelecer um ritmo — "um, dois" — ao percorrer o processo.

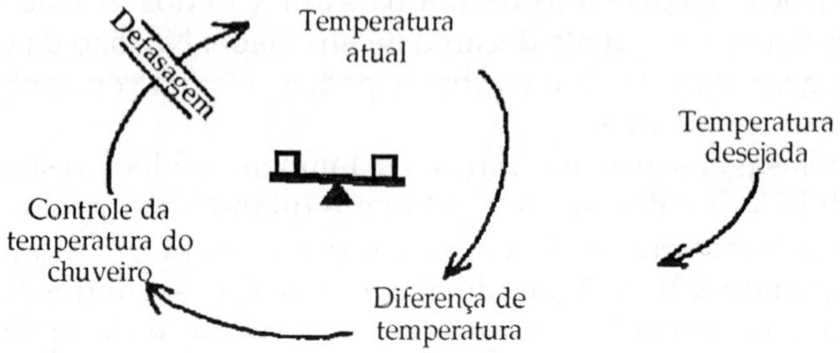

Dez segundos depois de abrir a torneira de água quente, a água continua fria. Você não recebe nenhuma resposta da sua ação; portanto, você *acredita* que sua ação não gerou efeito algum. Você reage abrindo mais ainda a torneira de água quente. Quando a água quente finalmente começa a jorrar, você recebe um jato de 80 graus centígrados. Você dá um pulo e fecha a torneira; algum tempo depois, a água está gelada novamente. E o mecanismo se repete, percorrendo um círculo de equilíbrio. Cada ciclo de ajustes compensa parcialmente o ciclo anterior. Nesse caso, o diagrama ficaria assim:

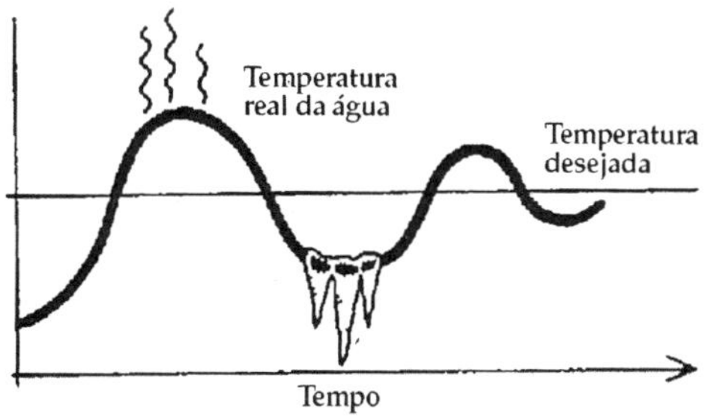

Quanto mais agressivo o seu comportamento — quanto mais drasticamente você gira a torneira —, mais tempo levará para atingir a temperatura certa. Essa é uma das lições do círculo de equilíbrio com defasagem: o comportamento agressivo, em geral, produz um efeito contrário ao pretendido. Produz instabilidade e oscilação, ao invés de levá-lo mais rapidamente à sua meta.

As defasagens são igualmente problemáticas nos círculos de reforço. No exemplo da corrida armamentista, ambos os lados acreditam que estão levando vantagem com a expansão de seu arsenal, devido à defasagem da resposta do outro lado. Essa defasagem pode demorar até cinco anos, tempo necessário para obter informações sobre o arsenal do adversário e fabricar novas armas. Esta vantagem ilusória e temporária é que estimula o processo de escalada. Se cada lado pudesse responder imediatamente aos avanços do adversário, não haveria motivação para continuar a corrida.

Em geral, o ponto de vista sistêmico é orientado em direção à visão de longo prazo. Por isso as defasagens e os círculos de feedback são tão importantes. Com freqüência, podem ser ignorados a curto prazo, pois são inconseqüentes. Só voltam para assombrá-lo a longo prazo.

O feedback de reforço, o feedback de equilíbrio e as defasagens são elementos extremamente simples. Transformam-se naturalmente nos elementos básicos dos "arquétipos de sistemas" — estruturas mais elaboradas que se repetem continuamente em nossa vida pessoal e profissional.

6

MODELOS DA NATUREZA: IDENTIFICANDO OS PADRÕES QUE CONTROLAM OS EVENTOS

Há alguns anos, testemunhei um trágico acidente em uma viagem no Estado do Maine, nos EUA. Navegando por um rio, chegamos a uma pequena cachoeira e resolvemos tirar a canoa da água para contorná-la. Chegou um segundo grupo e um jovem, que tinha bebido um pouco, resolveu descer a queda-d'água em um barco de borracha. Quando seu bote virou, depois de descer a queda-d'água, ele foi jogado na água gelada. Sem conseguir alcançá-lo, testemunhamos horrorizados seu desespero de nadar contra a corrente, tentando chegar à base da queda-d'água. Sua luta durou apenas alguns minutos, pois ele morreu de hipotermia. Seu corpo foi imediatamente sugado pela corrente. Segundos depois, reapareceu, dez metros adiante, livre do turbilhão na base da cachoeira. O que ele havia tentado, em vão, alcançar nos últimos momentos de sua vida, a corrente fez por ele segundos após sua morte. Ironicamente, foi a própria luta contra as forças na base da cachoeira que o matou. Não sabia que a única forma de se salvar ia contra o instinto de sobrevivência. Se não tivesse tentado manter a cabeça para fora da água, e sim mergulhado para alcançar a correnteza no fundo, teria sobrevivido.

Essa trágica história ilustra a essência da perspectiva sistêmica, mostrada no jogo da cerveja do Capítulo 3, e novamente na corrida armamentista no Capítulo 5. *Somos prisioneiros de estruturas que desconhecemos.* Por outro lado, aprendendo a ver as estruturas dentro das quais operamos, iniciamos um processo de libertação das forças antes não identificadas e acabamos dominando a habilidade de trabalhar com elas e de mudá-las.

Uma das novas percepções mais importantes e potencialmente mais poderosas que surgem do novo campo do pensamento sistêmico é que determinados padrões de estrutura ocorrem repetidas vezes. Esses "arquétipos de sistema" ou "estruturas genéricas" são o segredo para *aprendermos* a ver as estruturas em nossas vidas pessoais e organizacionais. Os arquétipos de sistema — que são em número reduzido[1] — sugerem que nem todos os problemas gerenciais são específicos, algo que os gerentes experientes sabem intuir.

Se os feedbacks de reforço e equilíbrio e as defasagens são os substantivos e verbos do pensamento sistêmico, os arquétipos de sistema são como as sentenças básicas ou histórias simples contadas repetidas vezes. Assim como existem na literatura temas comuns e falas recorrentes que se repetem com diferentes personagens e contextos, um número relativamente pequeno desses arquétipos é comum em uma grande variedade de situações gerenciais.

Os arquétipos de sistema revelam uma elegante simplicidade subjacente à complexidade dos problemas gerenciais. Logo que aprendermos a reconhecer tais arquétipos, se torna possível identificar um número cada vez maior de lugares onde os desafios proporcionam alavancagem *e* explicar essas oportunidades aos outros.

O entendimento dos arquétipos de sistema contribuirá para a solução de um de nossos maiores problemas — a especialização e o fracionamento do conhecimento. De muitas formas, a maior promessa da perspectiva sistêmica é a unificação do conhecimento em todas as áreas — pois esses mesmos arquétipos recorrem em biologia, psicologia e terapia de família; em economia, ciências políticas e ecologia; e também na administração.[2]

Por serem sutis, quando os arquétipos surgem em uma família, em um ecossistema, em uma reportagem ou em uma empresa, não os identificamos com tanta clareza quanto os sentimos. Eles geram um sentimento de *déjà vu*, a impressão de que já vimos esse padrão de forças antes. "Lá vem ele novamente", dizemos com nossos botões. Embora já conheçam intuitivamente muitas dessas situações recorrentes, muitas vezes os gerentes não sabem como explicá-las. Os arquétipos de sistema oferecem essa linguagem. Podem tornar explícito o que de outra forma seria apenas "o julgamento da gerência".

O domínio dos arquétipos de sistema coloca uma organização no caminho da aplicação prática da perspectiva sistêmica. Não basta abraçar o pensamento sistêmico e dizer: "Precisamos ver o quadro como um todo e adotar uma perspectiva de longo prazo". Não basta apreciar os princípios sistêmicos básicos, conforme expressos nas leis da quinta disciplina (Capítulo 4) ou conforme revelados em simulações como o jogo da cerveja (Capítulo 3). Tampouco ver uma estrutura específica subjacente a um determinado problema (talvez com a ajuda de um consultor). *Isso pode levar à resolução de um problema, mas não modificará a forma de pensar que o gerou.* Para as organizações que aprendem, só quando os gerentes começam a pensar em termos dos arquétipos de sistema é que o pensamento sistêmico torna-se um agente diário ativo, revelando continuamente como criamos nossa realidade.

O propósito dos arquétipos de sistema é recondicionar nossas percepções, para que sejamos mais capazes de *identificar* as estruturas em ação e ver a alavancagem nessas estruturas. Depois de identificado, um arquétipo de sistema sempre sugere áreas de mudanças com alta ou baixa alavancagem. Atualmente, os pesquisadores identificaram uma dúzia de arquétipos de sistema, nove dos quais são apresentados e usados neste livro (o Apêndice 2 contém um resumo dos arquétipos usados aqui). Todos os arquétipos são compostos dos alicerces básicos de um sistema: processos de reforço, processos de equilíbrio e defasagens. Abaixo estão dois que recorrem freqüentemente e que servem como degraus para a compreensão de outros arquétipos e situações mais complexas.

ARQUÉTIPO 1: LIMITES AO CRESCIMENTO

DEFINIÇÃO

Inicia-se um processo de reforço (amplificador) a fim de produzir um resultado desejado. Tal processo cria uma espiral de sucesso, mas também cria inadvertidamente efeitos secundários (que se manifestam em um processo de equilíbrio) que acabam reduzindo o ritmo do sucesso.

PRINCÍPIO GERENCIAL

Não force o crescimento; elimine os fatores que o limitam.

ONDE É ENCONTRADO

A estrutura de limites ao crescimento é útil para a compreensão de todas as situações nas quais o crescimento esbarra em limites. Por exemplo, as organizações crescem durante um tempo; entretanto, depois param de crescer. Os grupos de trabalho se aperfeiçoam durante algum tempo, depois param de melhorar. As pessoas se aperfeiçoam durante um período e depois se estabilizam.

Muitos esforços de melhoria repentinos, mas bem-intencionados, esbarram nos limites ao crescimento. Um agricultor aumenta sua colheita usando fertilizantes, até que a safra fica grande demais para a precipitação atmosférica da região. Uma dieta radical funciona inicialmente, fazendo com que a pessoa perca alguns quilos, porém, depois a pessoa perde a força de vontade. Poderíamos "resolver" pressões de prazo imediatas trabalhando mais; no entanto, o estresse e o cansaço acabarão interferindo em nossa produtividade e na qualidade do trabalho.

As pessoas que tentam eliminar um mau hábito, como, por exemplo, criticar as outras, esbarram nos limites ao crescimento. Inicialmente, seus esforços para não criticar as pessoas são recompensadores. Elas criticam menos. As pessoas ao seu redor sentem-se mais à vontade. Respondem com sentimentos positivos, o que faz com que a pessoa se sinta melhor e critique menos. Trata-se de uma espiral de reforço de melhor comportamento, sentimentos positivos e mais aperfeiçoamentos. Porém, a determinada altura sua "determinação" diminui, fica mais fraca. Talvez elas comecem a perceber aspectos do comportamento dos outros que realmente lhe causem problemas: foi fácil passar por cima de algumas pequenas coisas, mas agora a coisa mudou de figura. Talvez elas simplesmente tenham-se tornado complacentes e parado de prestar atenção às suas críticas contundentes. Por um motivo ou outro, acabam voltando aos antigos hábitos.

Certa vez, em um de nossos seminários, uma participante disse "Bem, é como quando nos apaixonamos". Perguntei, cautelosamente, "Como assim?" Ela respondeu: "Primeiro, duas pessoas se conhecem. Passam um pouco de tempo juntas e tudo é maravilhoso. Por isso resolvem passar mais tempo um ao lado do outro. E é ainda mais maravilhoso. Logo depois, os dois estão juntos todo o tempo livre. Passam a se conhecer melhor. Nem sempre ele abre a porta para ela, tampouco está disposto a abrir mão do futebol com os amigos — dia sim, dia não. Ele descobre que ela é ciumenta, tem mau humor ou não é muito organizada. De qualquer forma, começam a ver as limitações do parceiro". Ela nos lembrou de que, quando as pessoas constatam os defeitos das outras, seus sentimentos deixam de se intensificar e, às vezes, até retrocedem, fazendo com que se sintam umas com as outras pior do que quando se conheceram.

ESTRUTURA

Em cada caso de limite ao crescimento, existe um processo de reforço (amplificador) ou melhoria, que opera por si próprio durante um período de tempo. Então, ele encontra um processo de equilíbrio (ou estabilizador), que opera para limitar o crescimento. Quando isso acontece, o ritmo de melhoria diminui ou até mesmo pára.

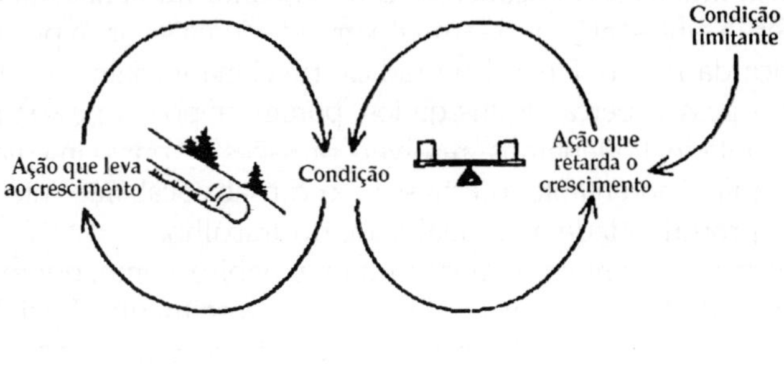

As estruturas que limitam o crescimento atuam em muitos níveis organizacionais. Por exemplo, uma organização de alta tecnologia cresce depressa devido a sua capacidade de lançar novos produtos. À medida que os novos produtos surgem, a receita aumenta, o orçamento para P&D também e a equipe de engenharia e pesquisa cresce. Essa equipe técnica acaba se tornando cada vez mais complexa e difícil de gerenciar. A responsabilidade da gerência muitas vezes recai sobre os engenheiros seniores que, por sua vez, dispõem de menos tempo para a engenharia. Desviar os engenheiros mais experientes da pesquisa para atividades de gerência resulta em prazos mais longos para o desenvolvimento de novos produtos, o que retarda a introdução no mercado.[3]

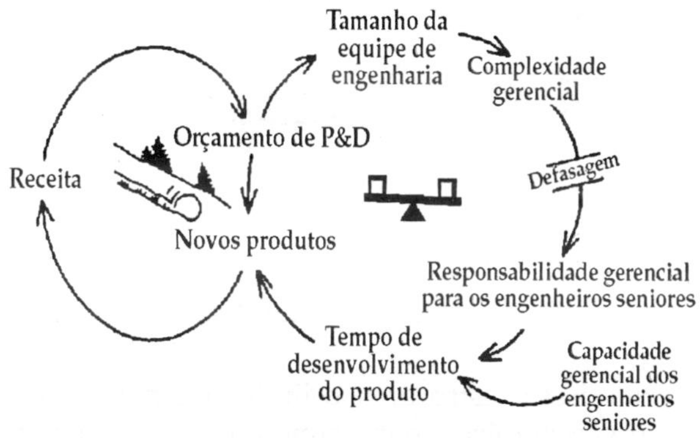

Para ler qualquer diagrama da estrutura de "limites ao crescimento", comece com o círculo de reforço do crescimento. Esse círculo oferece à estrutura seu impulso inicial. Dê uma volta em torno do círculo: lembre-se de como o crescimento de novos produtos poderia gerar receita, que por sua vez pode ser reinvestida para proporcionar outros novos produtos. No entanto, em algum ponto, as forças mudarão — aqui, por exemplo, o crescimento do orçamento de P&D acabará levando a uma complexidade superior à capacidade dos engenheiros seniores de gerenciar sem desviar um tempo precioso do desenvolvimento do produto. Depois de uma defasagem (cuja duração depende do índice de crescimento, complexidade dos produtos e habilidades gerenciais dos engenheiros), o ritmo de lançamento de novos produtos no mercado diminui, retardando o crescimento geral.

Outro exemplo de limites ao crescimento ocorre quando uma organização de profissionais liberais, como uma empresa de advocacia ou de consultoria, cresce muito rápido quando é pequena, proporcionando notáveis oportunidades de promoção. O ânimo eleva-se e os integrantes de nível júnior ficam altamente motivados, esperando tornar-se sócios da empresa daí a dez anos. Porém, à medida que a empresa aumenta, seu ritmo de crescimento diminui. Talvez comece a saturar seu nicho de mercado. Ou pode chegar a uma dimensão em que os sócios-fundadores não estão mais interessados em sustentar o crescimento. A diminuição do ritmo de crescimento é sinônimo de menores oportunidades de promoção, mais lutas internas entre os membros juniores e uma queda geral do entusiasmo. A estrutura de limite ao crescimento pode ser diagramada da seguinte forma:[4]

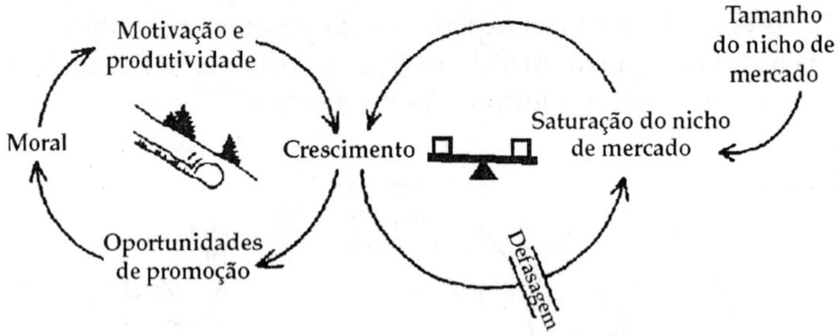

PADRÕES DE COMPORTAMENTO

Em cada uma dessas estruturas, o limite aos poucos adquire mais força. Depois do *boom* inicial, o crescimento misteriosamente torna-se uniforme. A empresa de tecnologia talvez nunca recapture a capacidade de desenvolver novos produtos revolucionários ou de gerar crescimento rápido.

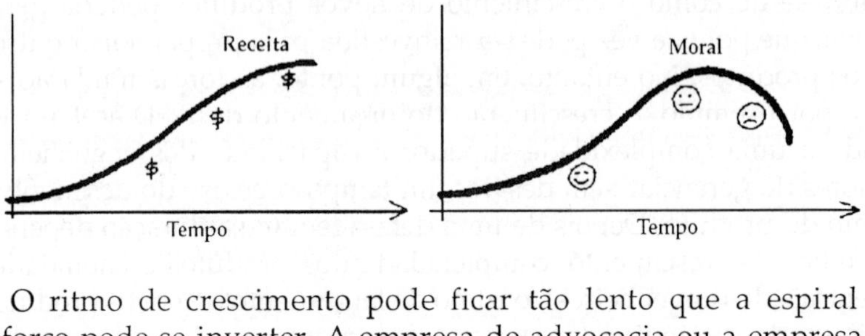

O ritmo de crescimento pode ficar tão lento que a espiral de reforço pode se inverter. A empresa de advocacia ou a empresa de consultoria perde o domínio do nicho de mercado. O ânimo na empresa inicia uma espiral declinante, causada pelo círculo de reforço que gira inversamente.

As estruturas de limite ao crescimento frustram as mudanças organizacionais que parecem estar ganhando terreno e depois perdem força. Por exemplo, várias tentativas de estabelecer "círculos da qualidade" acabam fracassando nas empresas norte-americanas, apesar de algum progresso inicial. A atividade do círculo da qualidade começa a levar a uma comunicação mais aberta e à resolução conjunta de problemas, o que gera entusiasmo por mais atividades do círculo da qualidade. Porém, quanto mais bem-sucedidos tornam-se os círculos da qualidade, mais ameaçadores eles se tornam para a distribuição tradicional do poder político na empresa. Os líderes sindicais começam a temer que a nova abertura elimine as relações antagônicas entre trabalhadores e gerência, minando dessa forma sua capacidade de influência sobre os trabalhadores. Eles começam a minar a atividade do círculo da qualidade incitando as apreensões dos trabalhadores de serem manipulados e enganados pelos gerentes: "Cuidado; se você continuar gerando maiores economias de custo na linha de produção, pode ser o próximo a perder o emprego".[5]

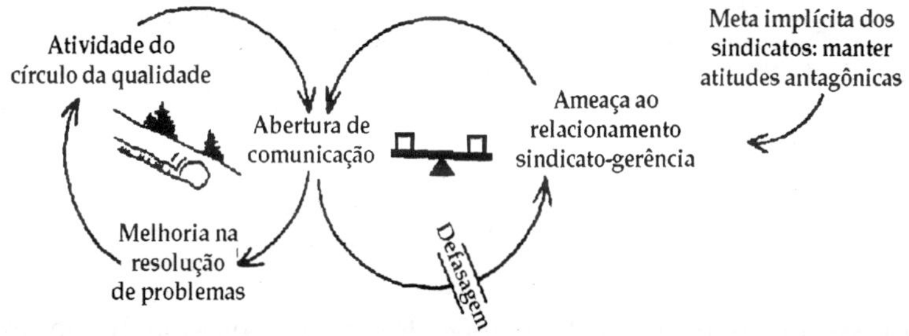

Os gerentes, por outro lado, muitas vezes, não estão preparados para dividir o controle com os trabalhadores. Acabam participando das atividades do círculo da qualidade, todavia sem se envolverem por completo. Reconhecem, com polidez, as sugestões dos trabalhadores, porém não as implementam.

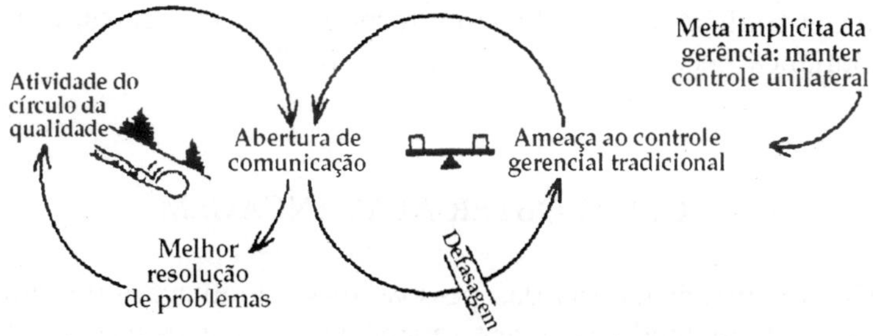

Em vez de obter aceitação permanente, a atividade do círculo da qualidade aumenta — para em seguida estagnar ou declinar. Muitas vezes, a resposta do líder aos resultados decepcionantes do círculo da qualidade coloca lenha na fogueira. Quanto mais agressivo for o líder na promoção do círculo da qualidade, mais pessoas se sentirão ameaçadas e mais obstáculos surgirão.

Vemos uma dinâmica semelhante nos sistemas de estoque "Just in Time", que dependem de novos relacionamentos de confiança entre fornecedores e fabricantes. As melhorias iniciais na flexibilidade da produção e no custo não se sustentam. Quase sempre o fornecedor em um sistema JIT acaba exigindo exclusividade para compensar o risco de suprir o fabricante de um dia para o outro. Isso ameaça o fabricante, que está acostumado a encomendar pedidos a diferentes fornecedores, a fim de garantir o controle do fornecimento de peças. Com isso, o comprometimento do fabricante com o sistema JIT oscila.

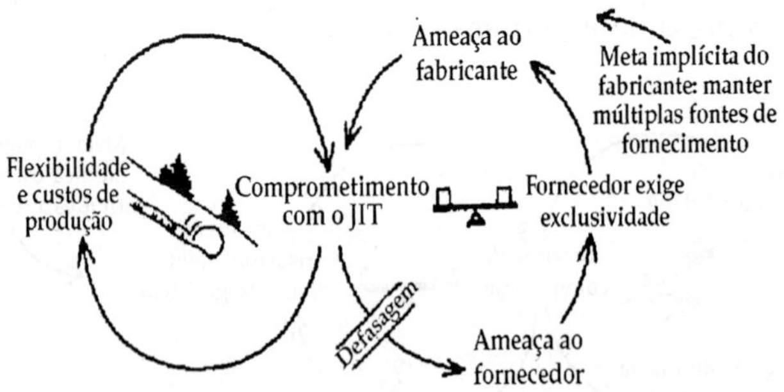

O comprometimento do fornecedor com o sistema JIT também pode oscilar logo que perceber que o fabricante exige ser seu principal consumidor. Acostumado a ter vários fornecedores, o fabricante não pode deixar de se questionar se ele continuará fazendo pedidos, de diversos fornecedores, e depois, repentinamente, irá cancelá-los. Quanto mais agressiva for a tentativa de modificar o processo, mais os dois lados se conscientizam de seus riscos. Assim, maior a probabilidade de evitarem esses problemas atendo-se às práticas tradicionais de diversos fornecedores e clientes, minando a confiança necessária em um sistema JIT.[6]

COMO OBTER ALAVANCAGEM

Geralmente, a maioria das pessoas reage a situações de limite ao crescimento tentando esforçar-se ao máximo; se não estiver conseguindo se livrar de seu mau hábito, você se aplica mais à monitoração de seu próprio comportamento; se estiver com problemas de relacionamento, passa mais tempo com a pessoa e esforça-se para fazer o relacionamento funcionar; se os funcionários estão infelizes, continua promovendo o pessoal de nível júnior para deixá-los contentes; se o fluxo de novos produtos está diminuindo, estimula iniciativas para criação de novos produtos a fim de compensar a estagnação; ou defende com mais veemência o círculo da qualidade.

São reações compreensíveis. Nas etapas iniciais, quando você pode ver melhorias, quer repetir o que vem fazendo — afinal, tudo está funcionando. Quando o ritmo de melhoria diminui, você tenta compensar, com um esforço redobrado. Infelizmente, quanto mais você empurra as alavancas familiares, mais o processo de equilíbrio resiste e mais fúteis tornam-se as tentativas. Às vezes, as pessoas simplesmente desistem de sua meta original — parando de criticar os outros, ou abrindo mão do relacionamento, ou desistindo das melhorias proporcionadas pelos círculos da qualidade ou sistema JIT.

Existe, porém, outra forma de lidar com situações que limitam o crescimento. *Em todas elas, a alavancagem está no* loop *de equilíbrio — não no* loop *de reforço. Para modificar o comportamento do sistema, é necessário identificar e alterar o fator limitante.* Isso talvez exija que você tome atitudes que ainda não considerou, faça escolhas que nunca notou ou mudanças difíceis nas recompensas e normas. Chegar ao peso ideal talvez seja impossível só com uma dieta — é preciso acelerar a taxa metabólica do corpo, o que exige a prática de exercícios aeróbicos. Sustentar um relacionamento amoroso requer que se abra mão do ideal de "companheiro perfeito" — a meta implícita que limita a melhoria contínua de qualquer relacionamento. A manutenção do moral e da produtividade à medida que uma empresa de profissionais liberais amadurece exige um conjunto diferente de normas e recompensas que saúdem o trabalho bem feito, não o lugar do indivíduo na hierarquia. Pode exigir também a distribuição de tarefas desafiadoras de forma igualitária, e não apenas aos sócios. A manutenção de um processo eficaz de desenvolvimento de produto, à medida que a empresa cresce, exige lidar com a carga gerencial gerada pela complexidade crescente da área de engenharia e pesquisa. Algumas empresas o fazem por meio da descentralização, outras contratando profissionais hábeis em gerenciar engenheiros criativos (o que não é fácil), e outras por meio do desenvolvimento gerencial dos engenheiros que queiram administrar.

Não é surpreendente que, nos casos em que deram certo, os círculos da qualidade faziam parte de uma mudança mais ampla no relacionamento gerente-funcionário. Os sucessos, em particular, envolveram esforços genuínos para redistribuir o controle, lidando assim com as preocupações do sindicato e da gerência quanto à sua perda. Da mesma forma, sistemas Just in Time bem-sucedidos criaram raízes como parte de programas de "Qualidade Total", que se concentram em suprir as necessidades do cliente, estabilizar os ritmos de produção e dividir os benefícios com fornecedores importantes. Tais mudanças foram necessárias para superar a desconfiança subjacente às metas tradicionais de manter diversas fontes de fornecimento e vários clientes. Nos casos de sucesso, os gerentes tiveram que ignorar a tentação de pensar que os fracassos dos círculos da qualidade deviam-se a indivíduos que gostavam de criar problemas; ou que os problemas nos sistemas JIT vinham de fornecedores recalcitrantes.[7]

No entanto, a estrutura de limites ao crescimento nos ensina também outra lição. Sempre existirão outros processos limitadores. Quando se elimina ou enfraquece uma fonte de limitação, o crescimento retorna até que encontre outra. Em alguns contextos, como o crescimento de uma população biológica, a lição fundamental é que o crescimento acabará *realmente* cessando. Os esforços para ampliá-lo por meio da eliminação dos limites podem, na verdade, ser contraproducentes, adiantando o eventual "dia do estouro", o qual, dado o ritmo de mudança que os processos de reforço podem criar (lembre-se das vitórias-régias francesas), pode ser antes do que imaginamos.

COMO CRIAR SUA HISTÓRIA DE "LIMITES AO CRESCIMENTO"

A melhor forma de entender um arquétipo é diagramar sua própria versão dele. Quanto mais trabalhar neles, melhor poderá reconhecê-los e encontrar sua alavancagem.

A maioria das pessoas possui muitas estruturas de limites ao crescimento em suas vidas. A forma mais fácil de reconhecê-las é por meio do padrão de comportamento. Existe alguma situação na qual as coisas a princípio melhoram para, em seguida, cessar? Depois de identificar tal situação, tente reconhecer os elementos adequados dos *loops* de reforço e de equilíbrio:[8]

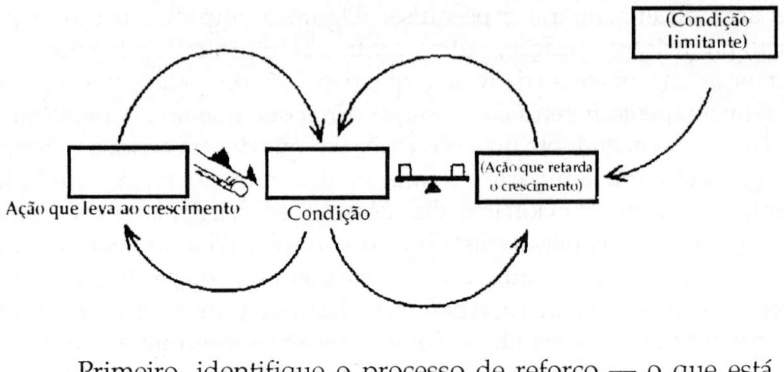

Primeiro, identifique o processo de reforço — o que está melhorando e que ação está levando a essa melhoria? (Talvez existam outros elementos no processo de reforço, porém sempre há pelo menos uma condição que está melhorando e uma ação que leva à melhoria.) Poderia ser a história de uma melhora organizacional: um programa de contratação que ofereça oportunidades iguais, por exemplo. A "ação que leva ao crescimento" é o próprio programa de oportunidades iguais; e a condição é o percentual de mulheres e minorias na equipe. Quando o percentual de mulheres em cargos de gerência aumenta, cresce a confiança ou o comprometimento com o programa, levando a um acréscimo ainda maior no número de mulheres em cargos gerenciais.

No entanto, existe um fator limitante — em geral uma meta implícita, uma norma ou um recurso limitador. O segundo passo é identificar o fator limitante e o processo de equilíbrio criado por ele. Que "ação que retarda o crescimento" ou força de resistência entra em jogo, impedindo a melhoria contínua da condição? Nesse caso, alguns gerentes poderiam ter uma idéia de quantas mulheres e integrantes de minorias, executivos e executivas, seriam "demais". Esse número tácito é o fator limitante; assim que se chega a ele, a ação que retarda o crescimento — a resistência gerencial — entra em jogo. Essas pessoas não se oporão apenas às oportunidades iguais na contratação, como também podem tornar a vida para os colegas que já trabalham na empresa bastante difícil.

Depois que tiver mapeado sua situação, procure a alavancagem. Isso não envolve um esforço maior; tal atitude apenas reforçaria a resistência. Em geral, exigirá o enfraquecimento ou a eliminação da condição limitante.

Para melhores resultados, teste sua história de limites ao crescimento na vida real. Converse com outras pessoas sobre a sua percepção. Teste suas idéias sobre alavancagem em pequenas experiências na vida real primeiro. No caso relatado, por exemplo, poderia procurar uma pessoa que você percebesse ter uma cota implícita do tipo "chega de mulheres", contudo, que seja aberta ao diálogo, e conversar com ela a respeito. (Para saber como fazer isso de forma eficaz, consulte a seção sobre habilidades de reflexão e indagação no Capítulo 10, "Modelos mentais".)

ARQUÉTIPO 2: TRANSFERÊNCIA DE RESPONSABILIDADE

DEFINIÇÃO

Um problema subjacente gera sintomas que demandam atenção. Mas as pessoas têm dificuldade de abordar o problema, seja porque se trata de uma dificuldade obscura ou por exigir um grande esforço.

Por isso, as pessoas "transferem a responsabilidade" de seus problemas para outras soluções — soluções bem-intencionadas e fáceis que parecem eficientes. Infelizmente, as "soluções" mais fáceis são paliativas; não alteram o problema subjacente. Sem que se perceba, pois os sintomas aparentemente desaparecem, a dificuldade subjacente piora e o sistema perde qualquer capacidade que tinha de resolvê-la.

PRINCÍPIO GERENCIAL

Cuidado com soluções paliativas. Essas que abordam apenas os sintomas, e não suas causas fundamentais, tendem a proporcionar, na melhor das hipóteses, somente benefícios imediatos. A longo prazo, o problema reaparece, seguido por uma maior pressão para o alívio dos sintomas. Enquanto isso, a capacidade de oferecer soluções fundamentais pode se atrofiar.

ONDE É ENCONTRADO

Estruturas de transferência de responsabilidade são comuns em nossas vidas pessoais e organizacionais. Entram em ação quando existem "sintomas de problemas" óbvios que exigem nossa atenção e "soluções" rápidas e prontas que podem fazer esses sintomas desaparecer, pelo menos durante algum tempo.

Considere o problema do estresse que ocorre quando nossa carga de trabalho ultrapassa nossa capacidade de lidar com ele de forma eficaz. Nós fazemos malabarismos com trabalho, família e comunidade em um interminável turbilhão de atividades. Se nossa carga de trabalho ultrapassar nossa capacidade (o que tende a acontecer com todos nós), a única solução fundamental é limitar a carga de trabalho. Isso pode ser difícil — talvez signifique abrir mão de uma promoção que exigiria mais viagens. Ou talvez abandonar sua participação no grupo de pais e mestres da escola. Significa estabelecer prioridades e fazer escolhas. No entanto, as pessoas normalmente ficam tentadas a acelerar seu ritmo, aliviando o estresse com álcool, drogas ou alguma forma mais benigna de "redução do estresse" (como a prática de exercícios ou a meditação). No entanto, obviamente o álcool não resolve o problema da sobrecarga de trabalho — apenas o mascara, aliviando, por pouco tempo, o estresse. O problema volta, e também a necessidade de beber. Insidiosamente, se não for interrompida, a estrutura de transferência de responsabilidade gera forças muito comuns na sociedade contemporânea. Essa é a dinâmica de se evitar as coisas, e o resultado é a crescente dependência, que acaba em vício.

Existe uma estrutura de transferência de responsabilidade por trás de muitas "soluções" que parecem trabalhar de forma eficaz, todavia, que nos deixam com a sensação de que o problema ainda não foi resolvido por completo. Os gerentes podem acreditar em delegar trabalho aos subordinados, mas ainda confiam muito em sua própria capacidade de interferir e "resolver as coisas" ao menor sinal de dificuldade; por isso, o subordinado nunca adquire a experiência necessária para executar seu serviço. As empresas que estão perdendo participação no mercado para concorrentes estrangeiros podem buscar proteção tarifária e descobrir que são incapazes de operar sem ela. Um país do Terceiro Mundo, incapaz de enfrentar escolhas difíceis para limitar os gastos do governo de acordo com a arrecadação de impostos, acaba gerando déficits "financiados" pela emissão de moeda e pela inflação. Com o tempo, a inflação torna-se um modo de vida, aumenta-se cada vez mais a interferência do governo e os déficits crônicos passam a ser aceitos como inevitáveis. Estruturas de transferência de responsabilidade incluem também programas de combate à fome que "poupam" aos agricultores o trabalho de cultivar os alimentos, e pesticidas que eliminam as pragas, mas que eliminam, também, os controles naturais e facilitam o ressurgimento de insetos e moléstias nocivos mais resistentes no futuro.

ESTRUTURA

A transferência de responsabilidade é composta de dois processos de equilíbrio (estabilizadores). Os dois tentam ajustar ou corrigir o mesmo sintoma. O ciclo de cima representa a intervenção paliativa, a "solução rápida". Resolve depressa o sintoma de um problema, porém, apenas temporariamente. O ciclo de baixo possui uma defasagem. Representa uma resposta fundamental ao problema, cujos efeitos levam mais tempo para ficar evidentes. No entanto, a eficácia da solução fundamental é muito maior — talvez seja a única forma duradoura de lidar com a dificuldade.

Freqüentemente (mas não sempre), existe também na estrutura de transferência de responsabilidade um processo adicional de reforço (amplificação) criado pelos "efeitos colaterais" da solução paliativa. Quando isso acontece, os efeitos colaterais normalmente fazem com que seja muito mais difícil encontrar a solução fundamental — por exemplo, os efeitos colaterais dos medicamentos receitados para corrigir um problema de saúde. Se a doença foi causada por um estilo de vida pouco saudável (cigarro, bebida, hábitos alimentares incorretos, sedentarismo), a única solução é a mudança do estilo de vida. Os medicamentos (solução paliativa) melhoram os sintomas e eliminam a pressão para que sejam efetuadas mudanças pessoais difíceis. No entanto, provocam também efeitos colaterais que levam a outros distúrbios de saúde, dificultando ainda mais a adoção de um estilo de vida saudável.

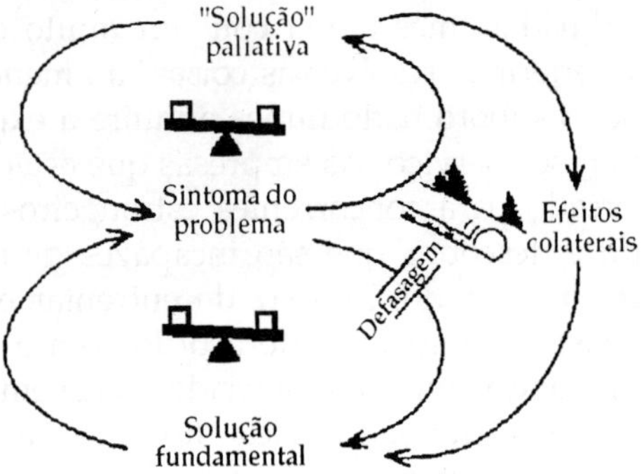

ENTENDENDO E USANDO A ESTRUTURA

A estrutura de transferência de responsabilidade explica diversos comportamentos nos quais "soluções" bem-intencionadas podem piorar as coisas a longo prazo. É atraente optar por "soluções paliativas". Aparentemente, obtêm-se melhorias. As pressões, externas ou internas, para "fazer alguma coisa" quanto a uma dificuldade constrangedora também diminuem. Porém, aliviar um sintoma reduz também qualquer necessidade percebida de encontrar outras soluções fundamentais. Enquanto isso, o problema subjacente continua sem ser resolvido e pode até piorar, e os efeitos colaterais da solução paliativa dificultam ainda mais a aplicação de uma solução definitiva. Com o tempo, as pessoas passam a adotar cada vez mais a solução paliativa, que se torna a única. Sem que ninguém tome uma decisão consciente, as pessoas "transferiram a responsabilidade" para a maior utilização de paliativos.

As interações entre equipes de apoio e gerentes de linha estão repletas de estruturas de transferência de responsabilidade. Gerentes sobrecarregados, muitas vezes, ficam tentados a contratar especialistas em recursos humanos para resolver os problemas de pessoal. O especialista pode até resolvê-los; entretanto, a capacidade do gerente de solucionar outras dificuldades afins não melhorou. Acabarão surgindo outros problemas de pessoal e a dependência do gerente com relação ao especialista em recursos humanos continuará sendo tão grande quanto antes. O próprio fato de o especialista externo ter sido usado com sucesso antes torna muito mais fácil recorrer a ele novamente. "Tivemos uma nova onda de dificuldades; por isso, contratamos novamente os especialistas em recursos humanos. Eles conhecem bem nossos funcionários e nossa situação, e por essa razão são muito eficientes." Dessa forma, os especialistas em recursos humanos passam a ser cada vez mais requisitados, os custos da equipe de apoio dão um salto e o desenvolvimento (e respeito) dos gerentes cai.

As estruturas de transferência de responsabilidade muitas vezes estão por trás de mudanças imprevistas na orientação estratégica e na erosão da posição competitiva. Recentemente, um grupo de executivos de uma empresa de alta tecnologia estava bastante preocupado com o fato de sua empresa estar perdendo "vantagem competitiva" por não lançar novos produtos no mercado. Era menos arriscado aperfeiçoar os produtos existentes. No entanto, temiam estar estimulando uma cultura de "incrementalismo" e não de "rupturas". Os processos mais seguros, previsíveis e fáceis de planejar e organizar de inovação por melhorias estavam se tornando tão arraigados que os gerentes começaram a se questionar se a empresa ainda era capaz de realizar inovações básicas.

Ouvindo-os, lembrei-me de uma mudança estratégica semelhante descrita pelos gerentes de um grande produtor de bens de consumo, que se tornara cada vez mais dependente dos anúncios *versus* desenvolvimento de novos produtos. Toda vez que as vendas de uma de suas mercadorias estagnava, a tendência era correr para uma nova campanha promocional. A cultura de propaganda tornara-se tão arraigada que os últimos três diretores-presidentes eram executivos oriundos da área de publicidade que elaboravam, eles mesmos, os anúncios. Enquanto isso, o fluxo de novos produtos diminuía radicalmente sob sua liderança.

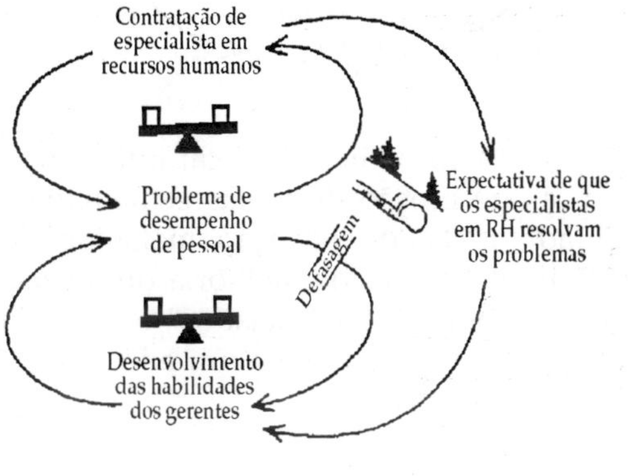

Um caso especial de transferência de responsabilidade, que ocorre com freqüência alarmante, é a "erosão de metas". Toda vez que existe uma defasagem entre nossas metas e nossa atual situação, existem dois conjuntos de pressões: para melhorar a situação e para reduzir nossas metas. Como mostra o Capítulo 9, saber como lidar com essas pressões é essencial para a disciplina de domínio pessoal.

As sociedades são coniventes com a erosão de metas o tempo todo:

veja a diminuição dos padrões de "pleno emprego" nos Estados Unidos. O alvo federal de pleno emprego passou de 4 por cento na década de 60 para 6 a 7 por cento no início da década de 80. (Em outras palavras, estamos dispostos a tolerar 50 a 75 por cento a mais de desemprego como sendo "natural".) Da mesma forma, um índice de inflação de 3 a 4 por cento era considerado severo no final da década de 60, mas uma vitória para a política antiinflacionária do início da década de 80. Em 1984, o Congresso norte-americano aprovou um decreto-lei (o "Gramm-Rudman-Hollings") para redução do déficit. O decreto-lei original exigia que, até 1991, o orçamento teria de estar equilibrado. Logo depois disso, ficou claro que a redução do orçamento não estava no ritmo certo, por isso o prazo foi estendido para 1993. Essa estrutura de erosão de metas pode ser diagramada da seguinte forma:

Como veremos nos próximos dois capítulos, nas organizações ocorrem dinâmicas de erosão de metas semelhantes em torno de metas de qualidade, metas de inovação, metas de crescimento pessoal dos funcionários e metas de melhoria organizacional. Na verdade, todos nós podemos ficar "viciados" em diminuir as nossas metas. Ou, como vi recentemente em um adesivo, "Se todo o resto falhar, diminua seus objetivos".

PADRÃO DE COMPORTAMENTO

As soluções paliativas sempre surtem efeito — em alguns aspectos. A bebida, por exemplo, reduz a tensão, pelo menos durante algum período. Alivia os sintomas do problema. Se não acontecesse, as pessoas não beberiam. Mas também deixa a pessoa com a sensação de que "resolveu sua questão", desviando sua atenção da dificuldade fundamental — controlar a carga de trabalho. Sem uma solução, ela aos poucos vai aumentando ainda mais, já que as demandas sobre nós são maiores do que podemos atender. Com o tempo, a carga de trabalho continua se acumulando, o estresse volta e a pressão para beber aumenta.

O que torna insidiosa a estrutura de transferência de responsabilidade é o ciclo de reforço sutil que ela estimula, aumentando a dependência dos paliativos. Os alcoólatras desenvolvem dependência física. Sua saúde se deteriora. À medida que sua autoconfiança e julgamento se atrofiam, são cada vez menos capazes de resolver o problema original de carga de trabalho. Para encontrar as causas do ciclo de reforço, basta imaginar-se percorrendo o "oito" criado pelos dois processos de feedback: o estresse aumenta, o que leva à ingestão de maior quantidade de álcool, que alivia o estresse, que leva à diminuição da percepção da necessidade de ajustar a carga de trabalho, que conduz a uma carga de trabalho ainda maior, que provoca mais estresse.

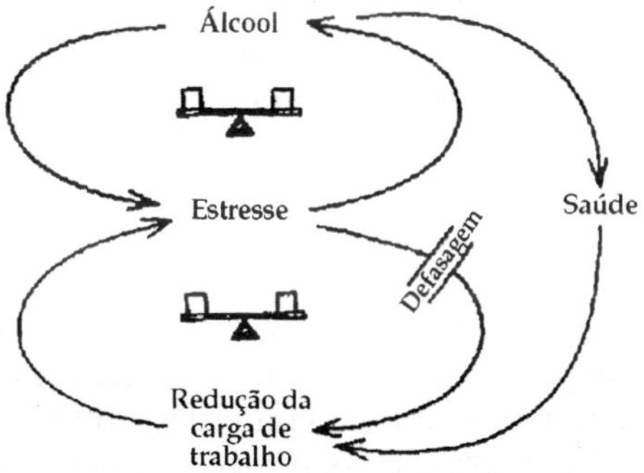

Essa é a dinâmica genérica do vício. Na verdade, quase todas as suas formas possuem estruturas de transferência de responsabilidade subjacentes. As crises normalmente são resolvidas com outras soluções paliativas, proporcionando o alívio temporário dos sintomas. Todas optam por soluções paliativas, a atrofia gradual da capacidade de concentrar-se em soluções fundamentais e a crescente adoção de outras soluções paliativas. Segundo essa definição, organizações e sociedades inteiras ficam tão sujeitas ao vício quanto os indivíduos.

As estruturas de transferência de responsabilidade tendem a gerar crises periódicas, quando os sintomas do estresse vêm à tona. As crises são resolvidas com soluções paliativas, que proporcionam o alívio temporário dos sintomas. O que muitas vezes fica menos evidente é a lenta deterioração da saúde: a saúde financeira, no caso da empresa, ou a saúde física, no caso do indivíduo. Os sintomas do problema pioram ainda mais. Quanto mais a deterioração passa despercebida, ou quanto mais as pessoas esperam para confrontar as causas fundamentais, mais difícil será reverter a situação. Enquanto a resposta fundamental perde poder, a resposta paliativa fica cada vez mais forte.

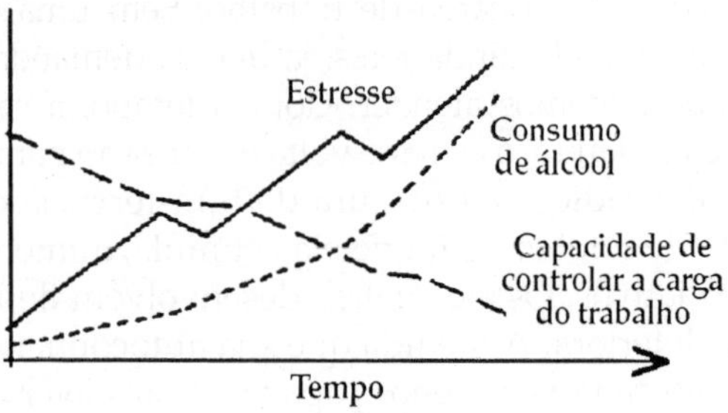

COMO OBTER ALAVANCAGEM

Para lidar com as estruturas de transferência de responsabilidade de forma eficaz, precisamos combinar o fortalecimento da resposta fundamental e o enfraquecimento da paliativa. O caráter da organização muitas vezes se revela em sua capacidade (ou incapacidade) de enfrentar estruturas de transferência de responsabilidade. O fortalecimento das respostas fundamentais quase sempre exige uma orientação de longo prazo e um senso de visão compartilhada. Sem uma visão de que se terá sucesso com a inovação de novos produtos, as pressões para desviar o investimento para a resolução de problemas de curto prazo serão enormes. Sem uma visão de que se terá habilidosos gerentes "orientados para as pessoas", o tempo e a energia para desenvolver tais habilidades não surgirão. Sem uma visão compartilhada do papel que o governo deve desempenhar, não pode haver uma solução de longo prazo para o equilíbrio entre os gastos e as receitas governamentais.

O enfraquecimento da resposta paliativa exige disposição para contar a verdade sobre essas soluções. Os gerentes poderiam reconhecer, por exemplo, que anunciar maciçamente "rouba" participação de mercado dos concorrentes, porém não expande o mercado de uma forma significativa. E os políticos devem admitir que a resistência que enfrentam ao aumento de impostos decorre da percepção de que o governo é corrupto. Sem abordar a questão da corrupção, eles não conseguirão aumentar os impostos nem reduzir os gastos.

Um ótimo exemplo dos princípios da alavancagem nas estruturas de transferência de responsabilidade pode ser encontrado na abordagem de alguns dos programas de tratamento contra drogas e alcoolismo mais eficazes. Se por um lado esses programas insistem para que as pessoas reconheçam seu vício, por outro, organizam grupos de apoio e treinamento para ajudar em sua reabilitação. O bem-sucedido Alcoólatras Anônimos cria um forte apoio grupal para ajudar as pessoas a revitalizar sua capacidade de enfrentar as dificuldades que as levam a beber, mostrando-lhes sempre que podem ser resolvidas. Eles também forçam os indivíduos a reconhecer que são dependentes do álcool e que continuarão sendo, pelo resto da vida, de modo que a solução paliativa não mais funcione em segredo.[9]

No exemplo das empresas que se tornam cada vez mais dependentes de consultores de RH, é preciso desenvolver melhor as habilidades dos próprios gerentes, embora isso talvez exija um maior investimento inicial. Os especialistas em RH devem se tornar mentores, não solucionadores de problemas, ajudando os gerentes a desenvolver suas próprias habilidades pessoais.

Às vezes, *precisamos* recorrer a soluções paliativas — por exemplo, no tratamento de uma pessoa que sofre de uma doença criada pelo cigarro ou pelo álcool. Mas, caso realmente se deseje interromper a dinâmica de transferência de responsabilidade, é preciso reconhecer sempre as soluções paliativas como tais, *associando-as* a estratégias de reabilitação da capacidade de encontrar soluções fundamentais. Se os paliativos forem empregados *como se fossem* soluções fundamentais, a busca da resposta definitiva cessa e a transferência de responsabilidade se instala.

COMO CRIAR SUA HISTÓRIA DE "TRANSFERÊNCIA DE RESPONSABILIDADE"

Três sinais indicam a presença da estrutura de transferência de responsabilidade. Primeiro, existe um problema que se agrava, pouco a pouco, ao longo do tempo — embora de vez em quando pareça melhorar. Segundo, a saúde geral do sistema piora gradualmente. Terceiro, predomina a sensação de impotência. As pessoas começam com grande euforia — resolveram o problema! — mas acabam, no fim, se sentindo vítimas.

Procure especificamente situações de dependência, nas quais você saiba que os verdadeiros problemas, os problemas mais profundos, nunca foram resolvidos. Novamente, depois que tiver essa situação na cabeça, tente identificar os elementos adequados dos *loops* de reforço e de equilíbrio.

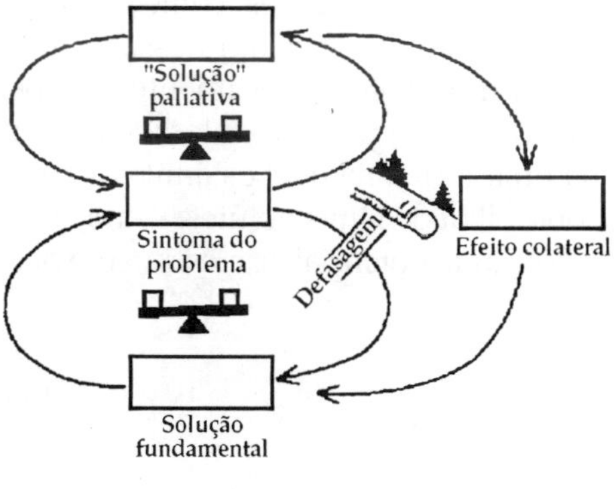

Comece identificando o "sintoma do problema". Ele será algo que lhe chame a atenção — como estresse, incapacidade dos subordinados de resolver dificuldades prementes, queda da participação no mercado. Então, identifique a solução fundamental (pode haver mais de uma) — o curso de ação que, você acredita, levaria a uma melhoria duradoura. Em seguida, identifique uma das várias "soluções paliativas" que poderiam aliviar temporariamente os sintomas.

Na verdade, "soluções fundamentais" e "soluções paliativas" são termos relativos; o importante é descobrir diversas formas de se abordar uma dificuldade, da mais fundamental à mais superficial.

Depois, identifique os possíveis "efeitos colaterais" negativos da solução paliativa.

As principais novas percepções da transferência de responsabilidade virão de (1) distinguir os diferentes tipos de solução e (2) ver como a dependência de soluções paliativas pode reforçar essa dependência. A alavancagem envolverá sempre o fortalecimento do círculo inferior e/ou o enfraquecimento do superior. Assim como ocorre com os limites ao crescimento, é melhor testar suas conclusões com pequenas ações — e esperar até que dêem frutos. Em particular, o fortalecimento de uma capacidade atrofiada provavelmente levará um longo período de tempo.

Os limites ao crescimento e a transferência de responsabilidade são dois arquétipos de sistema básicos. Os capítulos a seguir introduzem vários outros. (O Apêndice 2 resume todos os arquétipos usados neste livro.) Depois de entendidos muito bem, os arquétipos podem ser associados em descrições sistêmicas mais elaboradas. "Orações" básicas passam a fazer parte dos parágrafos. Histórias simples integram-se em histórias mais sofisticadas, com diversos temas, vários personagens e enredos mais complexos.

No entanto, os arquétipos dão origem ao processo de compreensão do pensamento sistêmico. Usando-os, começamos a *ver* cada vez mais os círculos de causalidade que cercam nossa atividade diária. Com o tempo, isso leva naturalmente a pensamentos e ações mais sistêmicos.

Para ver como os arquétipos são colocados em prática, o próximo capítulo examina uma forma na qual os limites ao crescimento e a transferência de responsabilidade têm sido úteis — no entendimento de como uma empresa com grande potencial de crescimento deixa de concretizá-lo.

7

O PRINCÍPIO DA ALAVANCAGEM

O principal resultado prático do pensamento sistêmico é a alavancagem — a identificação de onde as ações e mudanças nas estruturas podem levar a melhorias significativas e duradouras. Muitas vezes, a alavancagem segue o princípio da economia dos meios: os melhores resultados provêm não de esforços em larga escala, mas sim de pequenas ações bem focalizadas. Nossas formas de pensar não-sistêmicas são particularmente prejudiciais porque nos levam constantemente a focalizar as mudanças de baixa alavancagem: focalizamos os sintomas, onde o estresse é maior. Consertamos ou aliviamos os sintomas. Mas tais esforços, na melhor das hipóteses, simplesmente melhoram a situação a curto prazo, piorando-a a longo prazo.

É difícil discordar do princípio da alavancagem. Mas, na maior parte dos sistemas da vida real, como na maioria das organizações, a alavancagem não é tão óbvia aos olhos dos envolvidos. Eles não enxergam as "estruturas" subjacentes às suas ações. O propósito dos arquétipos de sistema, como o de limites ao crescimento e o da transferência de responsabilidade, é ajudar-nos a enxergar essas estruturas e então encontrar pontos de alavancagem, especialmente em meio às pressões e contracorrentes das situações empresariais da vida real.

Por exemplo, vamos analisar uma história verdadeira cuja ocorrência testemunhamos repetidas vezes. Na verdade, o caso a seguir é um mosaico, cujas partes foram extraídas de vários exemplos específicos com a mesma história.[1]

QUANDO CRIAMOS NOSSAS PRÓPRIAS "LIMITAÇÕES DE MERCADO"

Em meados da década de 60, surgiu no mercado uma nova empresa de produtos eletrônicos que oferecia um produto de alta tecnologia único — um novo tipo de computador. A WonderTech, graças a seu *know-how* de engenharia, tinha o domínio virtual de seu nicho de mercado. A demanda de seus produtos era enorme e havia investidores suficientes para garantir que não houvesse restrições financeiras.

Entretanto, após os três primeiros anos, a empresa, que começou com um crescimento meteórico, não conseguiu sustentá-lo. Acabou falindo.

Em seus três primeiros anos de existência, quando as vendas dobravam anualmente, esse destino parecia inimaginável. Na verdade, as vendas estavam tão boas que os pedidos pendentes começaram a se acumular em meados do segundo ano. Mesmo com o aumento constante da capacidade de fabricação (mais fábricas, mais turnos, mais tecnologia avançada), a demanda aumentou tão rápido que os tempos de entrega começaram a escorregar um pouco. No início, a empresa prometera entregar os equipamentos em oito semanas e pretendia voltar a esse padrão; porém, a alta gerência dizia aos investidores, com certo orgulho: "Nossos computadores são tão bons que alguns clientes estão dispostos a esperar até catorze semanas pela sua entrega. Sabemos que isso é um problema, e estamos trabalhando para resolvê-lo, mas eles continuam felizes por conseguirem comprar a máquina, e adoram nossos computadores quando os recebem".

Eles sabiam que precisavam aumentar a capacidade de produção. Após seis meses de estudo, embora tenha-se acrescentado mais um turno de produção, resolveram pedir um financiamento para construir uma nova fábrica. Para garantir a continuidade do crescimento, reinvestiam a receita em vendas e marketing. Como a empresa vendia todos os seus produtos apenas por meio de vendas diretas, essa política gerou a necessidade de contratação e treinamento de outros vendedores. Durante o terceiro ano da empresa o faturamento dobrou.

Porém, apesar de tudo isso, ao final do terceiro ano, as vendas começaram a declinar. Em meados do quarto ano, as vendas haviam caído tanto que a crise se instalou. A curva de vendas, a essa altura, tinha a seguinte forma:

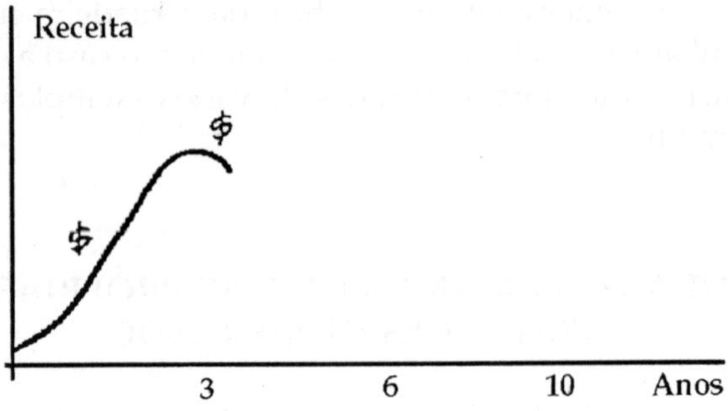

Nesse momento, a nova fábrica entrou em funcionamento. "Agora que contratamos todas essas pessoas", disse o vice-presidente de fabricação, "o que vamos fazer com elas?" A alta gerência entrou em pânico, sem saber o que dizer aos investidores, que tinham gasto tanto em uma nova fábrica. Era como se todos na empresa se virassem e olhassem ao mesmo tempo para a mesma pessoa: o vice-presidente de marketing e vendas.

O vice-presidente de marketing e vendas tornara-se, como era de se esperar, uma estrela em ascensão na empresa. Sua força de vendas saíra-se tão bem durante a explosão inicial das vendas que ele já previa uma promoção. Agora a situação era outra e ele sofria grande pressão para inverter o quadro. Optou então pelo caminho mais provável. Convocava reuniões com os vendedores, nas quais transmitia uma única mensagem: "Vendam! Vendam! Vendam!". Demitiu os que vendiam pouco. Aumentou os incentivos, ofereceu descontos especiais e realizou novas campanhas promocionais que descreviam o equipamento de uma forma nova e interessante.

E as vendas aumentaram mais uma vez. O vice-presidente de vendas e marketing viu-se mais ainda com a aura de herói, um motivador que havia renascido das cinzas para assumir o leme de uma situação difícil. Mais uma vez, a WonderTech viu os pedidos aumentarem. Posteriormente, os pedidos pendentes voltaram a se acumular. E, ano após ano, as entregas foram atrasando — primeiro para dez semanas, depois para doze, até chegar a dezesseis semanas. Iniciou-se mais uma vez uma polêmica sobre o aumento da capacidade. Porém, dessa vez, depois da experiência anterior, a alta gerência foi ainda mais cautelosa. Acabou-se aprovando a construção de uma nova fábrica mas, logo depois de assinados os papéis, iniciou-se uma nova crise. A queda foi tão grande que o vice-presidente de vendas e marketing perdeu o emprego.

Ao longo dos próximos vários anos, e depois de uma sucessão de gerentes de marketing, a mesma situação reapareceu. Ocorriam ondas de alto crescimento das vendas, sempre seguidas por períodos de baixo ou nenhum crescimento.

O padrão assemelhava-se à figura a seguir:

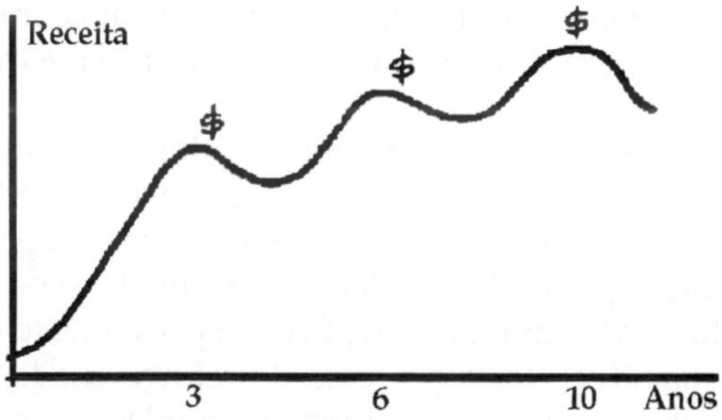

A empresa prosperou modestamente, mas nunca chegou a realizar plenamente seu potencial original. Aos poucos, a alta gerência começou a temer que outras empresas aprendessem a produzir produtos concorrentes. Por isso, introduziu freneticamente aperfeiçoamentos em seu produto, que foram concebidos de forma inadequada. A empresa continuou com sua estratégia agressiva de marketing. Mas as vendas jamais voltaram ao patamar original. A WonderTech perdeu seu toque mágico e acabou falindo.

Em sua última declaração aos membros de sua equipe executiva, o CEO disse: "Fizemos o melhor possível dentro das circunstâncias, mas a demanda simplesmente desapareceu. Havia claramente um mercado limitado — um nicho que preenchemos com eficácia".

A história da WonderTech nada tem de inusitado. Cinco em cada dez empresas iniciantes desaparecem nos cinco primeiros anos, apenas quatro sobrevivem até o décimo ano e apenas três até quinze.[2] Toda vez que uma empresa fracassa, as pessoas apontam acontecimentos específicos para explicar as "causas": problemas no produto, gerentes ineptos, saída de pessoas-chave da empresa, competição inesperadamente agressiva e recessões no mercado. Não reconhecem, porém, as causas sistêmicas mais profundas do crescimento não-sustentado. Com a ajuda dos arquétipos de sistema, podemos entender essas causas e, em muitos casos, formular políticas bem-sucedidas. A ironia, no caso da WonderTech, está no fato de que, com seu produto e seu potencial de mercado, a empresa poderia ter crescido vigorosamente durante muitos anos, não apenas dois ou três.

Os gerentes da WonderTech não viram os motivos de seu próprio declínio. Não foi a falta de informação. Eles tinham em suas mãos todos os fatos que importavam — os mesmos fatos que você, leitor, tem em mãos após ler esta história. Mas não conseguiram enxergar as estruturas subjacentes aos fatos.

Como pensadores sistêmicos tentando diagnosticar o problema da WonderTech, procuraríamos sinais — qualquer coisa que pudesse indicar um arquétipo. Começaríamos com o padrão de comportamento mais óbvio: um súbito crescimento inicial, que aumentou mais e mais, seguido de uma diminuição do ritmo de crescimento e, mais adiante, de sua total interrupção. Este padrão é um sintoma clássico de limites ao crescimento.

Há muitos processos de reforço (amplificadores) possíveis que poderiam ter gerado o aumento inicial rápido nas vendas da WonderTech. Investimentos em produtos, em publicidade e a boa propaganda boca a boca são fatores que poderiam ter transformado sucesso passado em sucesso futuro. Mas um fator que ficou especialmente evidente na história da WonderTech foi o processo de reforço criado pelo investimento da receita no aumento da força de vendas: mais vendas significavam mais receita, o que significava contratar mais vendedores, o que representava mais vendas.

A outra parte de qualquer estrutura de limites ao crescimento, obviamente, é o processo de equilíbrio (estabilização). Alguma coisa deve ter provocado a queda nas vendas. Mas só há queda nas vendas quando há saturação no mercado, quando aumenta a concorrência ou quando os clientes se desencantam. Nesse caso, a demanda de computadores da WonderTech ainda era grande e não havia concorrência significativa. Havia um fator que desanimava os clientes: os longos prazos de entrega. À medida que os pedidos pendentes aumentavam com relação à capacidade de produção, cresciam também os prazos de entrega. O serviço de entrega desenvolvia uma reputação de má qualidade, o que acabava dificultando as vendas por parte dos vendedores da WonderTech. A estrutura de limites ao crescimento, portanto, tem a seguinte forma:

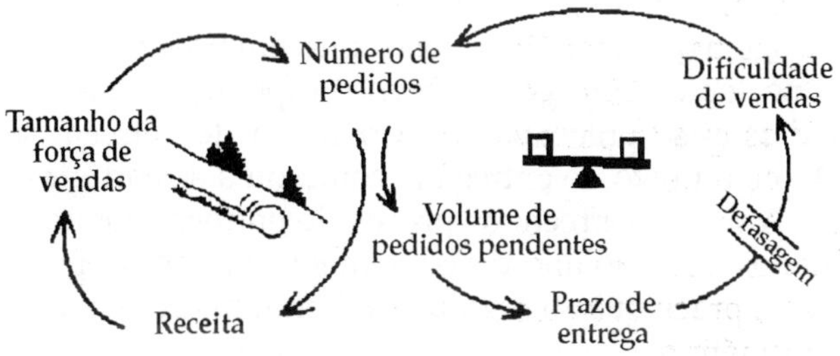

Em uma estrutura de limites ao crescimento, a pior coisa que se pode fazer é enfatizar o processo de reforço. Pois foi exatamente o que fizeram os gerentes da WonderTech. Tentaram dar novamente partida no "motor do crescimento" por meio de incentivos de vendas, promoções de marketing e pequenos aperfeiçoamentos no produto — embora nenhum desses fatores gerasse alavancagem. Esta estava no processo de equilíbrio.

Por que ninguém notou o processo de equilíbrio? Primeiro, a alta gerência da WonderTech, muito orientada aos aspectos financeiros, não prestou muita atenção a seu serviço de entrega. Acompanhava principalmente as vendas, os lucros, os retornos sobre o investimento e a participação no mercado. Enquanto esses fatores estivessem em condições saudáveis, o prazo de entrega era uma de suas últimas preocupações. Quando o desempenho financeiro escorregava, as pressões deslocavam-se para aumentar os pedidos. A essa altura, os prazos de entrega já estavam começando a diminuir, pois os pedidos estavam caindo. Assim, independentemente de ser uma época boa ou ruim, a alta gerência prestava pouca atenção ao tempo que os clientes tinham que esperar para receber o computador.

Mesmo que prestassem, não teriam visto os prazos de entrega como um fator importante que afetasse as vendas. Os prazos de entrega vinham aumentando há mais de um ano e meio, antes do início da primeira crise nas vendas. Isso reforçou a seguinte atitude entre a alta gerência: "Os clientes não se importam com os atrasos de entrega". Mas essa complacência era equivocada; os clientes se importavam, mas esta preocupação ficava obscurecida, para a gerência da WonderTech, por causa da defasagem intrínseca ao sistema. Quando um cliente dizia "Quero que o equipamento seja entregue dentro de oito semanas", o vendedor concordava. Porém, passavam-se nove, dez ou doze semanas e nada do equipamento. Depois de diversos meses, começavam a surgir alguns boatos sobre a empresa. No entanto, o número de possíveis clientes era grande e os boatos tinham pouco efeito, até que um dia acabaram se tornando uma reputação de grandes atrasos na entrega das mercadorias. Na figura anterior, essa defasagem fica entre o Prazo de Entrega e a Dificuldade de Vendas.

Os gerentes da WonderTech foram vítimas da clássica deficiência de aprendizagem que consiste em não conseguir detectar causa e efeito separados no tempo. Em geral, se você esperar até que a demanda caia para depois se preocupar com o prazo de entrega, será tarde demais. O longo prazo de entrega já começou a se corrigir — temporariamente. Na WonderTech, os prazos de entrega pioraram durante o terceiro ano, o último ano de crescimento rápido. Depois, durante a queda nas vendas que se seguiu, melhoraram; porém, em seguida, voltaram a piorar.

Ao longo dos dez anos da história da empresa, houve uma infeliz tendência de aumento nos prazos de entrega, interrompida por melhorias periódicas. Some-se a isso o declínio gradual na saúde do sistema — como podemos ver no crescimento lento e no declínio dos lucros. A empresa ganhava dinheiro nas épocas de pico, mas também perdia dinheiro a rodo nos períodos de baixas vendas. A euforia do período de crescimento inicial deu lugar ao desânimo e, por fim, ao desespero. No final, as pessoas ficaram se achando vítimas. Embora o diretor-presidente tenha dito publicamente que eles haviam dado o melhor de si dentro das circunstâncias, no fundo reconheceu que eles foram atraídos por projeções de marketing erradas que previam um enorme mercado potencial que jamais se concretizou.

O que ninguém viu foi que a situação na WonderTech descrevia uma estrutura clássica de transferência de responsabilidade. Havia um sintoma de um problema (prazo de entrega) que piorava continuamente, ainda que com melhorias periódicas. A saúde geral da empresa também piorava continuamente, e havia um sentimento crescente de ser a vítima. Como pensadores sistêmicos, teríamos que identificar primeiro o principal sintoma do problema e, em seguida, as respostas paliativas e fundamentais. No caso, a resposta fundamental (o círculo inferior no diagrama a seguir) seria expandir a capacidade de produção, a fim de controlar o prazo de entrega. Prazos de entrega acima do padrão da WonderTech indicam a necessidade de maior capacidade que, quando se normaliza, corrige os longos prazos de entrega. Porém, se essa resposta fundamental demorar, a responsabilidade é transferida para a resposta paliativa (o círculo superior), a queda nos pedidos devido à insatisfação do cliente. Como os gerentes da WonderTech não resolveram o problema dos longos prazos de entrega aumentando a capacidade de produção rápido o suficiente, os clientes insatisfeitos "resolveram" o problema desistindo da compra.

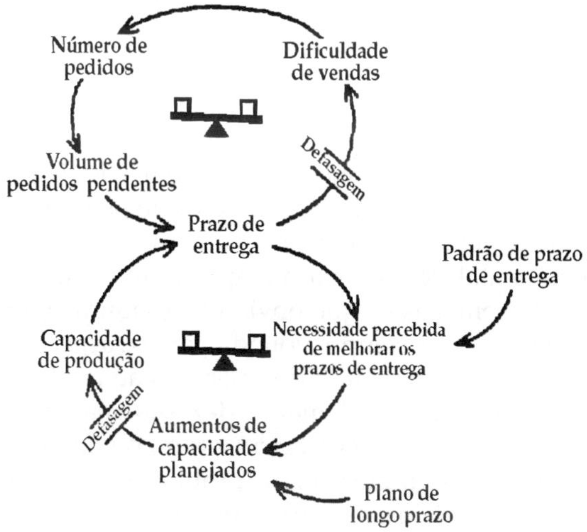

Além disso, como a WonderTech permitiu o processo dos "clientes insatisfeitos" operar, a resposta paliativa tendeu a se fortalecer ainda mais — como era de se esperar em uma estrutura de transferência de responsabilidade. Isso ocorreu quando a reputação ruim sobre os serviços de entrega da WonderTech disseminou-se no mercado; toda vez que os prazos de entrega da WonderTech aumentavam, a reputação negativa crescia mais rápido. Enquanto isso, a resposta fundamental enfraquecia cada vez mais. Depois de sofrer uma crise de vendas após o primeiro aumento da capacidade de produção, que deixou a capacidade ociosa por um tempo, a alta gerência da WonderTech adotou uma atitude mais cautelosa quanto a novos investimentos no aumento da capacidade. Isso significava que a nova capacidade demorava mais para entrar em operação — ou simplesmente nunca começava. Quando os gerentes da WonderTech finalmente estavam prontos para aumentar a capacidade, a resposta paliativa já havia aliviado a pressão e os prazos de entrega haviam começado a cair. Assim, seus planos de aumentar a capacidade a longo prazo aparentemente vinham por terra em cada uma dessas situações. "Vamos esperar um pouco antes de aumentar a capacidade para ver se realmente existe demanda", diziam.

Na verdade, estabeleceu-se uma corrida entre as duas respostas. Com o tempo, a resposta paliativa tornou-se mais rápida, enquanto a resposta fundamental ficou mais morosa. Resultado: a resposta do "cliente insatisfeito" assumiu cada vez mais a responsabilidade de controlar os prazos de entrega.

Quando estes foram se alongando, a base de clientes da WonderTech evoluiu rumo a clientes menos manter a má qualidade dos serviços de entrega. Isso significava que eram mais sensíveis aos preços. Esses clientes eram menos leais e se deixavam atrair facilmente pelos concorrentes que ofereciam preços mais baixos. A WonderTech passou a ocupar uma posição vulnerável de fornecedor de produtos de baixa qualidade e preços baixos em um mercado onde fora pioneira.

Teria sido possível reverter o destino da WonderTech. Havia um ponto de alavancagem na estrutura: o compromisso original da empresa com um prazo de entrega de oito semanas. Na estrutura de transferência de responsabilidade, os adeptos do pensamento sistêmico tentam identificar inicialmente o que poderia estar enfraquecendo a resposta fundamental. Nesse caso, a empresa tinha um *padrão de prazo de entrega* — oito semanas — que obviamente nunca significou muita coisa para a alta gerência, sempre voltada para os aspectos financeiros.

Depois de três anos, o padrão de operação ao qual a produção se acostumara era de aproximadamente dez semanas. Com o tempo, quando os problemas de entrega ressurgiram, o padrão continuou se alongando. Ninguém deu atenção ao problema, muito menos a alta gerência. Quando queriam saber se era preciso aumentar a capacidade de produção, verificavam junto às fábricas, o que reforçava o padrão em erosão na organização.

De fato, o *segundo* vice-presidente de marketing e vendas periodicamente comunicava à alta gerência sua preocupação com a insatisfação do cliente. O vice-presidente de produção reconhecia que, vez por outra, não conseguia dar conta dos pedidos pendentes, mas isso ocorria apenas quando a capacidade de produção era inadequada. Mas os altos gerentes diziam: "Sim, nós sabemos que isso é um problema, mas não podemos fazer grandes investimentos sem saber se a demanda se sustentará". Eles não entendiam que a demanda só se sustentaria se fizessem o investimento.

Nunca saberemos ao certo o que poderia ter acontecido se a empresa tivesse ficado fiel à sua meta original, continuando a investir agressivamente na capacidade de produção. Mas simulações baseadas nessa estrutura (que associa os limites ao crescimento com a transferência de responsabilidade) e no volume real de vendas foram feitas mantendo-se intacto o padrão do prazo de entrega. Nessas simulações, as vendas continuam crescendo rapidamente ao longo de dez anos, embora continuem havendo períodos de estabilização. O prazo de entrega flutua um pouco, mas não se estende, e o padrão permanece constante, em oito semanas. A WonderTech agora percebe seu potencial de crescimento. No final de dez anos, as vendas são muito superiores às do caso original.[3]

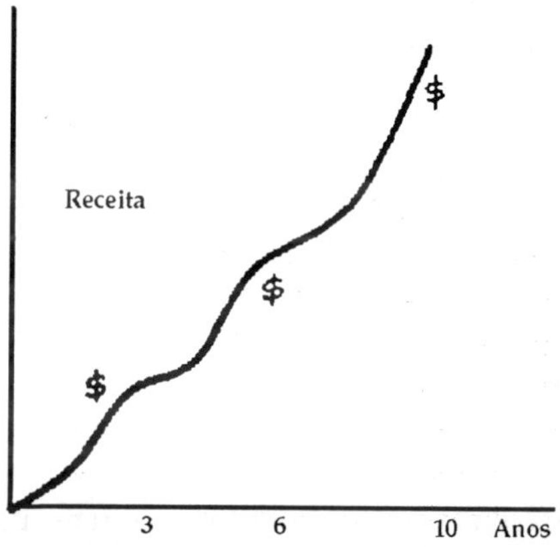

O vice-presidente de vendas e marketing original percebeu intuitivamente esses problemas. Argumentou, desde o início, que a WonderTech estava avaliando equivocadamente sua capacidade de produção. "Comparamos a capacidade com o número de pedidos que *temos*", disse ele, "e não com o volume potencial de pedidos que *teríamos* caso estivéssemos operando com a capacidade total." Infelizmente, seus argumentos foram interpretados como desculpas pelo mau desempenho das vendas e seus insights não receberam a devida atenção. De nada adiantou o fato de ele não dispor de uma forma de explicar conceitualmente seu raciocínio. Se tivesse conseguido descrever os arquétipos de sistema, talvez as pessoas tivessem entendido o que lhe parecia intuitivo.

Na verdade, a sutil dinâmica da WonderTech confirma uma intuição de muitos gerentes experientes: é vital manter padrões de desempenho críticos em todas as ocasiões, e fazer o que for necessário para alcançá-los. Os mais importantes são aqueles que o cliente considera assim. Normalmente incluem qualidade do produto (projeto e fabricação), serviço de entrega, confiabilidade e qualidade do serviço e amabilidade e atenção do pessoal de atendimento. A estrutura sistêmica da WonderTech transforma essa intuição gerencial em uma teoria explícita, que mostra como a erosão dos padrões e o descuido para com a capacidade de expansão podem minar o crescimento de uma empresa inteira. A estrutura completa surge da integração dos limites ao crescimento e da transferência de responsabilidade:

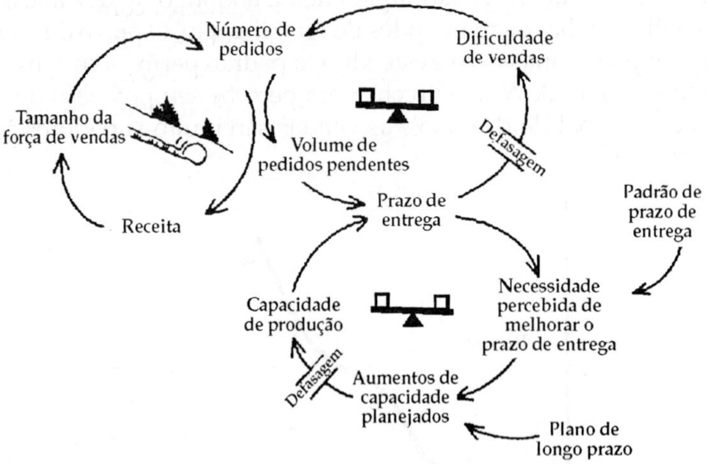

Como mostra a figura anterior, as duas estruturas se sobrepõem, compartilhando um processo de equilíbrio — no qual os clientes insatisfeitos reduzem seus pedidos devido aos longos prazos de entrega. O mesmo círculo de equilíbrio que desvia a atenção do aumento da capacidade (na transferência de responsabilidade) também impede a expansão das vendas (nos limites ao crescimento). O fato de o círculo do "cliente insatisfeito" se tornar ou não dominante depende da resposta da empresa diante dos longos prazos de entrega. Se os padrões pioram, a resposta da empresa fica enfraquecida e transfere-se a responsabilidade para os clientes insatisfeitos. Em outras palavras, sem querer, a empresa vicia-se na limitação de seu próprio crescimento.

A ESCOLHA ENTRE CRESCIMENTO QUE LIMITA A SI MESMO OU QUE SUSTENTA A SI MESMO

A estrutura sistêmica subjacente à WonderTech explica muitas situações complexas nas quais empresas que antes cresciam rapidamente e tinham grande sucesso fracassam de maneira misteriosa. Na verdade, essa estrutura constitui outro arquétipo de sistema chamado crescimento e subinvestimento, um pouco mais complicado que os dois arquétipos anteriores. Este arquétipo entra em ação toda vez que uma empresa limita seu próprio crescimento por meio do subinvestimento.

Subinvestimento significa desenvolver menos capacidade do que é realmente necessário para atender à crescente demanda dos clientes. Podemos reconhecer o arquétipo de crescimento e subinvestimento através do fracasso de uma empresa em alcançar seu crescimento potencial apesar do enorme esforço de todos (um sinal de subinvestimento). Normalmente, existe uma pressão financeira contínua — que, ironicamente, é tanto uma causa quanto uma conseqüência do subinvestimento. A pressão financeira dificulta ou impossibilita investimentos agressivos, mas ela tem sua origem no subinvestimento do passado. Se analisarmos bem, também veremos, dentro da empresa ou do setor, padrões de "qualidade" em erosão ou declínio. (Entendemos por qualidade todas as coisas que importam para o cliente, como qualidade do produto, qualidade do serviço e confiabilidade da entrega.) Os padrões sofrem erosão ou não acompanham a concorrência, resultando no fracasso em investir no desenvolvimento da capacidade de suprir as necessidades dos clientes. ("Investir" pode significar acrescentar ou melhorar a capacidade física, treinar pessoal, aperfeiçoar processos de trabalho ou melhorar estruturas organizacionais.) Os clientes insatisfeitos tendem a desertar. Ou, se não tiverem para onde ir, como no caso da erosão dos padrões em um setor inteiro, param de pedir o que não conseguem ter. A diminuição da demanda do cliente elimina os sintomas da demanda não suprida. Reduz também os recursos financeiros para investir em maior capacidade.

Se tudo isso acontecesse em um mês, a organização ou o setor como um todo se mobilizariam para impedir. O que torna a dinâmica dessa estrutura tão insidiosa é o caráter gradual da erosão das metas e do declínio do crescimento. É essa a estrutura subjacente à síndrome do "sapo escaldado" discutida nas deficiências de aprendizagem do Capítulo 2. Os padrões do sapo quanto à temperatura da água sofrem erosão constante e sua capacidade de reagir à ameaça de ser escaldado atrofia-se.

No caso de uma única empresa como a WonderTech, o resultado é um declínio uniforme e lento da participação no mercado e da rentabilidade. Para um setor inteiro, o resultado é a crescente vulnerabilidade a concorrentes estrangeiros que possuam padrões mais altos, vulnerabilidade essa que ocorre tão devagar que é difícil de detectar e muitas vezes é mascarada por remédios paliativos de "transferência de responsabilidade", como campanhas promocionais, descontos, "reestruturação" ou lobby para proteção fiscal. Na minha opinião, a dinâmica da erosão de metas e do subinvestimento encontra-se no âmago do declínio, entre meados da década de 60 e meados da de 80, de muitas indústrias norte-americanas, entre elas a indústria automobilística, de máquinas-ferramenta e de produtos eletrônicos de consumo. Em todos esses setores, a perda da participação no mercado para concorrentes estrangeiros, que invariavelmente foi atribuída a fatores "externos", originou-se, pelo menos em parte, de fracos padrões de satisfação do cliente, subinvestimento e clientes infelizes.

Existem inúmeros exemplos do arquétipo de crescimento e subinvestimento também nos setores de serviços. Escolas que deixam a qualidade de seus cursos escorregar até perderem sua credibilidade. Hospitais cuja reputação de atendimento ao paciente sofre erosão, ao não reformar suas instalações ou sobrecarregar sua equipe de profissionais. Estações de rádio e televisão que reduzem seus orçamentos e deixam que coberturas superficiais tomem o lugar de reportagens detalhadas e sérias. Um desses casos do setor de serviços será apresentado no próximo capítulo — o caso da People Express Airlines.

Quando compreendida, a estrutura de crescimento e subinvestimento pode servir como excelente guia para uma empresa que esteja tentando criar seu próprio futuro. Jay Forrester conta uma história impressionante do início da Digital Equipment Corporation. A empresa começou sua operação no canto de um andar de uma velha fábrica nos arredores de Boston, com cerca de uma dezena de funcionários. Como membro do conselho da Digital (a Digital foi fundada por vários alunos de pós-graduação de Forrester no MIT), Forrester persuadiu o conselho a alugar todo o andar, do tamanho de um campo de futebol, logo que o local ficou vazio. Mas esse salto em capacidade, que inicialmente pareceu insultuoso, permitiu que a Digital crescesse sem causar a erosão de seus padrões. Uma experiência mais drástica, como contou Forrester mais tarde, foi voltar apenas seis meses depois e encontrar o local cheio de pessoas, produtivamente empregadas. Esse foi o primeiro episódio de uma empresa que conseguiu obter os melhores registros de crescimento sustentado da história empresarial. Durante anos, a Digital manteve terrenos em toda a Nova Inglaterra, nos EUA, para que já tivesse espaço quando quisesse aumentar a sua capacidade.

A arte do pensamento sistêmico está em ser capaz de reconhecer estruturas cada vez mais complexas (dinamicamente) e sutis, como as da WonderTech, em meio à riqueza de detalhes, pressões e correntes discordantes, presentes em todos os contextos gerenciais. Na verdade, a essência de se dominar o pensamento sistêmico como disciplina gerencial está na identificação de padrões, enquanto os outros vêem apenas eventos e forças às quais reagir. Ver tanto a floresta quanto as árvores é um problema fundamental que, como ilustra o próximo capítulo, assola todas as empresas.

8

A ARTE DE VER A FLORESTA E AS ÁRVORES

De todos os últimos presidentes dos Estados Unidos, nenhum se envolveu tão profundamente com os problemas do país quanto Jimmy Carter. Entretanto, o presidente Carter tinha uma imagem de líder relativamente ineficaz, deixando o cargo com um índice de popularidade de 22 por cento, o menor entre todos os presidentes após a Segunda Guerra Mundial, incluindo Richard Nixon.[1]

Jimmy Carter foi vítima da complexidade. Sua sede de tomar conhecimento dos problemas em primeira mão acabou afogando-o em detalhes, sem uma perspectiva clara sobre tais detalhes. Porém, na verdade, será que Carter era assim tão diferente da maioria dos líderes contemporâneos, no setor público ou privado? Quantos presidentes de empresa hoje são capazes de se levantar e fazer um discurso de quinze minutos oferecendo uma explicação convincente das causas sistêmicas de um problema importante, e apresentando estratégias de alta e baixa alavancagem para lidar com o problema?

Todos nós conhecemos a metáfora de sermos capazes de "nos distanciarmos" o suficiente dos detalhes para "ver a floresta, além das árvores". Porém, infelizmente, muitos de nós, quando nos distanciamos, vemos apenas "muitas árvores". Escolhemos uma ou duas favoritas e concentramos nelas nossa atenção e nossos esforços de mudança.

Um dos maiores benefícios proporcionados pelo pensamento sistêmico é a possibilidade de se distinguir mudanças de alta alavancagem e mudanças de baixa alavancagem em situações bastante complexas. Na verdade, a arte do pensamento sistêmico está em ver *através* da complexidade, enxergando as estruturas subjacentes que geram a mudança. Pensamento sistêmico não significa ignorar a complexidade. Ao contrário, significa organizá-la em uma história coerente que lance uma luz sobre as causas dos problemas e sobre a forma que eles podem ser solucionados de maneira duradoura. A crescente complexidade do mundo atual leva muitos gerentes a presumir que não possuem as informações de que precisam para agir com eficácia. Eu sugeriria que o "problema de informação" fundamental que os gerentes enfrentam atualmente não é a falta de informação, mas sim o excesso de informações. O que mais precisamos é encontrar meios de distinguir o que é importante do que não é importante, identificar as variáveis nas quais devemos nos focar e as variáveis nas quais devemos prestar menos atenção — e precisamos de formas de fazer isso que possam ajudar grupos ou equipes a desenvolver uma compreensão compartilhada.

OS PERIGOS DE SER UM PIONEIRO

Uma das mais espetaculares e lamentáveis ascensões e quedas de um protótipo de organização que aprende foi a People Express Airlines.[2] É uma parábola que narra uma situação complexa que não pôde ser resolvida a tempo de salvar a organização. Fundada em 1980 com o objetivo de oferecer serviços de transporte aéreo de baixo custo e alta qualidade aos usuários do leste dos Estados Unidos, em cinco anos a People Express tornou-se a quinta maior empresa de transporte aéreo do país. Ao longo do caminho a People Express estabeleceu uma reputação de pioneirismo, desenvolvendo uma estimulante filosofia empresarial articulada por seu carismático fundador, Don Burr. "A maioria das organizações acredita que as pessoas são inerentemente más e que é preciso controlá-las e vigiá-las", disse Burr em uma declaração usual. "Na People Express, acreditamos que as pessoas farão um bom trabalho até que provem o contrário..."[3] A empresa traduziu essa filosofia em diversas políticas inovadoras de recursos humanos que, de lá para cá, foram adotadas por muitas outras empresas, como rodízio de cargos, gestão por equipes, propriedade universal de ações[i] e apenas quatro níveis hierárquicos (com apenas quatro níveis salariais em toda a empresa). Entretanto, a despeito de seu espetacular sucesso inicial, em setembro de 1986 a People Express foi adquirida pela Texas Air Corporation, depois de um prejuízo de US$ 133 milhões só nos seis primeiros meses de 1986.

Surgiram muitas teorias que explicavam o crescimento e colapso da People Express. Burr e a empresa ganharam muita atenção do público pelas pouco usuais e "brandas" políticas gerenciais voltadas para as pessoas. Os analistas empresariais mais inflexíveis achavam que o declínio da People provava que "negócio é negócio". Ideais nobres e locais de trabalho democráticos não combinam com lucros, diziam. Outros colocavam a culpa em Burr e sua equipe gerencial, que não ofereceram liderança estratégica contínua — especialmente após a compra da Frontier Airlines, empresa aérea baseada em Denver, em 1985, que levou para a empresa 4 mil novos funcionários que não compartilhavam dos valores nem da estratégia de negócios da People.

Alguns dos executivos da People, inclusive o próprio Burr, oferecem

---

i Do termo original em inglês: *universal stock ownership* (N. do E.).

uma explicação diferente. Em 1984, em parte como resposta ao sucesso de empresas de transporte aéreo de baixo custo, como a People Express, a American Airlines introduziu o Sabre, seu sistema de reservas via computador, inaugurando uma nova era de "gestão de ocupação" — que significava que as empresas poderiam oferecer um número limitado de passagens a preços bastante reduzidos, enquanto continuavam fazendo reservas para executivos e outros passageiros pela tarifa normal. Foi uma mudança revolucionária no ramo da aviação comercial e, pela primeira vez, colocou a People Express em uma forte concorrência de preços.

Não é de admirar que seja tão difícil entender o que aconteceu com a People Express. Para entender o que houve de errado é preciso analisar um conjunto extremamente complexo de fatores, como por exemplo:

Frota	**Recursos Humanos**	**Fatores da Concorrência**
Aviões	Pessoal de serviço	Tamanho do mercado
Capacidade do avião	Tripulação	Segmentos do mercado
Rotas	Pessoal de manutenção	Reputação
Horários dos vôos	Contratação	Qualidade do serviço
Rotas e vôos dos concorrentes	Treinamento	Qualidade do serviço da concorrência
Horas de serviço por avião (por dia)	Rotatividade de pessoal	Tarifas
Eficiência do combustível	Moral	"Gestão da ocupação"
	Produtividade	Tarifas da concorrência
	Experiência	
	Gestão por equipes	
	Rodízio de cargos	
	Propriedade das ações	
	Funcionários temporários	

Variáveis Financeiras	"Alavancadores das Políticas"
	(Algumas das principais decisões que a gerência da People precisava tomar)
Receita	Comprar aviões
Lucros	Contratar pessoal
Custos das operações aéreas	Definir preços
Custos de operação do avião	Gastos com marketing
Custo de marketing	"Escopo do serviço" (faixa de serviços a serem oferecidos aos clientes)
Salários	
Preço das ações no mercado	
Taxa de crescimento	
Dívidas	
Taxa de juros	

Essa lista de variáveis importantes nos dá uma idéia da enorme complexidade de detalhes dos problemas gerenciais da realidade. É fácil se perder em meio às "árvores" desses detalhes e deixar de ver a "floresta" — dominar a complexidade dinâmica é essencial às estratégias de sucesso. É aqui que a disciplina do pensamento sistêmico proporciona sua maior vantagem. Usando os arquétipos de sistema podemos aprender como "estruturar" os detalhes em uma imagem coerente das forças em jogo.

UMA TEORIA SOBRE O QUE ACONTECEU NA PEOPLE EXPRESS

O desvendamento de uma história complexa como a da People Express Airlines se inicia pela identificação das forças que moldaram sua evolução e das estruturas que estavam por trás delas. Isso pode levar a um quadro dos problemas de uma empresa muito diferente do que sugere uma mera análise dos eventos.

A People Express começou com um conceito inovador de produto e tinha os menores custos do setor. (A People Express foi a primeira empresa aérea fundada após a desregulamentação do setor de transporte aéreo norte-americano, em 1978.) A empresa associou tarifas extremamente baixas a um serviço amigável e muito simples (por exemplo, as refeições e o manuseio de bagagens eram cobrados à parte). Em muitas de suas rotas na Costa Leste do país, uma passagem de avião da People Express era mais barata do que ir de ônibus. Isso atraiu rapidamente um número tão grande de novos clientes que, no terceiro trimestre de 1982, Burr anunciou na reunião financeira trimestral da People Express: "Hoje somos a maior empresa aérea, em termos de embarques, em qualquer aeroporto de Nova York".[4]

Inicialmente, com a propriedade universal de ações, os funcionários da People tinham um moral altíssimo, estimulado pelo rápido sucesso e pela visão encorajadora da empresa. "Nunca andei em um avião", escreveu um jornalista em 1982, "cujo pessoal de bordo fosse tão alegre e dedicado ao trabalho".[5] Como dizia Burr: "Na People Express, atitude é tão importante quanto altitude".

Porém, com essa reputação e os preços baixos, o aumento da demanda superou, em meados de 1982, a capacidade de atendimento da empresa. Lori Dubose, gerente de Recursos Humanos, dizia ter problemas para encontrar "pessoas suficientes para ter um quadro de funcionários adequado" e ainda "ter algum tempo para desenvolvimento gerencial". Em novembro de 1982, um terço dos funcionários da People eram temporários — ao todo, quatrocentos funcionários eram temporários. Em termos só de números, havia o suficiente de "Gerentes de Atendimento ao Cliente" (como era chamado o pessoal de serviços da People Express) para dar andamento ao trabalho. Mas os conceitos inovadores de rodízio de cargos e gestão por equipes significavam que o tempo necessário ao treinamento e à assimilação do pessoal de serviço era muito maior do que nas empresas aéreas convencionais.

Apesar dessas dificuldades, a demanda pelos vôos com descontos altos da People continuou a aumentar fenomenalmente. As milhas voadas por passageiro mais do que dobraram em 1982, o que aconteceu de novo em 1983. No final de 1983 a People era uma das empresas aéreas mais lucrativas do setor. As ações da empresa, que no começo eram vendidas a US$ 8,50 o lote, estavam a US$ 22. Apesar do excesso de trabalho, muitos dos funcionários da People estavam enriquecendo. Burr pregava os méritos do trabalho árduo na busca de atingir uma visão nobre: "As pessoas ficam mais cansadas e estressadas quando não têm muito o que fazer. Acredito veementemente nisso e acho que já testei minha crença... É sensacional o que o senso de direção pode fazer. A beleza da condição humana é a magia que as pessoas são capazes de gerar quando há senso de direção. Quando não há senso de direção, as pessoas não são capazes de fazer muito." O faturamento dobrou novamente em 1984, embora os lucros não tenham aumentado proporcionalmente.

Enquanto isso, os clientes da People Express começaram a reclamar mais sobre problemas no serviço. Os atrasos para emissão de passagens e reserva de vôos aumentavam mais e mais, assim como os vôos cancelados ou com excesso de reservas. Os comissários de bordo já não eram tão simpáticos e eficientes quanto antes. Inicialmente, os clientes perdoavam tudo isso e continuavam utilizando os serviços da empresa. Assim, não havia castigo aparente pelo serviço ruim. Porém, durante 1984 e 1985 um número crescente de clientes começou a ir embora. O crescimento tornou-se inteiramente dependente do preço e os clientes da People Express tornaram-se cada vez mais conscientes do preço, não da qualidade. O preço das ações da empresa acabou caindo, o que baixou ainda mais o moral e a qualidade dos serviços. Em seu último ano de operação, voar pela People Express tornara-se uma experiência tão desagradável que a empresa foi apelidada de "People Distress"[i] e seus clientes, antes leais, começaram a preferir outras empresas aéreas.

Os problemas crônicos da People Express com a qualidade do serviço e a existência de um número suficiente de funcionários competentes e dedicados sugerem semelhanças sutis com a WonderTech, com seus problemas de capacidade de produção inadequada e desgaste no serviço de entrega — embora as condições específicas da WonderTech difiram quase inteiramente das condições da People Express. A WonderTech era uma indústria. A People Express era uma empresa de serviços. Enquanto na WonderTech a variável crítica de capacidade era a capacidade de produção, na People Express a variável crítica de capacidade era a "capacidade de prestação de serviços", ou seja, a combinação de pessoal, experiência e moral. A WonderTech fomentou o seu crescimento por meio de aumentos agressivos da força de vendas diretas. A People Express fomentou o crescimento por meio de um aumento agressivo da frota e dos horários de vôo. A WonderTech fracassou por causa das pioras nos prazos de entrega e da erosão nos padrões de prazo de entrega. A People Express falhou devido ao declínio da qualidade do serviço ao cliente e dos padrões de serviço. No entanto, apesar de todas essas diferenças, havia por trás das duas empresas a dinâmica do crescimento e subinvestimento, o arquétipo de sistemas que explica uma das formas mais comuns pelas quais as organizações limitam inadvertidamente seu próprio crescimento.

---

i Traduzido literalmente, "People Distress" seria "Sofrimento das Pessoas". (N. do E.)

As figuras a seguir mostram uma estrutura de crescimento e subinvestimento, mapeada pela história da People Express.

Na People Express, essa estrutura produziu um padrão de rápido crescimento e de declínio igualmente rápido, que podemos observar pelo comportamento representado nas figuras que se seguem, ao longo de um período de cinco anos.[6] A receita aumentou rápido, e em seguida mais lentamente, até entrar em declínio. Os lucros aumentaram, depois caíram e transformaram-se em grandes prejuízos. A qualidade do serviço começou alta, para depois sofrer uma erosão contínua. O tamanho da frota aumentou rapidamente, bem como o quadro de pessoal de serviço, mas a capacidade de serviço não conseguiu acompanhar o aumento do número de passageiros.

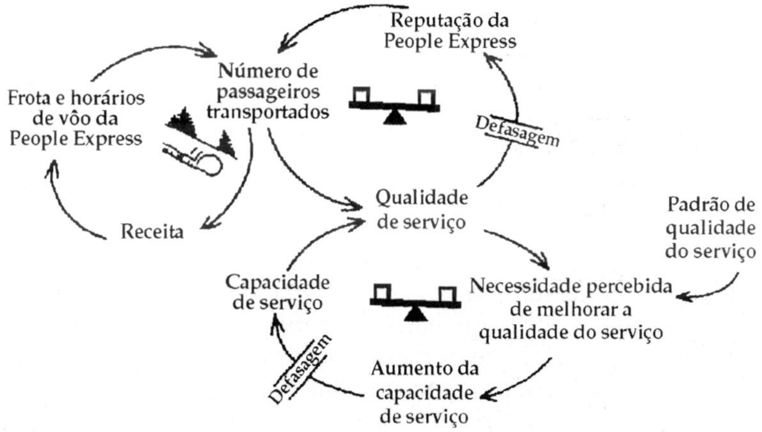

O subinvestimento talvez tenha sido ainda mais difícil de ser identificado pelos gerentes da People Express do que pelos gerentes da WonderTech. Afinal, a People não fora muito agressiva ao investir na frota de aviões? No entanto, o subinvestimento *crítico* foi na capacidade de *serviço*, não na frota de aviões. Além disso, a capacidade de serviço inadequada foi mascarada, até certo ponto, pela enorme expansão do quadro de funcionários. A People não fracassou em expandir o *número* de funcionários de serviço a fim de atender ao crescente número de clientes; ela falhou no desenvolvimento da combinação de pessoas, habilidades e a infra-estrutura organizacional necessária para suprir a demanda dos clientes com altos níveis de qualidade.[7]

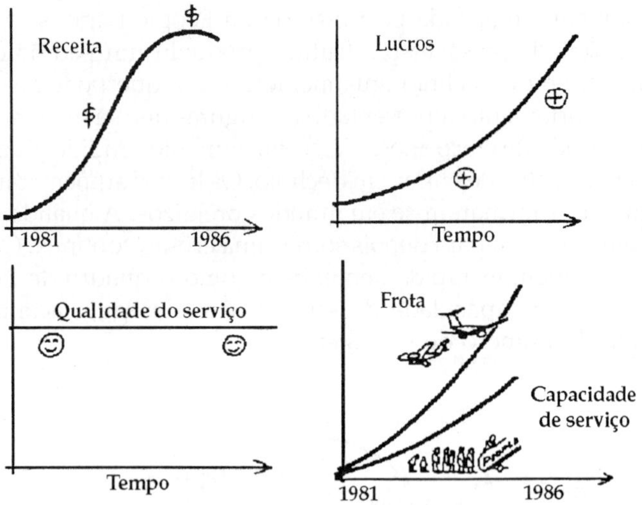

Entretanto, a People Express *poderia* ter sido um sucesso duradouro, na opinião dos que tentaram entender a empresa sob uma perspectiva sistêmica. A empresa tinha uma posição única em termos de custo do produto, posição essa que os concorrentes teriam dificuldade de igualar. Se a empresa tivesse conseguido manter uma alta qualidade de serviço, ao lado de suas baixas tarifas, teria sido quase imbatível. A incapacidade de manter a qualidade do serviço fez do preço sua única vantagem competitiva, que por sua vez tornou-a vulnerável.

No MIT, John Sterman criou um "micromundo" em software de computador sobre a história do caso da People Express, chamado "Simulador de Vôo da People Express". No início do ano letivo, todos os alunos novos de mestrado da Escola de Administração têm a chance de tentar ver como se sairiam se estivessem à frente da People Express. Como ferramenta de aprendizagem, o simulador de vôo permite aos estudantes experimentarem uma ampla gama de políticas e estratégias na tentativa de explorar a vantagem inicial da People Express em termos de custo e posição no mercado. Eles experimentam promoções de marketing e reduções de preço. Experimentam a contratação de mais pessoal de serviço e menos pessoal de serviço. Tentam não expandir a frota com tanta rapidez (por exemplo, não comprar a Frontier Airlines) e tentam expandi-la mais rapidamente. Experimentam redefinir o "escopo" dos serviços da People, a fim de incluir mais ou menos serviços pela mesma tarifa básica. Quando entendem a dinâmica de crescimento e subinvestimento, desenvolvem estratégias que conseguem sustentar o aumento da receita e dos lucros, mantendo a alta qualidade dos serviços e expandindo a capacidade de serviço em um ritmo adequado ao número de passageiros transportados. O segredo é fortalecer a "solução fundamental" de desenvolver capacidade de serviço. A melhor forma de fazer isso é *limitar* o aumento da demanda e comprometer-se com a qualidade do serviço. Os dois objetivos podem ser concretizados por meio de mudanças simples, especialmente através de:

- Tarifas 25 por cento mais caras (que ainda corresponderiam a dois terços das tarifas cobradas no setor)
- Altos e sustentáveis padrões de serviço

Embora simples, essas mudanças de alta alavancagem representam uma transformação na estratégia básica. Altos e sustentáveis padrões de serviço geram compromisso com a qualidade do serviço como vantagem competitiva. Muitas pessoas sugeriram que a People cresceu rápido demais, mas a alavancagem está em preços um pouco mais altos, para retardar o crescimento e para aumentar os lucros, a fim de investir na capacidade de prestação de serviço. Preços ligeiramente mais altos teriam proporcionado à People Express mais espaço de manobra (diminuindo temporariamente o preço) quando os concorrentes começassem a atacar a vantagem de preço da empresa. (No simulador — mesmo com uma queda drástica nas tarifas dos concorrentes, como ocorreu quando foram introduzidos os sistemas de reserva informatizados — a People Express continua tendo sucesso com a estratégia acima.)

No final, a crença dos executivos da People Express de que o inimigo estava "lá fora" os impediu de ver as contradições em suas próprias políticas e estratégias. A empresa procurou inovar com idéias radicalmente novas nas políticas de recursos humanos, mas também tentou tornar-se uma das maiores empresas nacionais do setor em poucos anos. As duas metas eram internamente contraditórias. Por exemplo, para sustentar um crescimento anual de 100 por cento, era preciso instituir cargos "bitolados" para os quais as pessoas pudessem ser treinadas em questão de semanas, em vez do sofisticado sistema de recursos humanos no qual as pessoas tinham que ser treinadas durante meses até dominar diversos tipos de habilidades diferentes.

Conseqüentemente, a empresa entrou em um círculo vicioso de subinvestimento e erosão da qualidade (tanto para os clientes quanto para os funcionários) que lançou por terra todos os ideais originais dos executivos sobre gestão de funcionários e serviços de atendimento ao cliente. É impossível dizer com exatidão o que teria acontecido se a empresa tivesse conseguido manter a alta qualidade do serviço como uma meta inabalável e definido os preços de seus produtos de modo a desenvolver capacidade de prestação de serviço adequada. Com a combinação certa de políticas, as inovadoras políticas de recursos humanos da People Express e a época da sua entrada no setor aéreo recém-desregulamentado dos Estados Unidos poderiam ter produzido uma história de sucesso duradouro. Uma coisa é certa: a People Express tinha uma posição única no setor, que dificilmente outra empresa aérea conquistaria, caso tivesse sido capaz de sustentar o entusiasmo e o comprometimento de seus funcionários.

Dominar arquétipos básicos como o de crescimento e subinvestimento é o primeiro passo para desenvolver a capacidade de ver a floresta *e* as árvores — de ver a informação em termos de padrões amplos e detalhados. Só quando enxergamos os dois podemos responder ao desafio da complexidade e da mudança.

No entanto, dominar a linguagem do pensamento sistêmico exige também outras disciplinas complementares de aprendizagem. Cada uma delas contribui com importantes princípios e ferramentas que tornam indivíduos, equipes e organizações mais capazes para deixar de ver o mundo de uma perspectiva linear e passar a ver e agir dentro da perspectiva sistêmica.

PARTE III

As disciplinas essenciais: construindo a organização que aprende

9

DOMÍNIO PESSOAL

O ESPÍRITO DA ORGANIZAÇÃO QUE APRENDE

As organizações só aprendem por meio de indivíduos que aprendem. A aprendizagem individual não garante a aprendizagem organizacional. Entretanto, sem ela, a aprendizagem organizacional não ocorre.

Um pequeno número de líderes organizacionais começa a reconhecer que é preciso repensar radicalmente a filosofia empresarial necessária ao compromisso com a aprendizagem individual. Kazuo Inamori, fundador e presidente da Kyocera (líder mundial em tecnologia avançada de cerâmicas, usada em componentes eletrônicos, materiais médicos e na sua própria linha de equipamentos de automação de escritórios e comunicações), diz o seguinte:

> Seja em pesquisa e desenvolvimento, na gerência da empresa ou em qualquer outro aspecto do negócio, a força ativa é "pessoas". E pessoas têm vontade própria, mente própria e uma forma de pensar própria. Se os próprios funcionários não estiverem suficientemente motivados a questionar as metas de crescimento e o desenvolvimento tecnológico... simplesmente não haverá crescimento, ganho de produtividade ou desenvolvimento tecnológico.[1]

Inamori acredita que para aproveitar o potencial das pessoas será preciso entender a "mente subconsciente", a "força de vontade" e as "ações do coração... o desejo sincero de servir ao mundo". Ele ensina aos funcionários da Kyocera olharem para dentro de si em sua busca contínua da "perfeição", guiados pelo lema da empresa, "Respeite o Céu e Ame as Pessoas". Ele, por sua vez, acredita que sua tarefa como gerente começa em "proporcionar bem-estar material e espiritual aos meus funcionários".

Do outro lado do mundo, em um setor totalmente diferente, Bill O'Brien, presidente da Hanover Insurance, luta por

> ...modelos organizacionais mais congruentes com a natureza humana. No início da era industrial as pessoas trabalhavam seis

dias por semana para ganhar o suficiente para garantir comida e moradia. Hoje a maioria de nós já resolveu este problema na terça à tarde. Nossas organizações hierárquicas tradicionais não foram projetadas para atender às necessidades maiores das pessoas, ao seu auto-respeito e à auto-realização. A agitação na gerência continuará até que as organizações comecem a suprir essas necessidades, para todos os funcionários.

Assim como Inamori, O'Brien argumenta que os gerentes devem redefinir suas tarefas. Devem abrir mão do "antigo dogma de planejamento, organização e controle" e perceber "a natureza quase sagrada de sua responsabilidade pela vida de tantas pessoas". Segundo O'Brien, a tarefa fundamental dos gerentes é "proporcionar condições necessárias para que as pessoas tenham a vida mais enriquecedora possível".

Antes que essas idéias pareçam excessivamente românticas para uma empresa, deixe-me observar que a Kyocera cresceu do seu começo aos US$ 2 bilhões em vendas em 30 anos, praticamente sem contrair dívidas, e alcançando níveis de lucros de provocar inveja até às empresas japonesas. A Hanover estava entre as piores empresas de seu setor quando, em 1969, o antecessor de O'Brien, Jack Adam, iniciou sua reconstrução em torno de um conjunto essencial de valores e crenças sobre as pessoas. Hoje a empresa ocupa uma posição de destaque no seu setor em termos de lucros e cresceu 50 por cento mais rápido do que a média do setor nos últimos dez anos.

Ninguém menos que Henry Ford, uma das fontes de astúcia empresarial, observou:

> A menor realidade indivisível é, na minha opinião, inteligente e está esperando para ser usada pelos espíritos humanos se os convidarmos a buscá-la. Corremos demais, com as mãos nervosas e as mentes preocupadas. Somos impacientes quanto aos resultados. O que precisamos... é do reforço da alma proporcionado pelo poder invisível esperando para ser usado... Sei que existem reservatórios de força espiritual dos quais nós, descuidadamente, nos afastamos... Acredito que um dia seremos capazes de conhecer bem essa fonte de poder e o domínio do espírito para criarmos alguma coisa nós mesmos...
>
> Acredito firmemente que a humanidade já foi mais sábia quanto aos assuntos espirituais do que somos atualmente. Enquanto hoje nós apenas acreditamos, eles sabiam.[2]

"Domínio pessoal" é a expressão que meus colegas e eu usamos para a disciplina do crescimento e aprendizado pessoais. As pessoas com altos níveis de domínio pessoal estão expandindo continuamente sua capacidade de criar na vida os resultados que realmente procuram. Da sua busca pelo aprendizado contínuo surge o espírito da organização que aprende.

DOMÍNIO E PROFICIÊNCIA

O domínio pessoal vai além da competência e das habilidades, embora baseie-se nelas. Vai além da revelação e da abertura espiritual, embora exija crescimento espiritual. Significa encarar a vida como um trabalho criativo, vivê-la da perspectiva criativa, e não reativa. Como diz Robert Fritz, meu colega de longa data:

> Ao longo da história, praticamente todas as culturas tiveram arte, música, dança, arquitetura, poesia, contadores de história, cerâmica e escultura. O desejo de criar não é limitado por crença, nacionalidade, credo, formação educacional ou era. O impulso está em todos nós... Não é limitado às artes, mas pode abranger toda a vida, desde o mundano até o mais profundo.[3]

Quando torna-se uma disciplina — uma atividade que integramos à nossa vida — o domínio pessoal incorpora dois movimentos subjacentes. O primeiro é o contínuo esclarecimento do que é importante para nós. Muitas vezes passamos tanto tempo tentando resolver os problemas ao longo do caminho que esquecemos os motivos pelos quais estamos naquele caminho. O resultado é que temos uma visão vaga, imprecisa até, do que realmente é importante para nós.

O segundo é aprender continuamente como ver a realidade atual com mais clareza. Todos nós já conhecemos pessoas envolvidas em relacionamentos contraproducentes, que continuam empacadas porque fingem estar tudo bem. Ou já estivemos em reuniões de negócios nas quais todos dizem "Estamos em um caminho semelhante ao que planejamos", embora uma análise mais crítica da realidade corrente mostre o contrário. Ao andar rumo ao destino desejado, é vital saber onde nos encontramos no momento.

A justaposição da visão (o que queremos) e uma imagem nítida da realidade atual (onde estamos com relação ao que queremos) geram o que chamamos de "tensão criativa": uma força que tenta unir os dois, causada pela tendência natural de tensão para se buscar uma solução. A essência do domínio pessoal é aprender a gerar e sustentar a tensão criativa em nossas vidas.

Nesse contexto, "aprender" não significa adquirir mais informações, mas sim expandir a capacidade de produzir os resultados que realmente queremos na vida. É a aprendizagem generativa para a vida inteira. E as organizações que aprendem não são possíveis se não houver, em todos os níveis, pessoas que a pratiquem.

Infelizmente, o termo "domínio" sugere obter dominância sobre pessoas ou coisas. Mas domínio pode significar também um nível especial de proficiência. Um artesão perito, por exemplo, não *tem poder e controle* sobre a arte da cerâmica ou da tecelagem. Mas sua habilidade permite-lhe produzir os melhores artefatos cerâmicos ou os melhores tecidos. Da mesma forma, domínio pessoal sugere um nível especial de proficiência em todos os aspectos da vida — pessoais e profissionais.

As pessoas que possuem um alto nível de domínio pessoal compartilham várias características básicas. Elas têm um senso de propósito especial que está por trás das suas visões e metas. *Para elas, uma visão é um chamado, não apenas uma boa idéia.* Elas vêem a "realidade atual" como uma aliada, não como uma inimiga. Elas aprenderam a perceber e trabalhar com as forças da mudança, em vez de resistir a elas. São profundamente curiosas, continuamente comprometidas a ver a realidade de forma cada vez mais precisa. Sentem-se conectadas aos outros e à vida em si. No entanto, não sacrificam sua singularidade. Acreditam ser parte de um processo criativo maior, o qual pode ser influenciado mas não pode ser controlado unilateralmente.

As pessoas com alto nível de domínio pessoal vivem em um estado de aprendizagem contínua. Elas nunca "chegam lá". Às vezes, a linguagem, como o termo "domínio pessoal", cria uma noção equivocada de definição, de branco no preto. No entanto, domínio pessoal não é algo que você possua. É um processo. É uma disciplina para a vida inteira. As pessoas com alto nível de domínio pessoal são profundamente conscientes de sua ignorância, de sua incompetência e de seus pontos a serem melhorados. E têm grande autoconfiança. Paradoxal? Só para aqueles que não vêem que "a jornada é a recompensa".

Na Hanover, onde se busca a "maturidade avançada", O'Brien escreveu que as pessoas realmente maduras são as que desenvolvem e mantêm valores profundos, comprometendo-se com metas maiores que elas próprias, sendo abertas, exercitando o livre-arbítrio e buscando continuamente uma imagem precisa da realidade. Além disso, ele diz que elas têm capacidade de postergar suas gratificações, o que faz com que aspirem a objetivos que outras pessoas descartariam, mesmo considerando "o impacto de suas escolhas para as próximas gerações". O'Brien aponta para uma deficiência no compromisso com o desenvolvimento humano na sociedade moderna:

> Qualquer que seja o motivo, não buscamos o desenvolvimento emocional com a mesma intensidade com a qual buscamos o desenvolvimento físico e intelectual. Isso se agrava ainda mais pelo fato de que o pleno desenvolvimento emocional oferece o maior grau de alavancagem na concretização de todo nosso potencial.[4]

"POR QUE QUEREMOS ISTO"

"O desenvolvimento total de nosso pessoal", acrescenta O'Brien, "é essencial para a concretização de nossa meta de excelência empresarial." Enquanto antes a "moral do mercado" parecia exigir um nível de moralidade nos negócios muito inferior ao das outras atividades, "Acreditamos que não existe nenhuma exclusão mútua fundamental entre as virtudes mais altas da vida e o sucesso econômico. Acreditamos que podemos ter ambos. Na verdade, acreditamos que, a longo prazo, quanto mais praticarmos as mais altas virtudes da vida, mais sucesso econômico teremos".

Em essência, O'Brien está articulando sua própria versão do raciocínio mais comum, segundo o qual as organizações passaram a apoiar o "domínio pessoal" — ou quaisquer outras palavras que usem para expressar seu compromisso com o crescimento de seu pessoal. As pessoas com altos níveis de domínio pessoal comprometem-se mais. Elas tomam mais iniciativas. Têm senso mais abrangente e profundo de responsabilidade pelo seu trabalho. Elas aprendem mais rápido. Por todos esses motivos, muitas organizações adotam o compromisso de estimular o crescimento pessoal entre seus funcionários porque acreditam que isso fortalecerá a empresa.

Mas O'Brien tem outro motivo para buscar o domínio pessoal, um motivo mais próximo de seu próprio coração:

> Outro motivo igualmente importante pelo qual encorajamos nossos funcionários nessa busca é o impacto que o pleno desenvolvimento pessoal pode ter sobre a felicidade individual. Buscar a realização pessoal apenas fora do trabalho, ignorando a parte significativa de nossa vida que passamos trabalhando, seria limitar as oportunidades de sermos seres humanos felizes e realizados.

Ed Simon, presidente da Herman Miller, disse recentemente: "Por que o trabalho não pode ser uma daquelas coisas maravilhosas da vida? Por que não podemos celebrá-lo e elogiá-lo, em vez de vê-lo como uma necessidade? Por que não pode ser um dos alicerces para o processo contínuo de desenvolvimento da ética, dos valores e da expressão das humanidades e das artes ao longo de toda a vida das pessoas? Por que as pessoas não podem aprender, ao longo do processo, que existe a beleza no projeto, na construção de algo duradouro, algo de valor? Acredito que esse potencial é algo inerente ao trabalho, mais do que em muitos outros lugares".

Em outras palavras: por que queremos o domínio pessoal? Nós o queremos porque o queremos.

Um momento crucial na evolução de uma organização ocorre quando os líderes assumem essa posição. Isso significa que a organização está absoluta, inteira e intrinsecamente comprometida com o bem-estar de seus funcionários. Tradicionalmente, havia um contrato: um pagamento honesto por um dia de trabalho honesto. Hoje existe um relacionamento diferente entre os funcionários e a instituição.

O pesquisador de opinião pública Daniel Yankelovich vem tomando o pulso do público norte-americano há 40 anos. Como observamos no Capítulo 1, Yankelovich observou uma "mudança básica na atitude no local de trabalho", de uma visão "instrumental" para uma visão "sagrada" do trabalho. A visão instrumental implica trabalharmos para gerar uma receita que nos permita fazer o que realmente queremos quando não estamos trabalhando. Essa é a orientação clássica das pessoas com relação ao trabalho — o trabalho é um instrumento para gerar receita. Yankelovich usa a palavra "sagrado" no sentido sociológico, não no religioso: "Pessoas ou objetos são sagrados no sentido sociológico quando, a despeito de qualquer uso instrumental que possam ter, são valorizados por serem quem são".[5]

Tradicionalmente as organizações apoiaram o desenvolvimento das pessoas instrumentalmente — se as pessoas crescessem e se desenvolvessem, a organização seria mais eficaz. O'Brien vai um passo adiante: "No tipo de organização que buscamos construir, o desenvolvimento pleno das pessoas está no mesmo plano que o sucesso financeiro. Isso anda de mãos dadas com nossa premissa mais básica: que a prática das virtudes da vida e o sucesso nos negócios não são apenas compatíveis, mas enriquecem-se mutuamente. Isso está muito longe da tradicional 'moral do mercado'".

Ver o desenvolvimento das pessoas como um meio para os fins organizacionais desvaloriza qualquer relacionamento que possa existir entre o indivíduo e a organização. Max de Pree, CEO aposentado da Herman Miller, fala sobre um "pacto formal"[i] entre a organização e o indivíduo, em contraste ao tradicional "contrato" ("um pagamento honesto pelo dia de trabalho honesto"). Os "contratos", diz De Pree, "são apenas uma pequena parte de um relacionamento. Um relacionamento completo exige um pacto formal... um relacionamento baseado em pactos formais baseia-se em um compromisso compartilhado em torno de idéias, problemas, valores, metas e processos gerenciais... Tais relacionamentos refletem a unidade, a graça e a estabilidade. Eles são expressões da natureza sagrada dos relacionamentos."[6]

No Japão, um repórter do *Christian Science Monitor*, em visita à Matsushita, observou que "Existe uma atmosfera quase religiosa no lugar, como se o trabalho em si fosse considerado sagrado". Inamori, da Kyocera, diz que seu compromisso com o domínio pessoal simplesmente evoluiu do compromisso japonês tradicional para o emprego vitalício.

---

i Do inglês *covenant* (N. do T.)

"Nossos funcionários concordaram em viver em uma comunidade na qual não explorariam uns aos outros, e sim ajudar-se-iam mutuamente, para que todos possamos viver plenamente nossas vidas."

"Você sabe que o sistema está funcionando", disse O'Brien recentemente, "quando vê uma pessoa que entrou na empresa há dez anos, e era insegura e tinha uma visão limitada do mundo e de suas oportunidades. Hoje, essa pessoa é encarregada de um departamento, gerenciando uma dúzia de pessoas. Sente-se à vontade com as responsabilidades do cargo, digere idéias complexas, pondera posições diferentes e desenvolve raciocínios sólidos por trás das suas escolhas. Os outros ouvem atentamente o que essa pessoa diz. Ela tem aspirações maiores para a família, para a empresa, para o setor e para a sociedade."

Há um compromisso incondicional, uma coragem inequívoca, partindo-se do pressuposto de que uma organização realmente comprometeu-se com o domínio pessoal. Nós queremos isto porque queremos isto.

RESISTÊNCIA

Quem poderia resistir aos benefícios do domínio pessoal? No entanto, muitas pessoas e organizações resistem. Defender o pleno desenvolvimento de seus funcionários é uma mudança radical com relação ao contrato tradicional entre funcionário e instituição. Sob alguns aspectos, é a mudança mais radical em relação às práticas empresariais tradicionais na organização que aprende.

Existem motivos óbvios pelos quais as empresas resistem a estimular o domínio pessoal. Ele é "abstrato" e baseia-se, em parte, em conceitos não quantificáveis, como intuição e visão pessoal. Ninguém vai sequer ser capaz de medir com precisão de três casas decimais até que ponto o domínio pessoal contribui para a produtividade e para os resultados financeiros. Em uma cultura materialista como a nossa, é difícil até discutir algumas das premissas do domínio pessoal. "Por que as pessoas precisam conversar sobre isso?", alguém poderia perguntar. "Não é óbvio? Nós já não sabemos isto?"

Uma forma de resistência mais assustadora é o cinismo. O movimento do potencial humano e, junto com ele, grande parte da "gerência humanista" exageraram nas suas promessas às empresas durante a década de 70 e 80. Levaram os executivos a idealizar-se mutuamente e a esperar grandiosas e instantâneas transformações no caráter humano, o que nunca acontece.

Para combater o cinismo é útil saber sua origem. Arranhe a superfície da maioria dos cínicos e você descobrirá um idealista frustrado — alguém que cometeu o erro de converter seus ideais em expectativas. Por exemplo, muitas dessas pessoas cínicas quanto ao domínio pessoal já tiveram grandes ideais com relação às pessoas. Depois, decepcionaram-se, magoaram-se e acabaram amarguradas, porque as pessoas não alcançaram os seus ideais. Bill O'Brien, da Hanover, observa que o "esgotamento" tem outras causas além do simples excesso de trabalho. "Existem professores, assistentes sociais e padres", diz O'Brien, "que trabalham muito até os oitenta anos e nunca sofreram de "esgotamento" — porque têm uma visão precisa da natureza humana. Não romantizam as pessoas em excesso, por isso não sentem um grande estresse psicológico quando essas pessoas os decepcionam."

Finalmente, algumas pessoas temem que o domínio pessoal ameace a ordem estabelecida de uma empresa bem gerenciada. É um medo válido. *Investir as pessoas de poder em uma organização desalinhada pode ser contraproducente.* Se as pessoas não compartilharem uma visão comum e não compartilharem "modelos mentais" comuns sobre a realidade do negócio dentro do qual operam, investi-las de poder só aumentará o estresse organizacional e a responsabilidade gerencial de manter a coerência e a direção. Por isso a disciplina do domínio pessoal deve ser vista sempre como uma em meio ao conjunto de disciplinas de uma organização que aprende. O compromisso organizacional com o domínio pessoal seria ingênuo e tolo se os líderes da organização não tivessem capacidade de construir uma visão compartilhada e modelos mentais compartilhados para guiar os responsáveis locais pelas decisões.

A DISCIPLINA DO DOMÍNIO PESSOAL

A forma de começar a desenvolver uma noção de domínio pessoal é abordá-lo como uma disciplina, como uma série de práticas e princípios que devem ser aplicados para serem úteis. Assim como a prática contínua faz de um artista um mestre, os princípios e as práticas apresentados a seguir preparam o terreno para a expansão contínua do domínio pessoal.

VISÃO PESSOAL

A visão pessoal vem de dentro. Há muitos anos eu estava conversando com uma jovem sobre a sua visão do planeta. Ela disse várias coisas adoráveis sobre paz e harmonia, sobre viver em equilíbrio com a natureza. Por mais belas que fossem essas idéias, ela falava sobre elas sem emoção, como se fossem coisas que ela *deveria* desejar. Perguntei-lhe se gostaria de acrescentar mais alguma coisa. Depois de uma pausa, ela respondeu: "Quero viver em um planeta verde" e começou a chorar. Até onde eu sei, ela nunca tinha dito aquilo antes. As palavras simplesmente saltaram de sua boca, quase como se tivessem desejo próprio. Entretanto, a imagem que transmitiam certamente tinha um profundo significado para ela — níveis de significado que talvez até ela não entendesse.

A maioria dos adultos tem pouca noção da verdadeira visão. Temos metas e objetivos, mas isso não é visão. Quando perguntados sobre o que querem, a maioria dos adultos falará sobre o que quer se livrar. Eles gostariam de ter um emprego melhor — ou seja, gostariam de se livrar do emprego entediante que têm atualmente. Gostariam de viver em um bairro melhor, ou de não ter que se preocupar com a violência, ou em ter que levar as crianças à escola. Eles gostariam que a sogra deles voltasse a morar na casa dela, ou que a dor nas costas cessasse por completo. Essas ladainhas de "visões negativas" infelizmente são lugar-comum, mesmo entre as pessoas muito bem-sucedidas. São subprodutos de uma vida de luta, adaptações e resolução de problemas. Como disse um adolescente em um de nossos programas, "Não deveríamos chamá-los de 'adultos', e sim de 'desistentes'".[i]

Uma forma mais sutil de visão reduzida é "concentrar-se nos meios, e não no resultado". Muitos executivos seniores, por exemplo, escolheram "grande participação no mercado" como parte de sua visão. Mas por quê? "Porque quero que minha empresa seja lucrativa." Bem, poderíamos pensar que lucros altos constituem um resultado intrínseco em si, o que realmente é para algumas pessoas. Mas, para um número surpreendente de outros líderes, os lucros também são um meio para se obter um resultado ainda mais importante. Por que escolher lucros anuais altos? "Porque quero que continuemos a ser uma empresa independente, para evitar ser absorvida por outras empresas." Por que você quer isso? "Porque quero manter nossa integridade e capacidade de sermos verdadeiros para com o nosso propósito desde que fundamos a organização." Embora todas as metas mencionadas sejam legítimas, a última — sermos verdadeiros com nosso propósito — tem o maior significado intrínseco para esse executivo. Os outros fatores são meios para o fim, meios que podem mudar em determinadas circunstâncias. *A habilidade de focar nos desejos intrínsecos mais intensos, não apenas em metas secundárias, é uma das bases do domínio pessoal.*

Não se pode entender a verdadeira visão sem levar em consideração a idéia de propósito. Entendo por propósito a razão de viver de uma pessoa. Ninguém poderia provar ou refutar a afirmação de que os seres humanos têm propósito. Nem valeria a pena iniciar o debate. Mas, como premissa de trabalho, esta idéia tem um grande poder.

---

i Em inglês a frase é um trocadilho, comparando *grown ups* (adultos) com *given ups* (desistentes). (N. do T.)

Uma das implicações é que a felicidade pode estar mais diretamente relacionada com uma vida coerente com os nossos propósitos. George Bernard Shaw expressou a idéia ao dizer:

> Essa é a verdadeira alegria da vida, ser usado para um propósito que nós mesmos reconhecemos como superior... Ser uma força da natureza, e não um amontoado de doenças e queixas egoístas e febris, reclamando que o mundo não se devotará a fazê-lo feliz.[7]

Esse mesmo princípio foi expresso em algumas organizações como "interesse genuíno". Em lugares onde as pessoas sentem-se pouco à vontade para conversar sobre propósito pessoal, elas sentem-se perfeitamente à vontade falando sobre interesse genuíno. Quando interessam-se genuinamente, as pessoas comprometem-se naturalmente. Elas estão fazendo o que realmente querem fazer. Estão cheias de energia e entusiasmo. Elas perseveram, mesmo diante de frustrações e limitações, pois o que estão fazendo é o que devem fazer. É o *seu trabalho*.

Todos nós já tivemos experiências nas quais o trabalho flui bem; nas quais nos sentimos afinados com uma tarefa e trabalhamos com uma verdadeira economia de meios. Alguém cuja visão o leva a um país estrangeiro, por exemplo, pode ver-se aprendendo uma nova língua muito mais rápido do que seria capaz de aprender antes. Muitas vezes reconhecemos nossa visão pessoal porque ela cria esses momentos; é o objetivo que nos empurra para a frente que faz todo trabalho valer a pena.

Mas visão é diferente de propósito. Propósito é semelhante a um direcionamento geral. Visão é um destino específico, uma imagem de um futuro desejado. O propósito é abstrato. A visão é concreta. O propósito é "aumentar a capacidade humana de explorar os céus". Visão é "a chegada do homem à lua até o final da década de 60". Propósito é "ser o melhor possível", "excelência". Visão é quebrar a barreira dos quatro minutos ao correr uma milha.

Podemos afirmar que nada acontece até que exista visão. Mas é verdade também que uma visão sem senso de propósito subjacente, sem chamado, é apenas uma boa idéia — tudo sendo "som e fúria, que nada significa".

Por outro lado, propósito sem visão não faz sentido em termos de escala. Como diz O'Brien: "Você e eu podemos ser fãs de tênis e gostar de falar sobre as devoluções de bola, batidas de revés, a emoção de tentar buscar uma bola batida no canto, de ganhar de um campeão. Podemos ter uma ótima conversa, mas logo depois descobrir que eu jogo no clube de tênis local, enquanto você está se preparando para o torneio de Wimbledon. Nós dois compartilhamos do mesmo entusiasmo e amor pelo jogo, mas em escalas de proficiência inteiramente diferentes. Até definirmos as escalas que temos em mente, poderíamos achar que estamos nos comunicando quando, na verdade, não estamos".

Muitas vezes confunde-se visão com competição. Você poderia dizer: "Minha visão é vencer a outra equipe". E, realmente, a competição pode ser uma forma útil de se calibrar uma visão, de definir a escala. Vencer um jogador que está em décimo lugar do clube de tênis é diferente de vencer o número um. Porém, ser o número um entre jogadores medíocres talvez possa não satisfazer o meu senso de propósito. Além disso, onde estará minha visão depois que eu ocupar o primeiro lugar?

Por fim, a visão é intrínseca, não relativa. É algo que se deseja por seu valor intrínseco, não pela posição que se ocupa em relação aos outros. As visões relativas podem ser apropriadas no ínterim, mas raramente levam à grandeza. Tampouco há algo de errado com a competição. A competição é uma das melhores estruturas já inventadas pela humanidade para extrairmos o que existe de melhor nas pessoas. Porém, terminada a competição, alcançada (ou não) a visão, é o senso de propósito que nos faz seguir em frente, que nos estimula a definir uma nova visão. *Novamente, é por isso que o domínio pessoal deve ser uma disciplina. É um processo pelo qual enfocamos e re-enfocamos continuamente o que realmente queremos, aquilo que é nossa verdadeira visão.*

A visão é multifacetada. Existem facetas materiais da nossa visão, como onde queremos morar e quanto queremos ter de dinheiro no banco. Existem facetas pessoais, como saúde, liberdade e sinceridade de nós para conosco. Existem facetas de serviço, como ajudar os outros ou contribuir para os conhecimentos em uma dada área. Todos fazem parte do que realmente queremos. A sociedade moderna tende a direcionar nossa atenção para os aspectos materiais e, simultaneamente, estimular o sentimento de culpa pelos desejos materiais. A sociedade enfatiza nossos desejos pessoais — por exemplo, em alguns círculos, é quase uma obstinação ser magro e estar em boa forma — e atribui relativamente pouco valor ao nosso desejo de servir. Na verdade, é fácil alguém parecer ingênuo ou tolo por expressar seu desejo de dar alguma contribuição. Seja como for, ficou claro para mim a partir do trabalho com milhares de pessoas que as visões pessoais abrangem todas essas dimensões e outras mais. Está claro também que é preciso ter coragem para ter visões que não façam parte da corrente social principal.

Porém, é exatamente essa coragem de assumir a visão pessoal que distingue as pessoas com altos níveis de domínio pessoal. Ou, como dizem os japoneses a respeito do grau de mestre, "Não há nada, nenhuma distância, nem mesmo um fio de cabelo, que possa se interpor entre a visão de um homem e a sua ação".[8]

De algumas formas, esclarecer a visão é um dos aspectos mais fáceis do domínio pessoal. Um desafio mais difícil, para alguns, é enfrentar a realidade atual.

MANTENDO A TENSÃO CRIATIVA

As pessoas muitas vezes têm grande dificuldade em falar sobre suas visões, mesmo quando essas estão claras. Por quê? Porque temos plena consciência dos hiatos entre nossa visão e a realidade. "Gostaria de montar meu próprio negócio" mas "não tenho o capital". Ou "Gostaria de exercer a profissão de que realmente gosto" mas "tenho que sobreviver". Esses hiatos fazem com que uma visão pareça irreal ou excêntrica. Eles podem nos desestimular ou nos deixar desesperançosos. Mas o hiato entre a visão e a realidade é também uma fonte de energia. Se não existisse o hiato não haveria necessidade de ação para avançar na direção da visão. Na verdade, o hiato é *a fonte* da energia criativa. Nós chamamos esse hiato de *tensão criativa.*

Imagine um elástico esticado entre a sua visão e a realidade atual. Quando esticado o elástico cria tensão, que representa a tensão entre a visão e a realidade atual. O que essa tensão busca? Resolução ou liberação. Existem apenas duas formas pelas quais a tensão pode se resolver: empurrar a realidade até a visão ou puxar a visão até a realidade. Qual ocorrerá depende de nos mantermos fiéis à visão.

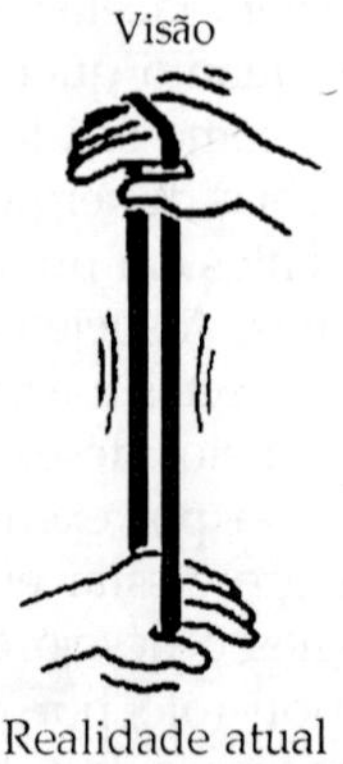

O princípio da tensão criativa é o princípio central do domínio pessoal, que integra todos os elementos da disciplina. Entretanto, muitas vezes é entendido equivocadamente. Por exemplo, o próprio termo "tensão" sugere ansiedade ou estresse. Mas tensão criativa não implica necessariamente determinados sentimentos. É a força que entra em ação no momento em que reconhecemos uma visão que bate de frente com a realidade atual.

Ainda assim, a tensão criativa freqüentemente leva a sentimentos ou emoções associados à ansiedade, como tristeza, desestímulo, falta de esperança ou preocupação. Isso ocorre com tanta freqüência que as pessoas confundem facilmente essas emoções com a tensão criativa. Passam a acreditar que o processo criativo *é sinônimo de estado perma-*

nente de ansiedade. No entanto, é importante perceber que essas emoções "negativas" que podem surgir quando há tensão criativa não constituem a tensão criativa em si. Essas emoções são o que chamamos de *tensão emocional.*

Se não conseguirmos distinguir tensão emocional de tensão criativa ficaremos predispostos a reduzir nossa visão. Se ficarmos profundamente desanimados com uma visão que não está se concretizando podemos ter uma grande necessidade de aliviar a carga desse desânimo. Existe um remédio imediato: reduzir a visão! "Bem, não era tão importante assim fazer em 75 tacadas. Estou indo muito bem me mantendo nas 80."

Ou "Não ligo tanto assim para tocar no recital. Teria mesmo que ganhar dinheiro como professor de música; vou simplesmente me concentrar nisto". A dinâmica de aliviar a tensão emocional é insidiosa, porque pode funcionar sem que notemos. Sempre é possível aliviar a tensão emocional ajustando um pólo da tensão criativa que está sempre sob nosso controle — a visão. Os sentimentos que não gostamos desaparecem porque a tensão criativa, que era sua origem, é reduzida. Nossas metas agora estão muito mais próximas da nossa realidade atual. É fácil escapar da tensão emocional — para isso, pagamos um único preço: abandonar o que realmente desejamos, nossa visão.

A dinâmica da tensão emocional assemelha-se muito à dinâmica de metas declinantes que tanto perturbou a WonderTech e a People Express, nos Capítulos 7 e 8. A interação entre tensão criativa e tensão emocional é uma dinâmica de transferência da responsabilidade, semelhante à que ocorre nas metas declinantes, e pode ser representada da seguinte forma:

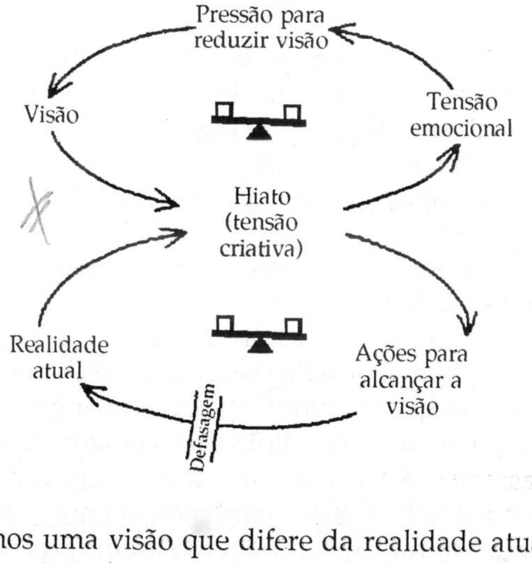

Quando temos uma visão que difere da realidade atual, existe um hiato (a tensão criativa) que pode ser eliminado de duas formas. O processo de equilíbrio inferior representa a "solução fundamental": tomar atitudes que alinham realidade e visão. Porém, a mudança da realidade toma tempo. É o que leva à frustração e à tensão emocional no processo de equilíbrio superior, a "solução sintomática" de reduzir a visão para alinhá-la com a realidade atual.

Porém, uma única redução na visão normalmente não é o fim da história. Mais cedo ou mais tarde surgem novas pressões que afastam a realidade da nova visão (já reduzida), levando a outras pressões pela redução da visão. Instala-se a dinâmica clássica de transferência da responsabilidade, uma sutil espiral que reforça o fracasso na concretização das metas, a frustração, a visão reduzida, o alívio temporário e a pressão para reduzir ainda mais a visão. Aos poucos, a "responsabilidade" transfere-se, cada vez mais, para a redução da visão.

Na WonderTech e na People Express, aliviar a tensão emocional assumiu a forma do declínio dos principais padrões operacionais que pareciam impossíveis de ser alcançados — padrões de desempenho nas entregas e qualidade dos serviços. O declínio era especialmente difícil de ser visto porque era gradual. A cada crise da WonderTech os padrões de entrega sofriam um pouco mais de erosão em relação à crise anterior. Da mesma forma, os gerentes da People Express não acordaram um belo dia e disseram simplesmente: "Resolvemos nossos problemas para acompanhar o ritmo de crescimento: reduziremos nossos padrões de serviço". Ao contrário, os padrões de serviço erodiram silenciosamente durante as repetidas crises e com a saída dos principais líderes. Assim, a erosão das metas pessoais também passa despercebida à medida que abrimos mão de nossos sonhos quanto aos relacionamentos que queremos ter, aos trabalhos que queremos realizar e ao tipo de mundo onde queremos viver.

Nas organizações, as metas sofrem erosão devido à baixa tolerância à tensão emocional. Ninguém quer ser o mensageiro com más notícias. O caminho mais fácil é simplesmente fingir que não há más notícias ou, melhor ainda, "declarar vitória" — redefinir as más notícias como se não fossem tão más assim, reduzindo os padrões pelos quais são julgadas.

As dinâmicas de tensão emocional existem em todos os níveis da atividade humana. Elas são as dinâmicas do acomodamento, o caminho da mediocridade. Como disse Somerset Maugham: "Só os medíocres estão sempre no seu melhor".

Permitimos a erosão de nossas metas quando não aceitamos viver com a tensão emocional. Por outro lado, quando entendemos a tensão criativa e permitimos que ela funcione sem reduzir nossa visão, a visão torna-se uma força ativa. Robert Fritz diz: "Não é o que a visão é, mas sim o que a visão faz". Pessoas realmente criativas usam o hiato entre a visão e a realidade atual para gerar energia para a mudança.

Por exemplo, Alan Kay, que dirigia as pesquisas no Centro de Pesquisas da Xerox em Palo Alto (PARC), na Califórnia, que levaram à descoberta de muitas das características principais do computador pessoal, na verdade tinha uma visão de um equipamento diferente, ao qual chamou de *dynabook*. Seria um livro interativo. Uma criança poderia testar sua compreensão, participar de alguns jogos e rearranjar criativamente a apresentação estática de idéias contida no livro tradicional. De certa forma, Kay fracassou, porque o *dynabook* jamais se concretizou. Mas a visão redefiniu o setor. Os protótipos desenvolvidos no PARC alcançaram a funcionalidade — janelas, barra de menus, controle por mouse, ícones (imagens, em lugar de palavras) — que foi introduzida comercialmente dez anos depois, no Macintosh.

Bill Russell, o legendário pivô do time de basquete Boston Celtics, costumava manter seu próprio placar pessoal. Classificava seu desempenho em uma escala de um a 100 após cada jogo. Ao longo de sua carreira, nunca passou de 65. Assim, devido à forma pela qual a maioria de nós aprende a pensar em metas, veríamos Russell como um total fracasso. O coitado participou de 1.200 jogos de basquete e nunca chegou ao padrão que definira para si! Entretanto, foi a luta para alcançar esse padrão que o tornou indubitavelmente o maior jogador de todos os tempos.[9]

Não é o que a visão é, mas sim o que a visão faz.

Ter domínio sobre a tensão criativa transforma nossa forma de enxergar o "fracasso". O fracasso é simplesmente uma limitação, um indício do hiato existente entre a visão e a realidade atual. O fracasso é uma oportunidade de aprendizagem — sobre imagens imprecisas da realidade atual, sobre estratégias que não funcionaram como o esperado, sobre a clareza da visão. Os fracassos não dizem respeito à impotência ou à falta de valor. Ed Land, fundador e presidente da Polaroid por décadas e inventor da fotografia instantânea, tinha uma placa na parede que dizia:

> Um erro é um evento cujo benefício ainda não se transformou em vantagem.

O domínio da tensão criativa revela a capacidade de perseverança e paciência. Um executivo japonês em um de nossos seminários contou-me como, em sua visão, japoneses e norte-americanos têm atitudes bem diferentes com relação ao tempo. Ele disse que "os homens de negócios norte-americanos que vão ao Japão para negociar acordos comerciais muitas vezes acham os japoneses evasivos e reticentes em 'ir direto ao assunto'. O americano chega ao Japão com uma programação intensa e apertada de cinco dias, e já quer logo trabalhar. Os japoneses, por sua vez, o saúdam com uma cerimônia do chá educada e formal, sem ir direto ao que interessa. Com o passar dos dias, os japoneses continuam em seu ritmo lento, enquanto a ansiedade dos americanos cresce cada vez mais. Para os americanos", disse esse executivo, "o tempo é um inimigo. Para os japoneses, o tempo é um aliado".

De um modo mais abrangente, a própria realidade atual é, para muitos de nós, o inimigo. Nós a combatemos. Não nos deixamos atrair muito pelo que desejamos criar assim como nos afastamos do que temos, da nossa realidade atual. Segundo essa linha de raciocínio, quanto mais profundo o medo, mais abominamos a situação atual, e maior a "motivação" para mudar. "As coisas têm que estar muito ruins, senão as pessoas não mudarão fundamentalmente."

Isso leva à crença equivocada de que a mudança fundamental *requer* uma ameaça à sobrevivência. Essa teoria da mudança em épocas de crise é altamente disseminada. No entanto, constitui também uma perigosa simplificação demasiada. Muitas vezes, pergunto em workshops ou apresentações: "Quantos de vocês acreditam que as pessoas e as organizações só mudam fundamentalmente em situações de crise?" Normalmente, 75 por cento a 90 por cento das pessoas levantam as mãos. Em seguida, peço que as pessoas considerem uma vida onde tudo é exatamente da forma como gostariam que fosse — não existe absolutamente problema algum no trabalho, na vida pessoal, profissional, nos relacionamentos ou na comunidade. Depois pergunto: "Qual a primeira coisa que buscariam se tivessem uma vida absolutamente sem problemas?" A resposta geralmente é: "mudaríamos, para criar algo novo". Logo, seres humanos são mais complexos do que geralmente imaginamos. Nós tanto tememos quanto buscamos a mudança. Ou, como disse certa vez um experiente consultor da área de mudança organizacional: "As pessoas não resistem à mudança. Elas resistem a serem mudadas".

O domínio da tensão criativa leva a uma transformação fundamental em nossa postura com relação à realidade. A realidade atual torna-se uma aliada, não mais uma inimiga. *Ter uma perspectiva precisa e criativa da realidade atual é tão importante quanto ter uma visão nítida.* Infelizmente, a maioria de nós tem o hábito de impor tendenciosidades às nossas percepções da realidade atual, um assunto ao qual voltaremos com mais profundidade no capítulo seguinte, sobre modelos mentais. "Nós aprendemos a nos basear mais em nossos conceitos de realidade do que em nossas observações", escreve Robert Fritz. "É mais conveniente assumir que a realidade é semelhante às nossas idéias preconcebidas do que observar o que temos diante de nossos olhos."[10] Se a primeira opção de buscar o domínio pessoal é ser fiel à sua própria visão, a segunda opção fundamental em apoio ao domínio pessoal é o compromisso com a verdade.

Ambos são igualmente vitais para gerar tensão criativa. Ou, como diz Fritz: "As pessoas realmente criativas sabem que toda criação é atingida ao trabalhar com restrições. Sem restrições não existe criação".

"CONFLITO ESTRUTURAL": O PODER DA SUA IMPOTÊNCIA

Muitas pessoas, até mesmo as pessoas mais bem-sucedidas, alimentam profundas crenças contrárias ao seu domínio pessoal. Muito freqüentemente essas crenças estão abaixo do nível do conhecimento consciente. Para entender o que estou dizendo, tente realizar a seguinte experiência. Diga em voz alta a seguinte frase: "Posso criar minha vida exatamente da forma que desejo, em todas as dimensões — profissional, familiar, relacionamentos, comunidade e o mundo como um todo". Preste atenção à sua reação interna a essa afirmação, a "pequena voz" que ecoa no fundo de sua mente. "Quem ele está tentando enganar?" "Ele não acredita mesmo nisso." "Pessoalmente e no trabalho, tudo bem. Mas em termos de 'comunidade' e do 'mundo como um todo'." "Afinal, o que eu tenho a ver com o 'mundo como um todo'?" Todas essas reações são sinais de crenças profundamente arraigadas.

Robert Fritz, que trabalhou literalmente com dezenas de milhares de pessoas no desenvolvimento de suas capacidades criativas, concluiu que existe dentro de praticamente todos nós uma "crença dominante de que não conseguiremos realizar nossos desejos". De onde vem essa crença? Fritz alega que se trata de um subproduto quase inevitável do processo de crescimento:

> Como as crianças, nós aprendemos quais são as nossas limitações. As crianças aprendem limitações essenciais à sua sobrevivência. Muitas vezes, porém, tal aprendizado é generalizado. Dizem-nos constantemente que não podemos ter ou fazer determinadas coisas, e por isso às vezes acabamos assumindo que somos incapazes de ter o que queremos.[11]

A maioria de nós tem uma entre duas crenças contraditórias que limitam nossa capacidade de criar o que realmente desejamos. A mais comum é a crença em nossa impotência — a incapacidade de trazer à vida todas as coisas com as quais nos importamos. A outra crença concentra-se no sentimento de demérito — a sensação de que não merecemos ter o que realmente desejamos. Fritz argumenta que conheceu poucas pessoas na vida que aparentemente não têm uma dessas duas crenças subjacentes. É difícil provar essa afirmativa, pois é difícil medir os sentimentos mais profundos. Porém, se a aceitarmos como uma premissa, ela iluminará as forças sistêmicas que podem nos impedir de criar o que realmente desejamos.

Fritz usa uma metáfora para descrever como as crenças contraditórias subjacentes funcionam como um sistema, impedindo-nos de alcançar nossas metas. Imagine que, ao se aproximar de sua meta, exista um elástico que simboliza a tensão criativa, puxando você na direção desejada. Mas imagine também um segundo elástico, preso à crença de impotência ou demérito. Enquanto o primeiro elástico tenta puxá-lo para suas metas, o segundo puxa-o para a crença subjacente segundo a qual você não pode (ou não merece) concretizar seu objetivo. Fritz chama o sistema que envolve a tensão que nos puxa para nosso objetivo e a tensão que nos ancora em nossa crença subjacente de "conflito estrutural", porque se trata de uma estrutura de forças conflitantes, que nos puxam em direção ao que queremos e, ao mesmo tempo, nos afastam daquilo que queremos.

Assim, quanto mais nos aproximamos da concretização de nossa visão, mais o segundo elástico nos afasta de nossa visão. Essa força pode se manifestar de muitas formas. Podemos perder nossa energia. Podemos questionar se realmente queremos concretizar a visão. "Terminar a tarefa" pode se tornar extremamente difícil. Surgem obstáculos inesperados em nosso caminho. As pessoas nos decepcionam. Tudo isso acontece sem que estejamos conscientes do conflito estrutural, pois este se origina em profundas crenças das quais estamos imensamente inconscientes — na verdade, essa nossa não-consciência contribui para o poder do conflito estrutural.

Dadas as crenças em nossa impotência ou demérito, o conflito estrutural implica as forças sistêmicas entrarem em ação, impedindo nosso sucesso *toda vez* que buscamos uma visão. Entretanto, às vezes *temos* sucesso e, na verdade, muitos de nós tornaram-se adeptos da identificação e concretização de metas, pelo menos em algumas áreas da nossa vida. Como podemos superar as forças do conflito estrutural?

Fritz identificou três "estratégias" genéricas para lidar com as forças do conflito estrutural, cada uma delas com suas limitações.[12] Permitir a erosão de nossa visão é uma dessas estratégias. A segunda é a "manipulação do conflito", na qual tentamos manipular a nós mesmos em um grande esforço pelo que queremos através da criação de um conflito artificial, como por exemplo concentrando-nos em evitar o que não queremos. A manipulação do conflito é a estratégia preferida das pessoas que se preocupam incessantemente com o fracasso, dos gerentes que são excelentes em "bate-papos motivacionais" que apontam as conseqüências altamente indesejadas se as metas da empresa não forem concretizadas, e dos movimentos sociais que tentam mobilizar as pessoas pelo medo. Na verdade, infelizmente, a maioria dos movimentos sociais opera através da manipulação do conflito ou da "visão negativa", concentrando-se em afastar-nos do que não queremos, em vez de criar o que queremos: campanhas antidrogas, antienergia nuclear, antitabagismo, antiaborto ou anticorrupção no governo.

No entanto, muitos perguntam: "O que há de errado com uma pequena dose de preocupação ou medo se isso nos ajuda a alcançar nossas metas?" A resposta aos que buscam o domínio pessoal é uma pergunta simples: "Você realmente quer passar sua vida em um estado de medo do fracasso?" A tragédia é que muitas pessoas que se deixam envolver na manipulação de conflitos vêm a acreditar que *só* podem ter sucesso em um estado de ansiedade e medo contínuos. São pessoas que, em vez de evitar a tensão emocional, passam a glorificá-la. Para elas a vida tem poucas alegrias. Mesmo quando alcançam suas metas elas começam imediatamente a temer a perda de suas conquistas.

A terceira estratégia genérica de Fritz é a da "força de vontade", na qual simplesmente "nos preparamos psicologicamente" para vencer todas as formas de resistência à concretização de nossas metas. Ele sugere que, por trás das estratégias de força de vontade, existe um simples pressuposto de que "nos motivamos através do aumento de nossa vontade". A força de vontade é tão comum entre as pessoas altamente bem-sucedidas que muitos vêem suas características como sinônimo de sucesso: um foco obstinado nas metas, a disposição de "pagar o preço", a capacidade de vencer qualquer oposição e superar qualquer obstáculo.

Os problemas com a "força de vontade" são muitos, mas eles dificilmente podem ser notados por aqueles que se concentram apenas no "sucesso". Primeiro, há pouca economia de meios; em termos de pensamento sistêmico, agimos sem alavancagem. Nós concretizamos nossas metas mas o esforço é enorme, e talvez nos encontremos exaustos e nos perguntando se "valeu a pena", quando finalmente somos bem-sucedidos. Ironicamente, as pessoas que utilizam a estratégia da força de vontade podem, na verdade, procurar os obstáculos a serem superados, dragões a serem derrotados e inimigos a serem desbaratados — como uma forma de lembrarem suas maestrias a si mesmos e ao mundo. Segundo, muitas vezes existem consideráveis conseqüências não intencionais. Apesar do enorme sucesso no trabalho, o mestre da "força de vontade" muitas vezes verá que passou por dois casamentos e tem um relacionamento ruim com os filhos. De alguma forma, a mesma determinação obstinada e orientação para as metas que "funciona" no trabalho não acaba tendo o mesmo efeito em casa. (O Capítulo 16, "Acabando com a guerra entre o trabalho e a família", desenvolve essas idéias de modo mais detalhado.)

Pior ainda, assim como ocorre com todas as outras estratégias, a "força de vontade" não altera o sistema subjacente de conflito estrutural. Em particular, na verdade a crença subjacente na impotência não mudou. A despeito de conquistas significativas, muitas pessoas "altamente bem-sucedidas" continuam sentindo uma profunda impotência, normalmente não verbalizada, em áreas críticas de suas vidas — como nos relacionamentos pessoais e familiares, ou em sua capacidade de obter um senso de paz interior e satisfação espiritual.

Essas estratégias são, até certo ponto, inevitáveis. Elas são adquiridas em muito pelo hábito e não podem ser modificadas da noite para o dia. Todos nós tendemos a ter uma estratégia preferida — a minha foi por muito tempo a da "força de vontade", como podem atestar as pessoas do meu convívio mais próximo.

Onde está, portanto, a alavancagem para se lidar com o conflito estrutural? Se o conflito estrutural é resultado de profundas crenças subjacentes, então só poderá ser modificado se alterarmos as crenças. Mas os psicólogos são quase unânimes em afirmar que as crenças fundamentais, como impotência ou demérito, não podem ser prontamente alteradas. Elas desenvolvem-se desde cedo (lembra-se dos "não pode" e "não faça" que começaram quando você tinha dois anos?). Para a maioria de nós as crenças mudam gradualmente à medida que vamos acumulando novas experiências — à medida que desenvolvemos nosso domínio pessoal. Mas se o domínio não se desenvolverá enquanto tivermos essas crenças que nos tiram o poder, e as crenças só serão alteradas quando experimentarmos o domínio pessoal, como podemos começar a modificar as estruturas mais profundas de nossas vidas?

COMPROMETIMENTO COM A VERDADE

Podemos começar com uma estratégia extremamente simples, ainda que seja profunda, para lidar com o conflito estrutural: dizer a verdade. O comprometimento com a verdade muitas vezes parece às pessoas uma estratégia inadequada. "O que preciso fazer para modificar meu comportamento?" "Como modificar minha crença subjacente?" As pessoas muitas vezes querem uma fórmula, uma técnica, algo tangível que possam aplicar para resolver o problema do conflito estrutural. Porém, na verdade, estar comprometido com a verdade é muito mais poderoso do que qualquer técnica.

Comprometer-se com a verdade não é sinônimo de buscar a "Verdade", a palavra final absoluta ou a causa definitiva. Ao contrário, significa uma disposição implacável de descobrir as formas pelas quais nos limitamos ou nos impedimos de ver a realidade, e desafiar continuamente nossas teorias sobre os motivos pelos quais as coisas são como são. Significa ampliar continuamente nossa consciência, da mesma forma que um excelente atleta com uma visão periférica extraordinária continua tentando "ver mais do campo de jogo". Significa também o aprofundamento contínuo da compreensão das estruturas subjacentes aos acontecimentos atuais. Especificamente, as pessoas com altos níveis de domínio pessoal vêem melhor os conflitos estruturais por trás de seu próprio comportamento.

Assim, a primeira tarefa crítica para se lidar com os conflitos estruturais é reconhecê-los, bem como o comportamento resultante, quando estão em operação. Pode ser muito difícil reconhecer essas estratégias enquanto estamos praticando-as, especialmente devido às tensões e pressões que freqüentemente as acompanham. É útil desenvolver sinais internos de advertência, como por exemplo quando nos vemos culpando uma coisa ou uma pessoa pelos nossos problemas: "Estou desistindo porque ninguém me valoriza" ou "Estou preocupado porque, se eu não fizer o trabalho, serei demitido".

Na minha vida, por exemplo, sempre achei que as pessoas me decepcionavam em momentos críticos de projetos importantes. Quando isso acontecia, eu as intimidava, superando o obstáculo da sua deslealdade ou incompetência. Levei vários anos para reconhecer esse padrão recorrente, minha versão especial da estratégia da "força de vontade", enraizada em um profundo sentimento de impotência para mudar a forma pela qual as pessoas me decepcionavam. Invariavelmente acabava achando que "tinha que fazer tudo sozinho".

Depois que reconheci esse padrão, comecei a agir de modo diferente quando um colega me decepcionava. Zangava-me com menos freqüência. Passei a ter um certo reconhecimento — "Ah, aí está o meu padrão". Analisei mais profundamente como as minhas próprias ações faziam parte do resultado, fosse criando tarefas impossíveis de serem realizadas ou minando ou desmotivando a outra pessoa. Mais tarde, trabalhei para desenvolver habilidades de discutir essas situações com as pessoas envolvidas sem provocar defensividade. (O Capítulo 10, "Modelos mentais", ilustra essas habilidades.)

Jamais teria desenvolvido tais habilidades ou sabido como colocá-las em prática sem mudar de mentalidade. Enquanto via o problema em termos de eventos, eu estava convencido de que as causas de meus problemas eram externas — "*eles* me decepcionaram". Depois que passei a ver o problema como tendo causas estruturais eu comecei a ver o que poderia fazer, e não mais o que "eles tinham feito".

Estruturas das quais não estamos conscientes nos fazem de prisioneiros. Quando conseguirmos enxergá-las e dar-lhes nomes, elas não mais nos aprisionarão. Isso se aplica tanto aos indivíduos quanto às organizações. Na verdade, está surgindo um campo novo, a terapia estrutural de família, baseada no pressuposto de que as dificuldades psicológicas individuais podem ser compreendidas e modificadas somente ao entendermos as estruturas de interdependência existentes nas famílias e nos relacionamentos pessoais íntimos. Uma vez reconhecidas essas estruturas, nas palavras de David Kantor, pioneiro na área, "é possível começar a modificá-las a fim de libertar as pessoas de forças antes misteriosas que ditavam seu comportamento".[13]

Descobrir as estruturas em ação é o que há de mais valioso nas pessoas com altos níveis de domínio pessoal. Às vezes, é possível modificar essas estruturas prontamente. Outras vezes, como no caso do conflito estrutural, elas mudam somente aos poucos. Nesses casos, é preciso trabalhar de forma mais criativa dentro delas ao mesmo tempo que reconhecemos sua origem, em vez de combater as estruturas. De qualquer forma, uma vez reconhecida, a própria estrutura de funcionamento passa a fazer parte da "realidade atual". Quanto maior meu comprometimento com a verdade, mais a tensão criativa entra em jogo, pois a realidade atual passa a ser vista mais pelo que realmente é. No contexto da tensão criativa, o compromisso com a verdade torna-se uma força generativa, da mesma forma que a visão torna-se uma força generativa.

Um dos exemplos clássicos desse processo é *A Christmas Carol*[i], de Charles Dickens. Através das visitas dos três fantasmas na noite de Natal, Scrooge passa a ver cada vez mais a realidade que abandonara. Ele vê a realidade do seu passado, como as opções o afastaram da compaixão e o tornaram mais centrado em si mesmo. Ele vê a realidade do seu presente, especialmente os aspectos da realidade que evitou, como a doença de Tiny Tim. E vê a realidade de seu provável futuro, o futuro que ocorrerá se ele continuar no caminho atual. É então que ele acorda. Ele percebe que não é prisioneiro dessas realidades. Percebe que tem outras opções. Ele opta por mudar.

Um aspecto significativo é que Scrooge não pode tomar a opção de mudar sem antes se conscientizar de sua realidade atual. De fato, Dickens diz que a vida sempre disponibiliza a opção de ver a verdade, por mais cegos e preconceituosos que sejamos. E, se tivermos coragem para reagir a essa opção, teremos poder para realizar mudanças profundas dentro de nós. Ou, colocando as coisas em termos mais religiosos clássicos, só alcançaremos a graça por meio da verdade.

O poder da verdade, ver a realidade cada vez mais como ela é, limpar as lentes da percepção, acordar das distorções da realidade impostas por nós mesmos — são expressões diferentes de um princípio comum em quase todos os sistemas filosóficos e religiosos do mundo. Os budistas lutam para alcançar o estado da "observação pura", de observação direta da realidade. Os hindus falam em "testemunhar", em observar a si mesmos e à sua vida com uma atitude de distanciamento espiritual. O Corão termina com a seguinte frase: "Que tragédia

i A tradução literal seria *Uma Canção de Natal*, romance de Charles Dickens. (N. do T.)

para o homem ter que morrer antes de acordar". O poder da verdade também não foi menos importante no pensamento cristão inicial, embora tenha perdido seu lugar na prática cristã ao longo dos últimos dois mil anos. Na verdade, os símbolos hebraicos usados para formar a palavra *Yeheshua*, "Jesus", incluem os símbolos para Jeová " יהוה " com a letra adicional *shin* (ש) inserida no meio. Os símbolos que representam Jeová têm o seguinte significado: "Aquele que foi, é e será." O *shin* inserido altera esse significado para: "aquele que foi, é e será *liberta*." Essa provavelmente é a origem da afirmação "A verdade o libertará".

USANDO O SUBCONSCIENTE OU VOCÊ NÃO PRECISA DESCOBRIR TUDO

Um dos aspectos mais fascinantes das pessoas com alto nível de domínio pessoal é sua capacidade de realizar tarefas extremamente complexas com graça e facilidade. Todos nós nos maravilhamos diante da estonteante beleza artística de um patinador no gelo profissional ou da primeira-bailarina. Sabemos que suas habilidades foram desenvolvidas ao longo de anos de rigoroso treinamento, mas, *ainda assim*, maravilhamo-nos diante de sua capacidade de executar sua arte com tal facilidade, aparentemente sem esforço.

Existe outra dimensão da mente implícita na prática do domínio pessoal — o subconsciente. É através do subconsciente que *todos nós* lidamos com a complexidade. O que distingue as pessoas com altos níveis de domínio pessoal das outras é o fato de terem desenvolvido um maior grau de comunicação entre a consciência normal e o subconsciente. O que a maioria de nós toma como certo e explora fortuitamente elas encaram como uma disciplina.

O subconsciente é relevante para a administração e para as organizações? Inamori, da Kyocera, diz:

> Quando estou me concentrando... penetro na mente subconsciente. Foi dito que os seres humanos possuem uma mente consciente e uma subconsciente, e que nossa mente subconsciente tem uma capacidade dez vezes maior...
>
> Quando falo sobre a nossa "mente" arrisco-me a ser chamado de louco. No entanto, acho que aí pode estar a pista para o segredo que pode determinar nosso futuro.

O'Brien, da Hanover, também vê o aproveitamento de capacidades mentais antes ignoradas como essencial para o desenvolvimento da nova organização:

O maior território inexplorado do mundo é o espaço entre nossas orelhas. Falando sério, tenho certeza de que as organizações que aprendem encontrarão formas de nutrir e concentrar as capacidades que temos dentro de todos nós e que hoje chamamos de "extraordinárias".

Porém, o que é "extraordinário" na verdade está profundamente relacionado a aspectos tão "comuns" de nossas vidas que praticamente nem os notamos. Nossas vidas estão repletas de tarefas muito complexas com as quais lidamos com certa competência, com quase nenhum pensamento consciente. Faça uma experiência: coloque a mão no alto da cabeça. Agora responda: *como* você conseguiu fazer isso? Para a maioria de nós a resposta é algo como: "Bem, eu simplesmente pensei na minha mão sobre a minha cabeça — ou, eu formei uma imagem mental da minha mão no alto da minha cabeça — e *voilà*, lá estava". Porém, no nível neurofisiológico, levar a mão à cabeça é uma tarefa extraordinariamente complexa, envolvendo centenas de milhares de mensagens neurais sob a forma de sinais transmitidos do cérebro para o braço e de volta para o cérebro. Toda essa complexa atividade é coordenada sem que tenhamos consciência dela. Da mesma forma, se tivéssemos que pensar em todos os detalhes do ato de andar estaríamos em apuros. Andar, falar, comer, calçar os sapatos e andar de bicicleta são atos realizados sem que prestemos atenção a eles — no entanto, de fato, todas são tarefas extremamente complexas.

Essas tarefas são realizadas de modo confiável porque constituem um aspecto da nossa mente altamente capaz de lidar com a complexidade. Chamamos essa dimensão da mente de "subconsciente" porque ela funciona "abaixo" ou "por trás" do nível de consciência. Há quem a chame de "inconsciente", ou "mente automática".[14] Seja como for, sem esta dimensão das nossas mentes seria praticamente impossível explicar como os seres humanos conseguem dominar qualquer tarefa complexa. Pois uma coisa que podemos afirmar com confiança é que tais tarefas não são realizadas apenas por meio da nossa consciência normal ou raciocínio.

Igualmente importante, o subconsciente é essencial à forma pela qual aprendemos. Em um ponto da sua vida você era incapaz de realizar tarefas "cotidianas" como andar, falar e comer. Cada uma delas precisou ser *aprendida*. O bebê não leva a colher à boca na primeira tentativa — leva-a primeiro por sobre o ombro esquerdo, depois por sobre o direito, depois esbarra na bochecha. Só aos poucos ele vai aprendendo a levá-la até a boca de forma confiável. No início qualquer nova tarefa exige uma grande atenção e esforço conscientes. À medida que "aprendemos" as habilidades necessárias à tarefa, a atividade como um todo passa da atenção consciente ao controle subconsciente.

Por exemplo, quando você aprendeu a dirigir pela primeira vez você teve que dedicar à tarefa atenção considerável, principalmente se o carro não tinha câmbio automático. Na verdade talvez você tenha achado difícil conversar com a pessoa ao seu lado. Se essa pessoa tivesse lhe pedido para "diminuir a velocidade, reduzir a marcha e virar à direita" na próxima esquina, você provavelmente teria desistido na mesma hora. Entretanto, em questão de meses ou menos, você foi capaz de executar a mesma tarefa com pouca ou nenhuma atenção consciente. Tudo se tornou "automático". De maneira surpreendente, logo você já estava dirigindo no trânsito pesado enquanto conversava com a pessoa ao seu lado — aparentemente sem prestar atenção consciente a literalmente centenas de variáveis que precisava monitorar e às quais precisava reagir.

Por exemplo, quando aprendemos pela primeira vez a tocar piano ou qualquer instrumento, começamos pelas escalas. Aos poucos passamos para peças simples, depois para composições mais complexas, deixando as escalas para trás, como uma tarefa que pode ser realizada sem muita atenção consciente. Até os concertistas, quando sentam-se diante de uma música que não conhecem, tocam-na bem mais devagar, de modo a permitir a concentração na mecânica da mão e nas posições do pedal, ritmo e andamento. Porém, no momento do concerto, o mesmo pianista não presta mais atenção à mecânica da execução da peça. Isso lhe permite deixar a sua atenção consciente exclusivamente para os aspectos estéticos da performance.[15]

Nós todos temos dominado um vasto repertório de habilidades através do "treinamento" do subconsciente. Uma vez aprendidas, elas se tornam tão naturais, tão "subconscientes" que nós nem notamos quando as estamos executando. Mas a maior parte de nós nunca deu atenção ao pensamento de *como nós* dominamos essas habilidades e como podemos continuar a desenvolver "comunicações" entre nossa consciência normal e o subconsciente cada vez mais profundas. Entretanto, esses são assuntos da maior importância para a disciplina de domínio pessoal.[16]

É por isso, por exemplo, que as pessoas comprometidas com o desenvolvimento contínuo do domínio pessoal praticam alguma forma de "meditação". Seja sob a forma de prece contemplativa ou outros métodos destinados a "silenciar" a mente consciente, a prática regular da meditação pode ser extremamente útil para se trabalhar com a mente subconsciente de forma mais produtiva. O subconsciente parece não ter vontade própria. Ele também não gera seus próprios objetivos nem determina seu foco. É altamente sujeito à orientação e ao condicionamento — aquilo a que prestamos atenção assume importância especial para o subconsciente. Em nosso estado mental normal, altamente ativo, o subconsciente fica repleto de pensamentos e sentimentos contraditórios. Em um estado mental mais calmo, quando nos concentramos em algo particularmente importante, algum aspecto da visão, o subconsciente fica totalmente focalizado.

Além disso, existem formas específicas pelas quais as pessoas com altos níveis de domínio pessoal direcionam seu foco. Como discutimos anteriormente, elas *se concentram no resultado desejado*, não no "processo" ou nos meios que consideram necessários para alcançar o resultado.

Concentrar-se no resultado intrínseco desejado é uma habilidade. Para a maioria de nós não é fácil no início, e é preciso tempo e paciência para desenvolver tal habilidade. Para a maioria de nós, assim que pensamos em alguma meta pessoal importante, pensamos quase imediatamente nos motivos pelos quais concretizá-la será difícil — os desafios que enfrentaremos e os obstáculos que teremos de superar. Embora isso seja muito útil para a definição de estratégias alternativas para alcançar nossas metas, é também um sinal de falta de disciplina quando os pensamentos sobre o "processo" para alcançar nossa visão desviam nosso foco dos resultados desejados. Precisamos trabalhar para aprender a separar o que realmente queremos do que achamos que devemos fazer para conseguir o que queremos.

Um exercício útil para aprender a se focar com mais clareza nos resultados desejados é pegar uma meta ou aspecto específico da sua visão. Imagine primeiro que essa meta foi inteiramente concretizada. Em seguida, faça-se a seguinte pergunta: "Se eu realmente tivesse conseguido isso, quais seriam as conseqüências?". O que as pessoas normalmente descobrem é que a resposta para tal pergunta revela desejos "mais profundos" subjacentes à meta. Na verdade, a meta realmente é um passo intermediário considerado necessário para a concretização de um resultado mais importante. Por exemplo, uma pessoa tem a meta de alcançar um determinado nível na hierarquia organizacional. Quando pergunta a si mesma "O que eu ganharia sendo vice-presidente?", ela descobre que a resposta é "O respeito dos meus colegas" ou "Estar onde as coisas acontecem". Embora possa continuar aspirando à posição, ela agora vê que existe também um resultado mais profundo que ela deseja — um resultado que ela pode começar a ter como parte da visão, independentemente da sua posição na hierarquia organizacional. (Além disso, se ela não esclarecer "o resultado" que realmente deseja, talvez ela não chegue ao objetivo e descubra que o cargo mais alto continua sendo insatisfatório.)

O motivo pelo qual essa habilidade é tão importante é exatamente a receptividade do subconsciente a um foco claro. Quando não existe clareza entre as metas temporárias e as metas mais intrínsecas, o subconsciente não tem como estabelecer prioridades e definir o foco.

É importante também fazer escolhas claras. Só depois de escolher é que a capacidade do subconsciente entra inteiramente em ação. De fato, fazer escolhas e concentrar-se nos resultados que são realmente importantes para nós pode ser um dos usos de maior alavancagem de nossa consciência normal. Como diz Inamori:

> Muitas vezes digo a um pesquisador que está com problemas de dedicação... que, se (ele) não tiver a determinação de ser bem-sucedido não será capaz de superar os obstáculos... Quando sua paixão, seu desejo, tornarem-se tão fortes a ponto de exalarem de seu corpo como vapor, e quando ocorrer a condensação do que evaporou... e as gotas voltarem sob a forma de chuva, verá que seu problema está resolvido.

O compromisso com a verdade também é importante para o desenvolvimento da comunicação subconsciente — pelos mesmos motivos básicos que levam os detectores de mentira a funcionar. Os detectores de mentira funcionam porque a maioria dos seres humanos, quando não fala a verdade, cria um nível de estresse interno, que por sua vez gera efeitos fisiológicos mensuráveis — a pressão sangüínea, os batimentos cardíacos e o ritmo de respiração. Assim, mentir sobre a realidade atual não só impede o subconsciente de ter informações precisas sobre onde nos encontramos com relação a nossa visão, mas também cria informações que distraem nosso subconsciente, da mesma forma como nossos "bate-papos" sobre os motivos pelos quais não conseguimos concretizar nossa visão são distrativos. O princípio da tensão criativa reconhece que o subconsciente funciona mais eficazmente quando se concentra nitidamente na nossa visão e na nossa realidade atual.

A arte de trabalhar eficazmente com o subconsciente incorpora muitas técnicas. Uma forma eficaz de focalizar o subconsciente é através da utilização de imagens e da visualização. Por exemplo, os nadadores de classe mundial descobriram que, imaginando que as mãos têm o dobro do tamanho normal e os pés possuem uma pele entre os dedos, eles realmente nadam mais rápido. O "ensaio mental" de feitos complexos tornou-se um treinamento psicológico de rotina para diversos artistas profissionais.

Porém, a verdadeira eficácia de tudo isso ainda consiste em saber o que é mais importante para você. Na falta de saber o que realmente importa para você, as práticas e os métodos específicos do trabalho com o subconsciente correm o risco de se tornarem técnicas mecânicas — simplesmente uma nova forma de manipular-se para ser mais produtivo. Esta não é uma preocupação infundada. Quase todas as tradições espirituais advertem contra a adoção de técnicas para aumentar o poder mental sem o aperfeiçoamento contínuo e diligente da consciência de nossas verdadeiras aspirações.

Por fim, o mais importante para o desenvolvimento da comunicação com o subconsciente característica dos mestres é a verdadeira preocupação com o resultado desejado, o sentimento profundo de ser esta a meta "certa" à qual se aspira. O subconsciente parece ser especialmente receptivo a metas alinhadas com nossas aspirações e desejos mais profundos. De acordo com algumas disciplinas espirituais isso ocorre porque essas aspirações mais profundas afetam diretamente a mente subconsciente, ou fazem parte dela.

Um exemplo maravilhoso do que pode ser realizado na busca de algo realmente importante para uma pessoa é a história de Gilbert Kaplan, editor de grande sucesso de um importante periódico da área de investimentos. Kaplan ouviu a *Segunda Sinfonia* de Mahler pela primeira vez em um ensaio em 1965. Ele "não conseguia mais dormir. Voltei para assistir ao concerto e, quando saí, era outra pessoa. Foi o início de uma longa história de amor". Apesar de *jamais* ter estudado música formalmente, ele dedicou tempo e energia, e investiu uma quantia considerável de suas economias pessoais (teve que contratar uma orquestra) para ter aulas de como reger essa peça. Depois disto suas apresentações da sinfonia receberam os maiores elogios de críticos do mundo inteiro. O *New York Times* elogiou sua gravação de 1988, com a Orquestra Sinfônica de Londres, como sendo uma das melhores gravações clássicas do ano, e o presidente da New York Mahler Society chamou-a de "uma gravação com desempenho notável". A dependência restrita apenas à aprendizagem consciente jamais teria alcançado esse nível de qualidade artística, mesmo com toda a "força de vontade do mundo". Foi por meio de um alto nível de comunicação com o subconsciente que Kaplan pôde dar origem a sua nova "história de amor".

Sob muitos aspectos, a chave para desenvolver altos níveis de domínio em termos de comunicação com o subconsciente volta à disciplina do desenvolvimento da visão pessoal. Por isso o conceito de visão sempre figurou com tanta força nas artes criativas. Picasso disse certa vez:

> Seria muito interessante registrar fotograficamente não as etapas de confecção de um quadro, mas suas metamorfoses. Talvez se pudesse ver de que forma a mente encontra o seu caminho para a cristalização do seu sonho. Mas o que é realmente muito sério é ver que esse quadro não muda basicamente, que a visão inicial permanece quase intacta apesar da aparência.[17]

DOMÍNIO PESSOAL E A QUINTA DISCIPLINA

Conforme os indivíduos passam a praticar a disciplina do domínio pessoal, várias mudanças graduais ocorrem dentro deles. Muitas delas são bastante sutis e, muitas vezes, passam despercebidas. Além de esclarecer as "estruturas" que caracterizam o domínio pessoal como uma disciplina (como tensão criativa, tensão emocional e conflito estrutural), a perspectiva sistêmica também ilumina aspectos mais sutis do domínio pessoal — especialmente: integração de razão e intuição; capacidade de ver cada vez mais nossa conectividade com o mundo; compaixão e comprometimento com o todo.

INTEGRANDO A RAZÃO E A INTUIÇÃO

Segundo uma antiga história sufista, um cego vagava perdido por uma floresta quando tropeçou, caindo no chão. Ao tatear o chão a sua volta, ele descobriu que havia tropeçado em um aleijado. O cego e o aleijado começaram a conversar, lamentando a sorte de ambos. O cego disse: "Estou vagando por essa floresta nem sei desde quando e não posso enxergar para encontrar a saída". O aleijado disse: "Estou deitado no chão dessa floresta desde que consigo me lembrar e não consigo me levantar para sair". Enquanto estavam sentados conversando, de repente o aleijado exclamou: "Já sei! Posso me apoiar em seus ombros e lhe indicar o caminho. Juntos, podemos descobrir como sair da floresta". Segundo o antigo contador de histórias, o cego simbolizava a racionalidade. O aleijado simbolizava a intuição. Nós só encontraremos o caminho para sair da floresta quando aprendermos a integrar os dois.

Depois de muitas décadas sendo oficialmente ignorada, a intuição na gerência vem recebendo cada vez mais atenção e aceitação. Hoje diversos estudos mostram que gerentes e líderes experientes se apóiam muito na sua intuição — que eles não tentam resolver problemas complexos inteiramente com base na racionalidade. Lançam mão de palpites, reconhecem padrões e traçam analogias e paralelos intuitivos com outras situações aparentemente discrepantes.[18] Nas faculdades de administração existem até cursos sobre o uso da intuição e da criatividade para a resolução de problemas. Mas ainda temos um longo caminho pela frente, tanto em nossas organizações quanto na sociedade, para a reintegração de intuição e racionalidade.

As pessoas com altos níveis de domínio pessoal não se programam para integrar razão e intuição. Ao contrário, conseguem essa integração naturalmente — como subproduto de seu comprometimento em utilizar todos os recursos que têm à sua disposição. Não podem se dar ao luxo de escolher entre razão e intuição, ou entre mente e coração, da mesma forma que não poderiam optar por caminhar com uma única perna ou ver com um único olho.

O bilateralismo é um princípio da composição subjacente à evolução dos organismos avançados. A natureza parece ter aprendido a projetar em pares; ela não só constrói de forma redundante como também alcança capacidades que de outra forma não seriam possíveis. Duas pernas são essenciais para a rapidez e flexibilidade da locomoção. Dois braços e duas mãos são vitais para pegarmos, levantarmos e manipularmos objetos. Dois olhos nos proporcionam uma visão estereoscópica e, junto com dois ouvidos, a percepção de profundidade. Seguindo esse mesmo princípio, não seria possível que razão e intuição também funcionassem em harmonia, permitindo-nos concretizar nossa inteligência potencial?

O pensamento sistêmico pode ser a chave para a integração de razão e intuição. A intuição escapa à compreensão do pensamento linear, com sua ênfase exclusiva em causa e efeito próximos no tempo e no espaço. Resultado: a maioria de nossas intuições não fazem "sentido" — ou seja, não podem ser explicadas em termos de lógica linear.

Muito freqüentemente gerentes experientes têm ótimas intuições sobre sistemas complexos que não conseguem explicar. Suas intuições lhes dizem que causa e efeito não estão próximos no tempo e no espaço, que as soluções óbvias causarão mais prejuízos do que benefícios e que soluções de curto prazo geram problemas a longo prazo. Mas não conseguem explicar suas idéias em uma linguagem linear simples, de causa e efeito. Acabam dizendo: "Simplesmente façam a coisa desse jeito. Vai dar certo".

Por exemplo, muitos gerentes sentem os perigos das metas ou padrões declinantes, mas não conseguem explicar como criam uma tendência a subinvestir que se reforça, e nem uma profecia auto-realizável de 'subpercepção' do crescimento de mercado. Ou os gerentes podem achar que estão focalizando em indicadores tangíveis e facilmente mensuráveis do desempenho e mascarando problemas mais profundos, e até mesmo exacerbando-os. Mas não conseguem explicar de forma convincente por que estes são indicadores de desempenho errados, ou como as alternativas poderiam gerar melhores resultados. Ambas as intuições podem ser explicadas quando as estruturas sistêmicas subjacentes são entendidas.[19]

O conflito entre intuição e pensamento linear e não-sistêmico plantou as sementes de que *racionalidade* em si se opõe a intuição. Essa visão é comprovadamente falha se considerarmos a sinergia entre razão e intuição que caracteriza praticamente todos os grandes pensadores. Einstein disse: "Jamais descobri coisa alguma com minha mente racional". Certa vez ele descreveu como descobriu o princípio da relatividade imaginando-se viajando em um feixe de luz. Assim, ele transformou brilhantes intuições em proposições sucintas e que puderam ser testadas racionalmente.

À medida que se familiarizam com o pensamento sistêmico como linguagem alternativa, os gerentes descobrem explicações para muitas das suas intuições. A reintegração de razão e intuição acabará demonstrando ser uma das principais contribuições do pensamento sistêmico.

ENXERGANDO NOSSA CONECTIVIDADE COM O MUNDO

Meu filho Ian, de seis semanas, parece ainda não conhecer as suas mãos e pés. Desconfio que ele tem consciência de sua existência, mas certamente não está consciente de que são *seus pés* e *suas mãos*, ou de que controla seus movimentos. Outro dia ele entrou em um terrível *loop* de *feedback* de reforço. Ele havia segurado a orelha com a mão esquerda. Isso claramente o estava irritando, como ficava aparente em sua expressão facial e crescente flagelação. Porém, quanto mais agitado ficava, mais puxava a orelha. Isso aumentava seu desconforto, o que o tornava ainda mais agitado, fazendo com que puxasse com mais força. Se eu não lhe tirasse a mão da orelha e o acalmasse, o pobre menino ainda a estaria puxando.

Sem saber que a mão estava na realidade sob seu controle, ele achou que a origem de seu desconforto era externa. Parece familiar? A difícil situação de Ian realmente não era diferente da situação dos participantes do jogo da cerveja do Capítulo 3, que reagiram aos prazos de entrega dos fornecedores como se fossem forças externas, ou dos participantes da corrida armamentista no Capítulo 5 ("Uma mudança de mentalidade") que reagiram ao acúmulo dos respectivos arsenais como se não tivessem poder de mudá-los.

Enquanto pensava em Ian, eu comecei a pensar que uma dimensão negligenciada do crescimento pessoal está no "fechamento dos *loops*" — na descoberta contínua de como as aparentes forças externas estão, na verdade, inter-relacionadas com as nossas próprias ações. Logo Ian reconhecerá os seus pés e as suas mãos e aprenderá que é capaz de controlar seus movimentos. Em seguida, descobrirá que é capaz de controlar a posição do seu corpo — se estiver incomodado por estar de bruços, ele pode virar. Em seguida virão estados internos como a temperatura, e a constatação de que eles podem ser influenciados afastando-se ou aproximando-se de uma fonte de calor, como a mãe ou o pai. Em seguida, virá a constatação de que aqueles são a mãe e o pai, e de que as ações e emoções deles estão sujeitas à sua influência. Em cada etapa dessa progressão ocorrerão ajustes correspondentes em suas imagens internas da realidade, que se modificará continuamente a fim de incorporar uma maior parte do *feedback* de suas ações às suas condições de vida.

Porém, para a maioria de nós, às vezes no início da vida esse processo de fechamento de *loops* é interrompido. Quando nos tornamos mais velhos fica menor a velocidade de nossas descobertas; vemos cada vez menos elos novos entre nossas ações e as forças externas. Ficamos presos às formas de ver o mundo que, fundamentalmente, não são diferentes da de Ian.

O processo de aprendizagem de um bebê é uma bela metáfora do desafio de aprender que todos nós enfrentamos: expandir continuamente nossa consciência e compreensão, ver cada vez mais as interdependências entre as ações e a nossa realidade, ver cada vez mais nossa conectividade com o mundo ao nosso redor. Provavelmente nunca percebemos inteiramente as diversas formas por meio das quais influenciamos nossa realidade. Mas simplesmente estarmos abertos para a possibilidade é o bastante para libertar nosso pensamento.

Einstein expressou o desafio da aprendizagem quando disse:

> (o ser humano) experimenta a si mesmo, seus pensamentos e sentimentos, como algo separado do resto — uma espécie de ilusão de *óptica* de nossa consciência. Essa ilusão é uma espécie de prisão para nós, restringindo-nos aos nossos desejos pessoais e à nossa afeição a algumas pessoas mais próximas. A nossa tarefa deve ser de nos libertar dessa prisão ampliando nosso ciclo de compaixão, a fim de abraçar todas as criaturas vivas e a natureza em toda a sua beleza.

A experiência de conectividade crescente descrita por Einstein é um dos aspectos mais sutis do domínio pessoal, um aspecto que deriva mais diretamente da perspectiva sistêmica. A sua "ampliação... do ciclo de compaixão' é outro.

COMPAIXÃO

A disciplina de enxergar as inter-relações mina gradualmente as atitudes de culpa. Começamos a ver que *todos nós* ficamos presos a estruturas, estruturas embutidas tanto em nossas formas de pensar quanto nos meios interpessoais e sociais onde vivemos. Nossa tendência bitolada de culpar uns aos outros desaparece gradualmente, deixando em seu lugar um reconhecimento muito mais profundo das forças dentro das quais todos nós operamos.

Isso não implica as pessoas serem meras vítimas dos sistemas que ditam seu comportamento. Muitas vezes as estruturas são criadas por nós mesmos. Mas isso pouco significa até que vejamos estas estruturas. Para a maioria de nós as estruturas dentro das quais operamos são invisíveis. Não somos vítimas nem culpados, apenas seres humanos controlados por forças que ainda não aprendemos a perceber.

Nós estamos acostumados a pensar em compaixão como um estado emocional, baseado na preocupação que temos uns com os outros. Mas a compaixão baseia-se também em um nível de consciência. Pela minha experiência, quanto mais as pessoas vêem os sistemas dentro dos quais operam, e quanto mais entendem como as pressões as influenciam, mais desenvolvem naturalmente compaixão e empatia.

COMPROMETIMENTO COM O TODO

"O comprometimento genuíno", segundo Bill O'Brien, "dá-se sempre com algo maior do que nós mesmos." Inamori fala sobre as "ações do nosso coração", quando somos guiados pelo "desejo sincero de servir ao mundo". Essas ações, segundo ele, "são muito importantes, à medida que têm grande poder".

A noção de conectividade e compaixão característica dos indivíduos com altos níveis de domínio pessoal leva naturalmente a uma visão mais abrangente. Sem ela toda a visualização subconsciente do mundo é profundamente autocentrada — simplesmente uma forma de conseguir o que desejo.

Os indivíduos comprometidos com uma visão além do desejo pessoal descobrem que possuem uma energia que não está disponível quando tentam concretizar metas menores, o que ocorrerá também com organizações que buscam esse nível de comprometimento. "Eu não acredito que existiu uma única pessoa que tenha feito uma descoberta válida ou realizado uma invenção", afirma Inamori, "que não tenha experimentado um poder espiritual." Ele descreve a vontade de uma pessoa comprometida com um propósito maior como "o choro da alma que foi sacudida e despertada".

ESTIMULANDO O DOMÍNIO PESSOAL EM UMA ORGANIZAÇÃO

É preciso lembrar sempre que embarcar em um caminho de crescimento pessoal é uma questão de escolha. Ninguém pode ser forçado a desenvolver seu domínio pessoal. O tiro pela culatra é certamente garantido. As organizações podem enfrentar dificuldades consideráveis se tentarem promover muito agressivamente o domínio pessoal entre seus membros.

Mesmo assim, muitas tentaram fazer exatamente isso, criando programas internos compulsórios de treinamento em crescimento pessoal. Por mais bem-intencionados que sejam, esses programas provavelmente são a forma mais garantida de impedir a verdadeira disseminação do compromisso com o domínio pessoal em uma organização. O treinamento compulsório, ou programas "eletivos" para os quais as pessoas se sentem obrigadas a ingressar se querem fazer carreira, batem de frente com a liberdade de escolha.

Por exemplo, recentemente surgiram diversos casos de gerentes excessivamente zelosos que requeriam a participação de seus funcionários em programas de treinamento para desenvolvimento pessoal, os quais eram percebidos pelos funcionários como conflitantes com suas próprias crenças religiosas. Vários deles resultaram em ações legais contra a organização.[20]

Sendo assim, o que os líderes que pretendem estimular o domínio pessoal podem fazer?

Eles podem trabalhar incansavelmente para desenvolver um clima no qual exista a prática cotidiana dos princípios do domínio pessoal. Isso significa criar uma organização na qual seja seguro para as pessoas criarem visões, onde indagação e comprometimento com a verdade sejam a norma, e onde se espere o questionamento do *status quo* — especialmente quando o *status quo* inclui aspectos obscuros da realidade atual que as pessoas procuram evitar.

Esse clima organizacional fortalecerá o domínio pessoal de duas formas. Primeiro, reforçará continuamente a idéia de que o crescimento pessoal é realmente valorizado na organização. Segundo, se os indivíduos responderem ao que se oferece, isto proporcionará um "treinamento no trabalho" que é vital para o desenvolvimento do domínio pessoal. Como em qualquer disciplina, o desenvolvimento do domínio pessoal deve ser um processo sucessivo, contínuo. Nada é mais importante para um indivíduo comprometido com seu próprio crescimento do que um ambiente de apoio. Uma organização comprometida com o domínio pessoal pode oferecer esse ambiente estimulando continuamente a visão pessoal, o compromisso com a verdade e a disposição de encarar com honestidade as defasagens entre os dois.

Muitas das práticas mais propícias ao desenvolvimento do domínio pessoal do indivíduo — desenvolver uma visão de mundo mais sistêmica, aprender a refletir sobre os pressupostos tácitos, expressar nossa visão e ouvir a dos outros e indagar conjuntamente as visões da realidade atual de diferentes pessoas — estão embutidas nas disciplinas necessárias à construção de uma organização que aprende. Assim, de muitas formas, as ações mais positivas que uma organização pode tomar para desenvolver o domínio pessoal envolvem o desenvolvimento conjunto de todas as cinco disciplinas de aprendizagem.

A estratégia essencial da liderança é simples: sirva de modelo. Comprometa-se com seu próprio domínio pessoal. Falar sobre o domínio pessoal pode servir para abrir de alguma forma a mente das pessoas, mas as atitudes sempre falam mais alto do que as palavras. Não há nada mais poderoso para estimular os outros na busca do domínio pessoal do que levar a sério a sua própria busca.

10

MODELOS MENTAIS

POR QUE AS MELHORES IDÉIAS FALHAM

Uma coisa que todo gerente sabe é que muitas das melhores idéias nunca chegam a ser colocadas em prática. Estratégias brilhantes não conseguem ser traduzidas em ação. *Insights* sistêmicos nunca se transformam em políticas operacionais. Uma experiência-piloto pode provar, para a satisfação de todos, que uma nova abordagem gera melhores resultados, mas a adoção em larga escala dessa abordagem nunca realmente ocorre.

Acreditamos cada vez mais que as causas destes insucessos não são intenções medíocres, propósitos excitantes ou mesmo o pensamento não-sistêmico, mas sim os *modelos mentais*. Mais especificamente, os novos *insights* não chegam a ser colocados em prática porque conflitam com imagens internas profundamente arraigadas sobre o funcionamento do mundo, imagens que nos limitam a formas bem conhecidas de pensar e agir. Por isso a disciplina do domínio dos modelos mentais — trazer à tona, testar e aperfeiçoar nossas imagens internas sobre o funcionamento do mundo — promete ser uma importante revolução para a criação das organizações que aprendem.

Ninguém mantém uma organização — ou uma família ou uma comunidade — na mente. O que temos em nossas mentes são imagens, premissas e histórias. Os filósofos discutiram modelos mentais durante séculos, pelo menos desde a parábola da caverna de Platão. *A Roupa Nova do Imperador* é uma história clássica que não fala de pessoas tolas, mas de pessoas limitadas por modelos mentais. A imagem que elas tinham sobre a dignidade do monarca as impedia de ver o rei nu como ele estava.

Ao pesquisar os feitos da ciência cognitiva no livro *The Mind's New Science*, Howard Gardner escreve: "Para a minha mente, a principal realização da ciência cognitiva foi a clara demonstração de... um nível de representação mental" ativo em diversos aspectos do comportamento humano.[1] Nossos "modelos mentais" determinam não apenas a forma como entendemos o mundo, mas também como agimos. Chris Argyris, de Harvard, que trabalha com modelos mentais e aprendizagem organizacional há trinta anos, coloca as coisas da seguinte forma:

"Embora não se comportem [sempre] de forma coerente com suas teorias esposadas [aquilo que dizem], as pessoas comportam-se de forma coerente com suas teorias-em-uso [seus modelos mentais]".[2]

Os modelos mentais podem ser generalizações simples, como "não se pode confiar nas pessoas", ou podem ser teorias complexas, como minhas premissas sobre os motivos pelos quais os membros da minha família interagem de uma determinada forma. Mas o mais importante é compreender que os modelos mentais são *ativos* — moldam nossa forma de agir. Se temos a crença de que não se pode confiar nas pessoas, agimos de forma diferente do que agiríamos se acreditássemos que as pessoas são dignas de confiança. Se eu acreditar que meu filho não tem autoconfiança e minha filha é altamente agressiva, continuarei interferindo no relacionamento entre os dois, a fim de impedir que ela prejudique o ego dele.

Por que os modelos mentais afetam tão fortemente o que *fazemos*? Em parte, porque afetam o que *vemos*. Duas pessoas com modelos mentais diferentes podem observar o mesmo evento e descrevê-lo de forma diferente, pois vêem detalhes diferentes. Quando entramos em uma festa, você e eu ficamos expostos aos mesmos dados sensoriais, mas reparamos em diferentes rostos. Como dizem os psicólogos, nós observamos seletivamente. Isso se aplica tanto aos observadores supostamente "objetivos", como os cientistas quanto às pessoas em geral. Como escreveu Albert Einstein certa vez: "Nossas teorias determinam o que medimos". Durante anos, os físicos realizaram experimentos que contradiziam a física clássica, mas mesmo assim ninguém "viu" os dados gerados por esses experimentos, que levariam às teorias revolucionárias da física do século 20 — mecânica quântica e relatividade.[3]

A forma como os modelos mentais moldam nossas percepções tem também grande importância no mundo dos negócios. Durante décadas, as Três Grandes de Detroit[i] acreditaram que as pessoas compravam automóveis com base no modelo, não na qualidade ou na confiabilidade. A julgar pelas evidências que coletaram, os fabricantes de automóveis tinham razão. Pesquisas e hábitos de compra sugeriam consistentemente que os consumidores norte-americanos se importavam muito mais com o modelo do que com a qualidade dos automóveis. Essas preferências, entretanto, foram se modificando gradualmente, à medida que os fabricantes de automóveis alemães e japoneses educaram lentamente os consumidores norte-americanos sobre os benefícios da qualidade e do estilo — e aumentaram de praticamente zero para 38 por cento sua participação no mercado norte-americano de automóveis em 1986.[4] Segundo o consultor de empresas Ian Mitroff, essas

---

i Chrysler, Ford e General Motors. (N. do E.)

crenças sobre modelos faziam parte de um conjunto difundido de pressupostos para o sucesso na General Motors:[5]

- A GM está no negócio de fazer dinheiro, não carros.
- Os carros são essencialmente símbolos de status. O modelo, portanto, é mais importante do que a qualidade.
- O mercado de automóveis norte-americano é isolado do resto do mundo.
- Os operários não têm grande impacto na produtividade ou na qualidade do produto.
- Todos os que estão conectados com o sistema não precisam ter mais do que uma visão compartimentalizada e fragmentada do negócio.

Como disse Mitroff, durante muitos anos esses princípios foram bastante apropriados ao setor. Mas a indústria automobilística tratou-os como "uma fórmula mágica para o eterno sucesso, quando tudo o que havia encontrado era um conjunto de condições específicas... que foram adequadas durante um período limitado".

Os problemas dos modelos mentais não estão no fato de eles estarem certos ou errados — por definição, todos os modelos são simplificações. Os problemas com os modelos mentais surgem quando os modelos são tácitos — quando eles existem abaixo de nosso nível de consciência. Os fabricantes de automóveis de Detroit não diziam: "Temos um *modelo mental* de que as pessoas *só se importam* com o modelo". Eles diziam: "As pessoas só se importam com o modelo". Como continuaram inconscientes de seus modelos mentais, não os examinaram. Como não foram examinados, esses modelos permaneceram inalterados. Com as mudanças que ocorriam no mundo, aumentou a defasagem entre os modelos mentais de Detroit e a realidade, levando a ações cada vez mais contraproducentes.[6]

Como demonstraram os fabricantes de automóveis de Detroit, setores inteiros podem desenvolver desajustes crônicos entre os modelos mentais e a realidade. De certa forma, os setores coesos ficam especialmente vulneráveis, pois as empresas procuram umas nas outras padrões de melhores práticas. Esse obsoleto reforço dos modelos mentais ocorreu em muitos setores norte-americanos, não apenas na indústria automobilística, durante as décadas de 60 e 70. Hoje, modelos mentais similares e obsoletos dominam muitos setores de serviços, que ainda oferecem qualidade medíocre em nome do controle de custos. (Para um exemplo, ver Capítulo 17, "Micromundos: a tecnologia da organização que aprende".)

A incapacidade de analisar os modelos mentais minou muitos esforços para estimular o pensamento sistêmico. No final da década de 60, um dos principais fabricantes de bens manufaturados dos Estados

Unidos — o maior de seu setor — descobriu que estava perdendo participação no mercado. Na esperança de analisar sua situação, os altos executivos da empresa buscaram a ajuda de uma equipe de especialistas em "dinâmica de sistemas" do MIT. Com base em modelos computacionais, a equipe concluiu que os problemas da empresa eram decorrentes da forma pela qual seus executivos gerenciavam estoques e produção. Como o custo de armazenamento de seus grandes e caros produtos era muito alto, os gerentes de produção tinham os menores estoques possíveis e reduziam drasticamente a produção toda vez que o volume de pedidos diminuía. Resultado: entregas lentas e pouco confiáveis, mesmo quando a capacidade de produção era adequada. Na verdade, as simulações em computador feitas pela empresa previam que as entregas atrasariam ainda mais nas épocas de baixa do que nas épocas de alta — uma previsão contrária à sabedoria convencional, mas que se revelou verdadeira.

Impressionados, os altos executivos da empresa colocaram em prática uma nova política baseada nas recomendações dos analistas. A partir desse momento, quando os pedidos caíam, eles mantinham o ritmo de produção e tentavam melhorar as entregas. Durante a recessão da década de 70, a experiência funcionou; graças às entregas imediatas e às novas compras de clientes satisfeitos, a participação da empresa no mercado aumentou. Os gerentes ficaram tão animados que formaram seu próprio grupo de sistemas. Mas as novas políticas nunca foram realmente incorporadas e a melhoria se mostrou apenas temporária. Durante a recuperação do negócio que se seguiu, os gerentes pararam de se preocupar com o serviço de entregas. Quatro anos depois, quando começou a crise do petróleo, voltaram à política original de reduções drásticas na produção.

Por que descartar uma experiência tão bem-sucedida? Por causa dos modelos mentais profundamente arraigados nas tradições gerenciais da empresa. Todos os gerentes de produção no fundo sabiam que não havia forma mais certa de destruir sua carreira do que ser responsável pela estocagem de mercadorias não-vendidas no depósito. Gerações de altos executivos haviam pregado seu compromisso com o controle de estoque. Apesar da nova experiência, o antigo modelo mental continuava vivo e passando bem.

A inércia de modelos mentais profundamente arraigados pode sobrepujar até os melhores *insights* sistêmicos. Essa foi uma dura lição para muitos dos fornecedores de novas ferramentas gerenciais, não apenas para os defensores do pensamento sistêmico.

Porém, se os modelos mentais podem *impedir* a aprendizagem — congelando empresas e setores em práticas obsoletas —, por que não podem também ajudar a *acelerar* a aprendizagem? Recentemente, várias organizações, a maior parte operando independentemente, têm dado séria atenção a esta pergunta.

INCUBANDO UMA NOVA VISÃO DE MUNDO DOS NEGÓCIOS

Talvez a primeira grande empresa a descobrir o poder potencial dos modelos mentais na aprendizagem tenha sido a Royal Dutch/Shell. Gerenciando uma empresa altamente descentralizada durante a turbulência do setor petrolífero mundial no decorrer da década de 70, a Shell descobriu que, ajudando os gerentes a esclarecer suas premissas, a descobrir as contradições internas nessas premissas e a pensar em novas estratégias baseadas nas novas premissas, a empresa ganhava uma fonte única de vantagem competitiva.

A Shell é singular em diversos aspectos que a tornaram um ambiente natural para a experimentação de modelos mentais. É uma empresa realmente multicultural, formada em 1907 a partir de um "acordo entre cavalheiros" entre a Royal Dutch Petroleum e a Shell Transport and Trading Company, sediada em Londres. A Royal Dutch/Shell possui atualmente mais de cem empresas ao redor do mundo, lideradas por gerentes de inúmeras culturas diferentes.

As empresas operantes desfrutam de um alto grau de autonomia e independência local. Desde o início, os gerentes da Shell tiveram que aprender a agir com base no consenso, pois esses "cavalheiros" de países e culturas diferentes não teriam como dizer uns aos outros o que fazer. À medida que a Shell foi-se tornando cada vez mais global e mais multicultural, sua necessidade de obter consenso entre diversos estilos e compreensões aumentou.

Na turbulência do início da década de 70, a tradição da Shell de gerenciar o consenso atingiu seu ponto de ruptura. Emergiu então uma nova compreensão dos alicerces do verdadeiro consenso — uma compreensão dos modelos mentais compartilhados. "Se não influenciássemos a imagem mental, a imagem da realidade dos principais tomadores de decisão, nossos cenários seriam como água em pedra dura", recorda-se o ex-planejador sênior da Shell, Pierre Wack, em seus artigos da *Harvard Business Review* sobre o trabalho da Shell com modelos mentais.[7] Wack havia percebido isso em 1972 e ele e seus colegas enfrentaram desesperadamente seu fracasso em transmitir aos gerentes da Shell as "descontinuidades" que eles previam no mercado mundial de petróleo.

Isso ocorreu um ano antes da Opep e do início da crise energética. Após analisar as tendências de produção e consumo de petróleo a longo prazo, Wack havia concluído que o mundo estável e previsível, familiar aos gerentes da Shell, estava prestes a mudar. A Europa, o Japão e os Estados Unidos tornavam-se cada vez mais dependentes das importações de petróleo. Países exportadores de petróleo, como Irã, Iraque, Líbia e Venezuela, preocupavam-se cada vez mais com a diminuição de suas reservas. Outros, como a Arábia Saudita, estavam chegando ao limite de sua capacidade de investir produtivamente as receitas provenientes da venda de petróleo. Tais tendências significavam que o crescimento histórico e uniforme da demanda e da oferta de petróleo acabaria dando lugar à escassez crônica de petróleo, à demanda excessiva e a um mercado de "produto que se vende sozinho" controlado pelos países exportadores de petróleo. Embora não tenham previsto exatamente a Opep, os planejadores da Shell previram os tipos de mudanças que a Opep provocaria. Entretanto, as tentativas de fixar nos gerentes da Shell as mudanças radicais que se aproximavam haviam levado "*menos* de um terço dos centros decisórios críticos" da Shell a agir com base nos novos *insights*.

Em princípio, o pessoal do "Planejamento Corporativo" da Shell estava em uma posição ideal para disseminar *insights* sobre as mudanças futuras. O Planejamento Corporativo era o departamento de planejamento central, responsável pela coordenação das atividades de planejamento nas operadoras ao redor do mundo. Na época, o Planejamento Corporativo estava desenvolvendo uma nova técnica chamada "planejamento de cenários", um método para resumir tendências alternativas futuras. Os planejadores da Shell começaram a inserir nesses cenários as futuras descontinuidades. Mas seu público de gerentes da Shell considerou tais cenários tão contraditórios em relação aos seus anos de experiência operando em crescimento previsível que prestou pouca atenção a eles.

Nesse momento, Wack e seus colegas perceberam que haviam fundamentalmente interpretado sua tarefa de forma equivocada. Naquele momento, Wack escreveu: "Deixamos de ver nossa tarefa como sendo a produção de uma visão documentada do futuro... Nosso verdadeiro alvo eram os 'microcosmos'" — palavra usada por Wack para modelos mentais — "dos nossos tomadores de decisão... Agora nós queríamos desenvolver cenários que permitissem aos gerentes questionar seu próprio modelo de realidade e modificá-lo quando necessário". Se antes os planejadores tinham achado que sua tarefa era oferecer informações aos responsáveis pelas decisões, agora estava claro que sua tarefa era ajudar os gerentes a repensar sua visão de mundo. Particularmente, em janeiro-fevereiro de 1973, o departamento desenvolveu um novo conjunto de cenários que forçou os gerentes a identificar todas as premissas que tinham de ser verdadeiras a fim de possibilitar a concretização do "futuro sem problemas" visualizado pelos gerentes. Isso revelou um conjunto de premissas cuja probabilidade de ocorrência era ligeiramente maior do que a de um conto de fadas.

O Planejamento Corporativo desenvolveu um novo conjunto de cenários, cuidadosamente elaborado para tomar forma a partir dos atuais modelos mentais dos gerentes da Shell. Eles mostraram como a visão predominante de que "o negócio do petróleo continuaria da mesma forma" baseava-se em premissas subjacentes sobre a natureza da geopolítica global e do setor petrolífero; em seguida, mostraram que não poderia ser possível que tais premissas se mantivessem no futuro. Depois, eles ajudaram os gerentes a iniciar o processo de construção de um novo modelo mental — ajudando-os a pensar em como deveriam gerenciar nesse novo mundo. Por exemplo, a prospecção de petróleo teria que se expandir para novos países, enquanto o ritmo de construção de refinarias teria que diminuir, devido aos altos preços e, conseqüentemente, ao crescimento mais lento da demanda. Além disso, com a maior instabilidade, os países responderiam de forma diferente. Alguns, com tradições de livre-mercado, deixariam que os preços aumentassem livremente; outros, com políticas de mercado bastante controladoras, tentariam manter os preços baixos. Assim, o controle para as operadoras da Shell gerenciadas localmente teria que aumentar, permitindo que elas se adaptassem às condições locais.

Embora muitos gerentes da Shell tenham continuado cépticos, eles levaram a sério os novos cenários porque começaram a ver que seu entendimento atual era insustentável. O exercício começara a descongelar os modelos mentais dos gerentes e a incubar uma nova visão de mundo.

Quando o embargo do petróleo tornou-se realidade, no final de 1973 e início de 1974, a Shell respondeu de forma diferente das outras empresas do setor. Reduziu o ritmo de investimentos em novas refinarias e projetou refinarias que poderiam se adaptar ao tipo de petróleo cru que estivesse disponível. Previram uma demanda de energia em um nível consistentemente inferior ao previsto pelos seus concorrentes e sempre de forma mais precisa. Aceleraram rapidamente o desenvolvimento de campos de petróleo em países fora da Opep.

Enquanto os concorrentes tomavam as rédeas de suas divisões e centralizavam o controle — uma resposta comum em situações de crise —, a Shell fez exatamente o oposto. Isso proporcionou a suas operadoras mais espaço de manobra, enquanto os concorrentes ficaram com menos.

Os gerentes da Shell viam-se entrando em uma nova era de escassez de oferta, menor crescimento e instabilidade de preços. Como esperavam que a década de 70 fosse de turbulências (Wack chamou-a de a década "das correntezas"), eles responderam à turbulência de forma eficaz. A Shell havia descoberto o poder de administrar os modelos mentais.

O resultado final dos esforços da Shell foi simplesmente espetacular. Em 1970, a Shell fora considerada a mais fraca das sete grandes empresas de petróleo. A *Forbes* chamou a empresa de a "Irmã Feia" das "Sete Irmãs". Em 1979, talvez fosse a mais forte; certamente a Shell e a Exxon estavam em uma classe diferenciada.[8] No início da década de 80, a articulação dos modelos mentais dos gerentes era uma parte importante do processo de planejamento da Shell. Cerca de seis meses antes do colapso dos preços do petróleo em 1986, o Planejamento Corporativo, sob a direção do coordenador[i] Arie de Geus, produziu um estudo de caso fictício no estilo da Harvard Business School, descrevendo uma empresa de petróleo enfrentando uma súbita crise mundial de petróleo. Os gerentes tiveram que criticar as decisões tomadas pela empresa. Assim, mais uma vez, prepararam-se mentalmente para uma realidade que os planejadores acreditavam que eles *poderiam ter* que enfrentar.

SUPERANDO "AS DOENÇAS BÁSICAS DA HIERARQUIA"

"Na organização autoritária tradicional, o dogma era administrar, organizar e controlar", diz Bill O'Brien, diretor-presidente da Hanover. "Na organização que aprende, o novo "dogma" será visão, valores e modelos mentais. As empresas saudáveis serão as que conseguirem sistematizar formas de reunir as pessoas para desenvolver os melhores modelos mentais possíveis para enfrentar qualquer situação que se apresente." O'Brien e seus colaboradores na Hanover começaram a se interessar pelos modelos mentais em uma jornada comparável em tempo à da Shell, embora drasticamente diferente em quase todos os outros aspectos.

A Hanover foi fundada em 1852. Como dissemos anteriormente, a empresa quase faliu em 1969, quando foi comprada pela State Mutual, transformando-se em uma das empresas atuais de melhor desempenho no setor de propriedades e sinistros. Com US$ 1,5 bilhão em prêmios anuais vendidos, a Hanover lida apenas com um décimo do volume de uma gigante do setor como a Aetna, mas seu índice acumulado de retorno desde 1980 foi de 19 por cento, colocando-a em décimo sexto lugar entre as 68 seguradoras examinadas pela *Forbes* em 1990.

A partir de 1969, a Hanover assumiu uma missão de longo prazo de transformar os valores hierárquicos tradicionais que haviam dominado a empresa durante tanto tempo. Segundo O'Brien, "decidimos descobrir quais seriam a organização e a disciplina necessárias para tornar o trabalho mais coerente com a natureza humana. Identificamos gradativamente um conjunto de valores essenciais que, na verdade, são princípios que curam as doenças básicas da hierarquia."

Dois desses valores, especialmente "abertura" e "mérito", levaram a Hanover a desenvolver sua abordagem para lidar com os modelos mentais. A abertura foi considerada um antídoto para o que O'Brien

---

i O cargo de coordenador no Grupo Royal Dutch/Shell era o equivalente ao de vice-presidente corporativo. (N. do E.)

chamou de "a doença das dissimulações que dominava o comportamento das pessoas em reuniões pessoais. Ninguém descrevia um problema em uma reunião às dez da manhã da mesma forma que o descrevia às sete daquela noite, em casa ou tomando um drinque com os amigos". O mérito — tomada de decisões baseado nos melhores interesses da organização — era o antídoto da Hanover para "o processo decisório baseado em políticas burocráticas, no qual o nome do jogo é ascender através de sua imagem ou, se você já chegou ao topo, conseguir se manter lá".[9] À medida que a abertura e o mérito foram adotados, uma crença profunda derivou deles: os processos decisórios poderiam ser transformados se as pessoas conseguissem trazer à tona e discutir produtivamente suas diferentes formas de olhar o mundo. Mas se isso era tão vantajoso, por que parecia tão difícil?

Em meados da década de 70, as idéias de Argyris e seus colaboradores estavam começando a fornecer uma resposta. Na "ciência da ação", eles estavam desenvolvendo um corpo de teoria e método para reflexão e indagação sobre o raciocínio que subjaz às nossas ações.[10] Além disso, as ferramentas da ciência da ação são projetadas para serem eficazes nas organizações, especialmente quando se lida com problemas organizacionais. Aprisionamo-nos em armadilhas, dizem Argyris e seus colaboradores, "em rotinas defensivas" que isolam nossos modelos mentais do questionamento e, conseqüentemente, desenvolvemos uma "incompetência hábil" — uma maravilhosa expressão paradoxal usada por Argyris para descrever muitos dos aprendizes adultos, que são "altamente capacitados em se proteger da dor e da ameaça impostas por situações de aprendizagem" mas, conseqüentemente, não conseguem aprender a produzir os resultados que realmente desejam.

A despeito de ter lido grande parte de seus trabalhos, eu não estava preparado para o que aprendi quando vi pela primeira vez Chris Argyris praticar sua abordagem em um workshop informal com alguns membros de nossa equipe de pesquisa do MIT. O que começou ostensivamente como uma apresentação acadêmica dos métodos de Argyris transformou-se rapidamente em uma poderosa demonstração do que os praticantes da ciência da ação chamam de "reflexão em ação". Argyris pediu a cada um de nós que contasse um conflito com um cliente, colega ou membro da família. Tínhamos que lembrar não só o que foi dito, mas o que pensamos e *não dissemos*. Quando Chris começou a abordar esses casos, tornou-se quase imediatamente aparente como cada um de nós contribuíra para o conflito através de nossa própria forma de pensar — da forma como fizemos rápidas generalizações sobre os outros, que determinaram nossas palavras e nosso comportamento. Contudo, jamais comunicamos essas generalizações. Eu poderia pensar: "Joe acha que sou incompetente", mas jamais lhe perguntaria isso diretamente. Simplesmente passaria o tempo todo tentando parecer respeitável aos seus olhos. Ou "Bill (meu chefe) é impaciente e acredita em soluções rápidas e porcas", então eu sairia de minhas características e tentaria lhe apresentar soluções rápidas embora não acreditasse que fossem realmente resolver problemas difíceis.

Em questão de minutos, observei o nível de "alerta" e "prontidão" de todo o grupo aumentar dez pontos — não tanto devido ao carisma pessoal de Argyris, mas à sua prática habilidosa de exposição dessas generalizações. À medida que a tarde avançava, todos nós começamos a ver (e muitos pela primeira vez na vida) padrões sutis de raciocínio que subjazem ao nosso comportamento e começamos a perceber como esses padrões nos colocam continuamente em situações problemáticas. Nunca havia visto uma demonstração tão drástica de meus próprios modelos mentais em ação, ditando meu comportamento e minhas percepções. Mas ainda mais interessante, tornou-se claro que, com um treinamento adequado, eu poderia me tornar muito mais consciente de meus modelos mentais e seus mecanismos de funcionamento. Isso era excitante.

Posteriormente eu fiquei sabendo que O'Brien e sua equipe de gerentes da Hanover tiveram uma experiência semelhante com os métodos de Argyris dez anos antes. Isso levou-os a perceber que, nas palavras de O'Brien, "a despeito de nossa filosofia, tínhamos um longo caminho a percorrer até sermos capazes de ter a discussão aberta e produtiva que todos desejávamos sobre as questões críticas. Em alguns casos, o trabalho de Argyris revelou dissimulações dolorosamente óbvias que havíamos começado a aceitar. Chris tinha um padrão incrivelmente elevado de abertura verdadeira, de perceber nosso próprio pensamento e eliminar o lixo. Contudo, ele não estava simplesmente defendendo a atitude de "dizer tudo a todo mundo" — ele estava mostrando as habilidades de engajamento em questões difíceis para que todos aprendêssemos. Claramente, esse era um importante território novo se quiséssemos viver de acordo com nossos valores essenciais de abertura e mérito".

Trabalhando com Lee Bolman, colega de Argyris, também de Harvard, a Hanover posteriormente desenvolveu um seminário gerencial de três dias chamado "Mérito, Abertura e Localismo", visando expor todos os gerentes da empresa às idéias e práticas básicas da ciência da ação. Praticamente toda a média e alta gerência da Hanover participaram desses seminários durante os últimos dez anos. O propósito básico dos seminários é ampliar a prática desses valores essenciais, mostrando as habilidades necessárias para colocá-los em prática. Como afirma Paul Stimson, gerente atualmente encarregado do seminário: "Nossa primeira tarefa é fazer com que as pessoas comecem a avaliar o significado da prática do mérito, abertura e descentralização em uma organização que aprende. Em organizações tradicionais, mérito significa fazer o que o chefe quer, abertura significa dizer ao chefe o que ele quer ouvir, e descentralização significa fazer o trabalho sujo que o chefe não deseja fazer. Portanto, temos um longo caminho a percorrer para que as pessoas tenham novas compreensões".

O primeiro dia do seminário é dedicado a revisar os conceitos, princípios e habilidades básicas da ciência da ação. A maioria considera essa atividade esclarecedora, mas difícil de ser posta em prática. "Sim, é claro, concordo com isso. Sempre tentei com afinco ser um bom indagador" é uma resposta típica ao final do primeiro dia. As luzes começam a se acender no segundo dia, quando Stimson e seus colegas gravam em vídeo os gerentes tentando aplicar as habilidades em exercícios de dramatização. Antes da dramatização, os gerentes identificam habilidades específicas que desejam aprimorar. Por exemplo, um gerente em uma dramatização relacionada ao desempenho poderia querer aprimorar o "equilíbrio entre argumentação e indagação" (adotando uma posição mas, ao mesmo tempo, investigando os pontos de vista de outros gerentes e mantendo-se aberto). Mas alguns minutos depois de iniciada a dramatização, esse mesmo gerente estará apontando o dedo para um subordinado e falando em lugar de ouvir. "Depois, quando todos juntos assistem aos vídeos", diz Stimson, "muitas vezes é hilário ver o quanto nosso próprio comportamento se desvia do que dizemos que fazemos. As pessoas vêem que é preciso muito mais para colocar as habilidades da ciência da ação em prática do que simplesmente balançar a cabeça em sinal de consentimento."

Os três dias do seminário MAD não são suficientes para formar mestres nas habilidades da ciência da ação, mas a exposição bastante pessoal e a oportunidade inicial de praticar com um grupo de colegas dão partida a um processo que continua "quando os alunos voltam para casa". Talvez igualmente importante, ele mostra a seriedade da Hanover na abordagem da disciplina de modelos mentais como um conjunto de habilidades que podem ser desenvolvidas, e não como generalidades e miudezas vagas sobre "como pensar de forma mais eficaz".

Convencida de que vale a pena ajudar os gerentes a melhorar suas habilidades básicas de reflexão, a Hanover apoiou posteriormente um segundo treinamento gerencial visando, nas palavras de O'Brien, "expor as limitações do 'pensamento mecanicista'. O problema identificado por nós foi a tendência dos gerentes de enfrentar questões complexas da empresa com um 'programa de nove tópicos', como se o problema fosse trocar um pneu furado. Normalmente isso resulta em problemas ainda piores". Este segundo programa de treinamento "Pensando sobre o Pensamento" foi projetado e ministrado por um professor aposentado da Universidade de New Hampshire, John Becket. Becket lidera um exaustivo, e surpreendentemente não cansativo, exame histórico sobre as principais filosofias de pensamento, ocidentais e orientais, durante cinco dias *inteiros*. Em um processo que Becket descreve como "lixar o cérebro", ele mostra detalhadamente como filosofias radicalmente diferentes podem ter mérito.

O impacto do programa de Becket é avassalador. "Becket mostra", diz O'Brien, "que se analisarmos de perto a forma como as culturas orientais abordam a moral, a ética e as questões gerenciais básicas, ela faz sentido. Em seguida, mostra que as formas ocidentais de abordar essas questões também fazem sentido. Mas ambas podem levar a conclusões opostas. Isso leva à descoberta de que existe mais de uma forma de analisar problemas complexos. Isso ajuda imensamente a destruir os muros que se erguem entre as disciplinas de nossa empresa e entre formas diferentes de pensamento."

O impacto sobre a compreensão dos gerentes dos modelos mentais é profundo — a maioria conta que, pela primeira vez em suas vidas, vê que tudo o que temos são apenas premissas, e nunca "verdades", que sempre vemos o mundo através de nossos modelos mentais e que os modelos mentais são *sempre* incompletos e, especialmente na cultura ocidental, cronicamente não-sistêmicos. Embora não forneça ferramentas para trabalhar com os modelos mentais, como fornece Argyris, Becket planta uma semente poderosa que torna as pessoas mais abertas a ver as tendenciosidades inevitáveis nas suas próprias formas de pensamento. Ele também introduz as pessoas aos princípios básicos do pensamento sistêmico. Em especial, ele enfatiza a distinção entre "pensamento de processo" e olhar somente "fotografias", e coloca o pensamento sistêmico como uma alternativa filosófica para o penetrante "reducionismo" da cultura ocidental — a busca de respostas simples para problemas complexos.

Que retornos esse investimento substancial no desenvolvimento de habilidades e avaliação de modelos mentais ofereceu à gerência da Hanover? O'Brien e outros simplesmente indicam o desempenho constantemente ascendente da empresa ao longo dos anos: em lucratividade, a Hanover registrou uma média superior à do setor em três dos cinco anos de 1970 a 1974, em quatro dos cinco anos de 1975 a 1979 e em dez dos dez anos de 1980 a 1989. De 1985 a 1989, o retorno médio sobre o patrimônio da Hanover foi de 19,8 por cento, comparado aos 15,9 por cento do setor de seguros e propriedades, e o índice de crescimento das vendas foi de 21,8 por cento, comparado aos 15 por cento do setor. Um ensaio no relatório de 1988 da empresa sobre "A Conexão entre Aprendizagem e Competitividade" afirma que o comprometimento da Hanover com "investir em educação nos bons e nos maus momentos" resultou em benefícios contínuos e significativos.

Influenciada por Argyris, Becket e outros, a Hanover desenvolveu gradativamente sua própria abordagem aos modelos mentais — começando com o desenvolvimento de habilidades. Através de treinamento, boletins gerenciais freqüentes e prática contínua, a empresa tenta construir uma base de habilidades fundamentais em reflexão, exposição e teste público dos modelos mentais. O público-alvo desses esforços são todos os gerentes da empresa, e não apenas um pequeno grupo de "especialistas em modelos mentais". No que se refere às habilidades propriamente ditas, nós as analisaremos em maior detalhe na próxima seção. Elas incluem:

- Reconhecer os "lapsos de abstração" (observando nossos saltos da observação para a generalização)
- Expor a "coluna da esquerda" (articulando o que normalmente não dizemos)
- Equilibrar a indagação e a argumentação (habilidades para a investigação honesta)
- Enfrentar as distinções entre teorias esposadas (o que dizemos) e teorias-em-uso (a teoria implícita no que fazemos)

É interessante o quão pessoais são estas habilidades. As habilidades abrangem não só questões da empresa, mas nossos relacionamentos do dia-a-dia. A disciplina concentra-se em algo que as pessoas normalmente tomam como certo: como nos conduzimos nas conversas comuns, especialmente quando questões complexas e conflitantes estão sobre a mesa. A maioria de nós acredita que tudo o que temos que fazer é "agir naturalmente"; contudo, a disciplina de modelos mentais limita nossas inclinações naturais de tal forma que conversas podem produzir um aprendizado verdadeiro, em lugar de simplesmente reforçar visões anteriores.

A DISCIPLINA DE MODELOS MENTAIS

O desenvolvimento da capacidade de uma organização para trabalhar com modelos mentais envolve tanto a aprendizagem de novas habilidades quanto a implementação de inovações institucionais que ajudam a colocar essas habilidades em prática regular. Embora a Shell e a Hanover tenham adotado abordagens radicalmente diferentes no gerenciamento de modelos mentais, seu trabalho exigiu as mesmas tarefas críticas. Primeiro, tiveram que expor premissas básicas sobre questões importantes da empresa. Essa meta, predominante na Shell, é essencial a qualquer empresa, pois os modelos mentais mais cruciais em qualquer organização são os compartilhados pelos principais responsáveis pelo processo decisório. Esses modelos, se não forem examinados, limitam a gama de ações de uma organização ao que lhe é familiar e confortável. Segundo, as duas empresas tiveram que desenvolver habilidades interpessoais de aprendizagem. Essa foi uma preocupação especial na Hanover, pois a empresa queria que todos os gerentes adquirissem habilidades de lidar com modelos mentais.

Ambos os lados da disciplina — habilidades da empresa e questões interpessoais — são cruciais. Por um lado, os gerentes são inerentemente pragmáticos (graças a Deus). Eles são mais motivados a aprender o que precisam aprender em seu contexto de negócios. O treinamento desses gerentes em modelos mentais ou "equilíbrio entre argumentação e indagação", sem conexão com problemas urgentes da empresa, freqüentemente será rejeitado. Ou levará as pessoas a adquirirem habilidades "acadêmicas" que não utilizam. Por outro lado, sem habilidades interpessoais, a aprendizagem permanece fundamentalmente adaptativa, e não generativa. A aprendizagem generativa, na minha experiência, exige gerentes com habilidades de reflexão e indagação, e não apenas consultores e planejadores. Somente então as pessoas em todos os níveis irão expor e desafiar seus modelos mentais diante de circunstâncias externas que estimulam uma nova reflexão.

Quanto maior for o número de empresas a adotá-los, maior será a integração entre esses dois aspectos da modelagem mental. Enquanto isso, com base na experiência da Shell, da Hanover e de outras empresas, podemos começar a reunir os elementos de uma disciplina emergente.

"PLANEJAMENTO COMO APRENDIZAGEM" E "CONSELHOS INTERNOS": GERENCIANDO OS MODELOS MENTAIS POR TODA A ORGANIZAÇÃO

A institucionalização da reflexão e da exposição dos modelos mentais exige mecanismos que tornem essas práticas inevitáveis. Até hoje, surgiram duas abordagens, que envolvem a remodelagem do planejamento tradicional como aprendizagem e a definição "de conselhos internos de diretores" para reunir regularmente a gerência sênior e a gerência local, a fim de desafiar e expandir o pensamento subjacente ao processo decisório local.

Depois de reconhecer a importância da articulação de modelos mentais, os planejadores da Shell tiveram que desenvolver formas de estimular essa articulação em mais de cem empresas operacionais independentes. Essa necessidade de alcance global é um dos fatores por trás da abordagem singular da Shell aos modelos mentais, envolvendo o desenvolvimento e o teste de uma série de ferramentas diferentes no Planejamento Corporativo em Londres e, em seguida, disseminando-as. Os planejadores locais podem dominar essas ferramentas para uso com os gerentes operacionais da empresa local.

Os cenários, primeira ferramenta adaptada pela Shell em busca de modelos mentais, forçam os gerentes a considerar como administrariam em caminhos futuros alternativos. Isso desloca a tendência dos gerentes de pressupor implicitamente um único futuro. Quando grupos de gerentes compartilham uma gama de futuros alternativos em seus modelos mentais, eles se tornam mais perceptivos às mudanças no ambiente do negócio e mais ágeis nas respostas a essas mudanças. Essas são precisamente as vantagens que a Shell desfrutou em relação aos seus concorrentes durante a era pós-Opep.

Além dos cenários, a Shell continua a experimentar uma ampla variedade de ferramentas para "mapeamento" de modelos mentais. Entre elas incluem-se as ferramentas do pensamento sistêmico apresentadas nos Capítulos de 4 a 8, bem como as capacidades de simulação em computador descritas no Capítulo 17, "Micromundos: a tecnologia da organização que aprende", e inúmeras outras ferramentas de "sistemas não tangíveis" — que recebem essa denominação porque lidam com variáveis importantes e não quantificáveis, normalmente importantes nos modelos mentais dos gerentes.[11]

O denominador comum de todas essas ferramentas é que elas funcionam para a exposição das premissas sobre questões importantes na empresa. A Shell institucionalizou o gerenciamento de modelos mentais através de seu processo e planejamento. Os gerentes da Shell ainda geram planos tradicionais de orçamento e controle. Mas De Geus e seus colegas começaram a repensar a função do planejamento em grandes instituições. É menos importante, concluíram, produzir planos eficazes do que usar o planejamento para acelerar a aprendizagem como um todo. O sucesso a longo prazo, segundo De Geus, depende do "processo através do qual as equipes gerenciais mudam os modelos mentais compartilhados de sua empresa, seus mercados e seus concorrentes. Por essa razão, acreditamos no planejamento como aprendizagem e no planejamento da empresa como aprendizagem institucional". De Geus continua dizendo que a pergunta crítica no planejamento é: "É possível acelerar a aprendizagem institucional?"[12]

A Hanover tem sua própria forma de institucionalização dos modelos mentais. Lá o processo é orientado por um conjunto de princípios operacionais, incorporados a uma nova estrutura organizacional. Há vários anos, a empresa colocou em prática uma rede de "conselhos de administração internos". Os conselhos internos são compostos de dois a quatro gerentes seniores que aconselham os gerentes-gerais locais (na Hanover, isso é determinado geograficamente). Esses conselhos internos trazem perspectiva externa e amplitude de visão, a fim de investir no *empowerment* da gerência local através de um mecanismo bastante semelhante ao dos conselhos de administração das empresas.

A principal função é aconselhar e orientar, e não controlar os responsáveis pelo processo decisório local.

Através dos conselhos internos, há quatro níveis de "modelagem mental":

- dentro da equipe que se reporta diretamente a O'Brien
- entre os que se reportam diretamente a O'Brien e os gerentes-gerais através dos conselhos internos
- entre os gerentes-gerais e seus gerentes funcionais locais
- entre os gerentes funcionais e seus operários e supervisores locais

Em todos esses níveis, o processo é basicamente o mesmo. Mas o que impede os gerentes nacionais da Hanover de simplesmente impor seus modelos mentais aos gerentes locais? Superficialmente, o mecanismo se parece com o que existe entre um CEO e o conselho de administração da empresa, mas os relacionamentos de trabalho são mais parecidos com os que ocorrem entre parceiros que compartilham um profundo conhecimento sobre uma empresa. "Há muitas vantagens", diz O'Brien, "dos conselhos internos em relação aos relacionamentos normais de subordinação. Primeiro, quando um gerente-geral local é subordinado a um gerente sênior — por exemplo, um vice-presidente de grupo ou da empresa — é muito difícil para os dois não entrarem em atrito de vez em quando. Normalmente, após alguns anos, cada um conhece o outro e descobriu todas as formas possíveis de manipular sutilmente suas interações na direção de fins predeterminados. É raro quando esse relacionamento de subordinação continua a estimular a indagação ao longo de muitos anos. Aparentemente, isso não acontece quando há três ou quatro pessoas em um conselho às quais você precisa apresentar e explicar continuamente suas visões. O processo do conselho interno tende a estimular habilidades críticas dos gerentes locais para o nosso tipo de organização: a habilidade de articular suas idéias sobre assuntos complexos, de assimilar diversas visões e de ser incisivo e, ao mesmo tempo, aberto. Após suas interações com os conselhos locais, os gerentes locais descobrem que estão muito mais bem preparados para estimular a aprendizagem dentro de suas divisões."

Para orientar os conselhos internos em toda a empresa, a Hanover desenvolveu um conjunto de princípios operacionais destinado ao trabalho com os modelos mentais. Esses princípios visam estabelecer uma prioridade na indagação, promover uma diversidade de visões, em lugar da conformidade, e ressaltar a importância do aperfeiçoamento dos modelos mentais em todos os níveis da organização. Este é o texto do credo da Hanover:

CREDO DA HANOVER PARA MODELOS MENTAIS

1. A eficácia de um líder está relacionada ao aprimoramento contínuo dos modelos mentais desse líder.
2. Não imponha às pessoas um modelo mental preferido. Para o melhor resultado possível, os modelos mentais devem conduzir a decisões autoconclusivas.
3. As decisões autoconclusivas resultam em convicções mais profundas e implementação mais eficaz.
4. Modelos mentais melhores permitem aos proprietários ajustar-se às mudanças no ambiente ou nas circunstâncias.
5. Os membros do conselho interno raramente precisam tomar decisões diretas. Em vez disso, sua função é ajudar o gerente-geral, testando ou aperfeiçoando o modelo mental deste último.
6. A diversidade de modelos mentais permite a coexistência de várias perspectivas.
7. Os grupos acrescentam muito mais dinâmica e conhecimento do que uma pessoa isolada é capaz de fazer.
8. A meta não é a congruência entre o grupo.
9. Quando o processo funciona, ele leva à congruência.
10. O valor dos líderes é medido por sua contribuição aos modelos mentais de outras pessoas.

"Não temos modelos mentais consagrados", diz O'Brien, "temos uma filosofia de modelagem mental. Se saíssemos em campo e disséssemos: 'esse é o modelo mental autorizado para lidar com a situação 23C', teríamos um problema." Vários pontos do credo reforçam esse tema. O segundo ponto, por exemplo, alerta contra a imposição de um modelo mental preferido às pessoas. "Em outras palavras", diz O'Brien, "talvez o cara que fale mais alto ou o que ocupa o cargo mais importante sinta-se tentado a pressupor que todas as pessoas vão engolir, digerir e aceitar seus modelos mentais em sessenta segundos. Mesmo que esse modelo mental seja melhor, sua função não é inoculá-lo em todas as outras pessoas da empresa, mas submetê-lo à consideração de todos".

Outros pontos do credo dizem que as pessoas são mais eficazes quando desenvolvem seus próprios modelos — mesmo quando os modelos mentais de pessoas mais experientes podem evitar os erros. "Às vezes posso dizer que 'se Billy vai aprender como andar de bicicleta, ele terá que cair no chão.' Não quero que esfole seu joelho ou seu cotovelo, mas, se for necessário, talvez eu deixe que isso aconteça. Porque, para sobreviver, ele precisa aprender como andar em uma bicicleta."

É importante observar que a meta não é acordo ou congruência. A coexistência simultânea de vários modelos mentais é possível. Alguns podem discordar. Todos devem ser considerados e testados nas situações que aparecem. Isso exige um "compromisso organizacional com a verdade", que é um resultado do domínio pessoal. E é preciso compreender que talvez nunca conheçamos a verdade inteira. Mesmo após considerar os modelos mentais, como diz O'Brien, "Talvez acabemos todos em lugares diferentes. A meta é o melhor modelo mental para qualquer pessoa que se defronte com um problema específico. Todas as outras pessoas concentram-se em ajudá-la (ou ajudá-las) a tomar a melhor decisão possível, contribuindo para que desenvolvam o melhor modelo mental possível."

Como ressalta O'Brien, a meta pode não ser congruência, mas, quando funciona, o processo resulta em congruência. "Não nos importamos se as reuniões terminam com as pessoas muito distantes umas das outras", disse O'Brien. "As pessoas expõem suas posições e, mesmo quando não concorda com elas, você pode reconhecer seu mérito, pois elas são consideradas importantes. Você pode dizer: 'Por outras razões, não pretendo seguir na mesma direção que você.' É surpreendente, em certo sentido; as pessoas se aproximam mais assim do que se fossem direcionadas a chegar a um acordo." Por exemplo, segundo O'Brien, não há a animosidade típica que ocorre quando as pessoas achavam que sabiam mais, mas nunca tiveram a chance de defender seu ponto de vista. "Descobrimos que as pessoas podem conviver muito bem com a situação quando defendem seu ponto de vista, mesmo quando uma outra visão é implementada, desde que o processo de aprendizagem seja aberto e todos ajam com integridade."

Muitos se surpreendem com essa redução da ênfase ao acordo e à congruência. Mas, com freqüência, observei membros de equipes extraordinárias fazerem declarações semelhantes às de O'Brien. Esta crença de que "estamos apenas conversando sobre o problema e saberemos o que fazer" mostrou ser a pedra fundamental do que David Bohm chama "Diálogo", o coração da disciplina da aprendizagem em equipe (Capítulo 12).

HABILIDADES DE REFLEXÃO E INDAGAÇÃO: GERENCIANDO MODELOS MENTAIS NOS NÍVEIS PESSOAL E INTERPESSOAL

As habilidades de aprendizagem dos praticantes da "ciência da ação", como Chris Argyris, podem ser classificadas em dois grandes grupos: habilidades de reflexão e habilidades de indagação. As habilidades de reflexão referem-se à desaceleração de nossos próprios processos de pensamento, a fim de permitir uma maior consciência de como criamos nossos modelos mentais e as formas como eles influenciam nossas ações. As habilidades de indagação referem-se aos mecanismos através dos quais nos comportamos em interações diretas com outras pessoas, especialmente quando estamos lidando com questões complexas e conflitantes.

Donald Schön, do MIT, antigo colega de Argyris, mostrou a importância da reflexão na aprendizagem em profissões como medicina, arquitetura e administração. Embora muitos profissionais aparentemente parem de aprender assim que se formam na faculdade, os que continuam aprendendo ao longo de toda a vida praticam o que ele chama de "reflexão em ação", a capacidade de refletir sobre o pensamento durante a ação. Para Schön, a reflexão em ação diferencia os profissionais verdadeiramente extraordinários:

> Expressões como "pense com sua própria cabeça", "fique ligado", "aprenda fazendo" sugerem que, além de poder pensar sobre o que estamos fazendo, podemos pensar sobre o que estamos fazendo enquanto estamos fazendo... Quando bons músicos de jazz improvisam... sentem para onde a música se desenvolve a partir de suas contribuições conjuntas, dão um novo sentido a ela e ajustam seus instrumentos a esse novo sentido que elaboraram.[13]

As habilidades de reflexão começam com o reconhecimento dos "saltos de abstração".

Saltos de abstração. Nossas mentes se movimentam literalmente na velocidade da luz. Ironicamente, essa velocidade geralmente retarda a aprendizagem, pois "saltamos" de maneira tão rápida para as generalizações que nunca pensamos em testá-las. Os proverbiais "castelos de areia" descrevem nosso próprio pensamento com muito mais freqüência do que imaginamos.

A mente consciente não está bem equipada para lidar com um grande número de detalhes concretos. Quando vemos uma fotografia de centenas de pessoas, a maioria de nós terá dificuldade para lembrar de cada rosto, mas se lembrará de categorias — por exemplo, os homens altos, as mulheres de vermelho, os orientais ou os mais idosos. O famoso "mágico número sete mais ou menos dois" do psicólogo George Miller refere-se à nossa tendência de focalizar um número limitado de variáveis isoladas de cada vez.[14] Nossa mente racional é extraordinariamente propensa a "abstrair" a partir de informações concretas — substituindo muitos detalhes por conceitos simples e, em seguida, racionalizando com base nesses conceitos. Mas nossos pontos fortes mais marcantes no raciocínio conceitual abstrato também limitam nossa aprendizagem, quando não temos consciência desses nossos saltos de conceitos particulares para conceitos gerais.

Por exemplo, você já ouviu uma afirmação como "Laura não liga para as pessoas" e pensou sobre a validade desse tipo de afirmação? Imagine que Laura é uma superiora ou uma colega que possui alguns hábitos específicos que outras pessoas já observaram. Ela raramente faz elogios generosos. Freqüentemente está distraída quando as pessoas falam com ela, e então pergunta: "O que é que você disse?" Às vezes interrompe as pessoas quando elas falam. Nunca aparece nas festas do escritório. E, nas análises de desempenho, resmunga duas ou três frases e então dispensa a pessoa com quem está conversando. Com base nesses comportamentos específicos, os colegas de Laura concluíram que "ela não se importa muito com as pessoas". Essa conclusão é do conhecimento de todos, exceto, evidentemente, de Laura, que acha que dá enorme importância às pessoas.

No caso de Laura, seus colegas deram um "salto de abstração". Substituíram muitos comportamentos específicos por uma generalização, "ela não se importa com as pessoas". Mais importante, começaram a tratar essa generalização como um *fato*. Ninguém mais questiona se Laura se importa ou não com as pessoas. Isso é um dado.

Os saltos de abstração ocorrem quando passamos de observações diretas ("dados" concretos) para a generalização sem testá-las. Os saltos de abstração impedem a aprendizagem, pois tornam-se axiomas. O que antes era um pressuposto passa a ser tratado como fato. Uma vez que os colegas de Laura aceitarem como um fato seu "descaso" para com as outras pessoas, ninguém mais questionará seu comportamento quando ela tomar atitudes como "se não se importasse com os outros", ou tiver atitudes que não se encaixem nesse estereótipo. A visão geral de que ela não se importa leva as pessoas a tratarem-na com maior indiferença, eliminando qualquer oportunidade que ela poderia ter de demonstrar preocupação. Resultado: Laura e seus colegas ficam congelados em um estado de relacionamento que ninguém deseja. Além disso, as generalizações podem facilmente se tornar a base de novas generalizações. "Será que Laura está por trás daquela fofoca do escritório? Provavelmente sim, ela é do tipo que faria esse tipo de coisa, já que não se importa com as pessoas..."

Os colegas de Laura, como a maioria de nós, não são disciplinados em diferenciar o que observam diretamente das generalizações que intuem a partir de suas observações. Há "fatos" — dados observáveis sobre Laura —; por exemplo, o tempo que ela dedica a uma típica análise de desempenho ou seu olhar disperso durante uma conversa. Mas "Laura não ouve muito o que as pessoas dizem" é uma generalização, e não um fato, exatamente como "Laura não se importa muito com as pessoas". Talvez ambas sejam baseadas em fatos; mesmo assim, são inferências. A incapacidade de distinguir observação direta de generalizações inferidas a partir da observação nos leva a jamais pensar na possibilidade de testar a generalização. Assim, ninguém jamais perguntou a Laura se ela se importa ou não com as pessoas. Se tivessem perguntado, talvez tivessem descoberto que ela acha que se importa muito com as pessoas. Talvez soubessem que Laura tem um problema de audição que nunca contou a ninguém e, especialmente por isso, é extremamente tímida nas conversas. Os saltos de abstração são igualmente comuns nos problemas da organização. Em uma empresa, vários gerentes estavam convencidos de que "os clientes compram os produtos com base no preço; a qualidade do serviço não é um fator levado em consideração". E é compreensível que acreditem nisso; os clientes pressionam continuamente a empresa para obter descontos cada vez maiores e os concorrentes estão sempre atraindo os clientes com promoções de preços. Quando um profissional de marketing novo na empresa pressionou seus superiores a investir na melhoria do serviço, seu pedido foi gentil e firmemente negado. Os gerentes seniores nem testaram a idéia, pois o salto de abstração deles transformara-se em "fato" — "os clientes não se importam com o serviço, os clientes compram com base no preço". Continuaram sentados, vendo seu principal concorrente aumentar cada vez mais sua fatia de mercado, prestando um serviço com nível de qualidade que os clientes jamais haviam experimentado e, portanto, jamais haviam solicitado.

Em empresas de alta tecnologia, uma crença comum é que ser o primeiro no mercado é a chave para o sucesso. Essa generalização freqüentemente baseia-se em experiências concretas, mas também pode ser equivocada. O computador Apple III (uma versão melhorada do Apple II) foi um produto inovador, lançado no mercado em 1982, mas tinha muitos *bugs*[i] que desestimularam possíveis clientes, transformando o produto em uma das maiores frustrações da Apple. Entretanto, outros fabricantes de computadores lançam produtos muito menos "prontos" no mercado. Alguns deles transformaram-se em grandes vencedores, como a estação de trabalho Sun-3. Por que a generalização "primeiro do mercado" ocorre em alguns casos e em outros não? Porque os clientes da Sun-3 eram engenheiros sofisticados que perdoaram os *bugs* — em parte porque conseguiriam corrigi-los. O maior mercado do Apple III, consumidores e executivos, era muito menos tolerante. Precisavam de um sistema que funcionasse perfeitamente desde o início e se sentiriam facilmente intimidados por uma máquina poderosa com uma reputação de não confiabilidade (embora os *bugs* fossem corrigidos alguns meses depois de descobertos).[15]

Como é possível reconhecer os saltos de abstração? Primeiro, perguntando a você mesmo qual é sua opinião sobre o mecanismo de funcionamento do mundo — a natureza da empresa, as pessoas de

---

i *Bugs* são problemas na programação do sistema em computadores, cujas causas são de difícil localização. (N. do E.)

modo geral e indivíduos específicos. Pergunte: "Quais são os 'dados' nos quais se baseia essa generalização?" Então, pergunte a si mesmo: "Estou disposto a considerar que essa generalização pode ser imprecisa ou incorreta?" É importante fazer essa última pergunta conscientemente, porque, se a resposta for não, não há motivo para prosseguir.

Se você está disposto a questionar uma generalização, você deve explicitamente isolá-la dos "dados" que levaram a ela. Você poderia dizer: "Paul Smith, um dos compradores da Bailey's Shoes, e vários outros clientes me disseram que não comprarão nosso produto a não ser que o preço seja reduzido em 10 por cento". "Portanto, concluo que nossos clientes não se importam com a qualidade do serviço." Essa atitude coloca todas as suas cartas na mesa e dá a você e aos outros uma melhor oportunidade para considerar interpretações e cursos de ação alternativos.

Sempre que possível, teste diretamente a generalização. Freqüentemente isso levará à indagação sobre as razões subjacentes às ações das outras pessoas. Essa indagação exige habilidades que serão discutidas a seguir. Por exemplo, simplesmente aproximar-se de Laura e perguntar: "É verdade que você não se importa muito com as pessoas?" tende a evocar uma reação defensiva. Há formas de abordar essas trocas, confessar francamente suas próprias premissas sobre os outros e citar os dados nos quais elas se baseiam, reduzindo a chance de uma posição defensiva.

Coluna da esquerda. Essa é uma técnica poderosa para começar a "enxergar" como nossos modelos mentais funcionam em determinadas situações. Revela formas através das quais manipulamos situações para não enfrentar nossos verdadeiros sentimentos e pensamentos, impedindo que uma situação contraproducente melhore.

O exercício da coluna da esquerda pode mostrar aos gerentes que, na verdade, eles têm modelos mentais e esses modelos desempenham um papel ativo, às vezes indesejado, na prática gerencial. Um grupo de gerentes, depois de fazer o exercício, além de se conscientizar do papel de seus modelos mentais, começa a ver por que um tratamento mais direto de suas premissas é importante.

A "coluna da esquerda" resulta de um tipo de apresentação de caso usado por Chris Argyris e seus colegas. Começa com a seleção de uma situação específica na qual estou interagindo com uma ou várias pessoas de uma forma que considero ineficaz — especificamente, que não produza aprendizagem aparente ou progresso. Redijo um modelo de interação, em forma de roteiro. O roteiro é escrito do lado direito da página. No lado esquerdo, escrevo o que estou pensando mas não estou dizendo em cada estágio da interação.

Por exemplo, imagine uma interação com um colega, Bill, depois de uma grande apresentação ao nosso chefe sobre um projeto que estamos desenvolvendo juntos. Não pude comparecer à apresentação, mas ouço dizer que foi mal recebida.

EU: Como foi a apresentação?
BILL: Bem, eu não sei. É muito cedo para dizer. Além disso, estamos explorando um terreno novo por aqui.
EU: Bem, o que você acha que devemos fazer? Acho que as questões que você levantou são importantes.
BILL: Não tenho tanta certeza. Vamos esperar para ver o que acontece.
EU: Talvez você esteja certo, mas acho que talvez devamos fazer algo mais do que simplesmente esperar.

Agora eis a mesma interação com a minha coluna da esquerda:

O QUE ESTOU PENSANDO	O QUE FOI DITO
Todo mundo está dizendo que a apresentação foi uma bomba.	EU: Como foi a apresentação?
Será que ele tem noção de quão ruim foi a apresentação? Ou será que ele não quer enfrentar os fatos?	BILL: Bem, não sei. É muito cedo para dizer. Além disso, estamos explorando um terreno novo por aqui.
	EU: Bem, o que você acha que devo fazer? Acho que as questões que você levantou são importantes.
Ele realmente tem medo de enfrentar a verdade. Se tivesse mais autoconfiança, provavelmente aprenderia com essa situação. Não acredito que ele não perceba o quão desastrosa foi a apresentação para nosso progresso.	BILL: Não tenho certeza. Vamos esperar para ver o que acontece.
Preciso encontrar uma forma de sacudir esse cara.	EU: Talvez você esteja certo, mas acho que talvez devamos fazer algo mais do que simplesmente esperar.

O exercício da coluna da esquerda sempre consegue revelar premissas ocultas e mostrar como elas influenciam o comportamento. No exemplo acima, estou assumindo duas premissas básicas sobre Bill; são elas: ele não tem autoconfiança, especialmente quando se trata de enfrentar seu desempenho inferior, e ele não tem iniciativa. Talvez sejam literalmente verdadeiras, mas ambas são evidentes em meu diálogo interior e ambas influenciam minha forma de lidar com a situação. Minha crença em sua falta de autoconfiança aparece quando eu contorno o fato de ter ouvido dizer que a apresentação foi uma bomba. Tenho medo que, se disser isso diretamente, ele perca a pouca autoconfiança que tem, ou não seja capaz de enfrentar as evidências. Assim, abordo o assunto da apresentação obliquamente. Minha crença na falta de iniciativa de Bill surge quando discutimos o que fazer em seguida. A despeito de minha pergunta, Bill não propõe um curso de ação específico. Vejo sua atitude como indício de sua apatia ou falta de iniciativa: ele se satisfaz em não fazer coisa alguma quando uma atitude definitiva é necessária; a partir daí, concluo que terei de produzir alguma forma de pressão para motivá-lo a tomar uma atitude ou simplesmente terei que tomar as rédeas da situação.

A lição mais importante que se aprende ao enxergar "nossas colunas da esquerda" é como minamos as oportunidades de aprendizagem em situações conflitantes. Em lugar de enfrentar diretamente nossos problemas, Bill e eu contornamos o assunto. Em lugar de determinarmos como avançar para resolver nossos problemas, concluímos nossa interação sem um curso claro de ação — na verdade, sem uma definição clara de um problema que necessita de uma ação.

Por que simplesmente não digo a ele que acredito que existe um problema? Por que não digo que precisamos analisar etapas para readquirir o controle do projeto? Talvez porque não tenha certeza de como levantar essas questões "delicadas" de uma forma produtiva. Como os colegas de Laura, imagino que levantar essas questões provocara uma interação defensiva, contraproducente. Temo que a situação piore. Talvez evite essas questões por uma questão de educação ou desejo de não ser crítico. Seja qual for a razão, o resultado é uma interação insatisfatória e eu procuro uma forma de "manipular" Bill obrigando-o a uma resposta mais enérgica.

Não existe uma forma "certa" de tratar situações difíceis como minha interação com Bill, mas ajuda imensamente enxergar primeiro como meu próprio raciocínio e minhas próprias ações podem contribuir para piorar as coisas. É nesses casos que a técnica da coluna da esquerda pode ser útil. Quando vejo mais claramente minhas próprias premissas e a forma como as estou ocultando, posso elaborar várias alternativas para continuar a conversa de uma forma mais produtiva. Todas envolvem o compartilhamento de minha própria visão e dos "dados" na qual ela se baseia. Todas exigem uma abertura à possibilidade de que

Bill possa não compartilhar a visão nem os dados e que ambos estejam errados. (Afinal, minha informante sobre a apresentação poderia estar errada.) Na verdade, minha tarefa é converter a situação para outra na qual tanto Bill quanto eu possamos aprender. Para isso, preciso articular meus pontos de vista e, ao mesmo tempo, conhecer melhor as visões de Bill — um processo que Argyris chama de "equilíbrio entre indagação e argumentação".

Equilíbrio entre indagação e argumentação. A maioria dos gerentes é treinada para se transformar em bons defensores. Na verdade, em muitas empresas, ser um gerente competente é ter a capacidade de resolver problemas — descobrir o que precisa ser feito e listar o apoio necessário para executar a tarefa. Em parte, o sucesso das pessoas depende de suas habilidades de discutir com eficácia e influenciar outras pessoas. Enquanto isso, as habilidades de indagação não são reconhecidas nem recompensadas. Mas à medida que os gerentes alcançam posições de nível sênior, enfrentam questões mais complexas e diversas do que sua experiência pessoal. Subitamente, precisam extrair os *insights* de outras pessoas. Precisam aprender. Nesse momento as habilidades de argumentação dos gerentes tornam-se contraproducentes; podem nos impedir de realmente aprender uns com os outros. É preciso misturar argumentação e indagação para promover a aprendizagem cooperativa.

Mesmo quando dois advogados se encontram para uma interação aberta e sincera de visões, a aprendizagem normalmente é reduzida. Talvez estejam verdadeiramente interessados nas visões um do outro, mas a pura argumentação leva a conversa a um outro tipo de estrutura:

> "Aprecio sua sinceridade, mas minha experiência e meu julgamento levam-me a algumas conclusões diferentes. Deixe-me lhe dizer por que sua proposta não vai funcionar..."

À medida que cada lado defende racional e calmamente seu ponto de vista com crescente veemência, as posições se tornam cada vez mais rígidas. Na verdade, existe um arquétipo de sistemas que descreve o que acontece em seguida; chamado de "escalada", repete a estrutura da corrida armamentista.

Quanto maior a veemência com que A argumenta, maior a ameaça a B. Portanto, B argumenta mais ferrenhamente. Então A contra-ataca com veemência ainda maior. E assim por diante. Freqüentemente, os gerentes consideram estas evoluções tão extenuantes que, a partir daí, evitam afirmar diferenças publicamente. "Isto é muito desgastante".

O efeito bola-de-neve que reforça a argumentação pode ser interrompido, se forem feitas algumas perguntas. Perguntas simples como "O que faz com que você assuma essa posição?" e "Você poderia me explicar seu argumento?" (Poderia fornecer alguns "dados" ou experiências que o sustentem?) podem incorporar um elemento de indagação à discussão.

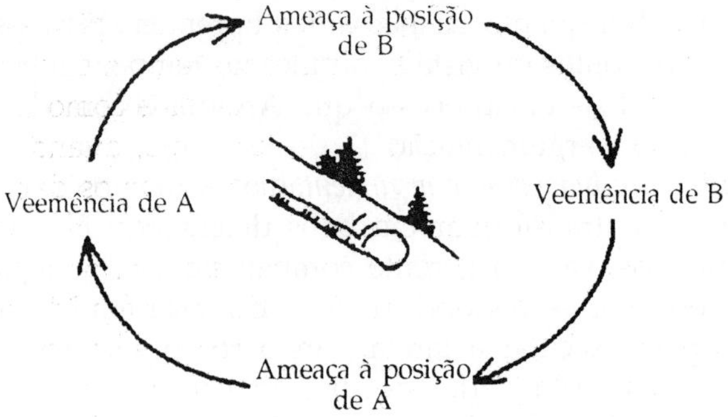

Freqüentemente filmamos as reuniões das equipes de gerentes com as quais estamos trabalhando em prol do desenvolvimento de habilidades de aprendizagem. Uma indicação de que uma equipe tem problemas ocorre quando, em uma reunião de várias horas, poucas ou nenhuma pergunta é levantada. Talvez isso seja surpreendente, mas já vi reuniões que duraram três horas sem que fosse feita uma única pergunta! Não é preciso ser um especialista em "ciência da ação" para saber que não há muita indagação ocorrendo nessas reuniões.

Mas a indagação pura também é limitada. O questionamento pode ser crucial para romper a espiral de reforço da argumentação, mas enquanto uma equipe ou um indivíduo não aprende a combinar indagação e argumentação, as habilidades de aprendizagem são muito limitadas. Uma razão para as limitações da indagação pura é que, quase sempre, nós *temos* um ponto de vista, independentemente de acreditarmos ou não que o nosso ponto de vista é o único correto. Portanto, apenas fazer muitas perguntas pode ser uma forma de evitar a aprendizagem — ocultando nosso próprio ponto de vista atrás de um muro de incessante questionamento.

A aprendizagem mais produtiva normalmente ocorre quando os gerentes combinam habilidades de argumentação e indagação. Uma outra maneira de dizer isto é "indagação recíproca". Com essa expressão, queremos dizer que todos tornam seu pensamento explícito e sujeito ao exame público. Isso cria um clima de genuína vulnerabilidade. Ninguém está escondendo indícios ou raciocínios subjacentes aos seus pontos de vista — desenvolvendo-os sem torná-los abertos à indagação. Por exemplo, quando há um equilíbrio entre indagação e argumentação, além de eu investigar o raciocínio subjacente aos pontos de vista de outras pessoas, eu declararia os meus pontos de vista de forma a revelar minhas próprias premissas e meu raciocínio, convidando as outras pessoas a investigá-los. Eu poderia dizer: "Aqui está o meu ponto de vista e a forma como cheguei até ele. Como ele soa para vocês?"

Quando se utiliza apenas a argumentação, a meta é vencer a discussão. Quando se associa indagação e argumentação, a meta deixa de ser "vencer a discussão" e passa a ser encontrar o melhor argumento. Isso se revela na forma como usamos os dados e como mostramos o raciocínio subjacente às abstrações. Por exemplo, quando utilizamos exclusivamente a argumentação, tendemos a usar os dados seletivamente, apresentando apenas os dados que confirmam nossa posição. Quando explicamos o raciocínio subjacente à nossa posição, expomos apenas uma parte de nosso raciocínio suficiente para "defender nossa idéia", evitando áreas nas quais consideramos que nossos argumentos possam ser fracos. Em contrapartida, quando os níveis de indagação e argumentação são altos, estamos abertos à confirmação e à não confirmação dos dados — pois estamos genuinamente interessados em encontrar falhas em nossos pontos de vista. Da mesma forma, expomos nosso raciocínio, buscamos suas possíveis falhas e tentamos compreender o raciocínio das outras pessoas.

O ideal de associar indagação e argumentação é desafiador. Pode ser especialmente difícil se você trabalha em uma organização altamente política, que não está aberta à indagação genuína. (O Capítulo 13, "Abertura", trata desse assunto com mais detalhes.) Como um argumentador veterano, posso dizer que tive a paciência e a perseverança necessárias para procurar uma abordagem mais equilibrada. O progresso vem em etapas. Para mim, o primeiro estágio foi aprender a investigar as visões de outras pessoas quando não concordo com elas. Minha resposta habitual a essas divergências era defender com mais veemência a minha visão. Normalmente, essa atitude era tomada sem malícia, acreditando realmente que eu havia analisado os fatos e chegado a uma posição válida. Infelizmente, a conseqüência mais comum era a polarização ou o fim da discussão, destituindo-me do sentimento de parceria que eu realmente desejava. Hoje, com freqüência, respondo às diferenças de pontos de vista pedindo a outra pessoa para explicar melhor como chegou ao seu ponto de vista ou pedindo-lhe para detalhá-lo melhor. (Estou apenas me aproximando de um segundo estágio: expor meus pontos de vista e convidar as outras pessoas a também investigá-los.)

Embora seja apenas um novato na disciplina de equilíbrio entre indagação e argumentação, as recompensas têm sido gratificantes. O que se tornou óbvio em várias ocasiões é que, quando há indagação e argumentação, os resultados criativos são muito mais prováveis. Em certo sentido, quando duas pessoas adotam exclusivamente a argumentação, os resultados são predeterminados. A pessoa A vencerá a discussão ou a pessoa B vencerá a discussão ou ambas simplesmente manterão seus pontos de vista. Quando há indagação e argumentação, essas limitações se dissolvem. As pessoas A e B, ao se tornarem abertas à indagação de seus próprios pontos de vista, possibilitam as descobertas de pontos de vista inteiramente novos.

Na busca do domínio da disciplina do equilíbrio entre indagação e argumentação, descobri que é muito útil ter em mente as seguintes diretrizes:[16]

Ao defender seu ponto de vista:

- *Torne* seu raciocínio explícito (por exemplo, diga como chegou ao seu ponto de vista e descreva os "dados" nos quais ele se baseia).
- *Estimule* as outras pessoas a explorar seu ponto de vista (por exemplo, "Você vê lacunas no meu raciocínio?").
- *Estimule* as outras pessoas a fornecer pontos de vista diferentes (por exemplo, "Você dispõe de dados e/ou conclusões diferentes?").
- *Indague* ativamente sobre os pontos de vista de outras pessoas que diferem de seu próprio ponto de vista (por exemplo, "Quais são os seus pontos de vista?" "Como você chegou a eles?" "Você está levando em conta dados diferentes dos que eu considerei?").

Ao indagar sobre os pontos de vista de outras pessoas:

- Se está fazendo suposições em relação aos pontos de vista dos outros, exponha suas premissas claramente e reconheça que são premissas.
- Descreva os "dados" que serviram de base para as suas premissas.
- Não se preocupe em fazer perguntas se não estiver genuinamente interessado nas respostas (por exemplo, se está apenas tentando ser educado ou salientar-se aos outros).

Ao chegar a um impasse (as outras pessoas não parecem mais estar abertas à indagação sobre seus próprios pontos de vista):

- Pergunte que dados ou lógica poderiam mudar seus pontos de vista.
- Pergunte se existe uma forma de projetar em conjunto um experimento (ou um outro tipo de indagação) capaz de fornecer novas informações.

Quando você ou outras pessoas se sentirem hesitantes em expressar seus pontos de vista ou experimentar idéias alternativas:

- Estimule-as (ou estimule a si mesmo) a pensar em voz alta sobre o que poderia estar causando essa dificuldade (por exemplo, "O que está tornando a troca aberta de informações tão

difícil nessa situação ou no meu comportamento ou no comportamento de outras pessoas?").
- Se todos concordarem, elabore novas alternativas para transpor essas barreiras.

O ponto não é seguir à risca essas diretrizes, mas usá-las para manter em mente o espírito do equilíbrio entre indagação e argumentação. Como qualquer "fórmula" para dar os primeiros passos em uma das disciplinas de aprendizagem, elas devem ser usadas como "rodinhas" de sua primeira bicicleta. Elas podem ajudá-lo a começar, dando-lhe a sensação do que é "andar de bicicleta", ou seja, praticar indagação com argumentação. À medida que for adquirindo essa habilidade, provavelmente elas serão descartadas. Mas é sempre bom poder recorrer a elas periodicamente, quando você encontra um terreno acidentado.

Entretanto, é importante ter em mente que as diretrizes terão uso restrito se você não estiver genuinamente curioso e disposto a mudar seu modelo mental sobre uma situação. Em outras palavras, praticar indagação e argumentação significa estar disposto a expor as limitações de seu próprio pensamento — ter a disposição de estar errado. Só essa atitude pode dar às outras pessoas segurança para agir da mesma forma.

Teoria esposada versus *teoria-em-uso.* A aprendizagem pode resultar em mudança no curso de ação, e não simplesmente na absorção de informações e na geração de novas "idéias". É por isso que identificar a defasagem entre as teorias esposadas (o que dizemos) e as "teorias-em-uso" (as teorias subjacentes às nossas ações) é vital. Do contrário, podemos acreditar que "aprendemos" algo simplesmente porque começamos a usar a nova linguagem e os novos conceitos, embora nosso comportamento se mantenha totalmente inalterado.

Por exemplo, posso declarar um ponto de vista (uma teoria esposada) de que as pessoas são basicamente confiáveis. Mas jamais empresto dinheiro aos amigos e guardo com bastante cuidado todos os meus bens. Evidentemente, minha teoria-em-uso, meu modelo mental mais profundo, difere de minha teoria esposada.

Embora as defasagens entre as teorias esposadas e teorias-em-uso possam ser a causa de desânimo ou até de cinismo, isso não é necessariamente verdadeiro. Freqüentemente elas surgem em conseqüência do ponto de vista, e não da hipocrisia. Por exemplo, talvez meu ponto de vista inclua realmente a disposição de "confiar nas pessoas". A defasagem entre esse aspecto de meu ponto de vista e meu comportamento gera um potencial para mudança criativa. O problema não está na defasagem, como discutimos no Capítulo 9, "Domínio pessoal", mas no fato de não dizermos a verdade a respeito da defasagem. Enquanto não reconhecer a defasagem entre minha teoria esposada e meu comportamento, não ocorrerá aprendizagem.

Portanto, a primeira pergunta a propor ao enfrentar uma defasagem entre a teoria-em-uso e a teoria esposada é "Será que eu realmente valorizo a teoria esposada?" "Ela é uma parte importante da minha visão de futuro?" Se não houver comprometimento com a teoria esposada, a defasagem não representará uma tensão entre a realidade e minha visão de futuro, mas entre a realidade e uma visão que eu promovo (talvez por causa de como ela me faz ver as outras pessoas).

A dificuldade de enxergar as teorias-em-uso pode fazer com que você precise da ajuda de uma outra pessoa — um parceiro "implacavelmente compassivo" Na luta para desenvolver habilidades de reflexão, somos os maiores ativos uns dos outros. Como diz Bill O'Brien, da Hanover, "o olho não vê a si mesmo".

MODELOS MENTAIS E A QUINTA DISCIPLINA

Passei a acreditar que o pensamento sistêmico sem os modelos mentais é como o motor radial refrigerado a ar do DC-3 sem o *flap* de asa. Da mesma forma que os engenheiros do Boeing 247 tiveram que reduzir a potência do motor porque não tinham *flaps* de asa, o pensamento sistêmico sem a disciplina dos modelos mentais perde grande parte de sua potência. É por isso que muitas das nossas pesquisas atualmente no MIT focalizam em ajudar os gerentes a integrar habilidades de modelagem mental e pensamento sistêmico. As duas disciplinas caminham naturalmente juntas, pois uma se concentra em expor premissas ocultas e a outra focaliza em alternativas para reestruturar as premissas, a fim de revelar as causas de problemas significativos.

Como mostramos no início do capítulo, modelos mentais arraigados impediram mudanças que poderiam resultar do pensamento sistêmico. Os gerentes precisam aprender a refletir sobre seus atuais modelos mentais — enquanto as premissas mais importantes não forem expostas, não há razão para esperar que os modelos mentais mudem, e o pensamento sistêmico perde grande parte de seu propósito. Se os gerentes "acreditarem" que suas visões do mundo são fatos e não um conjunto de premissas, não estarão abertos a desafiar essas visões do mundo. Se não tiverem habilidades em indagar sobre suas próprias formas de pensamento e as das outras pessoas, ficarão limitados na experimentação coletiva de novas formas de pensamento. Além disso, se não houver uma filosofia e uma compreensão de modelos mentais estabelecidas na organização, as pessoas perceberão equivocadamente o propósito do pensamento sistêmico como traçar diagramas para desenvolver "modelos" elaborados do mundo, e não de aperfeiçoar os nossos modelos mentais.

O pensamento sistêmico é igualmente importante para abordar de forma eficaz os modelos mentais. A pesquisa contemporânea mostra que a maioria de nossos modelos mentais é sistematicamente incorreta. Não inclui relacionamentos críticos de *feedback*, julga incorretamente as defasagens e, freqüentemente, focaliza variáveis que são visíveis ou salientes, e não necessariamente variáveis de alta alavancagem. John Sterman, do MIT, mostrou experimentalmente que os participantes do jogo da cerveja, por exemplo, constantemente julgam de forma incorreta as defasagens no recebimento de pedidos. A maioria dos jogadores não vê ou não leva em conta no processo decisório os *feedbacks* críticos de reforço que se desenvolvem quando entram em pânico (pedem mais cerveja, acabando com o estoque de seus fornecedores, obrigando-os a aumentar as defasagens das entregas, o que pode aumentar o pânico). Sterman mostrou erros semelhantes em modelos mentais em vários experimentos.[17]

A compreensão desses erros pode ajudar a ver onde os modelos mentais são mais vulneráveis e onde é necessário algo mais do que simplesmente expor os modelos mentais dos gerentes para tomar decisões eficazes.

O que pode acelerar os modelos mentais como uma disciplina gerencial prática é uma *biblioteca de "estruturas genéricas"* usadas em toda a organização. Essas "estruturas" serão baseadas em arquétipos de sistemas como os apresentados no Capítulo 6. Mas deverão ser adequadas às especificidades de uma determinada situação — seus produtos, mercado e tecnologias. Por exemplo, as estruturas específicas de "transferência de responsabilidade" e "limites ao crescimento" em uma empresa de petróleo seriam diferentes das mesmas estruturas em uma seguradora, mas os arquétipos subjacentes seriam os mesmos. Essa biblioteca deve ser um subproduto natural da prática do pensamento sistêmico em uma organização.

Finalmente, o retorno da integração do pensamento sistêmico e dos modelos mentais será não apenas melhorar os nossos modelos mentais (o que pensamos), mas alterar nossas formas de pensamento: passar de modelos mentais dominados por eventos para modelos mentais que reconhecem os padrões de mudança de longo prazo e as estruturas subjacentes que produzem esses padrões. Por exemplo, os cenários da Shell, além de conscientizar os gerentes da empresa a respeito das mudanças, mudaram a forma como os gerentes pensavam sobre essas mudanças. Enquanto a maioria das outras empresas viu a ascensão da Opep como um evento isolado, ele sinalizou uma mudança nos padrões básicos de interações entre oferta-demanda para os gerentes da Shell — uma era de mercado em que o produto se vende sozinho, instabilidade, preços altos e crescimento reduzido de demanda. Isso deu a esses gerentes uma perspectiva de longo prazo que permitiu considerar suas opções estratégicas, levando-os a estabelecer políticas que serviriam para o restante da década. Em outras palavras, os cenários ajudaram os gerentes da Shell a dar o primeiro passo para se afastar do mundo dos eventos — enxergando os padrões de mudança.

Exatamente como o "pensamento linear" domina a maioria dos modelos mentais usados atualmente nas decisões críticas, as organizações que aprendem, no futuro, tomarão suas decisões com base em compreensões compartilhadas das inter-relações e padrões de mudança.

11

VISÃO COMPARTILHADA

INTERESSE EM COMUM

Talvez você se lembre do filme *Spartacus*, uma adaptação da história de um gladiador/escravo romano que liderou um exército de escravos em uma rebelião em 71 a.C.[1] Eles derrotaram as legiões romanas por duas vezes, mas foram finalmente cercados e dominados pelo general Marcus Crassus após uma longa batalha. No filme, Crassus diz aos mil sobreviventes do exército de Spartacus: "Vocês eram escravos e voltarão a ser escravos. Mas serão poupados da pena de crucificação pela clemência das legiões romanas. Basta que denunciem o escravo Spartacus, pois não sabemos quem ele é".

Após uma longa pausa, Spartacus (interpretado por Kirk Douglas) levanta-se e diz: "Eu sou Spartacus". Em seguida, o homem que está ao seu lado também se levanta e diz: "Eu sou Spartacus". E um outro homem levanta-se e diz: "Não, eu sou Spartacus". Em alguns minutos, todos os escravos do exército estão de pé.

Autêntica ou não, essa história demonstra uma profunda verdade. Todos os homens, ao se levantarem, escolheram a morte. Mas a lealdade do exército de Spartacus não era dirigida à figura de Spartacus, e sim a uma visão compartilhada inspirada por ele — o desejo de se tornarem homens livres. Essa visão era marcante demais para que um daqueles homens pensasse em desistir dela e conformar-se com a escravidão.

Uma visão compartilhada não é uma idéia. Nem que essa idéia seja tão importante quanto a liberdade. Ao contrário, é uma força no coração das pessoas, uma força de impressionante poder. Pode ser inspirada por uma idéia, mas quando evolui — quando é estimulante o suficiente para obter o apoio de mais de uma pessoa — deixa de ser uma abstração. Torna-se palpável. As pessoas começam a vê-la como se existisse. Poucas forças, se é que existe alguma, nas questões humanas, são tão poderosas quanto uma visão compartilhada.

No nível mais simples, uma visão compartilhada é a resposta à pergunta: "O que queremos criar?". Assim como as visões pessoais são retratos ou imagens que as pessoas têm na mente e no coração, as visões compartilhadas são imagens que pertencem a pessoas que fazem parte de uma organização. Essas pessoas desenvolvem um senso de comunidade que permeia a organização e dá coerência a diversas atividades.

Uma visão é realmente compartilhada quando você e eu temos a mesma imagem e assumimos o comprometimento mútuo de manter essa visão, não só individualmente, mas em conjunto. Quando realmente compartilham uma visão, as pessoas sentem-se conectadas, ligadas por uma aspiração comum. O poder das visões pessoais vem de um interesse individual profundo para com a visão. O poder das visões compartilhadas resulta de um interesse comum. Na verdade, concluímos que uma das razões pelas quais as pessoas buscam visões compartilhadas é seu desejo de se sentir conectadas a um empreendimento importante.

A visão compartilhada é essencial para a organização que aprende, pois fornece o foco e a energia para a aprendizagem. Embora a aprendizagem adaptativa seja possível sem uma visão, a aprendizagem generativa só ocorre quando as pessoas estão lutando para alcançar um objetivo de profunda importância para elas. Na verdade, a idéia da aprendizagem generativa — "expandir sua habilidade para criar" — será aparentemente abstrata e sem significado *até* as pessoas se sentirem entusiasmadas em relação a uma visão que realmente desejam realizar.

Hoje, "visão" é um conceito familiar em liderança na empresa. Mas ao se analisar detalhadamente, descobre-se que a maioria das "visões" é, na verdade, a visão de uma pessoa (ou de um grupo) imposta a uma organização. Tais visões têm, na melhor das hipóteses, aceitação — não comprometimento. Uma visão compartilhada conta com o verdadeiro comprometimento de muitas pessoas, pois reflete a visão pessoal de cada uma delas.

POR QUE AS VISÕES COMPARTILHADAS SÃO IMPORTANTES

É impossível imaginar realizações como a criação de empresas como AT&T, Ford ou Apple sem uma visão compartilhada. A visão de telefonia universal de Theodore Vail levou cinqüenta anos para se tornar realidade. Henry Ford previu que pessoas comuns, e não apenas os ricos, teriam seus próprios carros. Steven Jobs, Steve Wozniak e os co-fundadores da Apple enxergaram que o computador teria o poder de conferir poder às pessoas. Também é impossível imaginar a rápida ascensão de empresas japonesas como a Komatsu (que começou com um terço do tamanho da Caterpillar e igualou-se a ela em menos de duas décadas), a Canon (que saiu do nada e conquistou uma fatia do mercado global de reprodução de material impresso igual à da Xerox no mesmo período de tempo) ou a Honda, se essas empresas não tivessem sido guiadas por visões de sucesso global.[2] O mais importante é que essas visões individuais foram realmente compartilhadas por pessoas em todos os níveis dessas empresas — concentrando as energias de milhares de indivíduos e criando uma identidade comum entre pessoas totalmente diferentes.

Muitas visões compartilhadas são extrínsecas — ou seja, focalizam um objetivo relativo a algo externo à empresa, por exemplo, um concorrente. A visão da Pepsi é explicitamente voltada para superar a Coca-Cola; a visão da Avis é direcionada à Hertz. Entretanto, as metas que se limitam a derrotar um oponente são transitórias. Quando a visão é alcançada, pode se transformar em uma postura defensiva de "proteger o que temos, não perder o primeiro lugar". Essas metas defensivas raramente estimulam a criatividade e o entusiasmo de criar algo novo. Um mestre em artes marciais, por exemplo, provavelmente se concentra muito mais em seus próprios padrões de "excelência" do que em "derrotar todos os outros". Isso não significa que as visões devam ser intrínsecas *ou* extrínsecas. A coexistência dos dois tipos de visão é possível. Mas a confiança em uma visão exclusivamente baseada em derrotar um adversário pode enfraquecer a organização a longo prazo.

Kazuo Inamori, da Kyocera, estimula os funcionários a "olhar para dentro de si mesmos", a fim de descobrir seus próprios padrões internos. Ele argumenta que uma empresa pode, enquanto luta para ser a número um em sua área, lutar para ser "melhor" do que as outras ou "a melhor" em seu setor. Mas para Inamori, a visão da Kyocera deve ser a eterna busca da "perfeição", e não o simples desejo de ser a "melhor". (Observe que Inamori aplica o princípio da tensão criativa — "não se trata do que a visão é, mas do que ela faz...")[3].

Uma visão compartilhada, especialmente uma visão intrínseca, eleva as aspirações das pessoas. O trabalho torna-se parte da busca de um propósito superior incorporado aos produtos e serviços das organizações — acelerar a aprendizagem através dos computadores pessoais, comunicar-se com o mundo através da telefonia universal ou promover a liberdade de movimentos através do automóvel pessoal. O propósito maior também pode ser incorporado ao estilo, clima e espírito da organização. Max de Pree, CEO aposentado da empresa de móveis Herman Miller, dizia que sua visão para a empresa era "ser um presente para o espírito humano" — referindo-se não somente aos produtos da Herman Miller, mas também aos seus funcionários, ao clima da empresa e ao seu comprometimento maior com um ambiente de trabalho produtivo e harmonioso.[4]

As visões são excitantes. Criam a centelha, o entusiasmo que eleva a organização do mundano. "Independentemente dos problemas da concorrência ou de seus problemas internos", escreveu John Sculley sobre o famoso produto visionário da Apple, "senti meu espírito reagir quando entrei no prédio da Macintosh. Sabíamos que em breve seríamos testemunhas de um evento de proporções históricas."[5]

A visão compartilhada muda o relacionamento das pessoas com a empresa. Em lugar de "sua empresa", ela se transforma em "nossa empresa". Uma visão compartilhada é o primeiro passo para conseguir que pessoas que não confiam umas nas outras comecem a trabalhar em conjunto. Cria uma identidade comum. Na verdade, a noção compartilhada de propósito, visão e valores operacionais da organização estabelece o nível mais básico de compartilhamento. No final de sua carreira, o psicólogo Abraham Maslow dedicou-se ao estudo de equipes de alto desempenho. Uma das características mais marcantes observadas por ele foi a visão e os propósitos compartilhados. Maslow observou que, nas equipes excepcionais,

> a tarefa já não era independente do eu... mas, ao contrário, [a pessoa] identificou-se tão intensamente com essa tarefa que não era possível definir seu verdadeiro eu sem incluir a tarefa.[6]

As visões compartilhadas estimulam a coragem de uma forma tão natural que as pessoas nem percebem a extensão de sua coragem. Ter coragem é simplesmente fazer o que for necessário para realizar a visão. Em 1961, John Kennedy expressou uma visão que emergira há muitos anos entre os líderes do programa espacial norte-americano: levar o homem à Lua até o final da década de 70.[7] Essa visão resultou em inúmeros atos de coragem e ousadia. Uma versão moderna da história de Spartacus ocorreu em meados da década de 60 no Drapers Laboratories do MIT. O laboratório fora contratado pela Nasa para desenvolver o sistema de navegação e direção que levaria os astronautas da Apollo à Lua. Depois de vários anos trabalhando no projeto, os diretores do laboratório concluíram que as especificações originais estavam erradas. Essa conclusão criou uma situação extremamente constrangedora, pois vários milhões de dólares já tinham sido gastos. Em lugar de buscar uma solução rápida para "consertar" a situação, pediram à Nasa que anulasse o projeto e começasse tudo novamente. Além de colocar em risco o contrato, os diretores do laboratório arriscaram sua reputação. Mas essa era a única atitude possível. A organização possuía uma única razão de ser, que estava incorporada a uma visão bastante simples — levar o homem à Lua até o final da década. Eles estavam dispostos a fazer o que fosse necessário para realizar essa visão.

Em meados da década de 80, quando todo o pequeno setor de computadores baseava-se no IBM PC, a Apple insistiu na visão de um computador que poderia ser compreendido intuitivamente, que representasse a liberdade de pensar por conta própria. Ao longo desse caminho, além de recusar a oportunidade "certa" de ser a principal fabricante de um "clone" do PC, os líderes da Apple desistiram de uma inovação na qual haviam sido pioneiros: a arquitetura aberta, que permitia o acréscimo de componentes de acordo com as necessidades individuais. Essa arquitetura não se adequava a um computador fácil de usar. Estrategicamente, a mudança valeu a pena, contribuindo para o perfil e a reputação de uma empresa que nem os fabricantes de "clones" mais bem-sucedidos, como a Compaq, jamais conseguiram imitar. O Macintosh da Apple, além de ser fácil de usar, transformou-se em um novo padrão no setor, tornando a diversão uma prioridade na computação pessoal.

Não existe organização que aprende sem uma visão compartilhada. Sem um impulso em direção a uma meta que as pessoas realmente desejam realizar, as forças que apóiam o *status quo* podem ser avassaladoras. A visão estabelece uma meta abrangente. A superioridade da meta estimula novas formas de pensar e agir. Uma visão compartilhada também provê um leme para manter o processo de aprendizagem em curso quando o estresse se desenvolve. A aprendizagem pode ser difícil, até dolorosa. Com uma visão compartilhada, estamos mais propensos a expor nossas idéias, desistir de posições extremamente arraigadas e reconhecer dificuldades pessoais e organizacionais. Todos esses problemas parecem triviais comparados com a importância do que buscamos criar. Como coloca Robert Fritz, "na presença da grandeza, a trivialidade desaparece". Na ausência de um sonho grandioso, a insignificância prevalece.

Uma visão compartilhada estimula o arriscar e a experimentação. "Uma pessoa imersa em uma visão", diz Ed Simon, presidente da Herman Miller, "sabe o que precisa fazer. Mas freqüentemente não sabe como fazê-lo. Experimenta porque acredita que experimentando pode chegar lá. Não funciona. Novas informações. Novos dados. Muda a direção e tenta um novo experimento. Tudo é experimento, mas não há ambigüidade. Você sabe perfeitamente a razão do experimento. Ninguém está dizendo: 'Me dê uma garantia de que vai funcionar'. Todo mundo sabe que não existe garantia. Mesmo assim, todas as pessoas estão comprometidas."

Finalmente, a visão compartilhada aborda um dos principais quebra-cabeças que comprometeram os esforços em prol do desenvolvimento do pensamento sistêmico na administração: "Como podemos promover o compromisso com o longo prazo?"

Durante anos, os adeptos do pensamento sistêmico esforçaram-se para convencer os gerentes de que teriam grandes problemas se não mantivessem o foco a longo prazo. Com grande veemência, criamos proselitismos sobre as conseqüências que "melhoram antes de piorar" de várias intervenções e sobre a dinâmica da "transferência de responsabilidade" resultante das correções paliativas. Contudo, testemunhei poucas mudanças duradouras em termos de ações e comprometimento de longo prazo. Pessoalmente, passei a acreditar que o erro não está na incapacidade de persuasão, nem na ausência de indícios suficientemente estimulantes. *Talvez seja simplesmente impossível convencer os seres humanos a racionalmente adotarem uma visão a longo prazo.* As pessoas não focalizam o longo prazo porque *precisam*, mas porque *querem*.

Tratando de questões humanas, em todas as situações nas quais conseguimos detectar uma perspectiva a longo prazo em operação, existe a atuação de uma visão a longo prazo. Os construtores de catedrais da Idade Média trabalhavam a vida toda sabendo que os frutos de seu trabalho só se concretizariam cem anos depois. Os japoneses acreditam que construir uma grande organização é como cultivar uma árvore; leva de vinte e cinco a cinqüenta anos. Os pais tentam construir uma base de valores e atitudes nas crianças que lhes será útil vinte anos depois, quando se tornarem adultos. Em todos esses casos, as pessoas acreditam em uma visão que só pode ser realizada a longo prazo.

Freqüentemente, o planejamento estratégico, que deve ser a base do pensamento a longo prazo nas empresas, é reativo e baseia-se a curto prazo. Segundo dois dos mais articulados críticos do planejamento estratégico contemporâneo, Gary Hamel, da London Business School, e C. K. Prahalad, da Universidade de Michigan:

> Embora o planejamento estratégico seja propagado como uma alternativa para que a empresa se torne mais orientada para o futuro, a maioria dos gerentes, quando pressionados, concordarão que seus planos estratégicos revelam mais sobre os problemas de hoje do que sobre as oportunidades do amanhã.[8]

A ênfase na análise extensiva dos pontos fortes e fracos dos concorrentes, dos nichos de mercado e dos recursos da empresa impede o planejamento estratégico típico de concretizar a única realização que estimularia as ações a longo prazo — nas palavras de Hamel e Prahalad, estabelecer "uma meta que justifique o comprometimento".

Entretanto, mesmo com toda a atenção que se dedica a esse componente da aprendizagem da empresa, a visão continua sendo considerada uma força misteriosa e incontrolável. Os líderes que possuem uma visão são heróis *cult*. Embora seja verdade que não existem fórmulas para "encontrar sua visão", há princípios e diretrizes que ajudam a desenvolver uma visão compartilhada. Há uma disciplina emergente, que se dedica ao desenvolvimento de visões, e existem ferramentas práticas para se trabalhar com visões compartilhadas. Essa disciplina amplia os princípios e os *insights* do domínio pessoal ao mundo das aspirações coletivas e do comprometimento compartilhado.

A DISCIPLINA DE CRIAÇÃO DE UMA VISÃO COMPARTILHADA

Estimulando a visão pessoal

As visões compartilhadas surgem a partir de visões pessoais. É assim que obtêm sua energia e estimulam o comprometimento. Como observa Bill O'Brien, da Hanover Insurance: "Minha visão não é importante para você. A única visão capaz de motivá-lo é a sua visão". Não significa que as pessoas se importem apenas com seus interesses pessoais — na verdade, as visões pessoais normalmente incluem dimensões que se referem à família, à organização, à comunidade e até ao mundo. Ao contrário, O'Brien enfatiza que o ato de se importar é um ato pessoal. Baseia-se no conjunto de valores, preocupações e aspirações do indivíduo. Por isso, o interesse genuíno sobre uma visão compartilhada baseia-se em visões pessoais. Muitos líderes ignoram essa verdade simples e resolvem que sua organização tem que desenvolver uma visão até amanhã!

As organizações que tencionam criar visões compartilhadas estimulam continuamente seus integrantes a desenvolver suas visões pessoais. Se não tiverem sua própria visão, restará às pessoas simplesmente "assinar em baixo" a visão do outro. O resultado é a aceitação, nunca o comprometimento. Por outro lado, pessoas que têm uma forte noção de direção pessoal podem se juntar para criar uma sinergia poderosa em busca do que eu/nós realmente desejamos.

O domínio pessoal é a pedra fundamental do desenvolvimento de visões compartilhadas. Isto significa não somente visão pessoal, mas compromisso com a verdade e a tensão criativa — as marcas registradas do domínio pessoal. A visão compartilhada pode gerar níveis de tensão criativa muito superiores aos "níveis de conforto" dos indivíduos. Os que forem capazes de "manter" essa tensão criativa — manter uma visão clara e, ao mesmo tempo, continuar investigando a realidade atual — contribuirão mais intensamente para a realização de uma visão grandiosa. Essas são as pessoas que acreditam profundamente em sua habilidade de criar o futuro, pois experimentam essa habilidade pessoalmente.

Ao estimular a visão pessoal, as organizações devem ter o cuidado de não infringir as liberdades individuais. Como discutimos no Capítulo 9, "Domínio pessoal", ninguém pode dizer a outra pessoa "esta é a sua visão", nem forçá-la a desenvolver uma visão. Entretanto, há atitudes positivas que podem ser tomadas para criar um clima capaz de estimular a visão pessoal. A atitude mais direta cabe aos líderes que possuem um senso de visão e que devem comunicá-lo de tal forma que os outros se sintam encorajados a compartilhar suas próprias visões. Esta é a arte da liderança visionária — construir visões compartilhadas a partir de visões pessoais.

DAS VISÕES PESSOAIS ÀS VISÕES COMPARTILHADAS

Como as visões individuais se combinam para criar visões compartilhadas? Uma boa metáfora é a do holograma, a imagem tridimensional criada pela interação de diversas fontes de luz.

Se você cortar uma fotografia ao meio, cada metade mostrará apenas parte da imagem do todo. Mas se dividir um holograma, cada parte mostrará a imagem inteira intacta. Da mesma forma, se continuar dividindo o holograma, independentemente do tamanho das partes, cada uma ainda mostrará a imagem do todo. Assim, quando um grupo de pessoas compartilha a visão de uma organização, cada uma está vendo sua própria imagem da organização. Todas compartilham a responsabilidade pelo todo, e não apenas pela sua parte. Mas os "pedaços" componentes do holograma não são idênticos. Cada um representa a imagem do todo de um ponto de vista diferente. É como se você estivesse olhando através das frestas de uma persiana; cada fresta oferece um ângulo diferente da mesma imagem. O mesmo ocorre com a visão de cada indivíduo sobre o todo. Cada um de nós tem sua forma particular de perceber a visão mais ampla.

Quando juntamos as partes de um holograma, a imagem do todo não muda fundamentalmente. Afinal, essa imagem estava lá em cada parte. Ao contrário, a imagem fica mais intensa, mais vívida. Quando aumenta o número de pessoas que compartilham uma visão comum, a visão básica não muda, e, sim, torna-se mais viva, mais real — uma realidade mental que as pessoas podem realmente se imaginar alcançando. As pessoas agora possuem parceiros, "co-criadores"; a visão já não se apóia exclusivamente sobre seus ombros. Inicialmente, quando estão formando sua visão individual, as pessoas podem chamá-la de "minha visão". Mas, à medida que se desenvolve, a visão compartilhada se transforma simultaneamente em "minha visão" e "nossa visão".

O primeiro passo no domínio da disciplina de criação de visões compartilhadas é abandonar as noções tradicionais de que as visões vêm sempre "de cima" ou resultam dos processos institucionalizados de planejamento da organização.

Na organização hierárquica tradicional, o fato de a visão emanar do topo não era contestado. Muitas vezes, a visão da empresa não era sequer compartilhada — bastava que as pessoas soubessem que "ordens" deveriam obedecer para que pudessem executar suas tarefas de apoio à visão maior. Ed Simon, da Herman Miller, diz: "Se eu fosse presidente de uma organização autoritária tradicional e tivesse uma nova visão, a tarefa seria muito mais simples do que a que enfrentamos hoje. A maioria das pessoas na organização não precisaria compreender a visão. As pessoas precisariam simplesmente saber o que a organização esperava delas".

Essa visão tradicional "top-down" não é muito diferente de um processo que se tornou bastante popular nos últimos anos. A alta gerência redige a "declaração de visão", muitas vezes com a ajuda de consultores. Este processo pode visar a solução de um problema de moral baixa ou falta de direção estratégica. Às vezes, o processo é essencialmente reflexivo. Em outras, incorpora uma análise ampla dos concorrentes da empresa, das características do mercado e dos pontos fortes e fracos da organização. Independentemente disso, por diversas razões, os resultados são quase sempre frustrantes.

Primeiro, freqüentemente, essa visão é caracterizada por "um único tiro", um esforço único para criar uma direção abrangente e um significado para a estratégia da empresa. Uma vez redigida, a gerência pressupõe que cumpriu seus deveres visionários. Recentemente, um de meus colegas da Innovation Associates explicava a dois gerentes a forma através da qual nosso grupo lida com a questão da visão. Antes de desenvolver sua idéia, foi interrompido por um dos gerentes: "Já fizemos isso", disse. "Já redigimos nossa declaração de visão." "Isso é muito interessante", respondeu meu colega. "Então qual foi o resultado?" O gerente virou-se para o outro gerente e perguntou: "Joe, onde está mesmo aquela declaração de visão?" Redigir uma declaração de visão pode ser o primeiro passo para criar uma visão compartilhada mas, por si só, não "dá vida" à visão dentro da organização.

O segundo problema quando a alta gerência faz uma reunião de fim de semana para redigir a declaração de visão é que a visão resultante não se baseia nas visões pessoais das outras pessoas que integram a organização. Freqüentemente, as visões pessoais são totalmente ignoradas na busca de uma "visão estratégica". Ou a "visão oficial" reflete apenas a visão pessoal de uma ou duas pessoas. Não há grandes oportunidades de indagação e teste em todos os níveis da organização, a fim de que as pessoas compreendam e desenvolvam um sentimento de propriedade em relação à visão. Como resultado, a nova visão oficial também não consegue gerar energia e comprometimento. Simplesmente não inspira as pessoas. Na verdade, às vezes desperta pouca paixão mesmo na equipe de alta gerência que a criou.

Finalmente, a visão não é "uma solução para um problema". Se for vista sob essa ótica, quando o "problema" de moral baixa ou direção estratégica mal definida desaparecer, a energia subjacente à visão também desaparecerá. A criação de uma visão compartilhada deve ser considerada um elemento central do dia-a-dia dos líderes. Ela é contínua e eterna. Na verdade, faz parte de uma atividade maior da liderança: projetar e estimular o que Bill O'Brien, da Hanover, chama de "idéias governantes" da empresa — não só a visão isolada, mas também seu propósito e valores essenciais. Como diz O'Brien: "As idéias governantes são muito mais importantes e duradouras do que o organograma ou a estrutura de divisões que com freqüência constituem as principais preocupações dos CEOs."

Às vezes, os gerentes esperam que as visões compartilhadas resultem de um processo de planejamento estratégico da empresa. Mas, pelas mesmas razões que levam a maioria dos processos "top-down" de definição de visão a fracassar, a maioria dos planejamentos estratégicos também não consegue estimular uma visão genuína. Segundo Hamel e Prahalad:

> Estratégias criativas raramente resultam do ritual anual de planejamento. O ponto de partida para a estratégia do próximo ano é quase sempre a estratégia desse ano. As melhorias são incrementais. A empresa se mantém nos segmentos e territórios que conhece, embora as verdadeiras oportunidades talvez estejam em outro lugar. O ímpeto da entrada pioneira da Canon no negócio de copiadoras pessoais originou-se em uma subsidiária estrangeira de vendas — e não foi gerado pelos planejadores japoneses.[9]

Isso não quer dizer que as visões não possam emanar do topo. Isso acontece com freqüência. Algumas vezes, porém, emanam de visões pessoais de indivíduos que não ocupam posições de autoridade. Outras, simplesmente "borbulham" como resultado da interação de pessoas que ocupam vários níveis da organização. A origem da visão é muito menos importante do que o processo que a transforma em uma visão compartilhada. A visão só se transforma em "visão compartilhada" quando se conecta às visões pessoais de todos os integrantes da organização.

Para aqueles em posições de liderança, o mais importante é lembrar que suas visões também são visões pessoais. O simples fato de ocuparem uma posição de liderança não significa que suas visões pessoais são *automaticamente* as visões da organização. Quando ouço os líderes dizerem "nossa visão" e sei que, na verdade, estão descrevendo a "minha visão", lembro-me das palavras de Mark Twain de que o pronome "nós" oficial deveria ser reservado aos "reis e às pessoas com lombriga".

Finalmente, os líderes que desejam construir visões compartilhadas devem estar dispostos a compartilhar continuamente suas visões pessoais. Além disso, precisam estar preparados para perguntar: "Você vai me seguir?". Talvez isso seja difícil. Para uma pessoa que passou toda a sua carreira estabelecendo metas e simplesmente anunciando-as, pedir apoio pode fazer com que se sinta extremamente vulnerável.

John Kryster era presidente de uma grande divisão de uma empresa de produtos domésticos líder de mercado, e acreditava que sua divisão deveria ser uma das principais em seu setor. Essa visão, além de exigir produtos excelentes, exigia que a empresa fornecesse seus produtos ao "cliente" (supermercados de varejo) de uma forma mais eficiente e eficaz do que qualquer outro fornecedor. Kryster imaginou um sistema mundial de distribuição capaz de levar o produto ao cliente em metade do tempo e reduzir significativamente o custo do desperdício e dos recarregamentos. Conversou com outros gerentes, operários, pessoal encarregado da distribuição, clientes. Todos pareceram entusiasmados, embora tenham ressaltado que muitas de suas idéias não poderiam ser colocadas em prática por serem contrárias a várias políticas tradicionais da matriz.

Em especial, Kryster precisava do apoio da chefe de distribuição de produtos, Harriet Sullivan, que, embora fosse tecnicamente colega de Kryster pela estrutura matricial, tinha quinze anos a mais de experiência. Kryster preparou uma apresentação detalhada para Sullivan, a fim de lhe mostrar os méritos de suas novas idéias de distribuição. Mas cada informação que mostrava era contra-atacada por Sullivan com uma crítica. Kryster saiu da reunião acreditando que as pessoas que duvidaram de sua idéia provavelmente tinham razão.

Em seguida, concebeu uma forma de testar o novo sistema em um único mercado geográfico. O risco seria menor e ele poderia conquistar o apoio da cadeia local de supermercados, que havia demonstrado entusiasmo especial pelo conceito. Mas o que deveria fazer em relação a Sullivan? Sua intuição era de que não devia lhe contar coisa alguma. Afinal, tinha autoridade para iniciar o experimento, usando seu próprio pessoal de distribuição. Contudo, valorizava a experiência e o julgamento de Sullivan.

Após uma semana de reflexão, Kryster voltou a pedir o apoio de Sullivan. Dessa vez, entretanto, deixou os gráficos e os dados em casa. Expôs-lhe apenas as razões pelas quais acreditava na idéia, mostrou-lhe como poderia criar uma nova parceria com os clientes e como seus méritos poderiam ser testados sem grandes riscos. Para sua surpresa, a difícil chefe de distribuição ofereceu sua ajuda ao projeto. "Quando me procurou na semana passada", disse, "você estava tentando me convencer. Agora, está disposto a testar sua idéia. Continuo achando que não vai dar certo, mas vejo que é extremamente importante para você. Portanto, quem sabe aprenderemos alguma coisa."

Isso foi há cinco anos. Hoje, o sistema de distribuição inovador de John Kryster é usado no mundo inteiro por quase todas as divisões da empresa. Reduziu significativamente os custos e auxiliou a formação de amplas alianças estratégicas que a empresa está aprendendo a criar com as cadeias de varejo.

Quando as visões se iniciam nos níveis médios da organização, passam basicamente pelo mesmo processo de compartilhar e ouvir opiniões, que as visões iniciadas no topo. Mas demoram mais, especialmente se tiverem implicações para a organização como um todo.

Bart Bolton era gerente de nível médio de Sistemas de Informações (SI) da Digital Equipment Corporation quando, em 1981, ele e um pequeno grupo de colegas começaram a desenvolver a idéia da Digital como uma organização interconectada. "Alguns de nós participaram de um workshop e, quando voltamos à empresa, começamos a conversar sobre a possibilidade de transformar a divisão de SI. O problema fundamental, na opinião de todos, era que a divisão de SI simplesmente não tinha uma visão. Todos discutiam os *comos*, mas ninguém se preocupava com *o que*. Contudo, acreditávamos que havia um resultado final que realmente valeria a pena. Não sabíamos exatamente como seria, mas a idéia de interligar eletronicamente a organização parecia certa. Dados os nossos produtos e a nossa tecnologia, poderíamos nos tornar uma das primeiras, ou talvez a primeira grande empresa, totalmente interconectada eletronicamente." Estava tão entusiasmado com a idéia que não conseguiu dormir durante vários dias pensando nas suas implicações.

Mas, em 1981, ninguém tinha a menor idéia de como a transformação poderia ser feita. "Na época, estava simplesmente fora do alcance do possível. Conseguíamos transferir arquivos de um computador para outro, mas não tínhamos uma rede. Havia um software de rede em desenvolvimento, mas tinha muitos problemas. Se trabalhássemos muito nesse software, talvez conseguíssemos interconectar dez ou vinte máquinas, mas ninguém jamais sonhara em interconectar uma centena de máquinas, muito menos milhares. Analisando retrospectivamente, a situação era semelhante à de Kennedy quando anunciou a visão do 'Homem na Lua' — sabíamos 15 por cento do que precisávamos saber para chegar lá. Mas sabíamos que o caminho estava certo."

Bolton e seus colegas não tinham "autoridade" para perseguir a idéia, mas não conseguiam parar de pensar nela. Em novembro de 1981, Bolton redigiu um documento, que leu a todo o pessoal sênior de SI em uma reunião. No documento, dizia que a organização do futuro envolveria novas tecnologias de SI, consideraria os "dados como recurso, exatamente como, no passado, a organização considerava o capital e as pessoas como recursos" e que "as redes conectariam todas as funções". "Quando terminei, todos ficaram em silêncio. Foi como se estivéssemos em uma igreja. Achei que tinha estragado tudo. Meu chefe, Al Crawford, chefe de SI, sugeriu um intervalo de dez minutos. Quando voltaram, todas as pessoas queriam saber 'Como vamos promover essa idéia? Como a transformaremos em realidade?' Minha única resposta foi: 'Essa tem que ser a visão de todos, e não a minha, ou jamais se transformará em realidade.'"

"Sabia que os caras do topo tinham que ser 'conquistados' e que minha tarefa era ajudá-los a liderar esse processo. À medida que conquistasse outras pessoas, elas também se tornariam mensageiras." Um grupo de SI preparou uma apresentação para ser usada por Crawford em toda a organização. Criou-se a imagem de "interligar a organização". "Tornou-se incrivelmente excitante", disse Bolton, "observar o processo de desenvolvimento da visão, cada pessoa acrescentando algo novo, aperfeiçoando-a e transformando-a em realidade. Começamos literalmente a conversar sobre 'fios de cobre interligando o mundo'".

Em 1982, Crawford fez a apresentação a todas as principais equipes funcionais da Digital. A idéia — o "o que" — começou a tomar forma. Em seguida, a organização de SI criou cinco programas sobrepostos para atacar o "como": um programa de rede, um programa de dados, um programa de automação de escritório, um programa de instalações e um programa de aplicativos. Em 1985, a primeira rede foi implantada. Em 1987, mais de 10.000 computadores estavam conectados *on-line*. Hoje, a Digital tem mais de 600 instalações interconectadas em mais de 50 países. São mais de 43.000 computadores interligados. Atualmente, a empresa é considerada pelos especialistas uma das pioneiras da organização em rede. Além disso, a "organização em rede" é um tema dominante na estratégia de marketing e propaganda da Digital.

O consultor organizacional Charlie Kiefer diz que, "a despeito da excitação gerada por uma visão, o processo de criação de uma visão compartilhada nem sempre é deslumbrante. Gerentes habilidosos no desenvolvimento de visões compartilhadas conversam sobre o processo em termos simples. 'Conversar sobre a visão' é uma prática incorporada ao dia-a-dia. A maioria dos artistas não se sente muito entusiasmada em relação ao *processo* de criação da arte. Entusiasmam-se com os resultados". Ou, como coloca Bill O'Brien, "ser um líder visionário não é dar palestras e inspirar as massas. Passo meu dia como qualquer executivo. Ser um líder visionário é resolver os problemas do dia-a-dia tendo em mente a minha visão".

O surgimento de visões verdadeiramente compartilhadas é um processo demorado. As visões compartilhadas evoluem como subproduto de interações de visões individuais. A experiência sugere que essas visões genuinamente compartilhadas exigem conversas constantes nas quais os indivíduos não só se sentem livres para expressar seus sonhos, como também aprendem a ouvir os sonhos uns dos outros. Como resultado deste processo, surgem novos *insights* sobre o que é possível.

Ouvir é freqüentemente mais difícil do que falar, especialmente para gerentes de personalidade forte com idéias definidas sobre as necessidades da empresa. É preciso uma abertura extraordinária e a disposição de combinar uma diversidade de idéias. Isso não implica a obrigação de sacrificar nossa visão "em prol de uma causa maior". Ao contrário, é preciso permitir a coexistência de múltiplas visões, prestando atenção ao curso de ação correto que transcende e unifica todas as visões individuais. Como expressou um CEO extremamente bem-sucedido: "Meu trabalho, fundamentalmente, é ouvir o que a organização está tentando dizer e assegurar que essa necessidade está sendo articulada".

DISSEMINANDO AS VISÕES: PARTICIPAÇÃO, COMPROMETIMENTO E ACEITAÇÃO[10]

Poucos assuntos falam mais alto ao coração dos gerentes contemporâneos do que o comprometimento. Estimulados por estudos que mostram que a maioria dos operários norte-americanos possui baixos níveis de comprometimento[11], e por histórias de empresas estrangeiras concorrentes com trabalhadores comprometidos, os gerentes voltaram-se para a "gerência baseada no comprometimento", os "sistemas de trabalho de alto comprometimento" e outras abordagens. Contudo, o comprometimento verdadeiro ainda é raro nas organizações de hoje. É nossa experiência que, em 90 por cento dos casos, o que passa por comprometimento é aceitação.

Hoje, é comum ouvir os gerentes falarem de convencer as pessoas a "comprar" a visão. Temo que, para muitos, o verbo remeta a um processo de venda, no qual uma pessoa vende e outra compra. Contudo, existe uma tremenda diferença entre "vender" e "participar". "Vender" geralmente significa conseguir que alguém faça algo que talvez não fizesse se tivesse o domínio total de todos os fatos. "Participar", em contrapartida, significa literalmente "fazer parte". A participação implica livre escolha; a venda, freqüentemente, não tem esse significado.

"Participação é o processo", diz Kiefer, "de se tornar parte de alguma coisa por opção." "Comprometimento" descreve, além de um estado de participação, um sentimento de total responsabilidade na transformação da visão em realidade. Posso me sentir parte integrante de sua visão. Posso desejar realmente que se transforme em realidade. Contudo, ainda assim, é a sua visão. Tomarei atitudes à medida que as necessidades aparecerem, mas não passarei o dia todo pensando no próximo passo.

Por exemplo, muitas vezes, as pessoas participam de causas sociais pelo desejo genuíno de corrigir desigualdades específicas. Uma vez por ano talvez façam uma doação para contribuir com alguma campanha. Mas, quando estão comprometidas, a "causa" pode contar com elas. Farão o que for necessário para transformar a visão em realidade. A visão está impulsionando suas ações. Algumas usam a expressão "ser uma fonte" para descrever a energia única que as pessoas comprometidas dedicam à visão.

Na maioria das organizações contemporâneas, o número de pessoas que participam efetivamente é relativamente pequeno — e o número de pessoas comprometidas é ainda menor. A grande maioria assume um estado de "aceitação". Essas pessoas apenas seguem a visão. Fazem o que se espera delas. Apóiam a visão, até certo ponto, mas não participam ou se comprometem verdadeiramente com ela.

A aceitação freqüentemente é confundida com participação e comprometimento. Em parte, isso ocorre porque a aceitação prevaleceu durante tanto tempo na maioria das organizações que não sabemos como reconhecer o verdadeiro comprometimento. Além disso, existem vários níveis de aceitação; alguns levam a um comportamento bastante semelhante aos comportamentos associados a participação e comprometimento.

POSSÍVEIS ATITUDES EM RELAÇÃO A UMA VISÃO

Comprometimento: Quer. Transformará em realidade. Cria todas as "leis" (estruturas) necessárias.
Participação: Quer. Fará todo o possível dentro do "espírito da lei".

Aceitação genuína: Vê os benefícios da visão. Faz tudo o que se espera e mais. Segue a "lei". "Bons soldados."
Aceitação formal: No todo, vê os benefícios da visão. Faz o que se espera e nada mais. "Muito bom soldado."
Aceitação hostil: Não vê os benefícios da visão. Mas também não quer perder o emprego. Faz o que se espera porque tem que fazer, mas deixa bem claro que não está realmente "a bordo".
Não-aceitação: Não vê os benefícios da visão e não faz o que se espera. "Não vou fazer isso; ninguém pode me obrigar."
Apatia: Nem contra nem a favor da visão. Desinteressado. Sem energia. "Será que já são cinco horas?"

O limite de velocidade na maioria dos Estados norte-americanos é 90 quilômetros por hora. Uma pessoa que é genuinamente conformada com a lei jamais desobedeceria o limite de 90 quilômetros por hora. Uma pessoa formalmente conformada dirigiria a 95 ou 100 quilômetros por hora porque, na maioria dos Estados, o motorista só é multado quando ultrapassa os 100 quilômetros por hora. Uma pessoa hostilmente conformada não desobedeceria o limite de 100 quilômetros por hora, mas reclamaria o tempo todo. Uma pessoa que não aceita colocaria o "pé no acelerador" e faria o possível para fugir dos guardas. Por outro lado, uma pessoa verdadeiramente comprometida com os 90 quilômetros por hora obedeceria esse limite mesmo que ele não fosse estabelecido por lei.

Na maioria das organizações, a maior parte das pessoas encontra-se em estado de aceitação formal ou genuína em relação às metas e regras básicas da empresa. Elas vão "junto com a maré", sinceramente tentando contribuir. Por outro lado, pessoas que não aceitam ou aceitam hostilmente normalmente se destacam. Essas pessoas se opõem às metas ou regras básicas e deixam bem clara essa oposição, seja através da apatia ou (no caso de aceitação hostil) adotando uma postura de "obediência maliciosa" — "Farei isso somente para provar que não vai funcionar". Talvez não se manifestem publicamente contrárias às metas da organização, mas suas visões são conhecidas apesar disso. (Freqüentemente reservam seus sentimentos mais verdadeiros para os banheiros e corredores.)

As diferenças entre os vários Estados de aceitação podem ser sutis. O estado mais problemático é o de aceitação genuína, que freqüentemente é confundido com participação ou comprometimento. O protótipo do "bom soldado", característico da aceitação genuína, fará o que se espera dele, com boa vontade. "Acredito nas pessoas que estão por trás da visão; farei o que for necessário e mais, explorando ao máximo a minha capacidade." Na sua cabeça, a pessoa que está genuinamente aceita freqüentemente se considera comprometida. Ela é, de fato, comprometida, mas somente a ser "parte da equipe".

Na verdade, a partir do *comportamento* no trabalho, é freqüentemente muito difícil distinguir a aceitação genuína da participação ou do comprometimento. Uma organização baseada na aceitação genuína estaria anos-luz à frente da maioria das organizações no que se refere a produtividade e eficácia. Bastaria dizer às pessoas, uma só vez, o que deveriam fazer. Seriam receptivas. Seriam firmes e positivas em seus gestos e atitudes. Talvez demonstrassem uma leve tendência à irritação, mas não necessariamente. Se ter excelente desempenho significasse "iniciativa" e "proatividade", as pessoas exibiriam esses comportamentos. Em suma, pessoas agindo em genuína aceitação fariam o possível para jogar de acordo com as "regras do jogo", tanto formais quanto sutis.

Contudo, *existe* um mundo de diferenças entre aceitação e comprometimento. O comprometimento confere energia, paixão e excitação que não podem ser geradas exclusivamente pela aceitação, mesmo que genuína. A pessoa comprometida não se limita a obedecer as "regras do jogo". Sente-se responsável pelo jogo. Se as regras do jogo a impedem de realizar a visão, encontrará formas de mudar essas regras. Um grupo de pessoas verdadeiramente comprometidas com uma visão comum tem uma força avassaladora. É capaz de alcançar o que é aparentemente impossível.

Tracy Kidder, em seu livro vencedor do Prêmio Pulitzer, *The Soul of a New Machine,* conta a história de uma equipe de desenvolvimento de produto da Data General, formada por um talentoso líder para criar um ambicioso novo computador. Em uma atmosfera de urgência, com a empresa à beira de uma crise, a equipe desenvolveu um computador totalmente novo em um tempo recorde. Conhecendo o gerente da equipe, Tom West, através do livro, e os membros da equipe, pessoalmente, alguns anos depois, percebi o quão notável havia sido seu feito. Eles descreveram um estágio do projeto no qual o cronograma de desenvolvimento de um software essencial estava muito atrasado. Os três engenheiros responsáveis foram para o escritório uma noite e saíram na manhã seguinte. Segundo seu relato, fizeram o trabalho de dois a três meses naquela noite — e ninguém jamais soube explicar como. Esses não são feitos resultantes de aceitação.

Qual é então a diferença entre aceitação genuína, participação e comprometimento? A resposta é decepcionantemente simples. A participação e o comprometimento fazem com que as pessoas *queiram* realmente a visão. A aceitação genuína faz com que as pessoas *aceitem* a visão. Essas pessoas talvez queiram a visão por causa de algum outro objetivo — por exemplo, manter seu emprego, satisfazer seu chefe ou conseguir uma promoção. Mas não querem realmente a visão em si e por si mesma. Não é sua própria visão (ou, pelo menos, não sabem que é).

Altamente desejado, o comprometimento compartilhado com uma visão pode ser uma meta ilusória. Um vice-presidente executivo de uma empresa de bens de consumo desejava profundamente transformar a organização bastante tradicional em uma competidora de classe mundial, desenvolvendo o comprometimento compartilhado com uma nova visão de negócios. Entretanto, após um ano de esforços, as pessoas continuavam a cumprir ordens e fazer o que outras pessoas mandavam.

Foi então que ele começou a perceber a profundidade do problema. *Ninguém jamais havia pedido aos integrantes de sua organização que se comprometessem com coisa alguma em suas carreiras.* O que sempre se esperou deles foi aceitação. E era essa a atitude que conheciam. Esse era seu único modelo mental. Nada do que dissesse sobre desenvolver uma visão real, assumir um comprometimento verdadeiro, era importante, pois essas informações eram percebidas através de seu modelo de aceitação.

Quando entendeu isso, ele mudou de tática. Perguntou a si mesmo: "Com o que as pessoas seriam capazes de assumir um comprometimento?" Iniciou um "programa de bem-estar", imaginando que as pessoas se comprometeriam pelo menos com a sua própria saúde. Ao longo do tempo, algumas se comprometeram. Começaram a ver que era possível assumir um comprometimento verdadeiro no local de trabalho, e essa percepção abriu um novo "canal" para a visão.

As organizações tradicionais não se preocupam com a participação e o comprometimento. A hierarquia de comando e controle exigia apenas aceitação. Ainda hoje, muitos gerentes são justificavelmente cautelosos quanto à questão da energia liberada através do comprometimento poder ser controlada e direcionada. Assim, buscamos pessoas que aceitam e nos contentamos quando conseguem alcançar altos níveis de aceitação.

DIRETRIZES PARA A PARTICIPAÇÃO E O COMPROMETIMENTO

A participação é um processo natural que resulta do verdadeiro entusiasmo em relação a uma visão e da disposição de permitir que os outros façam sua própria escolha.

- *Participe.* Não há motivo para tentar encorajar a participação de uma outra pessoa se você não participa. Isso seria "venda", e não participação e, na melhor das hipóteses, produzirá uma forma superficial de acordo ou aceitação. Pior, espalhará as sementes para futuros ressentimentos.
- *Diga a verdade.* Não aumente os benefícios nem esconda os problemas debaixo do tapete. Descreva a visão da forma mais simples e honesta possível.
- *Dê ao outro o direito de escolha.* Você não precisa "convencer" uma outra pessoa dos benefícios da visão. Na verdade, seus esforços para fazer com que "participe" serão considerados manipulativos e, na verdade, impossibilitarão a participação. Quanto mais disposto você estiver a dar ao outro o direito de escolha, mais livre ele se sentirá. Isso pode ser especialmente difícil no relacionamento com subordinados, que freqüentemente estão condicionados a se sentir na obrigação de segui-lo. Mesmo assim, você pode ajudar, dando-lhes tempo e segurança para que possam desenvolver sua própria interpretação da visão.

Há muitos momentos nos quais os gerentes precisam de aceitação. Eles podem querer participação ou comprometimento, mas não aceitam nada abaixo da aceitação formal. Se esse for o caso, recomendo que você seja honesto: "Sei que talvez vocês não concordem completamente com a nova direção, mas no momento a equipe gerencial está comprometida com ela. Preciso de seu apoio para ajudar a transformá-la em realidade". Colocar honestamente a necessidade de aceitação acaba com a hipocrisia. Além disso, permite que as pessoas façam suas próprias escolhas, o que, ao longo do tempo, pode gerar participação.

Finalmente, a lição que muitos gerentes mais têm dificuldade de aprender é que *não se pode fazer coisa alguma para impor a participação ou o comprometimento de uma outra pessoa.* Participação e comprometimento exigem liberdade de escolha. As diretrizes acima simplesmente estabelecem condições mais favoráveis, embora não garantam a participação. O comprometimento, da mesma forma, é extremamente pessoal; esforços para o impor estimulam, na melhor das hipóteses, aceitação.

ANCORANDO A VISÃO A UM CONJUNTO DE IDÉIAS GOVERNANTES

O desenvolvimento de uma visão compartilhada é, na verdade, parte de uma atividade mais ampla: o desenvolvimento das "idéias governantes" da empresa, sua visão, propósito ou missão e valores essenciais. Uma visão incoerente com os valores que as pessoas vivem no dia-a-dia, além de não inspirar o verdadeiro entusiasmo, estimulará um cinismo total.

Essas idéias governantes respondem a três perguntas críticas: "O quê?", "Por quê?" e "Como?"

- A visão é a resposta a "O quê?" — o retrato do futuro que queremos criar.
- O propósito (ou missão) é a resposta a "Por quê?", a resposta da organização à pergunta "Por que existimos?" As grandes organizações têm um sentido mais amplo de propósito, que transcende as necessidades de acionistas e funcionários. Buscam contribuir com o mundo de uma forma singular, acrescentar uma fonte distintiva de valor.
- Os valores essenciais são a resposta a "Como queremos atuar, coerentes com a nossa missão, no caminho em direção à realização de nossa visão?" Os valores de uma empresa podem incluir integridade, abertura, honestidade, liberdade, igualdade de oportunidades, estrutura enxuta, mérito ou lealdade. Descrevem como a empresa pretende viver o seu dia-a-dia, em busca de sua visão.

Consideradas conjuntamente, as três idéias governantes respondem à pergunta "Em que acreditamos?" Quando os funcionários da Matsushita recitam o credo da empresa: "Reconhecer nossas responsabilidades como indústria, de estimular o progresso, promover o bem-estar geral da sociedade, e dedicar-nos ao desenvolvimento da cultura mundial", eles estão descrevendo o *propósito* da empresa. Quando cantam a canção da empresa, que fala sobre "fornecer nossos produtos a pessoas no mundo inteiro, eterna e continuadamente, como a água que jorra de uma fonte", estão proclamando a *visão* da empresa. E quando participam de programas internos de treinamento que abordam tópicos como "justiça", "harmonia e cooperação", "luta pelo progresso", "cortesia e humildade" e "gratidão", estão aprendendo os *valores* deliberadamente criados pela empresa. (A Matsushita, de fato, considera-os seus "valores espirituais".)[12]

Na Hanover Insurance, a articulação dessas três "idéias governantes" fez uma enorme diferença no processo de recuperação da empresa, depois de uma quase falência, transformando-a em líder no setor de seguros de propriedades e ativos. A experiência da Hanover também ilustra a interdependência entre visão, valores e propósito.

"Logo de início", diz O'Brien, "reconhecemos que as pessoas têm uma imensa necessidade de se sentir parte de uma missão enobrecedora. Quando esse sentimento não existe, muitas pessoas buscam a satisfação exclusivamente nos interesses externos, em lugar de buscá-la no trabalho".

"Mas também descobrimos que a declaração de uma missão ou propósito em palavras não é suficiente. Ela acaba parecendo 'canja de galinha'.[i] As pessoas precisam de visões para tornar o propósito mais concreto e tangível. Precisávamos aprender a 'pintar quadros' sobre o tipo de organização que queríamos ser. Minha visão para a empresa é simples: 'superioridade inquestionável'. Essa expressão tem grande significado para mim. Leva-me a prever uma organização que serve o cliente de uma forma especial, mantém uma reputação de qualidade e responsabilidade e cria um ambiente especial para seus funcionários."

"Os valores essenciais são necessários para ajudar as pessoas no processo decisório do dia-a-dia. O propósito é muito abstrato. A visão é de longo prazo. As pessoas precisam de 'estrelas guias' para se orientar e tomar decisões no dia-a-dia. Mas os valores essenciais só são úteis se forem traduzidos em comportamentos concretos. Por exemplo, um dos nossos valores essenciais é "abertura". Trabalhamos bastante e arduamente para entendê-lo — finalmente, reconhecemos que ele exige as habilidades de reflexão e indagação dentro de um contexto geral de confiança e apoio mútuo.

VISÃO POSITIVA *VERSUS* VISÃO NEGATIVA

"O que nós queremos?" é diferente de "O que queremos evitar?" Embora isso pareça óbvio, na verdade, as visões negativas talvez sejam mais comuns do que as visões positivas. Muitas organizações só se unem realmente quando sentem que sua sobrevivência está ameaçada. Concentram-se em evitar o que as pessoas não querem — a compra da empresa, a falência, a perda do emprego, a perda de fatia de mercado, o prejuízo ou "impedir que nossos concorrentes vençam o nosso próximo produto no mercado". As visões negativas são ainda mais comuns nas lideranças públicas, onde as sociedades são continuamente bombardeadas por visões "antidrogas", "antifumo", "antiguerra" ou "antienergia nuclear".

As visões negativas são limitadoras por três razões. Primeiro, a energia que poderia ser usada para construir algo novo é desviada para "evitar" algo que não queremos que aconteça. Segundo, as visões negativas incluem uma mensagem sutil, mas incontestável, de incapacidade: nosso pessoal realmente não se importa. Só consegue se unir

i Do original em inglês *apple pie and motherhood.* (N. do T.)

diante de uma grande ameaça. Finalmente, as visões negativas são inevitavelmente de curto prazo. A organização é motivada enquanto a ameaça existe. Quando acaba, acabam também a energia e a visão da organização.

Existem duas fontes fundamentais de energia que podem motivar as organizações: medo e aspiração. O poder do medo está por trás das visões negativas. O poder da aspiração impulsiona as visões positivas. Enquanto o medo pode produzir mudanças extraordinárias em curtos períodos de tempo, a aspiração perdura como uma fonte contínua de aprendizado e crescimento.

TENSÃO CRIATIVA E COMPROMETIMENTO COM A VERDADE

No Capítulo 9 ("Domínio pessoal"), argumentei que a visão pessoal por si só não é a chave para aumentar a eficácia da criatividade. A chave é a "tensão criativa", a tensão entre visão e realidade. As pessoas mais eficazes são as que são capazes de "manter" sua visão e, ao mesmo tempo, manter o comprometimento de perceber claramente a realidade atual.

Esse princípio não é menos verdadeiro nas organizações. A marca registrada de uma organização que aprende não são as visões apaixonadas, que flutuam no espaço, mas uma disposição incansável de examinar "o que está acontecendo" à luz da nossa visão.

Por exemplo, no início da década de 60, a IBM realizou uma série extraordinária de experimentos em busca de uma visão ousada — uma família única de computadores que tornariam praticamente todas as máquinas anteriores obsoletas. Nas palavras de um articulista da *Fortune*[i], a IBM arriscou "seu tesouro, sua reputação e sua posição de liderança no mercado de computadores" adotando um conceito radicalmente novo: uma série de máquinas compatíveis servindo à maior variedade possível de aplicativos, dos mais sofisticados aplicativos científicos às necessidades de empresas relativamente pequenas.[13]

Certa vez, Jay Forrester observou que a marca registrada da grande organização é "a rapidez com que as más notícias chegam ao topo". A capacidade da IBM de reconhecer e aprender com seus erros mostrou-se essencial durante esse período. Uma das tentativas mais frustrantes foi a de um equipamento de ponta — o "Stretch" — lançado em 1960. Tom Watson Jr., CEO da IBM, destruiu efetivamente o projeto em maio de 1961, depois de vender apenas algumas máquinas. (Watson reduziu o pesado preço de US$ 13,5 milhões do Stretch à quase metade, tornando a sua produção economicamente inviável.) Para ele, não ha-

---

i Revista de negócios norte-americana. (N. do T.).

via muitas opções: a máquina não satisfazia seus clientes, jamais alcançando mais de 70 por cento das especificações prometidas. Alguns anos depois, Watson falou sinceramente a um grupo de industriais. "Nosso maior erro no Stretch", disse, "foi ocupar a posição do batedor de pênalti, mirar no ângulo, mas, na hora de chutar, ao invés de fazer o gol com um chute indefensável, jogarmos a bola para fora. Seremos muito mais cuidadosos com nossas promessas no futuro."

E foram. Sob a direção de muitos dos mesmos homens que aprenderam com a experiência do Stretch, a IBM lançou o System 360 três anos depois, que foi a plataforma para seu extraordinário crescimento durante os dez anos seguintes.

VISÃO COMPARTILHADA E A QUINTA DISCIPLINA

Por que as visões morrem prematuramente

Muitas visões nunca se firmam e se disseminam — a despeito de seu mérito intrínseco. Várias estruturas de "limites ao crescimento" podem entrar em jogo para impedir o desenvolvimento do ímpeto por trás de uma nova visão. A compreensão dessas estruturas pode ajudar consideravelmente a sustentar o processo de formação da visão.

A disseminação de uma visão resulta de um processo de reforço de crescimento da clareza, do entusiasmo, da comunicação e do comprometimento. À medida que as pessoas falam nela, a visão fica mais clara. À medida que fica mais clara, cresce o entusiasmo pelos seus benefícios. Rapidamente, a visão começa a se disseminar em uma espiral de reforço de comunicação e entusiasmo. O entusiasmo também pode ser reforçado pelos sucessos iniciais na busca da visão (um outro processo de reforço potencial, não demonstrado nesse diagrama).

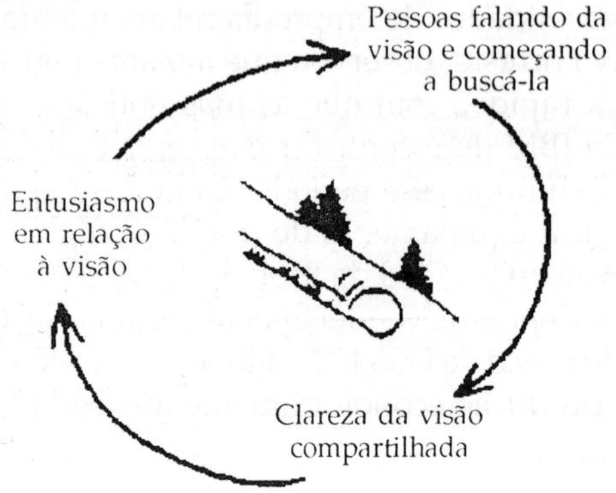

Se não houvesse limitações, o processo de reforço levaria ao contínuo crescimento da clareza e do esforço comum em busca da visão entre um número cada vez maior de pessoas. Mas vários fatores limitantes podem entrar em cena para retardar esse círculo virtuoso.

O processo de definição da visão pode enfraquecer se, à medida que ocorre o envolvimento de um número maior de pessoas, a diversidade de visões dissipa o foco e gera conflitos que não podem ser gerenciados. As pessoas vêem futuros ideais diferentes. Aqueles que não concordam imediatamente com a visão compartilhada emergente devem mudar suas visões? Devem concluir que a visão está "gravada na pedra" e não pode ser influenciada? Devem acreditar que suas próprias visões não são importantes? Se sua resposta para qualquer uma dessas perguntas for "sim", o processo de participação pode ser interrompido por uma onda crescente de polarização.

Essa é uma das estruturas clássicas de "limites ao crescimento", na qual o processo de reforço do entusiasmo crescente em relação à visão interage com um "processo de equilíbrio" que limita a disseminação das visões, como resultado do aumento da diversidade e da polarização:

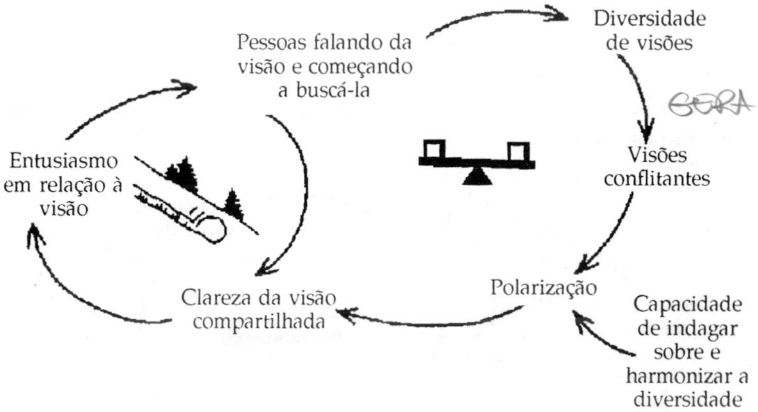

Lendo o círculo de equilíbrio no sentido horário, a partir do alto do diagrama: À medida que cresce o entusiasmo, um número maior de pessoas conversa sobre a visão; a diversidade de visões aumenta, levando a pessoas expressando visões potencialmente conflitantes. Se outras pessoas não forem capazes de permitir a expressão dessa diversidade, a polarização aumenta, reduzindo a clareza das visões compartilhadas e limitando o crescimento do entusiasmo.

Em estruturas de limites ao crescimento, a alavancagem encontra-se normalmente em compreender o "fator limitante", a meta ou norma implícita que impulsiona o processo de *feedback* de equilíbrio. Nesse caso, o fator limitante é a capacidade (ou incapacidade) de indagar sobre visões diversas, de forma a permitir a emergência de visões comuns mais profundas. A diversidade de visões crescerá até que exceda a capacidade da organização de "harmonizar" a diversidade.

As habilidades mais importantes para contornar esse limite são as habilidades de "reflexão e indagação", desenvolvidas no Capítulo 10, "Modelos mentais". Na verdade, o processo de definição da visão é um processo especial de indagação. Trata-se de uma indagação sobre o futuro que realmente desejamos criar. Caso se transforme em um processo de argumentação, resultará, na melhor das hipóteses, em aceitação, e não em comprometimento.

Abordar o desenvolvimento da visão como um processo de indagação não significa que tenho de desistir da minha visão pessoal. Ao contrário, as visões precisam de bons argumentadores. Mas os argumentadores que também são capazes de indagar sobre outras visões abrem a possibilidade de que a visão evolua, tornando-se "maior" do que nossas visões individuais. Esse é o princípio do holograma.

As visões também podem morrer porque as pessoas desanimam diante da aparente dificuldade de transformar a visão em realidade. À medida que aumenta a clareza em relação à natureza da visão, também aumenta a consciência da defasagem entre a visão e a realidade atual. As pessoas tornam-se desanimadas, inseguras ou até cépticas, levando à queda de entusiasmo. A estrutura de limites ao crescimento associada ao "desânimo organizacional" pode ser representada mais ou menos assim:

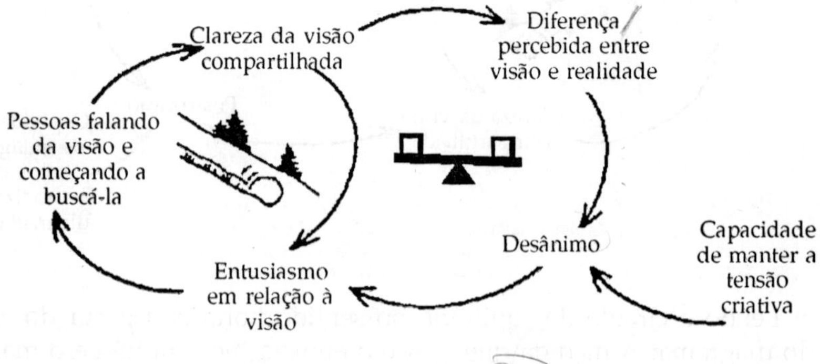

Nessa estrutura, o fator limitante é a capacidade dos integrantes da organização de "manter" a tensão criativa, o princípio central do domínio pessoal. É por isso que dizemos que o domínio pessoal é a "pedra fundamental" para o desenvolvimento de uma visão compartilhada — as organizações que não encorajam o domínio pessoal têm grande dificuldade de desenvolver um comprometimento permanente com uma visão enobrecedora.

Visões emergentes também podem morrer porque as pessoas se sobrecarregam com as demandas da realidade atual e perdem seu foco na visão. O fator limitante se torna o tempo e a energia dedicados para a visão:

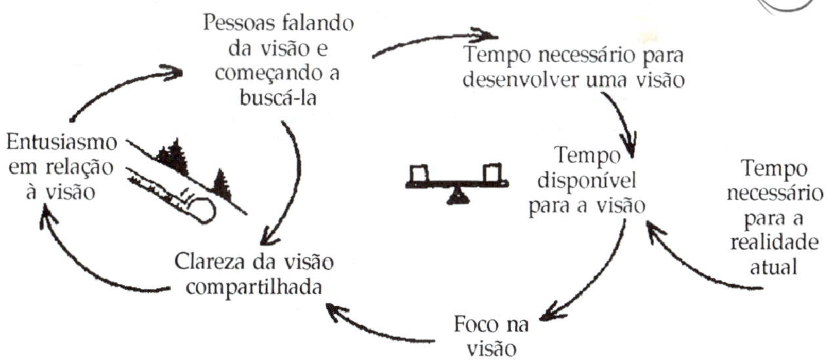

Nesse caso, a alavancagem deve estar associada à busca de alternativas para reduzir o tempo e o esforço requeridos para combater as crises e gerenciar a realidade atual, ou separar os que estão buscando a nova visão da responsabilidade de lidar com a "realidade atual". Sob muitos aspectos, essa é a estratégia dos *skunk works,* pequenos grupos que tranqüilamente buscam novas idéias, fora do fluxo principal de atividades da organização. Embora essa abordagem seja freqüentemente necessária, é difícil evitar a criação de dois "campos" extremos de polarização que se tornam incompatíveis. Por exemplo, o grupo que desenvolveu o Macintosh no início da década de 80 isolou-se quase totalmente do restante da Apple, que estava voltado para um projeto mais mundano, o Apple II. Embora resultasse em um produto significativamente inovador, a separação também criou um grande abismo organizacional, que exigiu tempo considerável para ser corrigido e levou John Sculley a reorganizar a Apple optando por uma hierarquia funcional mais convencional.[14]

Por último, uma visão pode morrer se as pessoas esquecerem suas conexões umas com as outras. Essa é uma das razões por que é tão importante a indagação coletiva para tratar da visão. Quando as pessoas param de perguntar "O que queremos realmente criar?" e começam a criar proselitismos sobre a "visão oficial", a qualidade das conversas e a qualidade dos relacionamentos estimulados por essas conversas se desgastam. Um dos desejos mais profundos por trás de uma visão compartilhada é o de estar conectado a um propósito mais amplo e a outras pessoas. A natureza da conexão é frágil. É minada sempre que perdemos o respeito uns pelos outros e pelas visões de cada um. A partir daí, nos separamos em incluídos e excluídos — os que acreditam fielmente na visão e os que não acreditam. Quando isso acontece, as conversas sobre a criação da visão não criam mais o entusiasmo genuíno:

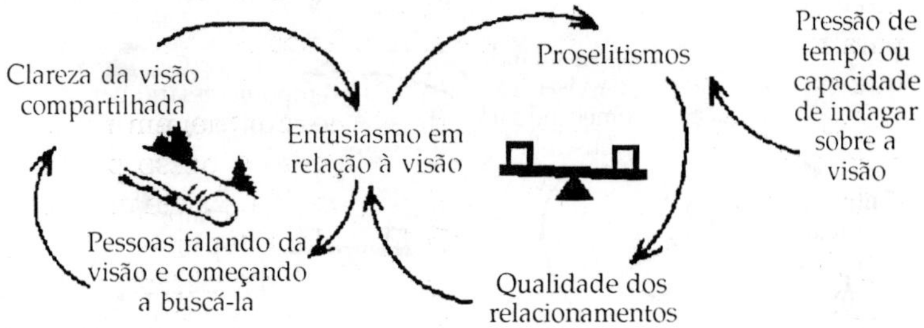

Quando as pessoas começam a criar proselitismos e perdem a noção de relacionamento, o fator limitante pode ser o tempo ou podem ser as habilidades. Se há grande urgência em "aderir" à nova visão, as pessoas podem não perceber que chegou justamente o momento de conversar e ouvir as outras pessoas. Isso ocorre especialmente se as pessoas também não têm a habilidade de ter tais conversas, de compartilhar suas visões sem proselitismos, encorajando as outras pessoas a refletir sobre suas próprias visões.

A SINERGIA PERDIDA: VISÃO COMPARTILHADA E PENSAMENTO SISTÊMICO

Acredito que a disciplina da criação de uma visão compartilhada perde um ponto de sustentação quando praticada sem o pensamento sistêmico. A visão pinta o quadro do que queremos criar. O pensamento sistêmico revela como criamos o que temos no momento.

Nos últimos anos, muitos líderes "entraram na onda" da visão. Desenvolveram a visão e a declaração de missão de sua empresa. Trabalharam para obter a participação de todos os funcionários na busca da visão. Contudo, muitas vezes, os benefícios esperados de produtividade e competitividade não ocorreram. Isso levou muitos líderes a se frustrarem com a questão da visão e o seu processo de criação. O ciclo desse modismo acabou, e "do prato à boca perde-se a sopa."[i]

O problema não está nas visões compartilhadas em si, desde que sejam desenvolvidas com cautela. O problema está em nossa orientação

i Esta expressão está no contexto de que entre um projeto e a sua realização podem ocorrer obstáculos imprevistos que frustram a concretização dos propósitos, e ao se desativar a iniciativa podem ser perdidos os bons frutos já produzidos (N. do T.).

reativa para com a atual realidade. A visão transforma-se em uma força ativa somente quando as pessoas realmente acreditam que podem influenciar o seu futuro. O fato é que a maioria dos gerentes não vive a *experiência* de que está contribuindo com a criação da sua realidade atual. E, conseqüentemente, não enxergam como podem contribuir para mudar essa realidade. Seus problemas são gerados por alguém que está "lá fora" ou pelo "sistema".

Essa atitude pode ser difícil de alterar porque, em muitas organizações, a crença de que "não podemos criar o nosso próprio futuro" é tão ameaçadora que jamais será reconhecida. Existe uma forte "visão esposada" que associa o bom gerente e líder à capacidade de ser "proativo", responsável pelo próprio destino. Uma pessoa que questiona publicamente a capacidade da organização de realizar o que ela decidiu fazer é rapidamente rotulada como alguém que "não está a bordo" e considerada um problema.

Contudo, esse otimismo do tipo "eu posso fazer" é uma camada muito fina de verniz sobre uma visão fundamentalmente reativa, pois a maioria das organizações é dominada pelo pensamento linear, e não pelo pensamento sistêmico. A "mentalidade de eventos" predominante diz às pessoas que o certo é reagir à mudança, e não gerar a mudança. Uma orientação para eventos pode destruir a visão real, deixando apenas "declarações de visão" vazias, boas idéias que nunca são genuinamente internalizadas.

Mas, quando os integrantes de uma organização começam a aprender como as políticas e ações *existentes* estão criando sua realidade atual, cria-se um solo novo e mais fértil para o desenvolvimento da visão. Surge uma nova fonte de confiança, que resulta de uma compreensão mais profunda das forças que dão forma à realidade atual e dos pontos de alavancagem para influenciar essas forças. Sempre vou me lembrar das palavras de um gerente, após um trabalho com "micromundos" em uma das empresas do nosso programa de pesquisa. Quando lhe perguntaram o que aprendera, ele respondeu: "Descobri que a realidade que temos é apenas uma das várias realidades possíveis".

12

APRENDIZAGEM EM EQUIPE

AS EQUIPES DE SABEDORIA POTENCIAL

"Por concepção e por talento", escreveu o jogador de basquete Bill Russell sobre seu time, o Boston Celtics, "(nós) éramos uma equipe de especialistas e, como uma equipe de especialistas em qualquer área, nosso desempenho dependia tanto da excelência individual quanto de nossa capacidade de trabalho em conjunto. Nenhum de nós teve que fazer um grande esforço para entender que tínhamos de complementar as habilidades especiais uns dos outros; era simplesmente um fato, e todos nós tentávamos encontrar formas de tornar nossa combinação mais eficaz... Fora das quadras, a maioria de nós era excêntrica segundo os padrões da sociedade — do tipo que não se mistura muito com os outros ou que modela sua personalidade de acordo com o que se espera delas".[1]

Russell tem o cuidado de ressaltar que não se trata de amizade, e sim de uma espécie diferente de relacionamento que tornou o trabalho de sua equipe tão especial. Esse relacionamento, mais do que qualquer triunfo individual, lhe proporcionou seus melhores momentos no esporte: "Vez por outra um jogo do Celtics esquentava de tal forma que se tornava mais do que um jogo físico, ou mesmo mental — e transformava-se em algo mágico", diz ele. "É difícil descrever a sensação, e eu certamente nunca conversei sobre isto quando estava jogando. Quando acontecia, eu podia sentir meu jogo subir para um novo patamar... Isso envolvia não apenas a mim e aos outros jogadores do Celtics, mas também aos jogadores do time adversário, e até mesmo aos juízes... Naquele nível especial, aconteciam as coisas mais estranhas. Estávamos no auge da competição, mas ainda assim não me sentia competitivo, o que é em si um milagre... O jogo se movia com tal rapidez que cada finta, desarme ou passe era surpreendente e, entretanto, nada poderia me surpreender. Era quase como se estivéssemos jogando em câmara lenta. Durante esses momentos mágicos eu praticamente podia adivinhar qual seria a próxima jogada e de onde o próximo arremesso sairia... Para mim, o segredo era que *as duas* equipes tinham que estar dando o melhor de si, e tinham que ser competitivas..."

O Boston Celtics de Russell (vencedor de onze campeonatos mundiais em treze anos) demonstra um fenômeno que denominamos "alinhamento", quando um grupo de pessoas funciona como um todo. Na maioria das equipes, a energia de cada um dos membros trabalha em sentido cruzado. Se desenhássemos uma imagem da equipe como um conjunto de indivíduos com diferentes graus de "poder pessoal" (capacidade de realizar os resultados pretendidos) voltados para diferentes direções em suas vidas, a imagem se assemelharia à seguinte:[2]

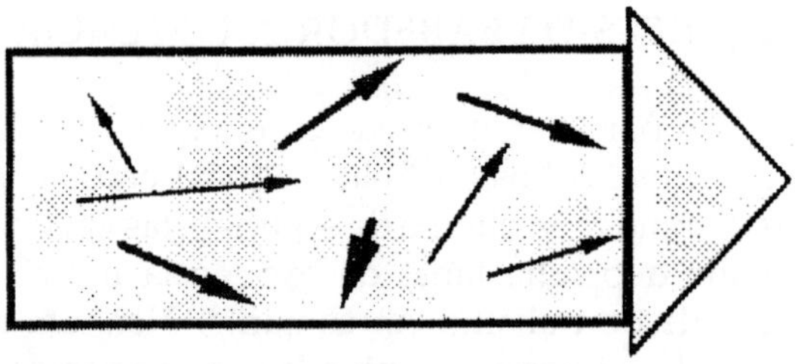

A característica fundamental da equipe relativamente desalinhada é o desperdício de energia. Os indivíduos podem dar tudo de si, mas seus esforços não se traduzem eficientemente como esforço da equipe. Por outro lado, quando uma equipe torna-se mais alinhada surge uma unicidade de direção, e as energias dos indivíduos se harmonizam. Há menos desperdício de energia. Na verdade, desenvolve-se uma ressonância ou sinergia, como a luz "coerente" de um laser, em vez da luz incoerente e difusa de uma lâmpada comum. Há um propósito comum, uma visão compartilhada, e a compreensão de como complementar os esforços dos outros. Os indivíduos não sacrificam seus interesses

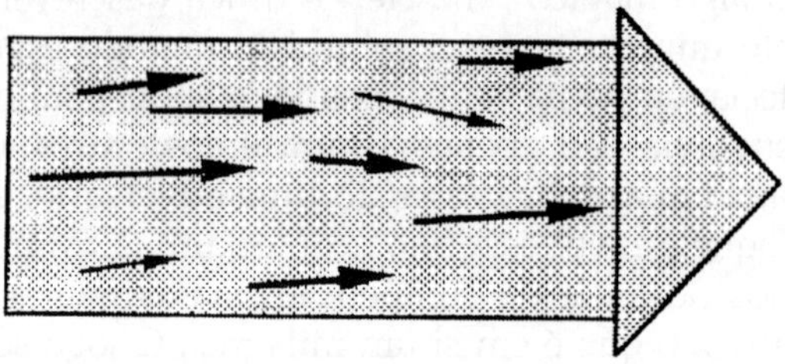

pessoais em prol da visão maior do grupo; ao contrário, a visão compartilhada torna-se uma extensão de suas visões pessoais. Na verdade, o alinhamento é a *condição necessária* para que o *empowerment* do indivíduo gere o *empowerment* de toda a equipe. O *empowerment* do indivíduo, quando o nível de alinhamento é relativamente baixo, agrava o caos e dificulta ainda mais a gerência da equipe:

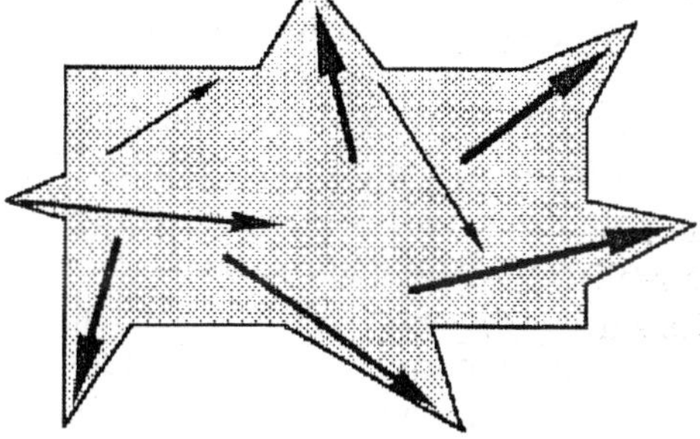

Os músicos de jazz sabem o que é alinhamento. Existe em inglês uma expressão no jazz, "estar na trilha certa,"[i] que sugere o estado quando a banda "toca como se fosse uma pessoa". Estas experiências são muito difíceis de colocar em palavras — os músicos de jazz falam sobre elas em termos quase místicos: "a música flui através de você, e não de você". Mas elas não se tornam menos tangíveis por serem difíceis de descrever. Conversei com muitos gerentes que fizeram parte de equipes cujo desempenho alcançou níveis extraordinários similares. Eles descrevem reuniões que duraram horas mas que "passaram voando", sem conseguir lembrar "quem disse o quê, mas sabendo que havíamos realmente chegado a uma compreensão comum", de "nunca ter que votar — simplesmente chegamos a um ponto em que sabíamos o que precisávamos fazer".

A aprendizagem em equipe é o processo de alinhamento e desenvolvimento da capacidade da equipe de criar os resultados que seus membros realmente desejam. Ela baseia-se na disciplina do desenvolvimento da visão compartilhada. Ela baseia-se também no domínio pessoal, pois as equipes talentosas são compostas de indivíduos talentosos. No entanto, visão compartilhada e talento não bastam. O mundo está repleto de equipes com indivíduos talentosos que compartilham uma visão durante algum tempo, mas que não conseguem aprender. A grande banda de jazz tem talento e uma visão compartilhada (mesmo que eles não a discutam), mas o que realmente importa é que os músicos sabem como tocar juntos.

Nunca houve uma necessidade tão grande de dominar a aprendizagem em equipe nas organizações quanto a de hoje. Sejam elas equipes gerenciais, equipes de desenvolvimento de produtos ou forças-tarefa multifuncionais — equipes, "pessoas que precisam umas das outras para agir", nas palavras de Arie de Geus, ex-vice-presidente de Planejamento em Grupo da Royal Dutch/Shell, estão se tornando a principal unidade de aprendizado nas organizações. Isso acontece porque

i Do original em inglês *being in the groove* (N. do T.).

hoje quase todas as decisões importantes são tomadas em equipe, seja diretamente ou através da necessidade de equipes para traduzir as decisões individuais em ação. O aprendizado individual, em algum nível, é irrelevante para o aprendizado organizacional ainda não acontece. Indivíduos aprendem o tempo todo, porém ainda não acontece a aprendizagem organizacional. Mas, se as equipes aprendem, elas tornam-se um microcosmo para a aprendizagem em toda a organização. As novas idéias são colocadas em ação. As habilidades desenvolvidas podem se propagar para outros indivíduos e outras equipes (embora não haja nenhuma garantia de que realmente se propaguem). Os feitos da equipe podem definir o tom e estabelecer um padrão para a aprendizagem conjunta de toda a organização.

Dentro das organizações, aprendizagem em equipe tem três dimensões críticas. Primeiro, existe a necessidade de se pensar reflexivamente sobre os assuntos complexos. Aqui, as equipes precisam aprender como utilizar o potencial de muitas mentes a fim de serem mais inteligentes do que uma mente. Embora seja fácil falar, existem em ação nas organizações muitas forças poderosas que tendem a tornar a inteligência da equipe inferior, e não superior, à inteligência de cada membro da equipe. Muitas dessas forças são controladas diretamente pelos membros da equipe.

Segundo, existe a necessidade de ação inovadora e coordenada. As equipes de esportes e as grandes bandas de jazz são metáforas para a ação espontânea e coordenada. As equipes de destaque nas organizações desenvolvem o mesmo tipo de relacionamento — uma "confiança operacional", onde cada membro da equipe permanece consciente dos outros membros e age de modo a complementar as ações dos outros.

Terceiro, existe o papel dos membros da equipe em outras equipes. Por exemplo, a maioria das ações das equipes seniores na verdade são executadas por meio de outras equipes. Assim, uma equipe que aprende estimula continuamente outras equipes, através da disseminação das práticas e habilidades da aprendizagem em equipe de forma mais ampla.

Embora envolva habilidades individuais e áreas de compreensão, a aprendizagem em equipe é uma disciplina coletiva. Assim, não há sentido em dizer que "eu", como um indivíduo, domino a disciplina da aprendizagem em equipe, da mesma forma que há sentido em dizer que "eu domino a prática de ser uma excelente banda de jazz".

A disciplina da aprendizagem em equipe envolve o domínio das práticas do diálogo e da discussão, as duas formas distintas de conversação entre as equipes. No diálogo, há a exploração livre e criativa de assuntos complexos e sutis, uma profunda "atenção" ao que os outros estão dizendo e a suspensão do ponto de vista pessoal. Na discussão, por outro lado, diferentes visões são apresentadas e defendidas, e existe uma busca da melhor visão que sustente as decisões que precisam ser tomadas. Diálogo e discussão são potencialmente complementares, mas a maioria das equipes não tem habilidade de distinguir um do outro e de passar conscientemente de um para o outro.

A aprendizagem em equipe também envolve lidar de forma criativa com as forças poderosas de oposição ao diálogo e à discussão produtiva nas equipes de trabalho. Algumas das maiores forças são o que Chris Argyris chama de "rotinas defensivas", formas habituais de interação que protegem a nós, e aos outros, de ameaças ou constrangimentos, mas que também nos impedem de aprender. Por exemplo, diante de um conflito, os membros da equipe freqüentemente "passam por cima" das diferenças ou "protestam" acima dos limites, "impõem" suas opiniões — o que meu colega Bill Isaacs chama de "guerras de abstração". No entanto, as rotinas muito defensivas que impedem a aprendizagem também têm um grande potencial de estimular a aprendizagem, se pudermos aprender a liberar a energia nelas contida. As habilidades de investigação e reflexão apresentadas no Capítulo 10 começam a liberar essa energia, que pode então ser focalizada no diálogo e na discussão.

O pensamento sistêmico é especialmente propenso a evocar a defensividade em função de sua mensagem central, que nossas ações criam nossa realidade. Assim, uma equipe pode resistir a ver os problemas importantes de forma mais sistêmica. Fazê-lo implicaria o problema estar em nossas próprias políticas e estratégias — ou seja, "em nós" — e não em forças fora de nosso controle. Vi muitas situações nas quais as equipes dizem "já estamos pensando de forma sistêmica", ou adotam uma visão sistêmica, mas nada fazem para colocá-la em prática, ou que simplesmente permanecem fiéis à visão de que "não há nada que possamos fazer exceto lidar com esses problemas". Todas essas estratégias conseguem evitar o exame com seriedade de como suas próprias ações podem estar criando os mesmos problemas que eles estão tentando tão arduamente resolver. Mais do que outras estruturas analíticas, o pensamento sistêmico exige equipes maduras, capazes de investigar problemas complexos e de conflito.

Por fim, a disciplina da aprendizagem em equipe, como qualquer outra disciplina, exige prática. Entretanto, é exatamente isso que falta nas equipes das organizações modernas. Imagine tentar montar uma excelente peça de teatro ou a apresentação de uma orquestra sinfônica sem antes ensaiar. Imagine um time de esportes que não treina. Na verdade, o processo pelo qual essas equipes aprendem é o movimento contínuo entre prática e desempenho, prática, desempenho, praticar novamente, desempenhar novamente. Estamos apenas começando a aprender a criar oportunidades análogas para prática nas equipes gerenciais — alguns exemplos são dados a seguir e no capítulo sobre micromundos.

Apesar de sua importância, a aprendizagem em equipe continua muito pouco entendida. Até que sejamos capazes de descrever melhor o fenômeno, ele continuará sendo um mistério. Até que tenhamos uma teoria do que acontece quando as equipes aprendem (em oposição aos indivíduos na aprendizagem em equipe), não conseguiremos distinguir a inteligência do grupo do "pensamento em grupo", em que os indivíduos sucumbem às pressões do grupo através da aceitação. Até que haja métodos confiáveis para formar equipes capazes de aprender em conjunto, sua ocorrência continuará sendo fruto do acaso. Por isso o domínio da aprendizagem em equipe será uma etapa crítica no desenvolvimento de organizações que aprendem.

A DISCIPLINA DA APRENDIZAGEM EM EQUIPE

Diálogo e Discussão[3]

Em um livro notável, *Physics and Beyond: Encounters and Conversations,* Werner Heisenberg (formulador do famoso "Princípio da Incerteza" na física moderna) argumenta que "a ciência tem suas raízes nas conversações. A cooperação de diferentes pessoas pode culminar em resultados científicos da maior importância". Heisenberg recorda-se então de longas conversas com Pauli, Einstein, Bohr e as outras grandes figuras que destruíram e remodelaram a física tradicional na primeira metade deste século. Essas conversas, que, segundo Heisenberg, "tiveram um efeito duradouro sobre meus pensamentos", literalmente deram origem a muitas das teorias em razão das quais esses indivíduos vieram a ficar famosos. As conversas de Heisenberg, recordadas com vívidos detalhes e emoções, ilustram o impressionante potencial da aprendizagem colaborativa — que, coletivamente, podemos ter mais novas idéias, sermos mais inteligentes do que poderíamos ser individualmente. O QI da equipe pode, potencialmente, ser muito maior do que o QI dos indivíduos.

Dadas as reflexões de Heisenberg, talvez não seja surpreendente que um importante colaborador da disciplina emergente da aprendizagem em equipe seja um físico contemporâneo, David Bohm. Bohm, um dos principais teóricos da física quântica, está desenvolvendo uma teoria e método de "diálogo", quando um grupo "torna-se aberto ao fluxo de uma inteligência maior". O diálogo, na verdade, é uma idéia muito antiga reverenciada pelos gregos antigos e praticada por muitas sociedades ditas "primitivas", como os índios norte-americanos. No entanto, se perdeu no mundo moderno. Todos nós já experimentamos o que é diálogo — em conversas especiais que começam a ter "vida própria", que nos levam em direções que jamais poderíamos ter imaginado ou planejado com antecedência. Mas essas experiências são raras, um produto da circunstância, e não do esforço sistemático e da prática disciplinada.

O trabalho recente de Bohm sobre a teoria e prática do diálogo representa uma síntese única de duas importantes correntes intelectuais subjacentes às disciplinas discutidas nos capítulos precedentes: a visão sistêmica ou holística da natureza, e as interações entre o nosso pensamento e os "modelos" internos com as nossas percepções e ações. "A teoria quântica", diz Bohm, "implica que o universo é basicamente um todo indivisível, embora em uma escala maior ele possa ser representado, de forma aproximada, como divisível em partes existentes separadas. Isso significa, em particular, que, em um nível de precisão da teoria quântica, o instrumento de observação e o objeto observado participam um do outro de forma irredutível. Nesse nível, percepção e ação, portanto, não podem ser separadas."

Isso nos remete a algumas das principais características do pensamento sistêmico, as quais chamam atenção para uma coisa, qual seja, como o que está acontecendo repetidas vezes é fruto de nossas próprias ações, guiadas por nossas percepções. A teoria da relatividade levanta questões semelhantes, como sugeriu Bohm em um livro de 1965, *The Special Theory of Relativity*[i].[4] Nesse livro, Bohm começou a conectar de forma mais explícita a perspectiva sistêmica e os modelos mentais. Argumentou, em particular, que o propósito da ciência não era o "acúmulo de conhecimento" (afinal todas as teorias científicas acabam sendo desmentidas), mas sim a criação de "mapas mentais" que guiam e moldam a nossa percepção e ação, proporcionando uma constante "participação mútua entre natureza e consciência".

No entanto, a mais distinta contribuição de Bohm, que leva a novas idéias únicas sobre a aprendizagem em equipe, surge da visão do pensamento como "um fenômeno em grande parte coletivo". Bohm interessou-se relativamente cedo pela analogia entre as propriedades coletivas das partículas (por exemplo, os movimentos amplos do sistema de um "mar de elétrons") e a forma pela qual nosso pensamento funciona. Mais tarde, ele viu que esse tipo de analogia poderia lançar uma importante luz sobre o "caráter contraproducente do pensamento, como pode ser observado em quase todas as fases da vida." "Nosso pensamento é incoerente", afirma Bohm, "e o resultado contraproducente reside na raiz dos problemas do mundo." No entanto, segundo Bohm, já que o pensamento é em grande parte coletivo, não podemos aperfeiçoá-lo apenas individualmente. "Como no caso dos elétrons, é preciso ver o pensamento como um fenômeno sistêmico que surge de nossa forma de interação e discurso uns com os outros."

Existem dois tipos primários de discurso: diálogo e discussão. Am-

---

i A tradução literal do título seria "A teoria especial da relatividade." (N. do T.).

bos são importantes para uma equipe capaz do aprendizado generativo contínuo, mas seu poder reside na sua sinergia, que não tende a estar presente quando não se consideram as diferenças entre eles.

Bohm observa que a palavra "discussão" tem a mesma origem que percussão e concussão. Isto sugere algo como "um jogo de pingue-pongue em que ficamos jogando a bola um para o outro". Nesse jogo, o assunto de interesse comum pode ser analisado e dissecado a partir dos muitos pontos de vista trazidos pelos participantes. Isso certamente pode ser útil. Entretanto, o propósito de um jogo normalmente é "vencer", e nesse caso vencer significa que a visão de uma pessoa será aceita pelo grupo. Pode-se ocasionalmente aceitar parte do ponto de vista de outra pessoa para fortalecer o seu, mas você fundamentalmente quer que a sua visão prevaleça. A ênfase sustentada em vencer, no entanto, não é compatível com dar prioridade à coerência e à verdade. Bohm sugere que o que precisamos para gerar essa mudança nas prioridades é o "diálogo", que é um meio de comunicação diferente.

Contrastando com a discussão, a palavra "diálogo" vem do grego *diálogos*. *Dia* significa através. *Logos* significa palavra ou, de forma mais abrangente, significado. Bohm sugere que o significado original de diálogo era "significado passando ou movendo-se através... um fluxo livre de significado entre as pessoas, no sentido de uma corrente que flui entre duas margens".[5] No diálogo, argumenta Bohm, um grupo acessa um grande "conjunto de significado comum", que não pode ser acessado individualmente. "O todo organiza as partes", em vez de tentar encaixar as partes em um todo.

O propósito do diálogo é ir além de qualquer compreensão individual. "No diálogo, não estamos tentando vencer. Todos venceremos se estivermos fazendo de maneira correta." No diálogo, os indivíduos ganham novas perspectivas que simplesmente não poderiam ser obtidas individualmente. "Começa a surgir um novo tipo de mentalidade, baseada no significado comum... As pessoas não estão mais em oposição, tampouco se pode dizer que estejam interagindo, mas sim participando desse conjunto de significado comum, que é capaz de desenvolvimento e mudança constantes.

No diálogo, um grupo explora questões difíceis e complexas de vários pontos de vista. Os indivíduos suspendem seus pressupostos, embora os comuniquem livremente. O resultado é uma livre exploração que traz à tona a total profundidade da experiência e do pensamento das pessoas, e ainda assim pode ir além de suas visões individuais.

"O propósito do diálogo", sugere Bohm, "é revelar as incoerências do nosso pensamento." Existem três tipos de incoerência. "O pensamento nega que ele é participativo." O pensamento pára de acompanhar a realidade e "simplesmente segue em frente, como um programa". E o pensamento estabelece seu próprio padrão de referência para resolver problemas, problemas esses que, em primeira instância, contribuiu para criar.

A título de ilustração, vamos considerar o preconceito. Quando uma pessoa começa a aceitar um estereótipo de um grupo específico, esse "pensamento" torna-se um agente ativo, "participando" da definição de sua forma de interagir com outra pessoa que se enquadra nesse estereótipo. Por sua vez, o tom de sua interação influencia o comportamento da outra pessoa. A pessoa preconceituosa não consegue ver como esse preconceito molda o que ela "vê" e como ela age. De certa forma, se ela conseguisse, não seria mais preconceituosa. Para operar, o "pensamento" do preconceito precisa continuar oculto à pessoa que o detém.

"O pensamento se *apresenta* (fica em frente) a nós e finge que não *representa*." Somos como atores que esquecem que estão desempenhando um papel. Ficamos presos no teatro dos nossos pensamentos (as palavras "teatro" e "teoria" têm a mesma raiz — *theoria* — "olhar para"). É nesse momento, segundo Bohm, que o pensamento começa a ser "incoerente". "A realidade pode mudar, mas o teatro continua." Operamos no teatro, definindo problemas, tomando ações, "resolvendo problemas", perdendo contato com a realidade maior a partir da qual o teatro é gerado.

O diálogo é uma forma de ajudar as pessoas a "verem a natureza representativa e participativa do pensamento [e] ... a se tornarem mais sensíveis às incoerências de nossos pensamentos, também fazendo com que seja mais seguro reconhecer tais incoerências". *No diálogo as pessoas tornam-se observadores do seu próprio pensamento.*

O que elas observam é que o seu pensamento é ativo. Por exemplo, quando um conflito vem à tona em um diálogo, as pessoas provavelmente percebem que há uma tensão, mas a tensão surge, literalmente, dos nossos pensamentos. As pessoas dizem: "São os nossos pensamentos e a forma pela qual nos atemos a eles que entram em conflito, não nós". Assim que as pessoas vêem a natureza participativa de seu pensamento, elas começam a se separar de seu pensamento. Começam a assumir uma posição mais criativa e menos reativa a seu pensamento.

As pessoas envolvidas no diálogo começam também a observar a natureza coletiva do pensamento. Bohm afirma que "grande parte do pensamento é coletiva em sua origem. Cada indivíduo faz alguma coisa com ele", mas, de maneira geral, ele se origina coletivamente. "A linguagem, por exemplo, é inteiramente coletiva", afirma Bohm. "E sem a linguagem, não poderia haver o pensamento tal como o conhecemos." A maior parte dos nossos pressupostos foi adquirida do conjunto de pressupostos culturalmente aceitos. Poucos de nós aprendem realmente a "pensar por nós mesmos". Aquele que faz isso é certamente, como há muito tempo disse Emerson, "não compreendido".

Eles também começam a observar a diferença entre "pensar" como um processo contínuo, distinto dos "pensamentos", o resultado desse processo. Isso é muito importante, de acordo com Bohm, para começar a corrigir as incoerências em nossos pensamentos.

Se o pensamento coletivo é uma corrente contínua, os "pensamentos" são como folhas que flutuam na superfície da água que banha as margens. Coletamos as folhas, que experimentamos como "pensamentos". Nós percebemos equivocadamente os pensamentos como sendo nossos, pois não conseguimos ver o fluxo de pensamento coletivo do qual eles surgem.

No diálogo, as pessoas começam a ver a corrente que flui entre as margens. Começam a "participar desse conjunto de significado comum, que é capaz de constante desenvolvimento e mudança". Bohm acredita que os nossos processos normais de pensamento são como uma "rede grossa que filtra apenas os elementos maiores do rio". No diálogo, desenvolve-se um "tipo de sensibilidade" que transcende o que normalmente reconhecemos como pensamento. Essa sensibilidade é uma "rede fina" capaz de coletar os significados sutis no fluxo de pensamentos. Bohm acredita que essa sensibilidade está nas raízes da verdadeira inteligência.

Sendo assim, segundo Bohm, o aprendizado coletivo não é só possível como também é vital para a realização dos potenciais da inteligência humana. "Através do diálogo, as pessoas podem se ajudar mutuamente a se conscientizar das incoerências nos pensamentos uns dos outros, e dessa forma o pensamento coletivo torna-se cada vez mais coerente (da palavra latina *cohaerere* — "ficar junto"). É difícil dar uma definição simples de coerência, além de simplesmente dizer que se pode senti-la como ordem, consistência, beleza ou harmonia.

O ponto principal, entretanto, é não lutar por um ideal de coerência abstrato. É melhor que todos os participantes trabalhem juntos para se tornarem sensíveis a todas as formas possíveis de *incoerência.* A incoerência pode ser indicada por contradições e confusão, mas mais basicamente é detectada pelo fato de o nosso pensamento estar produzindo conseqüências que na verdade não desejamos.

Bohm identifica três condições básicas necessárias ao diálogo:

1. Todos os participantes devem "suspender" seus pressupostos, literalmente colocando-os "como se estivessem suspensos diante de nós";
2. Todos os participantes devem encarar uns aos outros como colegas;
3. Deve haver um "facilitador" que "mantenha o contexto" do diálogo.

Essas condições contribuem para permitir o "livre fluxo de significado" passando entre os membros do grupo, diminuindo a resistência ao fluxo. Da mesma forma que a resistência em um circuito elétrico faz com que o fluxo da corrente gere calor (energia desperdiçada), o funcionamento normal de um grupo também dissipa energia. No diálogo, existe uma "energia fria, como um supercondutor". "Assuntos quentes", assuntos que de outra forma tornar-se-iam fonte de discordâncias emocionais, tornam-se discutíveis. E mais, tornam-se janelas para novas idéias mais profundas.

Suspendendo pressupostos. "Suspender" os pressupostos significa segurá-los "como se estivessem 'pendurados à sua frente', constantemente acessíveis ao questionamento e à observação". Isso não significa que temos de jogar fora nossos pressupostos, suprimi-los ou evitar sua expressão. Tampouco, de maneira alguma, significa que ter opiniões é "ruim" ou que devamos eliminar o subjetivismo. Ao contrário, significa estarmos conscientes dos nossos pressupostos e submetê-los a exame. Isso não pode ser feito se estivermos defendendo nossas opiniões. Tampouco pode ser feito se não tivermos consciência dos nossos pressupostos, ou de que nossas visões baseiam-se em *pressupostos*, ao invés de fatos incontroversos.

Bohm argumenta que uma vez que o indivíduo "se fecha numa posição" e decide que "é assim que tem de ser", o fluxo do diálogo fica bloqueado. Isso exige que se aja "no fio da navalha", como diz Bohm, pois "a mente quer continuar fugindo de ter que colocar em suspenso seus pressupostos... a fim de adotar opiniões rígidas e não-negociáveis que depois nos sentimos tentados a defender".

Por exemplo, em uma recente sessão de diálogo envolvendo uma equipe de alta gerência de uma empresa de tecnologia extremamente bem-sucedida (descrita detalhadamente a seguir), as pessoas perceberam uma profunda "cisão" na organização entre o departamento de P&D e todo o resto, uma cisão que se devia ao papel exaltado do P&D na empresa. Essa cisão tinha suas raízes na história da empresa, que envolvia uma cadeia de inovações radicais de produtos ao longo dos últimos trinta anos, o que a levava literalmente à posição de pioneira em vários novos produtos que acabaram se tornando padrões no setor. A inovação de produtos era o fundamento da reputação da empresa no mercado. Portanto, ninguém se considerava capaz de falar sobre a "cisão", embora estivesse criando muitos problemas. Fazê-lo poderia ter significado questionar o valor, há muito tempo acalentado, da liderança tecnológica e de dar aos engenheiros altamente criativos a autonomia de buscar suas visões de produtos. Além disso, a segunda pessoa mais importante no departamento de P&D estava presente à reunião.

Quando se discutiu a condição de "suspender todos os pressupostos", o responsável pelo marketing perguntou: "*Todos* os pressupostos?" Quando recebeu uma resposta positiva, ele pareceu perplexo. Mais tarde, com o andamento da sessão, ele reconheceu que tinha o pressuposto de que o departamento de P&D via-se como "mantenedor da chama" na organização, e presumia ainda que isso os tornava inabordáveis com relação a informações de mercado que poderiam influenciar o desenvolvimento de produtos. Isso levou o gerente de P&D a responder que ele também presumia que os outros o viam sob essa luz e que, para a surpresa de todos, achava que esse pressuposto limitava sua eficácia e a do P&D da organização. Ambos compartilhavam desses pressupostos *como pressupostos,* não como fatos comprovados. O resultado é que o diálogo que se seguiu tornou-se uma impressionante exploração de visões sem precedentes em termos de imparcialidade e implicações estratégicas.

"Suspender os pressupostos" parece muito com ver "saltos de abstração" e "indagar sobre o raciocínio subjacente à abstração", habilidades básicas de reflexão e indagação desenvolvidas no Capítulo 10, "Modelos mentais". Porém, no diálogo, suspender os pressupostos deve ser uma ação coletiva. A disciplina da equipe para manter os pressupostos "suspensos" permite que os membros da equipe vejam seus pressupostos com mais clareza, pois é possível a cada um comparar os seus pressupostos com os dos outros. Segundo Bohm, suspender os pressupostos é difícil, "devido à própria natureza do pensamento. O pensamento nos ilude continuamente, levando-nos a uma visão de que 'é assim que as coisas são'." A disciplina da equipe para colocar os pressupostos em suspenso é o antídoto para essa ilusão.

Ver-se uns aos outros como colegas. O diálogo só pode ocorrer quando um grupo de pessoas se vê como colegas em uma busca mútua de novas idéias e clareza mais profunda. Pensar uns nos outros como colegas é importante, pois o pensamento é participativo. O ato consciente de pensar uns nos outros como colegas contribui para a interação como colegas. Isso pode parecer simples, mas pode fazer uma profunda diferença.

Ver-se mutuamente como colegas é essencial para estabelecer um tom positivo e compensar a vulnerabilidade gerada pelo diálogo. No diálogo as pessoas se sentem como se estivessem construindo alguma coisa, uma nova compreensão mais profunda. Entretanto, ver-se mutuamente como colegas e amigos, por mais que possa parecer simples, tem se provado algo extremamente importante. Conversamos com os amigos de forma diferente da que conversamos com pessoas que não são nossos amigos. É interessante observar que, à medida que o diálogo se desenvolve, os membros da equipe verão o desenvolvimento desse sentimento de amizade mesmo em relação às pessoas com as quais não têm muito em comum. O que é necessário é essa *disposição* de considerar uns aos outros colegas. Além disso, há uma certa vulnerabilidade ao se colocar os pressupostos em suspenso. Tratar-se uns aos outros como colegas implica admitir um risco mútuo e estabelecer o senso de segurança para se enfrentar esse risco.

O coleguismo não significa que você precisa concordar ou compartilhar as mesmas visões. Ao contrário, a verdadeira capacidade de encarar os outros como colegas entra em ação quando existem diferenças de visão. É fácil sentir o espírito de coleguismo quando todos concordam. Quando existem discordâncias significativas, é mais difícil. Mas a recompensa é também muito maior. Optar por ver "adversários" como "colegas com visões diferentes" proporciona os maiores benefícios.

Bohm expressou dúvidas quanto à possibilidade de diálogo nas organizações devido à condição do coleguismo: "A hierarquia é antitética ao diálogo, e é difícil escapar à hierarquia nas organizações". Ele pergunta: "As pessoas em cargos de autoridade podem realmente se 'nivelar' com pessoas em cargos subordinados?" Essas perguntas têm várias implicações operacionais para as equipes organizacionais. Primeiro, todos os envolvidos devem realmente *desejar* mais os benefícios do diálogo do que se ater aos privilégios de seu cargo. Se uma pessoa está acostumada a fazer sua visão prevalecer porque é a mais sênior, então é preciso abrir mão desse privilégio no diálogo. Se uma pessoa está acostumada a reprimir suas visões porque ocupa um cargo inferior, então esta segurança de não se expor também precisa ser abandonada. Medo e julgamento devem ser eliminados. O diálogo é "divertido"; exige a disposição de jogar com novas idéias, de examiná-las e testá-las. E quando nos preocupamos excessivamente com "quem disse o quê" ou "não falar nada estúpido", essa diversão desaparece.

Mesmo sendo preciso levar a sério essas condições, encontramos nas organizações várias equipes consistentemente dispostas ao desafio desde que saibam com antecedência o que se espera delas. No fundo, existe um anseio pelo diálogo, especialmente quando este está centrado em questões de suma importância para nós. Mas isso não significa que o diálogo seja sempre possível nas organizações. Se todos os participantes não estiverem dispostos a viver nas condições em que se suspendem os pressupostos e há o coleguismo, o diálogo não será possível.

Um facilitador que "mantém o contexto" do diálogo. Na ausência de um facilitador com as habilidades desenvolvidas, nossos hábitos nos impelem continuamente à discussão, afastando-nos do diálogo. Isso é especialmente verdadeiro nas etapas iniciais do desenvolvimento do diálogo como uma disciplina da equipe. Consideramos o que "se apresenta" em nossos pensamentos como algo literal, não como uma representação. Acreditamos em nossas próprias visões e queremos que elas prevaleçam. Preocupamo-nos quando temos que suspender publicamente nossos pressupostos. Podemos até não ter certeza se é psicologicamente seguro colocar em suspenso "todos os pressupostos" — "Afinal, eu não deveria manter alguns pressupostos para não perder meu senso de identidade?"

O facilitador de uma sessão de diálogo desempenha muitas das funções de um bom "facilitador do processo". Dentre essas funções estão ajudar as pessoas a manter o sentimento de propriedade do processo e dos resultados — somos responsáveis pelo que está acontecendo. Se as pessoas começarem a manifestar reservas, afirmando que "isso ou aquilo" não nos deixa falar sobre algo, isso constitui um pressuposto que não foi colocado em suspenso. O facilitador também precisa manter o andamento do diálogo. Se alguém começar a desviar o processo para uma discussão quando na verdade este não é o propósito, isso deve ser identificado, além de se perguntar ao grupo se as condições para o diálogo continuam sendo cumpridas. O facilitador sempre vive uma situação tênue, entre ser conhecedor do processo e útil, e ao mesmo tempo não bancar o "especialista" ou "doutor", o que desviaria a atenção dos membros da equipe, assim como suas próprias idéias e responsabilidades.[6]

Entretanto, no diálogo o facilitador também desempenha outras funções. Sua compreensão do diálogo lhe permite influenciar o fluxo de desenvolvimento apenas pela sua participação. Por exemplo, depois que alguém faz uma observação, o facilitador pode dizer: "Mas o oposto também pode ser verdade". Além desses lembretes das condições para o diálogo, a participação do facilitador demonstra o diálogo. A arte do diálogo está em vivenciar o fluxo de significado e ver aquilo que precisa ser dito naquele momento. Assim como os quakers,[i] que orientam seus membros para que digam não simplesmente o que lhes vêm à cabeça mas apenas os pensamentos mais interessantes e entusiasmantes (e que fazem com que o falante *trema* com a necessidade de expressá-los), o facilitador só diz o que é necessário no momento. Isso aprofunda a noção de diálogo por parte dos outros mais do que qualquer explicação abstrata poderia.

À medida que as equipes adquirem experiência e habilidade no diálogo, o papel do facilitador torna-se menos crucial, e aos poucos ele pode se tornar apenas um dos participantes. O diálogo surge da "ausência de liderança" do grupo, uma vez que os membros da equipe desenvolveram habilidades e compreensão. Nas sociedades onde o diálogo é uma disciplina continuamente seguida, normalmente não existe a designação de um facilitador. Por exemplo, muitas tribos indígenas dos Estados Unidos cultivam o diálogo como uma arte sofisticada, sem facilitadores formais. Os xamãs e outros sábios tinham papéis especiais, mas o grupo era capaz de entrar em um diálogo por conta própria.

Equilibrando diálogo e discussão. Na aprendizagem em equipe, a discussão é a contraparte necessária do diálogo. Em uma discussão, apresentam-se e defendem-se visões diferentes e, como explicado anteriormente, isso pode prover uma análise útil de toda a situação. Em um diálogo diferentes visões são apresentadas como uma forma de se des-

---

i Nome popular dado aos membros da "Sociedade dos Amigos", grupo religioso cristão com suas origens no século 16, na Europa. (N. do E.).

cobrir uma nova visão. Em uma discussão decisões são tomadas. Em um diálogo, exploram-se assuntos complexos. Quando uma equipe precisa chegar a um acordo e tomar decisões, é preciso haver discussão. Na base de uma análise com a qual todos concordam, é preciso ponderar as visões alternativas e selecionar uma visão preferida (que pode ser uma das alternativas originais ou uma nova visão que surge da discussão). Quando são produtivas, as discussões convergem para uma conclusão ou para um rumo de ação. Os diálogos, por outro lado, são divergentes; não buscam um acordo, mas uma compreensão mais rica de assuntos complexos. Tanto o diálogo quanto a discussão podem levar a novos rumos para a ação; mas as ações freqüentemente são o foco de discussão, enquanto as novas ações surgem como subprodutos do diálogo.

Uma equipe que aprende domina o movimento de vaivém entre diálogo e discussão. As regras básicas são diferentes. As metas são diferentes. Sem distingui-las, as equipes normalmente não conseguem ter nem diálogos nem discussões produtivas.

Desenvolve-se um relacionamento singular entre os membros da equipe que entram regularmente no diálogo. Desenvolve-se entre elas uma profunda compreensão que terá conseqüências sobre as discussões. Desenvolve-se uma rica compreensão da singularidade do ponto de vista de cada pessoa. E mais, os membros descobrem como a compreensão mais ampla surge da consideração "gentil" dos pontos de vista pessoais. Aprendem a dominar a arte de manter uma posição, em vez de "serem mantidos por suas posições". Quando é adequado defender um ponto de vista, eles o fazem com mais elegância e menos rigidez, ou seja, sem colocar "vencer" como prioridade número um.

Além disso, as habilidades que permitem o diálogo são, em grande parte, idênticas às habilidades que podem tornar as discussões produtivas ao invés de destrutivas. São as habilidades de indagação e reflexão, discutidas originalmente no Capítulo 10, "Modelos mentais". Na verdade, um dos motivos da grande importância do diálogo é que ele proporciona um ambiente seguro para o desenvolvimento dessas habilidades e para a descoberta do profundo aprendizado em grupo ao qual elas podem levar.

Reflexão, indagação e diálogo. No raciocínio de David Bohm, ouvimos ecos profundos da abordagem da "ciência da ação" que discutimos no Capítulo 10 — a importância de expormos as nossas visões a influências externas; e o problema de confundirmos nossos modelos mentais com a realidade. O que torna o trabalho de Bohm distinto é que ele está articulando uma "nova" visão do que pode acontecer em um grupo que transcende as deficiências identificadas pelos cientistas da ação. Além disso, o diálogo de Bohm é uma *disciplina de equipe*. Não se pode alcançá-lo individualmente.

Parte da visão do diálogo é o pressuposto de um "conjunto de significados maior" acessível apenas para um grupo. Essa idéia, embora inicialmente possa parecer radical, tem um profundo apelo intuitivo para os gerentes que há muito tempo cultivam os aspectos mais sutis da indagação coletiva e do desenvolvimento de um consenso.

Esses gerentes aprendem desde cedo a distinguir dois tipos de consenso: o consenso do tipo "fechar o foco", que busca o denominador comum em diversos pontos de vista individuais, e o consenso do tipo "ampliar o foco", que busca o quadro maior mais do que o ponto de vista individual. O primeiro tipo de consenso parte do "conteúdo" de nossas visões individuais — da descoberta de que parte da minha visão é compartilhada por você e pelos outros. Essa é a nossa "base comum", com a qual todos nós concordamos.

O segundo tipo de consenso parte da idéia de que cada um de nós tem uma "visão", uma forma de encarar a realidade. A visão de cada pessoa é uma perspectiva única de uma realidade mais ampla. Se eu puder ver com os seus olhos e você com os meus, cada um de nós verá algo que talvez não tivéssemos visto sozinhos.

Se o diálogo articula uma visão única da aprendizagem em equipe, as habilidades de reflexão e indagação podem ser essenciais para a percepção dessa visão. Assim como a visão pessoal serve como um alicerce para o desenvolvimento da visão compartilhada, as habilidades de reflexão e indagação também fornecem o alicerce para o diálogo e a discussão. O diálogo que é *baseado* nas habilidades de reflexão e indagação provavelmente é mais confiável e menos dependente das particularidades das circunstâncias, como por exemplo da química entre os membros da equipe.

LIDANDO COM A "REALIDADE ATUAL": CONFLITO E ROTINAS DEFENSIVAS

Ao contrário do que diz o mito popular, as boas equipes não são caracterizadas pela ausência de conflito. Ao contrário, na minha experiência, um dos indicadores mais confiáveis de que uma equipe está continuamente aprendendo é o visível conflito de idéias. Nas grandes equipes o conflito torna-se produtivo. Pode haver, e muitas vezes haverá, conflito em torno da visão. Na verdade, a essência do processo de "definição da visão" está no surgimento gradual de uma visão compartilhada a partir de visões pessoais diferentes. Mesmo quando as pessoas compartilham uma visão comum, podem existir muitas idéias diferentes sobre como concretizá-la. Quanto mais grandiosa a visão, maior nossa incerteza quanto a como a alcançaremos. O fluxo livre de idéias conflitantes é crucial para o pensamento criativo, para a descoberta de novas soluções que nen' ım indivíduo teria conseguido isoladamente. O conflito torna-se, efetivamente, parte do diálogo contínuo.

Por outro lado, nas equipes medíocres, uma das duas condições normalmente cerca o conflito. Ou o conflito não aparece na superfície ou existe uma rígida polarização. Nas equipes "tranqüilas na superfície", os membros acreditam que precisam suprimir suas visões conflitantes a fim de manter a unidade da equipe — se cada um dissesse o que pensa, a equipe seria dilacerada por diferenças irreconciliáveis. Na equipe polarizada, os gerentes "expressam" o que pensam, mas as visões conflitantes estão profundamente enraizadas. Todos conhecem o ponto de vista dos outros e há pouco movimento.

Durante mais de 25 anos, Chris Argyris e seus colegas estudaram o dilema dos motivos pelos quais gerentes brilhantes e capazes muitas vezes não conseguem aprender de forma eficaz em equipes gerenciais. Seu trabalho sugere que a diferença entre equipes excelentes e equipes medíocres está em sua forma de enfrentar o conflito e lidar com a postura de defesa que invariavelmente cerca o conflito. "Somos programados para criar rotinas defensivas", afirma Argyris, "e disfarçá-las com outras rotinas defensivas... Essa programação ocorre cedo em nossas vidas."[7]

As rotinas defensivas, como observamos no Capítulo 10, "Modelos mentais", são hábitos arraigados que usamos para nos proteger do constrangimento e da ameaça que decorrem da exposição dos nossos pensamentos. As rotinas defensivas formam uma espécie de escudo protetor em torno de nossos pressupostos mais profundos, defendendo-nos da dor, mas também nos impedindo de conhecer as causas da dor. A fonte das rotinas defensivas, segundo Argyris, não é a crença em nossas visões ou o desejo de preservar as relações sociais, como podemos dizer a nós mesmos, mas o medo de expor o pensamento que está por trás de nossas visões. "O raciocínio defensivo", diz Argyris, "...nos protege de aprender a validade do nosso raciocínio."[8] Para a maioria de nós, expor nosso raciocínio é ameaçador, pois temos medo que as pessoas encontrem erros nele. A ameaça que se percebe na exposição de nossos pensamentos começa desde cedo nas nossas vidas e, para a maioria de nós, é constantemente reforçada na escola — lembre-se do trauma de ser chamado e não ter a "resposta certa" — e mais tarde no trabalho.

As rotinas defensivas são tão diversas e tão comuns que normalmente passam despercebidas. Dizemos: "É uma idéia muito interessante" quando não temos intenção de falar a sério sobre ela. Confrontamos intencionalmente uma pessoa para reprimir uma idéia, para evitar ter que considerá-la. Ou, na tentativa de ser útil, protegemos alguém das críticas, mas também nos protegemos do envolvimento em problemas difíceis. Quando surge um problema difícil, mudamos de assunto pretensamente em respeito às "boas maneiras".

Um CEO rigoroso lamentou recentemente a ausência de "verdadeiros líderes" em sua organização. Ele acreditava que sua empresa estava repleta de pessoas complacentes, e não de visionários comprometidos. Isso era especialmente frustrante para um homem que se considera um comunicador competente e disposto a correr riscos. Na verdade, ele é tão brilhante na expressão de sua visão que intimida todos à sua volta. Conseqüentemente, sua visão raramente é desafiada em público. As pessoas aprenderam a não expressar suas próprias visões e pontos de vista perto dele. Embora não quisesse ver seu próprio rigor como uma estratégia defensiva, se analisasse cuidadosamente, veria que as coisas funcionam exatamente dessa form·

As rotinas defensivas mais eficazes, como a do CEO rigoroso, são as que não conseguimos ver. Ostensivamente, o CEO esperava provocar os outros a expressar seus próprios pensamentos. Mas seu comportamento avassalador impedia que as pessoas fizessem isso, protegendo suas próprias visões de qualquer desafio. Se expressa como uma estratégia consciente, sua defesa seria transparente: "Mantenho as pessoas na defensiva através da intimidação, para que não confrontem minhas idéias". Se o CEO visse sua estratégia apresentada nesses termos simples, certamente a abandonaria. O fato de ela permanecer oculta para ele mantém essa estratégia em funcionamento.

Os problemas causados pelas rotinas defensivas pioram nas organizações nas quais ter uma compreensão incompleta ou incorreta é sinal de fraqueza ou, pior, de incompetência. Bem no fundo dos modelos mentais dos gerentes de muitas organizações existe a crença de que os gerentes devem saber o que está acontecendo. É simplesmente inaceitável que os gerentes ajam como se não conhecessem a causa de um problema. Os que alcançam posições de nível sênior são especialistas em aparentar saber o que está se passando, e os que pretendem alcançar essas posições aprendem muito cedo a desenvolver um ar de confiança em seu conhecimento.

Os gerentes que internalizam esse modelo mental classificam-se em dois tipos. Alguns realmente internalizam esse ar de confiança e simplesmente acreditam que sabem as respostas para os problemas mais importantes. Entretanto, para proteger essa crença, precisam se fechar às visões alternativas e se tornar não-influenciáveis. Acreditam que, para se manter confiantes, precisam manter-se rígidos. Outros acreditam que o que se espera deles é que saibam qual é a causa dos problemas importantes mas, no fundo, reconhecem a incerteza das suas soluções. Seu papel é o de manter a fachada de confiança e camuflar sua ignorância. Seja qual for a posição em que se encontrem, os gerentes que assumem a responsabilidade de ter que conhecer todas as respostas se tornam altamente competentes nas rotinas defensivas que preservem sua aura de profissionais capazes de tomar decisões eficazes, ocultando o pensamento subjacente a essas decisões.

Essa posição defensiva torna-se uma parte aceita da cultura organizacional. Argyris diz que "sempre que pergunto a alguém... o que os leva a fazer jogos políticos na organização? A resposta é que essa é a natureza humana e a natureza das organizações... Nós somos os portadores das rotinas defensivas e as organizações são as hospedeiras. Quando são infectadas, as organizações também se tornam portadoras".[9]

As equipes são microcosmos da organização maior, e portanto não é surpreendente que os padrões defensivos característicos da organização maior sejam incorporados à equipe. Na verdade, as rotinas defensivas bloqueiam o fluxo de energia de uma equipe que poderia cooperar em prol de uma visão comum. Os membros da equipe capturados em suas rotinas defensivas sentem-nas como muros — obstáculos e armadilhas que impedem o aprendizado coletivo.

Para ver como surgem as rotinas defensivas sutis de uma equipe, considere o caso de produtos da ATP: uma divisão jovem de uma empresa inovadora e altamente descentralizada. (Os nomes da empresa e das pessoas foram trocados.) Jim Tabor, 33 anos, presidente de divisão, estava profundamente comprometido com os valores de liberdade e autonomia local da empresa. Acreditava veementemente nos produtos da ATP, baseados em uma nova tecnologia de placas de circuitos impressos. Era um profissional extremamente entusiasmado, um líder natural de seus funcionários. Por sua vez, os membros de sua equipe trabalhavam horas a fio e compartilhavam seu entusiasmo pelos potenciais clientes.

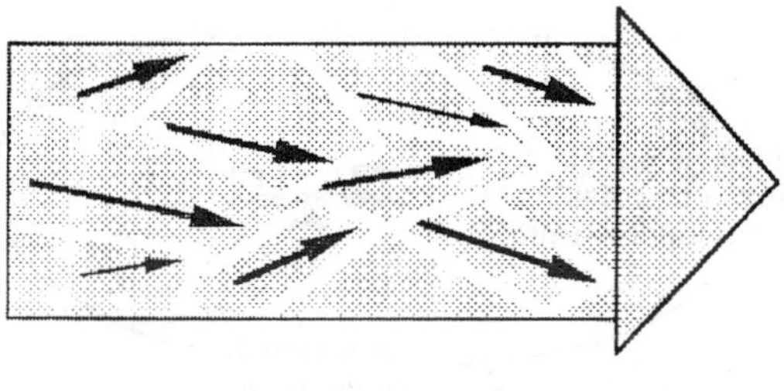

Seus esforços foram recompensados com vários anos de crescimento rápido (30 a 50 por cento ao ano) nos pedidos, alcançando vendas de US$ 20 milhões em 1984. Entretanto, 1985 presenciou um colapso desastroso dos pedidos.[10] Dois grandes fabricantes de minicomputadores acreditaram tanto na tecnologia da ATP que projetaram novas linhas de hardware com placas da ATP já incorporadas. Mas quando ocorreu a queda no setor de minicomputadores em 1985, essas indústrias interromperam o trabalho nas linhas novas, deixando a ATP com uma defasagem de 50 por cento com relação às projeções de pedidos. A empresa não se recuperou em 1986. Jim Tabor foi afastado da posição de presidente de divisão, embora continuasse como gerente de engenharia.

O que deu errado na ATP? Devido ao seu entusiasmo, a gerência da ATP fechara-se em uma estratégia internamente inconsistente. A equipe estabelecera metas de crescimento agressivas, em parte para agradar a gerência da empresa, mas também porque acreditava em seu produto. A busca dessas metas criara fortes pressões sobre a equipe de vendas, que reagiu desenvolvendo grandes relacionamentos com alguns clientes principais, dos quais a ATP tornara-se altamente dependente. Quando alguns desses clientes começaram a ter seus próprios problemas, a ATP foi condenada.

Por que a equipe gerencial da ATP sancionou uma estratégia que tornou a divisão tão vulnerável? Por que a liderança da empresa não interveio insistindo que os gerentes da jovem divisão diversificassem sua base de clientes? A essência do problema foi um conjunto de rotinas defensivas, incorporadas a uma estrutura baseada na "transferência de responsabilidade".

Como diz Argyris, as rotinas defensivas são uma resposta a um problema; nesse caso, o problema é uma necessidade de aprender, decorrente de uma "defasagem de aprendizado" entre o que se sabe e o que é necessário saber. A "solução fundamental" é a indagação, que resulta em uma nova compreensão e um novo comportamento, ou seja, o aprendizado. Mas a necessidade de aprendizado também cria uma ameaça. As pessoas e equipes respondem defensivamente à ameaça. Isso leva à "solução sintomática": rotinas defensivas que eliminam a defasagem de aprendizado, reduzindo a *necessidade percebida* de aprendizado.

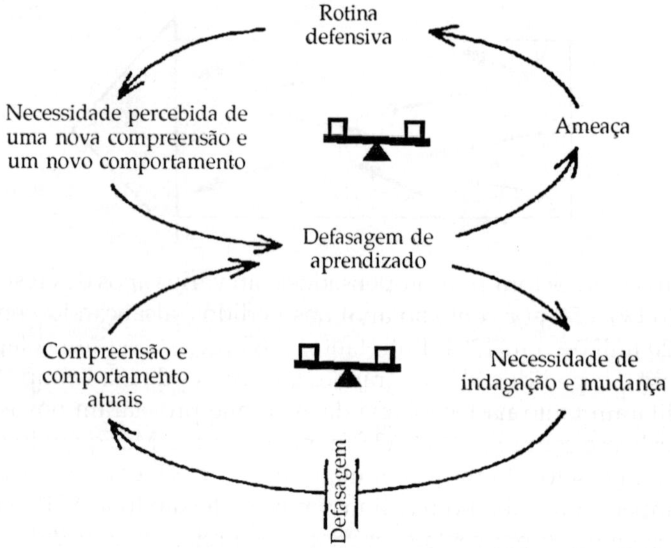

Todos os principais atores na ATP foram capturados por suas próprias rotinas defensivas. Vários gerentes da ATP expressaram sua preocupação com a dependência em uma base limitada de clientes. Quando o problema foi levantado nas reuniões de equipe, todos concordaram que se tratava de um problema. Mas ninguém fez coisa alguma, porque todos estavam ocupados demais. Impulsionados por suas metas desafiadoras de crescimento, os gerentes da ATP expandiram agressivamente a capacidade de produção e criaram pressões poderosas para a busca de novos pedidos, independentemente da origem delas.

Os gerentes da empresa a quem Tabor se reportava foram capturados por uma situação semelhante. Eles também tinham uma preocupação com a base limitada de clientes da ATP. Privadamente, alguns dos gerentes da empresa questionavam a habilidade de Tabor de preparar a empresa para o crescimento a longo prazo. Mas esses mesmos executivos também acreditavam veementemente em uma filosofia corporativa de não minar a autoridade dos presidentes de divisão de administrar seus próprios negócios. Não estavam certos de como levantar seus questionamentos sem parecerem descomprometidos com a liderança de Tabor, e assim faziam apenas comentários indiretos ou ficavam quietos.

Do outro lado da mesa, Jim Tabor tinha suas próprias perguntas, mas era reticente em levantá-las nas reuniões com seus superiores. Nunca havia sido presidente de divisão. Estava ansioso para comprovar suas habilidades. Ele acreditava profundamente no potencial da empresa e sentia-se comprometido com seus gerentes na ATP. Não queria desapontá-los, exatamente como não queria desapontar seus superiores. Portanto, não conversou sobre seu próprio desconforto em relação às metas agressivas de crescimento que a ATP estabelecera.

Os conflitos entre a gerência da ATP, a gerência da empresa e Tabor estavam submersos em rotinas defensivas e, conseqüentemente, nunca foram resolvidos. Dentro da equipe, os questionamentos sobre a estratégia básica da empresa estavam perdidos nas pressões para cumprir as metas ditadas pela estratégia. Os superiores de Tabor queriam oferecer ajuda, mas também não desejavam parecer descomprometidos. Tabor precisava de ajuda, mas também não queria aparentar falta de confiança. Por trás do apoio mútuo superficial, da camaradagem e do espírito "todos por um", existiam formas de lidar com o conflito que geraram resultados contrários aos pretendidos por todos.

Quanto mais eficazes são as rotinas defensivas, melhor elas ocultam os problemas subjacentes, menos esses problemas são enfrentados com eficácia, e mais eles tendem a se agravar. A necessidade real de aprender não desapareceu na ATP. Ao evitar os problemas reais, como construir uma base abrangente de clientes, eles permitiram que os problemas se agravassem. Como em todas as estruturas nas quais se transfere a responsabilidade, quanto mais as equipes apelam para as rotinas defensivas, mais passam a confiar nelas. "O paradoxo", escreve Argyris, "é que, quando (as rotinas defensivas) são bem-sucedidas em impedir o sofrimento imediato, as rotinas defensivas também nos impedem de aprender como reduzir a causa do sofrimento."[11]

Como Argyris também costuma dizer, as rotinas defensivas são "autobloqueadoras", ocultam sua própria existência. Isso ganha volume porque temos normas sociais que dizem que *devemos* ser abertos e que ser defensivo é ruim. Isso dificulta a identificação de rotinas defensivas, mesmo quando sabemos que estamos sendo defensivos. Se os superiores de Tabor tivessem expressado explicitamente suas estratégias, elas soariam mais ou menos assim: "Estamos evitando questionar as habilidades de Jim para não ter que enfrentar um possível conflito e para manter uma atitude aparente de apoio". Se tivessem expressado essa estratégia, certamente a teriam evitado deliberadamente. Da mesma forma, se Tabor tivesse dito: "Estou evitando expressar minhas dúvidas sobre como estamos gerenciando a situação porque tenho medo de que isso possa me fazer parecer fraco ou incompetente", sua estratégia defensiva teria se tornado insustentável. Mas ninguém expressou esses sentimentos pelos mesmos medos básicos que fizeram com que todos adotassem essas rotinas defensivas no início.

Se não é possível expressar facilmente suas rotinas defensivas, onde está a alavancagem para reduzi-las? Na maioria das estruturas de transferência de responsabilidade há duas possíveis áreas de alavancagem: (1) enfraquecer a solução sintomática e (2) fortalecer a solução fundamental. Uma forma de enfraquecer a solução sintomática é diminuir a ameaça emocional que precipita inicialmente a resposta defensiva. Por exemplo, se Tabor se sentisse confortável com a possibilidade de admitir sua incerteza diante de seus superiores ou se eles se sentissem confortáveis em levantar suas dúvidas, ambos teriam sido menos propensos a evitar o questionamento dos fundamentos da estratégia da ATP.[12] Aprender como lidar com as rotinas defensivas quando elas surgem também enfraqueceria a solução sintomática. Para manter seu poder, as rotinas defensivas *devem permanecer indiscutíveis*. As equipes só são bloqueadas por suas rotinas defensivas quando fingem que não adotam rotinas defensivas, que tudo está bem e que podem conversar sobre "qualquer coisa".

Mas como tornar as rotinas defensivas discutíveis é um desafio. Tentar "corrigir" a rotina defensiva de uma outra pessoa é quase sempre uma garantia de um tiro que sairá pela culatra. Por exemplo, tente perguntar a alguém por que está se comportando de forma tão defensiva. Universalmente, a primeira resposta é um protesto: "Quem? Eu? Não estou me comportando de forma defensiva!" Ao concentrar a atenção na outra pessoa, o "confrontador" abstém-se de qualquer responsabilidade sobre a situação. São *sempre* necessárias duas (ou mais) pessoas para se dançar. Quando percebemos que existe uma rotina defensiva, é bem possível que sejamos parte dela. Gerentes competentes aprendem a enfrentar a defensividade sem produzir mais defensividade.

Eles o fazem pela auto-revelação e indagação sobre as causas das suas próprias defensividades. Por exemplo, talvez digam algo como "Notei que estou me sentindo ameaçado por essa nova proposta. Talvez você também esteja. Será que você poderia me ajudar a descobrir de onde vem esse desconforto?" Ou "Será que o que estou dizendo faz sentido? Acho que a forma como estou me comunicando me faz parecer fechado e inflexível em relação a esse assunto. Mas gostaria de ouvir o seu ponto de vista para que possamos chegar a um quadro mais objetivo". (Obviamente, é o espírito das declarações e não o seu conteúdo específico que importa.) Ambas as declarações identificam a experiência de desconforto do orador e convidam a uma indagação conjunta sobre as suas causas.

As habilidades que diminuem a tensão das rotinas defensivas são em essência as mesmas habilidades que fortalecem a "solução fundamental" na estrutura de transferência de responsabilidade — as habilidades de reflexão e indagação mútua. A indagação eficaz das causas dos problemas existentes — ou seja, indagar visando revelar suas próprias premissas e seu raciocínio, abri-las à influência de outras pessoas e encorajá-las a fazer o mesmo diminui a probabilidade de existência das rotinas defensivas.[13]

Apesar de as rotinas defensivas poderem se tornar especialmente perniciosas em uma equipe, por outro lado, as equipes têm capacidades especiais de transcender a defensividade — se houver um comprometimento verdadeiro com a aprendizagem. O que é preciso — e isso não é uma surpresa — é uma visão do que realmente queremos, tanto em termos de resultados da empresa quanto de como queremos trabalhar em conjunto, e um compromisso implacável com a expressão verdadeira da nossa "realidade atual". Nesse sentido, a aprendizagem em equipe e o desenvolvimento de uma visão compartilhada são disciplinas irmãs. Elas evoluem naturalmente juntas visando criar a "tensão criativa" em uma equipe.

Na presença de uma visão verdadeiramente compartilhada, as rotinas defensivas tornam-se apenas mais um aspecto da "realidade atual". Como os "conflitos estruturais" discutidos no capítulo sobre domínio pessoal, elas derivam seu poder do fato de não serem identificadas. Uma equipe comprometida com a verdade tem poderes especiais de expor e identificar sua própria defensividade. Assim, as rotinas defensivas podem realmente se tornar uma fonte de energia, e não de inércia.

As rotinas defensivas podem se transformar em surpreendentes aliadas em prol do desenvolvimento de uma equipe que aprende, ao sinalizar quando o aprendizado não está ocorrendo. A maioria de nós sabe quando está sendo defensiva, mesmo quando não conseguimos identificar inteiramente a origem ou padrão da nossa defensividade. Se você pensar no assunto verá que uma das habilidades mais úteis de uma equipe que aprende seria a capacidade de identificar quando as pessoas *não* estão refletindo sobre suas próprias premissas, quando *não* estão indagando sobre a linha de raciocínio dos outros integrantes da equipe, quando não estão expondo suas idéias de uma forma que encoraje as outras pessoas a indagar sobre elas. Quando nos sentimos defensivos, buscando evitar um problema, pensando que precisamos proteger alguém ou a nós mesmos — esses são sinais tangíveis que podem ser usados para restabelecer um clima de aprendizado. Mas precisamos aprender a reconhecer os sinais e identificar a defensividade sem provocá-la.

As rotinas defensivas podem sinalizar problemas especialmente difíceis ou importantes. Freqüentemente, quanto mais forte é a defensividade, mais importante é o problema em torno do qual as pessoas estão defendendo ou protegendo suas visões. Se puderem ser expressas produtivamente, essas visões talvez proporcionem janelas para as pessoas observarem o pensamento umas das outras. Quando a defensividade é acompanhada de uma dose de auto-revelação, equilibrando indagação e argumentação, os *membros* da equipe começam a ver o pensamento uns dos outros de uma forma mais clara.

Finalmente, à medida que aprendem a trabalhar com e não contra suas rotinas defensivas, os *membros* da equipe ganham confiança de que "são senhores da sua defensividade". As rotinas defensivas enfraquecem os *membros* da equipe. Elas drenam sua energia e minam seu espírito. Quando a equipe percebe que está transcendendo os obstáculos que estavam impedindo o aprendizado, obstáculos que muitos consideravam inevitáveis — como observou Argyris, "a natureza das organizações" —, ela ganha uma experiência tangível de que pode ter o poder de mudar muitos aspectos da sua realidade.

Nos tempos medievais, a alquimia era um símbolo de transformação do que é mais comum (chumbo) no que é mais precioso (ouro). Da mesma forma as equipes que aprendem praticam uma forma especial de alquimia, a transformação do conflito — potencialmente gerador de discórdia — e da defensividade em aprendizado. Elas fazem isso através da sua visão e habilidade. Através do diálogo, os *membros* da equipe ganham experiência tangível da inteligência maior que podem utilizar. Essa experiência fortalece a visão dos *membros* da equipe de como eles podem funcionar. Mas se a equipe não desenvolver a habilidade de enxergar ao invés de ocultar a realidade atual, sua capacidade de aprendizagem não será confiável. Sem habilidades de reflexão e indagação, a equipe desviará seu curso quando surgir a defensividade — sua aprendizagem dependerá das circunstâncias.

Não é a ausência da defensividade que caracteriza as equipes que aprendem, mas a forma de encarar as defensividades. Uma equipe comprometida com a aprendizagem deve estar comprometida não só em dizer a verdade sobre o que está acontecendo "lá fora", na sua realidade dos seus negócios, mas também com o que está acontecendo "aqui dentro", dentro da própria equipe. Para ver a realidade mais claramente é preciso ver também nossas estrategias para ocultar a realidade.

A força e as novas idéias que começam a surgir quando isso acontece são consideráveis. Na verdade, as rotinas defensivas são como cofres dentro dos quais "trancamos" energia que poderia ser direcionada à aprendizagem coletiva. Quando se "destranca" a defensividade, essas novas idéias e essa energia são liberadas, tornando-se disponíveis ao desenvolvimento de uma compreensão compartilhada e evoluindo em direção ao que os integrantes da equipe querem realmente criar.

O ELO PERDIDO: PRÁTICA

Nunca é demais reafirmar que a aprendizagem em equipe é uma *habilidade de equipe*. Um grupo de pessoas talentosas dispostas a aprender não produzirá necessariamente uma equipe que aprende, assim como um grupo de atletas talentosos não formará necessariamente um grande time. As equipes que aprendem, aprendem a aprender em conjunto.

No mínimo, as habilidades de equipe são *mais* difíceis de desenvolver do que as habilidades individuais. É por isso que as equipes que aprendem precisam de "campos de prática", formas de prática conjunta para que possam desenvolver suas habilidades coletivas de aprendizagem. A ausência praticamente total de "prática" ou "ensaio" significativo é provavelmente o fator predominante que impede a maioria das equipes gerenciais de serem unidades eficazes de aprendizagem.

O que é "prática" exatamente? Donald Schön, em seu livro *The Reflective Practitioner*,[i] identifica os princípios essenciais da prática como uma experimentação em um "*mundo virtual*". O mundo virtual é uma "representação construída do mundo real". Ele pode ser tão simples quanto o desenho de um arquiteto:

> Aqui eles podem desenhar e conversar sobre seus movimentos em uma linguagem espacial/prática, desenhando figuras que representam as formas de um prédio na localidade real. Como o desenho revela qualidades e relações até então não imaginadas, os movimentos podem funcionar como experimentos... (descobrindo) que o formato do prédio não se adapta à inclinação do terreno e... que as salas de aula são pequenas demais na escala.[14]

A essência de um mundo virtual é a liberdade de experimentação que ele permite. O ritmo da ação pode ser retardado ou acelerado. Fenômenos que ocorrem muito rapidamente podem ser subdivididos no tempo, para que possam ser estudados mais cuidadosamente. Fenômenos que ocorrem em períodos muito prolongados de tempo podem ser acelerados para que se possam ver mais claramente as con-

i A tradução literal do título seria "O praticante reflexivo". (N. do E.).

seqüências de determinadas atitudes. Nenhuma atitude é irreversível. Ações que não podem ser revertidas ou desfeitas e refeitas no ambiente real podem ser refeitas inúmeras vezes. Mudanças no ambiente podem ser eliminadas, completa ou parcialmente. A complexidade pode ser simplificada, desassociando-se variáveis inter-relacionadas na realidade.

As manipulações que Schön descreve nos mundos virtuais dos arquitetos e outros profissionais correspondem precisamente ao que acontece no treino de um time de basquete ou no ensaio de uma orquestra sinfônica. O ritmo da ação varia — diminuindo o ritmo da música, assistindo aos jogos em câmara lenta. Os componentes são isolados e a complexidade simplificada — executando-se trechos isolados da música, fazendo-se jogadas sem o adversário. Eles revertem o que é, nas apresentações reais, irreversível — tocam o mesmo trecho uma vez atrás da outra, revêem a jogada inúmeras vezes.

É interessante observar que os poucos exemplos de equipes que aprendem consistentemente durante um longo período de tempo aparentemente ocorrem em ambientes que adotam mundos virtuais eficazes. Por exemplo, a propaganda moderna é baseada no conceito de uma equipe criativa, na qual o supervisor da conta, o diretor de arte e os redatores trabalham juntos, freqüentemente durante anos. Essas equipes são tão próximas que é comum que seus integrantes mudem de agência juntos, em vez de se separarem da equipe. O que torna as equipes de propaganda especiais é o fato de praticarem em conjunto, de uma forma tão consistente e intensa quanto os jogadores de um time de basquete. Eles fazem *brainstorming* de idéias e depois as experimentam, testando-as em *storyboards*[i] ou protótipos e até apresentando-as — primeiro para os altos funcionários da agência e, em seguida, para o cliente.

A aprendizagem da equipe exige esse tipo de prática regular. Mas as equipes gerenciais, de maneira geral, estão privadas dela. É verdade que elas têm as discussões intelectuais abstratas sobre as idéias, e que muitos membros da equipe acabam conhecendo as opiniões intelectuais de seus companheiros, até bem demais. Mas não há nada que se pareça com *storyboards* ou ensaios. O principal produto do trabalho da equipe são decisões sobre situações específicas, em geral discutidas e decididas em momentos de grande pressão, e cada decisão se transforma em decisão final assim que é tomada. Não há experimentação com as decisões; pior ainda, há poucas oportunidades para avaliações ponderadas sobre o bom senso de diferentes decisões, e não há oportunidades de se dar um passo atrás como uma equipe, e refletir sobre como seria possível chegarmos juntos a decisões melhores.

---

i *Storyboards* são ilustrações do roteiro geralmente utilizadas para filmes, detalhando as falas e a imagem das cenas a serem gravadas, tendo a aparência de uma história em quadrinhos. (N. do E.)

APRENDENDO A "PRATICAR"

Hoje, a disciplina da aprendizagem em equipe está, acredito eu, à beira de uma inovação, pois estamos aprendendo gradativamente a "praticar". Em especial, dois "campos de prática" distintos estão se desenvolvendo. O primeiro envolve a prática do diálogo, para que uma equipe possa começar a desenvolver sua *habilidade conjunta* de promover um QI da equipe superior aos QIs individuais. O segundo envolve a criação de "laboratórios de aprendizado" e "micromundos" (Capítulo 17), ambientes baseados em softwares de computador nos quais a aprendizagem em equipe se confronta com a dinâmica de realidades complexas da empresa.

As sessões de diálogo permitem que uma equipe se reúna para "praticar" o diálogo e desenvolver as habilidades necessárias para promovê-lo. As condições básicas para uma sessão desta incluem:

1. a participação de todos os integrantes da "equipe" (os que precisam uns dos outros para agir) conjuntamente
2. uma explicação das regras básicas do diálogo
3. o reforço dessas regras básicas para que, se alguém se sentir incapaz de "suspender" suas premissas, a equipe saiba que está "discutindo", e não "dialogando"
4. possibilitar ou, na verdade, encorajar os integrantes da equipe a levantarem as questões mais difíceis, sutis e conflitantes que sejam essenciais ao trabalho da equipe

Pensamos nas sessões de diálogo como "prática" porque são projetadas para promover as habilidades de equipe. Contudo, os resultados práticos dessas sessões podem ser significativos.

Recentemente a equipe gerencial da DataQuest Drives, uma das empresas líderes na fabricação de unidades de disco flexível e outros periféricos para computadores, realizou uma dessas sessões.[15] Como mencionamos anteriormente, a DataQuest é uma empresa com uma sólida imagem de mercado com relação à inovação tecnológica. Além de ser dominada internamente pelo P&D, o carismático fundador da empresa aposentou-se recentemente depois de guiar o crescimento bem-sucedido da DataQuest nos últimos trinta anos. Após um ano sob o comando da nova gerência e sucessos em alguns aspectos, as coisas degringolaram. John MacCarthy, novo presidente da empresa, enfrentou o desafio amedrontador de ocupar o lugar de um mito, enfrentando condições nos negócios muito mais difíceis do que o mito jamais precisou enfrentar (todo o mercado foi reconstruído) e com uma equipe de profissionais competentes que ainda não tinha começado a trabalhar como equipe.

Em meio ao processo de uma tumultuada reorganização, a equipe gerencial de MacCarthy reuniu-se durante dois dias com o seguinte convite do presidente:

Memorando para:

De: John MacCarthy
Assunto: *Reunião Especial*

Como todos já sabem, estamos acelerando o processo de mudança e preciso de suas contribuições para finalizar nossas estratégias e planos de implementação. Acredito que haja uma oportunidade de melhorarmos nossa compreensão e nossas formas de implementar mudanças.

A sessão pretende ser a primeira de uma série de diálogos que nos ajudem a esclarecer as premissas, programas e responsabilidades subjacentes à implementação de nossas principais estratégias. Acreditamos que somente através da participação de um grupo maior poderemos executar nossas mudanças e programas de uma forma coerente e sem ambigüidades. O objetivo dessa sessão de dois dias é compreender as visões de cada um de nós, analisando os grandes problemas que estamos enfrentando atualmente.

Esta sessão não é uma tentativa de tomar decisões, mas um lugar para examinar diretrizes e premissas subjacentes a elas.

Nós temos uma segunda meta. Trata-se de nos reunirmos como colegas, deixando do lado de fora da porta nossas funções e cargos. Neste diálogo devemos nos considerar iguais, pessoas que têm um conhecimento substancial das situações que estamos analisando.

Estamos vendo essa reunião como o primeiro passo em direção ao estabelecimento de um diálogo contínuo e substancial entre nós. Nossa experiência começa a mostrar que o engajamento no diálogo exige prática e esperamos aprender a como fazer isso nessa sessão. Várias regras básicas são úteis, e contamos com a sua participação, seguindo as regras o máximo possível.

Regras básicas sugeridas

1. Suspensão das premissas. Normalmente, as pessoas adotam uma posição e a defendem, agarrando-se a ela. Outras assumem posições opostas, gerando polarização. Nesta sessão gostaríamos de examinar algumas de nossas premissas subjacentes à nossa diretriz e estratégia, sem buscar defendê-las.

2. Agir como colegas. Estamos pedindo às pessoas que deixem seus cargos do lado de fora da porta. Não haverá hierarquia especial nesta reunião, exceto pelo facilitador que, esperamos, nos manterá nos trilhos.
3. Manter o espírito da indagação. Gostaríamos que as pessoas explorassem o pensamento que está por trás das suas visões, suas premissas mais profundas e as evidências que as levaram a essas premissas. Assim, é justo começar fazendo perguntas como "O que o levou a dizer ou a acreditar nisso?" ou "O que faz você perguntar sobre isto?"

Durante os dois dias muitos assuntos anteriormente proibidos foram expressos, obstáculos à comunicação foram eliminados e abismos foram preenchidos. Nenhum relacionamento foi mais importante para a organização que o que se travou entre P&D e marketing e vendas.

Joe Grauweiler, chefe da área de P&D, e Charlie Smyth, chefe da área de Marketing e Vendas, mantiveram um relacionamento amigável porém distante nos últimos dez anos. Ambos tinham um imenso orgulho das conquistas da DataQuest. Ambos acreditavam piamente em seu compromisso com a "gerência participativa" e em seus ideais relacionados às pessoas e à organização. Contudo, ambos foram capturados em um conflito que simboliza as forças que estão impedindo o crescimento contínuo da DataQuest Drives. O pessoal de P&D é visto como artistas, designers, criadores. O marketing se vê e é visto pelos outros como "a grande escória", pois atua no submundo das negociações com revendedores sem escrúpulos (que não têm a mínima lealdade com a DataQuest), dos descontos e dos clientes furiosos.

As "duas culturas" de P&D e Marketing refletem-se em inúmeros conflitos organizacionais. Por exemplo, tanto Grauweiler quanto Smyth têm seus próprios orçamentos de produtos. O de Grauweiler destina-se ao desenvolvimento de novos produtos. O de Smyth destina-se a aquisições, à compra de empresas menores cujos produtos contribuem para tornar a DataQuest, aos olhos de Smyth, mais competitiva no mercado. Não existe um plano integrado de produtos unindo os dois. O marketing estimulava essa "oposição" porque considerava a área de P&D não receptiva a toda a gama de necessidades dos clientes. P&D, em contrapartida, considerava-se excluído de decisões importantes relacionadas aos produtos. Ao longo desse diálogo, Grauweiler expressou sua imensa preocupação, o que causou surpresa, pois as pessoas acreditavam que P&D valorizava sua autonomia:

GRAUWEILER: Deixe-me sugerir uma forma de analisar a questão da estratégia de produto, que na minha opinião está sendo considerada atualmente uma espécie de queda-de-braço. Na verdade, reunimos duas estratégias de produto independentes. Não evidenciamos ou esclarecemos essa estratégia. Tenho indícios de que não utilizamos todas as competências da organização para compreender o que influencia realmente a DataQuest em suas decisões de fabricação ou compra de um produto. Sendo assim, temos um grupo de pessoas gastando dinheiro em alguns programas de produtos com um certo grau de confiança, e um outro grupo gastando dinheiro em programas de produtos com uma visão diferente. E "essas duas visões nunca vão se encontrar". Acho isso uma loucura. Deveríamos ter uma estratégia de produto única e abrangente, capaz de atender a P&D e marketing. E, dentro dessa estratégia, localizam-se todas as decisões de fabricação/compra...

MACCARTHY: Acho que, nos fundamentos, todos concordamos com isso.

GRAUWEILER: Eu poderia considerar que estamos telegrafando o contrário.

OUTROS: Sim.

GRAUWEILER: É mais grave do que simplesmente não fazer bem feito. As pessoas nos vêem fazendo o contrário.

SMYTH: Estava tentando voltar atrás e pensar nas razões pelas quais a fabricação *versus* a decisão de compra é uma decisão isolada e diferente das outras decisões. Hoje, ela parece dissociada... Na minha opinião, uma facção concentra-se na resolução de problemas, voltada para a pesquisa. A marca DataQuest... Por outro lado, no caso de outros produtos aos quais a DataQuest não destinou recursos, estamos fazendo isto através da "compra". Estamos ganhando acesso de uma outra forma, e não através das pesquisas da DataQuest... porque a estratégia é mais influenciada pelo mercado do que voltada fundamentalmente à resolução de problemas. Pode-se dizer que não queremos poluir a pureza dos objetivos de nossas pesquisas...

PHILLIPS (VP de Recursos Humanos): Acho que isso nos colocou em uma situação de conflito.

GRAUWEILER: Certamente! Esse é o problema. Esse é o prejulgamento que eu não tolero. Que tal permitir que as pessoas das quais você depende se manifestem em relação ao problema? E não proteja minha pureza em meu lugar.

SMYTH: Bem... Não me sinto desconfortável com as razões de nossas atitudes. Talvez haja uma forma melhor de fazer as coisas. Mas acredito realmente que, em algum momento de nossa história, decidimos não investir em arquivos de disco de armazenamento vertical... só as porcarias convencionais que o mercado vai comprar que não são inovações. Não é interessante... E queríamos direcionar nossos limitados recursos e talento ao que a imagem da DataQuest é, uma empresa de pesquisa, inovadora, voltada para o produto... Assim, decidimos comprar os produtos mais comuns.

PHILLIPS: Hoje, como estamos apenas divagando, deixe-me dizer o que sempre me confundiu. E atribuo isso tanto a marketing quanto a P&D. Sempre falamos de nós mesmos como "uma empresa de produtos voltada para pesquisa". E, quando falamos assim, estamos dizendo que os produtos não associados aos nossos investimentos em pesquisas inovadoras estão fora da DataQuest. De uma forma ou de outra, nos estruturamos assim e nos tornamos uma empresa competitiva...

MACCARTHY: Essa é uma das definições de "baseado em pesquisas". Você conhece a outra definição? A outra definição é que ninguém na DataQuest faz pesquisa e desenvolvimento se não estiver relacionado a um produto novo.

GRAUWEILER: Também não gosto dessa.

PHILLIPS: Você tocou no segundo ponto, pois eu estava dizendo a mim mesmo... se adotarmos a declaração de diretrizes do jeito que ela está agora, independentemente da decisão de fabricar ou comprar, ela ainda tem que ser voltada para pesquisa e desenvolvimento. Tem que ser inovadora...

MACCARTHY: Acho que tocamos em um ponto importante. Estamos dizendo que, no passado, a empresa era uma organização fechada. A única coisa que nos fez crescer foram a pesquisa e o desenvolvimento de produtos. Isso explica essa incrível tensão... Eu acho que compramos subsidiárias que nos lançassem... Acho que o dilema que você (Grauweiler) está nos ajudando a ver é que... deveríamos estar oferecendo quaisquer produtos que o cliente precisa. Mas existe o outro lado que diz: "Mas se o produto foi desenvolvido a partir de pesquisas da DataQuest, deve carregar a marca DataQuest". Você está dizendo que isso não é verdade. Essa (a marca do produto) é uma decisão de marketing, baseada no posicionamento que desejamos adotar. Isso é muito útil... porque a maioria de nós sempre acreditou que, se um produto não terá a marca DataQuest, não vale a pena desenvolvê-lo.

HADLY (VP de Produção): Mas isso também significa dizer que a empresa como um todo é voltada para pesquisa, e não apenas o departamento de P&D, e que outras idéias inovadoras, inclusive produtos, podem surgir em outras partes da empresa. Nem tudo tem que passar por P&D.

GRAUWEILER: Isso está certo, mas não sei por que precisamos tocar nesse ponto. Não estou desafiando vocês. Mas acho que acaba de surgir novamente uma inferência que me preocupa. Sinto-me obrigado a representar o legado de P&D do passado, com o qual não concordo. E acho irônico que, quanto mais eu trabalho desesperadamente para que nossa organização avance em direção a uma nova realidade, mais vocês estão convencidos de que devemos ficar onde estamos! Eu acho esse dilema muito estranho.

HADLY: E, da mesma forma, temos a sensação de que a mesma coisa ocorre do outro lado.

TODOS: Sim.

HADLY: Tentamos empurrar a organização para frente... mas, aparentemente, estamos sendo contidos porque não é possível ser voltado para pesquisa e inovador sem passar por P&D.

GRAUWEILER: Eu nunca disse isso!... Agora posso colocar isso de uma forma diferente? Acho que a declaração de uma empresa de produtos voltada para pesquisa é correta. Acredito piamente que, em parte, o sucesso da empresa... sempre será governado pela nossa perícia com relação aos produtos. Qualquer coisa que ameace essa orientação me apavora. É preciso ter boas coisas... bons serviços e bons produtos. Não estou dizendo que isso implica como deve-se consegui-los. Ou que existe apenas uma forma de obter um produto... Nosso processo de obtenção de produtos não é muito ajustado ou colaborativo, mas sei que precisamos disso.

MACCARTHY: O outro lado da questão seria: acredito que parte do trabalho que Charlie (Smyth) tem feito em marketing e distribuição (desenvolvendo uma rede exclusiva de revendedores DataQuest) é um "esforço de P&D" tanto quanto o que está acontecendo em P&D.

GRAUWEILER: Acredito totalmente nisso.

MACCARTHY: Contudo, sofremos se o investimento feito nesta iniciativa não se transforma imediatamente em retorno, com a organização assumindo uma posição extremamente crítica.

GRAUWEILER: Bem-vindo ao mundo de P&D.

SMYTH: Há dois pontos que eu gostaria de colocar a partir disso. Acredito que seus esforços poderiam ser dedicados ao desenvolvimento de um produto que possa ser fabricado fora da empresa... Acho que ignoramos alguns esforços de desenvolvimento que poderiam ser licenciados a outras empresas embora... sempre tenha achado uma loucura que todos os produtos criados através de P&D tivessem que carregar a marca DataQuest.

GRAUWEILER: Esse tem sido um obstáculo ao nosso programa...

SMYTH: O outro ponto é que não estamos conseguindo uma comunicação que seja de alguma forma rica entre marketing e P&D. Aliás, essas divisões estão cada vez mais isoladas... Se vamos trabalhar em prol de todas as necessidades do cliente...

deve haver alguma forma de fazer com que isso seja percebido em várias partes diferentes da empresa.

HADLY: Você começou essa conversa perguntando por que existe essa tensão entre P&D e marketing. Também existe uma tensão entre produção e finanças... Para mim, isso pode ser explicado em duas palavras: "*Empowerment* versus *Controle*". De modo geral, nossa organização tende a ser extremamente voltada para o controle... Como eles têm o controle e não vão me deixar entrar, eu vou fazer as minhas coisas, já que me sinto totalmente impotente para mudar isso. Acho que é aí que está parte do problema — não que necessariamente gostaríamos que isso acontecesse, mas está acontecendo em toda a empresa.

Os resultados desse diálogo foram extraordinários para a DataQuest. Primeiro, um abismo de trinta anos entre P&D e marketing começou a ser preenchido. Segundo, a "corrida" do marketing para incrementar a linha de produtos tornou-se desnecessária. P&D estava interessado e queria participar do estudo das aquisições, assim como desenvolver produtos que pudessem ser comercializados com outras marcas, como parte de um plano coordenado de produtos. A marca sagrada DataQuest não estava mais limitada aos produtos desenvolvidos pela área de P&D da própria DataQuest, mas deveria ser usada com base em "considerações de mercado". O responsável por P&D deixou claro que não queria ser associado ao antigo estereótipo de que a área de P&D era a única responsável pela inovação. Na sua opinião, as outras funções também eram parceiras iguais na inovação, através da inovação de processos, na compreensão das necessidades do cliente e na administração da empresa. Além disso, o responsável por P&D ficou furioso por ter sido associado a um antigo estereótipo.

APRENDIZAGEM EM EQUIPE E A QUINTA DISCIPLINA

Tanto a perspectiva quanto as ferramentas do pensamento sistêmico são elementos centrais da aprendizagem em equipe.

Todo o trabalho de David Bohm em prol do diálogo é associado a uma perspectiva sistêmica. Na verdade, um elemento de integração em todo o trabalho de Bohm foi continuar a desenvolver a perspectiva do "todo" na física. A primeira crítica de Bohm ao pensamento contemporâneo, a "poluição" no fluxo do pensamento coletivo, é a "fragmentação", a "tendência do pensamento em separar as coisas".

Da mesma forma, a abordagem às rotinas defensivas adotada pelas equipes que aprendem é intrinsecamente sistêmica. Em vez de ver a atitude de defesa em termos do comportamento dos outros, a alavancagem está em identificar as rotinas defensivas como criações conjuntas e descobrir o nosso próprio papel na sua criação e manutenção. Se buscarmos as rotinas defensivas somente "lá fora" e não conseguirmos identificá-las "aqui dentro", nossos esforços para aprender a lidar com elas apenas aumentarão a defensividade.

As ferramentas do pensamento sistêmico também são importantes porque praticamente todas as principais tarefas das equipes gerenciais — desenvolver estratégias, criar visões, elaborar políticas e estruturas organizacionais — exigem que se enfrente uma enorme complexidade. Além disso, essa complexidade não é "imutável". Cada situação está associada a um estado contínuo de fluxo.

Talvez o maior passivo das equipes gerenciais seja que elas confrontam essas realidades complexas e dinâmicas com uma linguagem elaborada para problemas simples, estáticos. O consultor de empresas Charles Kiefer coloca da seguinte forma: "A realidade é composta de relacionamentos múltiplos-simultâneos e interdependentes de causa-efeito-causa. A partir dessa realidade, a linguagem verbal normal extrai cadeias simples e lineares de causa e efeito. Essa é uma das razões pelas quais os gerentes são tão propensos a intervenções de baixa alavancagem". Por exemplo, se o problema é o tempo prolongado de desenvolvimento do produto, contratamos mais engenheiros para reduzir o tempo; se o problema é a queda dos lucros, cortamos os custos; se o problema é a redução da fatia de mercado, diminuímos o preço para aumentar a fatia.

Como vemos o mundo em termos simples e óbvios, acreditamos em soluções simples e óbvias. Isso leva a uma busca frenética de "soluções" simples, uma tarefa que consome o tempo de muitos gerentes. John Manoogian, diretor do Projeto Alfa da Ford, comenta que "a mentalidade de 'identificar e corrigir' resulta em um fluxo interminável de soluções a curto prazo que parecem eliminar os problemas, exceto pelo fato de eles continuarem se repetindo. Assim, eles voltam e nos corrigimos novamente. Os especialistas em 'identificar e corrigir' permanecerão na empresa para sempre".

Os problemas se agravam em uma equipe diversa e multifuncional, como, por exemplo, uma equipe gerencial. Cada membro da equipe tem seus próprios modelos mentais predominantemente lineares. O modelo mental de cada um concentra-se em partes diferentes do sistema. Cada um enfatiza cadeias diferentes de causa e efeito. Isso torna praticamente impossível o surgimento de uma imagem compartilhada do sistema como um todo durante uma conversa normal. Não é surpreendente que as estratégias que emergem freqüentemente representam compromissos enfraquecidos baseados em premissas obscuras, repletas de contradições internas, que o restante da organização não consegue compreender, e muito menos implementar? Os membros da equipe assemelham-se muito aos personagens da parábola dos cegos e do elefante — cada um conhece a sua parte do elefante, cada um acredita que o todo deve se parecer com a sua parte e cada um considera o seu entendimento o correto.

É improvável que essa situação melhore enquanto as equipes não compartilharem uma nova linguagem para descrever a complexidade. Hoje, a única linguagem universal dos negócios é a contabilidade financeira. Mas a contabilidade trata da complexidade de detalhes, e não da complexidade dinâmica. Ela nos fornece "instantâneos" das condições financeiras de uma empresa, mas não descreve como essas condições foram geradas. Hoje, há várias ferramentas e estruturas que oferecem alternativas à contabilidade tradicional como uma linguagem de negócios. Elas incluem a análise competitiva, a "Qualidade Total" e, embora muito menos utilizados, os métodos de elaboração de cenários, como os desenvolvidos na Shell.[16] Mas nenhuma dessas ferramentas trata a complexidade dinâmica de forma eficaz.

Os arquétipos de sistemas oferecem uma base potencialmente poderosa para uma linguagem através da qual as equipes gerenciais possam lidar produtivamente com a complexidade. À medida que equipes como a da ATP dominarem os arquétipos básicos, suas conversas se tornarão cada vez mais voltadas para as estruturas subjacentes e a alavancagem, e menor será a predominância de crises e "soluções" de curto prazo.

Se a equipe gerencial da ATP fosse fluente na linguagem de arquétipos de sistemas, ver as implicações do seu foco limitado no cumprimento das metas de vendas mensais e trimestrais seria inevitável. Em especial, teriam percebido que, *quando aumentaram as pressões para o cumprimento das metas de vendas*, comunicaram muito claramente à equipe de vendas a seguinte mensagem: "Quando a coisa aperta, é melhor buscar uma venda adicional de baixo risco a um cliente antigo do que o esforço de alto risco para conquistar um novo cliente". Isso "transferiu a responsabilidade" do desenvolvimento de uma base de clientes para o aumento das vendas aos antigos clientes, aumentando a sua dependência de alguns clientes-chave.

Se os gerentes da empresa tivessem conseguido ver e discutir essa estrutura, teriam sido capazes de revelar suas preocupações em relação à gerência de Jim Tabor de forma mais eficaz. Em vez de se preocupar com a forma de levantar questões que poderiam parecer críticas às habilidades gerenciais de Tabor, demonstrando falta de apoio, poderiam simplesmente ter analisado os dois processos de *feedback* e se perguntado como qualquer um dos gerentes poderia ter mais certeza de que a solução fundamental de ampliação da base de clientes estava recebendo a atenção adequada.

Quando os arquétipos de sistemas são usados nas conversas sobre questões gerenciais complexas e que potencialmente podem gerar conflitos, é quase certo que eles objetivem a conversa. A conversa passa a tratar da "estrutura", das forças sistêmicas em ação, e não das personalidades e estilos de liderança. Questões difíceis podem ser levantadas de uma forma que não inclua insinuações sobre a incompetência da gerência ou implique críticas. Ao contrário, as pessoas perguntam: "A responsabilidade está sendo desviada para a venda aos atuais clientes *versus* a ampliação da nossa base de clientes?" "Como saberíamos se isso fosse verdade?" Evidentemente, esse é o benefício de uma linguagem voltada para a complexidade — ela facilita a discussão objetiva e desapaixonada de questões complexas.

Sem uma linguagem compartilhada para tratar a complexidade, a aprendizagem em equipe é limitada. Se um membro de uma equipe vê um problema de uma forma mais sistêmica do que os outros, é bem provável que a nova idéia dessa pessoa seja subestimada — um resultado simples das tendências intrínsecas em direção às visões lineares que a linguagem que utilizamos normalmente no dia-a-dia possui. Por outro lado, os benefícios do desenvolvimento de fluência na linguagem dos arquétipos de sistemas são imensos, *e* as dificuldades de domínio dessa linguagem são realmente amenizadas em uma equipe. Como David Bohm diz, a linguagem *é* coletiva. Aprender uma nova linguagem, por definição, significa aprender a conversar com outras pessoas usando essa linguagem. Simplesmente não existe uma forma mais eficaz de aprender uma língua do que através do uso, o que é exatamente o que acontece quando uma equipe começa a aprender a linguagem do pensamento sistêmico.

Os Irmãos Wright voaram em Kitty Hawk em 1903 — mas apenas durante 12 segundos, e a 36 metros. Entre 1903 e 1935, quando o DC-3 foi lançado, existiram muitos pretensos aviões comerciais, mas nenhum conseguiu transformar as viagens aéreas comerciais em um setor importante. No entanto, eles tiveram um papel relevante no desenvolvimento das viagens aéreas. Os protótipos são essenciais para a descoberta e resolução dos problemas importantes que se colocam entre uma idéia e sua completa e bem-sucedida implementação. Não se realiza uma inovação significativa falando-se sobre novas idéias; é preciso desenvolver e testar protótipos.

Na evolução da organização que aprende, estamos atualmente em algum ponto do caminho entre a invenção e a inovação. Se estamos mais perto de 1910 ou de 1930 ninguém pode dizer, mas estamos em meio à "era dos protótipos".

A era dos protótipos para qualquer inovação significativa é uma época de busca de sinergia, para combinar elementos diferentes em um novo conjunto. O DC-3 reuniu várias tecnologias que se complementavam e melhoravam umas às outras. A hélice de inclinação variável tornou o motor refrigerado a ar mais potente em todas as velocidades, da mesma forma que o trem de pouso retrátil e os *flaps* das asas proporcionavam à aerodinâmica e à estrutura *monobloco* do avião a força para tirar vantagem da maior propulsão.

A busca da sinergia é inevitavelmente arriscada. Ter alguns dos elementos de um novo conjunto de tecnologias pode ser mais perigoso do que não ter nenhum — é como ter um motor potente sem ter a capacidade para controlá-lo. Da mesma forma que muitos dos protótipos de aeronaves mais "cheios de aprendizado" fracassaram, muitos dos protótipos organizacionais mais ousados e importantes falharão, com conseqüências dolorosas para todos os envolvidos. Entretanto, muitas vezes é desse tipo de experimento (como o da empresa aérea People Express) que mais se aprende. É isso que torna o aprendizado sobre uma inovação fundamental muito diferente da busca pela "melhor prática". As pessoas de muitas das organizações discutidas neste livro, mesmo as mais bem-sucedidas, não se sentiriam à vontade vendo suas empresas ser apresentadas como "modelos" a serem emulados por outros. Ao contrário, elas são "laboratórios experimentais", onde questões importantes estão sendo formuladas e novas idéias formadas.

Se as cinco disciplinas discutidas neste livro serão ou não suficientes dependerá do fato de, em conjunto, poderem ou não resolver os problemas e questões práticas enfrentadas pelos protótipos de organizações que aprendem. Entre essas questões estão:

Como transcender a politicagem interna e a dissimulação que dominam as organizações tradicionais? (Capítulo 13, "Abertura")

Como uma organização pode distribuir amplamente a responsabilidade pelos negócios e ainda manter a coordenação e o controle? (Capítulo 14, "Localismo")

Como os gerentes criam tempo para aprender? (Capítulo 15, "O tempo do gerente")

Como o domínio e os aprendizados pessoais podem se desenvolver tanto no trabalho quanto em casa? (Capítulo 16, "Acabando com a guerra entre o trabalho e a família")

Como podemos aprender com a experiência quando não conseguimos experimentar as conseqüências de nossas decisões mais importantes? (Capítulo 17, "Micromundos: A tecnologia da organização que aprende")

Qual é a natureza do comprometimento e das habilidades necessárias para liderar as organizações que aprendem? (Capítulo 18, "O novo trabalho do líder")

Essas são perguntas difíceis. Os capítulos na Parte IV mostram como as disciplinas de aprendizagem são idéias e ferramentas contributivas para respondê-las. Porém, em nenhum dos casos essas perguntas são totalmente respondidas. É isso que as torna poderosas. As questões representam o aprendizado de que necessitamos para criar organizações que aprendem.

13

ABERTURA

COMO TRANSCENDER A POLITICAGEM INTERNA E A DISSIMULAÇÃO QUE DOMINAM AS ORGANIZAÇÕES TRADICIONAIS?

"Certa vez, mudei-me para uma cidade onde havia uma fábrica de papel", diz Bill O'Brien, da Hanover, "e, quando chegamos à cidade, quase saímos de lá imediatamente. Duas semanas mais tarde todos nós já estávamos acostumados com o cheiro e nem prestávamos mais atenção a ele. A politicagem das organizações é uma perversão da verdade e da honestidade de tal porte que a maior parte das organizações exala um mau cheiro. Entretanto, a maioria de nós aceita o fato como um dado da situação sem ao menos percebê-lo."

Um "ambiente de politicagem" é aquele no qual o "quem" é mais importante do que o "o quê".[1] Se o chefe propõe uma idéia, a idéia é levada a sério. Se outra pessoa propõe uma nova idéia, ela é ignorada. Há sempre "vencedores" e "perdedores", pessoas que estão acumulando poder e pessoas que estão perdendo poder. O poder é concentrado e exercido arbitrariamente. Uma pessoa pode determinar o destino de outra, e não há recurso para essa determinação. O exercício do poder arbitrário sobre os outros é a essência do autoritarismo — logo, nesse sentido, um ambiente de politicagem é um ambiente autoritário, mesmo quando os que detêm o poder não ocupam posições oficiais de autoridade.

Para a maioria das pessoas, na maioria das organizações, não vale a pena insistir no assunto, pois não há absolutamente nada a ser feito. "Enquanto houver organizações existirá politicagem." Entretanto, muito poucas pessoas realmente desejam viver em organizações corrompidas por politicagem interna e dissimulação. É por isso que a politicagem interna é o primeiro de muitos "dados" organizacionais questionados pelos protótipos de organizações que aprendem.

Desafiar o poder da politicagem interna e das dissimulações começa com a construção de uma visão compartilhada. Sem um senso genuíno de visão e valores comuns não há nada que motive as pessoas além do seu interesse pessoal. Mas podemos começar a construir um clima organizacional dominado pelo "mérito", e não pela politicagem — no qual fazer *o que é certo* predomina sobre *quem quer o que feito*. Porém, um clima isento de politicagem também exige "abertura" — tanto a norma de falar abertamente e francamente sobre questões importantes *quanto* a capacidade de questionar continuamente o pensamento de alguém. A primeira pode ser chamada de abertura participativa, a segunda de abertura reflexiva. Sem abertura geralmente é impossível destruir as dissimulações que estão profundamente enraizadas na maior parte das organizações. Juntas, a visão compartilhada e a abertura são os antídotos para a politicagem interna e para as dissimulações.

VISÃO COMPARTILHADA: CRIANDO UM AMBIENTE NO QUAL O INTERESSE PESSOAL NÃO É SUPREMO

Em seu livro, *Leadership and the Quest for Integrity*[2], Badaracco e Ellsworth comentam que "os praticantes (da liderança politiqueira) acreditam que as pessoas são motivadas pelo interesse pessoal e pela busca do poder e da riqueza". Como muitos pressupostos, este pode ser auto-realizável. Se presumirmos que as pessoas são motivadas apenas pelo interesse próprio, então uma organização desenvolve automaticamente um estilo bastante politiqueiro, com o resultado sendo as pessoas procurando continuamente seu próprio interesse pessoal a fim de sobreviverem.

Um pressuposto alternativo é que, acima e além do interesse próprio, as pessoas querem realmente fazer parte de alguma coisa maior que elas mesmas. Elas querem contribuir para a criação de algo importante. E valorizam fazê-lo junto com os outros. Você deve estar lembrado que um dos princípios básicos da disciplina do domínio pessoal (Capítulo 9) é que as pessoas possuem um sentido de propósito inato e que, quando refletem sobre o que realmente desejam, a maioria descobre que aspectos da sua visão dizem respeito às suas famílias, suas comunidades, suas organizações e, para algumas, seu mundo. Essas ainda são "visões pessoais" no sentido de que emanam de um indivíduo, mas estão muito além do próprio interesse do indivíduo no sentido mais restrito.

Quando as organizações estimulam visões compartilhadas, elas geram esse comprometimento e preocupação mais amplos. A criação de uma visão compartilhada, como discutimos no Capítulo 11, faz com que as pessoas reconheçam seus maiores sonhos e ouçam os sonhos umas das outras. Quando gerenciada com sensibilidade e persistência, a criação de uma visão compartilhada começa a estabelecer um sentido de confiança que surge naturalmente com a auto-revelação e com o compartilhamento sincero de nossas mais altas aspirações. Começar é tão fácil quanto colocar as pessoas sentadas em pequenos círculos e pedir-lhes para falar sobre "o que é realmente importante" para elas. Invariavelmente, as pessoas comentam: "Eu nunca soube disto sobre o Joe e já estamos trabalhando juntos há cinco anos", ou: "Saber o que sei agora sobre você mudou completamente minha opinião sobre como trabalharmos juntos". Quando as pessoas começam a expressar e ouvir a opinião umas das outras, o alicerce do ambiente politiqueiro começa a desmoronar — a crença de que tudo que nos importa é nosso próprio interesse. As organizações que não conseguem estimular genuinamente as visões compartilhadas, ou que impingem visões unilaterais a seus membros fingindo que são compartilhadas, não conseguem introduzir esse comprometimento mais amplo. Embora possam execrar a politicagem interna, nada fazem para criar um ambiente isento de politicagem.

Como parte da criação da visão compartilhada, o processo de comprometer-se a viver de acordo com certos valores básicos também mina a politicagem interna. Certa vez, como parte de uma sessão de três dias sobre visão para a equipe gerencial de uma empresa de tecnologia de Boston, a questão da honestidade surgiu. O grupo havia casualmente identificado "honestidade e franqueza em todas as comunicações" como uma de suas regras operacionais básicas. A equipe gerencial tinha desenvolvido uma visão com a qual estavam começando a se entusiasmar, quando um dos vendedores seniores comentou extra-oficialmente: "É claro que não significa que seremos honestos com nossos clientes".

O processo inteiro chegou a um impasse. O grupo reconsiderou o que queria dizer com "compromisso com a honestidade e a franqueza em todas as comunicações". O presidente quebrou o silêncio, declarando: "Sim. Para mim isso significa sermos completamente honestos com nossos clientes."

O vendedor respondeu: "Se o fizermos, perderemos 30 por cento de nossa carteira no mês que vem. Nesse negócio, nenhum dos nossos competidores é honesto quando diz a um cliente quando um novo sistema de computador chegará. Se dissermos a verdade, nosso tempo de entrega será 50 por cento maior do que aquele que os clientes acreditam que irão conseguir com nossos competidores".

"Eu não me importo" foi a resposta do presidente. "Simplesmente não quero fazer parte de uma organização que sanciona a mentira para nossos clientes, nossos vendedores ou qualquer outra pessoa. Além disso, acredito que, com o passar do tempo, estabeleceremos uma reputação de confiabilidade junto aos nossos clientes que nos fará conquistar mais clientes do que os que perderemos."

A troca de idéias continuou por mais de uma hora. No final, o grupo todo apoiou a idéia de dizer a verdade. O vendedor teve certeza de que, se a carteira caísse no mês seguinte ou no próximo, os outros membros da equipe não viriam gritando pedindo a sua cabeça. E ele e o resto da equipe começaram a desenvolver uma visão sobre a criação de uma nova reputação de honestidade e confiabilidade entre seus clientes. Essa sessão aconteceu há seis anos. Nesse meio tempo a empresa prosperou e se estabeleceu em uma posição importante em seu nicho de mercado.

Uma vez que uma visão compartilhada começa a criar raízes, poderíamos pensar que a dissimulação e a politicagem se resolveriam sozinhas, diluídas pelo comprometimento mútuo por trás da visão. Infelizmente, essa opinião freqüentemente é muito ingênua. Independentemente do grau de comprometimento das pessoas com uma visão compartilhada, elas ainda estão impregnadas com os hábitos das dissimulações e imersas no clima organizacional altamente politiqueiro. (Apenas o fato de algumas pessoas começarem a criar uma visão compartilhada não faz com que a organização maior mude imediatamente.) Se a visão é colocada em um ambiente altamente politiqueiro, ela pode ser facilmente reprimida por um objetivo político: o "afinal, de quem é essa visão?" torna-se mais importante do que o mérito intrínseco de uma visão. A abertura é necessária para se "desaprender" os hábitos da dissimulação que perpetuam a politicagem interna.

Mas a abertura é um conceito complexo e sutil, o qual só pode ser entendido à luz das disciplinas de trabalhos com modelos mentais e aprendizado em equipe.

ABERTURA PARTICIPATIVA E ABERTURA REFLEXIVA

Muitos gerentes e organizações se vangloriam do fato de "serem abertos", quando na verdade estão simplesmente participando de uma dissimulação mais nova e avançada. Isso porque existem dois aspectos diferentes da abertura — a participativa e a reflexiva. A menos que as duas estejam integradas, a atitude de "ser aberto" não produzirá uma verdadeira abertura.

A abertura participativa, a liberdade de se falar o que se pensa, é o aspecto mais comum de ser reconhecido na abertura. Isso acontece porque a filosofia da "gerência participativa", envolvendo mais as pessoas nos processos decisórios, é amplamente valorizada. Em algumas organizações, é quase uma religião; elas se tornam empresas de "gerência participativa". Torna-se uma norma todos declararem seu ponto de vista. Muitas até institucionalizam os procedimentos formais para a "comunicação aberta".[3] Eu dou minha opinião, você dá a sua. Todos *pareceremos* estar contribuindo para o aprendizado colaborativo — entretanto, pouco aprendizado real acontece. Por quê?

Por algum motivo, as pessoas só se sentem seguras para compartilhar suas opiniões até certo ponto. Como diz O'Brien: "Quantos gerentes descrevem um problema em uma reunião da equipe de trabalho às 10 horas da manhã do mesmo modo que em casa ou tomando um drinque com os amigos na mesma noite?"

Em segundo lugar, em um nível mais profundo, a opinião de ninguém está mudando ou sendo afetada. Depois de darmos nossas opiniões, se não concordamos, simplesmente concluímos que "as pessoas são diferentes" e vamos em frente. Se é preciso tomar uma decisão que represente o grupo, ela representa um "consenso" atenuado ou a preferência de um ou dois cujas opiniões contam mais. A abertura participativa pode levar a mais "crenças" em certas decisões, mas por si só raramente levará a decisões de melhor qualidade, porque não influencia o pensamento por trás das posições das pessoas. No que diz respeito ao domínio pessoal, ela focaliza apenas o "meio" ou o processo de interação, não os "resultados" dessa interação. Por exemplo, as pessoas poderiam dizer: "Foi uma ótima reunião. Todos puderam dar sua opinião", em vez de julgar a qualidade das decisões e ações tomadas ao longo do tempo. É por isso que muitos gerentes consideram a gerência participativa insuficiente. Como um executivo descontente de uma empresa com "gerência participativa" me disse recentemente, "o pressuposto implícito por aqui é que a solução para todos os problemas é compartilharmos nossos pontos de vista".

Enquanto a abertura participativa leva as pessoas a falarem abertamente, a "abertura reflexiva" faz com que olhem para dentro de si. A abertura reflexiva começa com a disposição de desafiarmos nosso próprio pensamento, de reconhecermos que qualquer certeza que já tivemos é, no melhor dos casos, uma hipótese sobre o mundo. Não importa o quanto ela seja contagiante, não importa o quanto gostamos da "nossa idéia", ela está sempre sujeita a testes e melhoramentos. A abertura reflexiva vive na atitude: "Eu posso estar errado e os outros podem estar certos". Envolve não apenas o exame das nossas próprias idéias, mas o exame mútuo do pensamento dos outros.

A abertura reflexiva é baseada em habilidades, não apenas em boas intenções. Há as habilidades de reflexão e indagação, apresentadas pela primeira vez no capítulo sobre modelos mentais. Essas incluem reconhecer os "saltos de abstração", diferenciar as teorias esposadas das teorias-em-uso, e se tornar mais consciente e responsável pelo que estamos pensando e não dizendo. Há também as habilidades para se dialogar e se lidar com as rotinas defensivas, discutidas no capítulo sobre aprendizagem em equipe. As organizações que levam a abertura a sério apóiam seus membros no desenvolvimento dessas habilidades de aprendizagem.

Mas o desenvolvimento dessas habilidades exige tempo e persistência e muitos gerentes não estão conscientes delas. Assim, freqüentemente desenvolve-se uma estrutura de "transferência de responsabilidade". Sentimos uma necessidade de sermos mais abertos, à qual respondemos com os comportamentos de abertura participativa — expressando nossas opiniões mais francamente, solicitando conhecer o ponto de vista dos outros e falando mais sobre nossos problemas com todos. Quando isso acontece, a abertura participativa pode se tornar uma "solução sintomática". Ela transfere então a responsabilidade para longe da "solução fundamental" — a abertura reflexiva: desenvolver as habilidades de indagação, reflexão e diálogo.

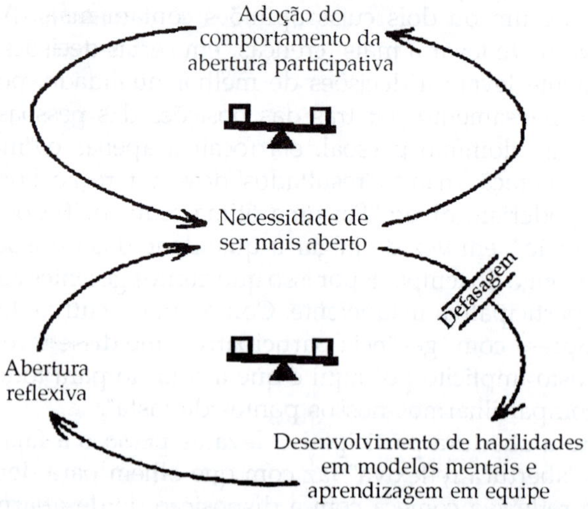

A insidiosidade da estrutura de transferência de responsabilidade, como sempre, deriva da maneira como a solução sintomática enfraquece a solução fundamental. Quanto mais falamos uns com os outros, mais encorajamos os trabalhadores a expressar suas opiniões, e mais podemos sentir que lidamos com a necessidade de sermos mais abertos. Nunca sabemos até que ponto estamos debilitando qualquer movimento em direção a um tipo mais profundo de abertura. O resultado final é o curioso fenômeno do "fechamento aberto", quando todo mundo sente que tem o direito de dar vazão às suas opiniões e, no entanto, ninguém realmente ouve e reflete. "Lançar indiretas" uns para os outros substitui a comunicação e o diálogo genuínos.

Por outro lado, também pode existir uma sinergia positiva entre a abertura participativa e a reflexiva. Quando esta sinergia se desenvolve ela é uma força poderosa que abala a politicagem e as dissimulações. A chave, segundo minha experiência, é tanto tornar seguro o fato de se falar abertamente *quanto* desenvolver as habilidades para questionar produtivamente nosso próprio pensamento e o dos outros.

Para ver como isso pode funcionar, considere o caso de um membro de uma equipe sênior em uma empresa conhecida por sua "abertura". O executivo se vê, ao longo do tempo, sendo cada vez mais criticado por decisões específicas que tomou. Mas ninguém jamais mencionou que uma opinião mais geral estava se formando a respeito das suas atitudes. Para os outros gerentes, ele era um "perdulário" que "se importava mais em causar boa impressão e com a sua função do que com a empresa como um todo". Por trás as pessoas discutiam suas opiniões sobre ele, mas ninguém trouxe o caso a público. Eles sentiam que tais opiniões "pessoais" não eram apropriadas para reuniões de negócios. Ninguém lhe perguntou diretamente sobre o caso. Ao contrário, eles continuaram a ser "abertos" e francos, criticando claramente suas decisões individuais. No entanto, nunca compartilhavam o raciocínio por trás de suas opiniões.

O executivo sentiu-se escorregando para uma posição que todos os outros privadamente chamavam de "estar no barril". Era um ostracismo geral que os outros haviam enfrentado no passado. Além disso, ele não sabia por que estava no barril. Sentindo-se isolado e atacado, passava cada vez mais tempo explicando e justificando cada ação individual — o que por sua vez era visto como mais uma prova de que ele apenas se importava com seu próprio departamento. De fato, ele estava numa "enrascada". Não dependia dele defender entusiasticamente suas opiniões ou ficar em silêncio. As duas atitudes reforçavam a impressão negativa dos outros gerentes sobre ele.

Por que os outros executivos não diziam a essa pessoa como se sentiam sobre ela? A causa não era a antipatia pessoal. A maioria dizia ser amiga sua. Mas estavam com medo de criar uma discussão constrangedora (ou, de modo mais caridoso, não sabiam como comunicar sua opinião de maneira construtiva). Havia também uma razão mais sutil, que chega ao ponto principal da abertura reflexiva. A maioria dos outros executivos nunca viram sentido em trazer o assunto à tona. Eles haviam concluído que seu modelo mental sobre esse homem era verdadeiro — ele realmente se importava mais em causar boa impressão e fazer sua função causar boa impressão do que com a empresa. Eles nunca pensaram em questionar isso. Era um dado.

Enquanto isso, o "gerente no barril" também nunca havia examinado o problema a fundo; ele nunca havia perguntado em uma reunião: "Esperem um minuto. Há um padrão aqui?" Apesar do sentido da "abertura" em todas as reuniões, isso pareceria inadequado. De fato, ambos os lados ainda estavam dissimulando; ele estava fazendo o papel de "defenda esta decisão" e eles estavam interpretando o "mostre aquela falha". As dissimulações bloqueavam quaisquer esforços que poderiam ter sido feitos para examinar a fundo as causas das suas decisões ou as causas da percepção dos outros sobre ele.

Em outras palavras, os gerentes formaram uma generalização baseada em observações específicas, mas nunca a haviam testado. Quanto mais falavam pelas suas costas, uns com os outros, sobre a generalização, mais a confirmavam em suas próprias mentes. Era um clássico "salto de abstração", como foi descrito no Capítulo 10. Esse "círculo vicioso" poderia ter continuado para sempre se alguns dos gerentes (com a ajuda de um consultor) não tivessem finalmente percebido o que estavam fazendo. Eles sentaram-se junto com o "homem no barril" em uma reunião e citaram as coisas específicas que ele havia dito e feito que tinham provocado as suas generalizações. "O caso nos levou a imaginar se você se importava mais com seus domínios ou com a empresa".

Ele protestou, dizendo que, ao menos em seus pensamentos, se preocupava muito com a empresa. Sim, ele tinha tendência para a ostentação. Sim, ele se sentia livre para gastar dinheiro com os programas nos quais acreditava. Sim, quando um programa era ameaçado ele se sentia compelido a levantar em sua defesa. Mas será que isso o tornava um traidor de toda a organização?

Logo que algumas pessoas na reunião se dispuseram a quebrar o círculo vicioso, as coisas começaram a mudar. O executivo percebeu mais a fundo a natureza das preocupações de seus colegas. Eles, por sua vez, perceberam que tinham entendido mal as ações dele. Aos poucos, cada vez mais as dissimulações mútuas começaram a enfraquecer. A equipe tinha percebido o quão sutil a abertura podia ser, e como tinham inadvertidamente criado novos papéis em nome "de serem abertos". Eles viram as conseqüências trágicas de colocarem um de seus membros "no barril" e resolveram que isso jamais aconteceria novamente. Haviam aprendido uma lição importante sobre a distinção entre falar abertamente e a verdadeira abertura.

Pela minha experiência, uma ruptura deste tipo geralmente acontece quando os gerentes percebem que a abertura reflexiva é baseada em habilidades, não apenas em boas intenções. Por exemplo, ser capaz de diferenciar "fatos" (observações diretas) de generalizações baseadas nesses fatos teria ajudado as pessoas com o "executivo no barril". Tais saltos de abstração são particularmente perigosos em organizações aparentemente "abertas", nas quais as pessoas discutem suas opiniões livremente e as opiniões conseguem adesões rapidamente, portanto assumindo rapidamente o caráter de fato incontestável.

ABERTURA E COMPLEXIDADE

Sem dúvida, o que mais prejudica a abertura é a certeza. Logo que acreditamos ter "a resposta", toda a motivação para questionar nosso pensamento desaparece. Mas a disciplina do pensamento sistêmico nos mostra que simplesmente não existem "respostas certas" ao se lidar com a complexidade. Por isso a abertura e o pensamento sistêmico estão tão associados.

Um exercício simples que usamos em nossos workshops de liderança durante muitos anos chega ao âmago da questão.[4] Cobrimos uma grande parede com papel branco e pedimos ao grupo para trabalhar junto, mapeando todas as relações de *feedback* existentes em um problema específico com o qual estejam lutando. "Por exemplo", poderíamos dizer, "vamos criar um diagrama sistêmico para descobrir como equilibrar nossas responsabilidades com o trabalho e com a família." Nós geralmente começamos identificando as principais variáveis e as escrevemos em diferentes partes do papel estendido nas paredes: pressão de tempo, expectativa de alguém, responsabilidades, interesses pessoais, metas de carreira, distância entre a casa e o trabalho, e assim por diante. Começamos então a sugerir ligações de *feedback*: expectativas influenciam as metas da carreira, a distância entre a casa e o trabalho influencia o tempo disponível para a família, a renda pessoal influencia a independência, assim como o orçamento. Em meia hora, cobrimos a parede com círculos e setas. Todos na sala sentiam-se assoberbados, e no entanto sabíamos que tínhamos apenas começado a demonstrar as centenas de inter-relações que existem no sistema real. As pessoas passaram a perceber gradualmente que ninguém podia realmente vir a entender todas essas interações.

Essa constatação tem grande impacto sobre as pessoas. Algumas tentam racionalizá-la: "Bem, isto é tão óbvio que não tem importância", dizem. "E daí?" Outros insistem que, tendo tempo suficiente, poderiam acabar vindo a entendê-los. Alguns cabeças-duras continuam tentando acrescentar ligações e *loops*. Mas aqueles que conseguem enfrentar a "falta de habilidade para decifrar" [i] tudo isto freqüentemente recostam-se em suas cadeiras, sorriem e percebem que algo novo está no ar.

A primeira vez que vi a "Parede" essa sensação surgiu acidentalmente. No final dos anos 70, Donella Meadows conduziu um grupo de trabalho de três horas sobre desnutrição no Terceiro Mundo com especialistas respeitados internacionalmente, tentando elaborar um modelo compreensível baseado em todo o conhecimento deles sobre as causas da fome mundial. Em pouco tempo, o quadro incluía de fatores econômicos aos políticos, dos valores culturais ao comércio internacional. Na platéia, uma lobista especialista em problemas de comida e paz começou a gemer e balançar a cabeça. Finalmente, Donella parou a sessão para perguntar se ela estava se sentindo mal. "Meu Deus", disse a lobista. "Toda minha vida imaginei que alguém, em algum lugar, sabia a resposta para esse problema. Pensei que os políticos sabiam o que precisava ser feito, mas se recusavam a fazê-lo por motivos políticos e por ambição. Mas agora percebo que ninguém sabe a resposta. Nem nós, nem eles, nem ninguém."

A "Parede" revela algumas novas idéias fascinantes dentro das raízes do autoritarismo em nosso pensamento. A maioria das pessoas cresceu

---

i Do inglês *un-figure-out-able-ness* (N. do T.)

em um ambiente autoritário. Quando crianças, seus pais tinham "as respostas". Quando estudantes, seus professores tinham as respostas. Naturalmente, quando entram nas organizações, presumem que "o chefe" deve ter as respostas. No fundo, estão convencidas de que as pessoas acima delas sabem o que está acontecendo ou, no mínimo, deveriam saber se são competentes. Essa mentalidade as enfraquece como indivíduos e a organização como um todo. Em algum nível ela as absolve da responsabilidade do aprendizado da organização. Ela também as predispõe ao cinismo quando os acontecimentos acabam revelando que quem está no topo não tem todas as respostas.

Por outro lado, quando as pessoas em uma organização passam a reconhecer coletivamente que ninguém tem as respostas, esse fato libera a organização de maneira marcante. Eu ouvi a razão ser articulada logo depois que incorporamos o exercício da "Parede" ao workshop. Um dos participantes era o vice-presidente de uma empresa de alta tecnologia com sede em Boston. Ele havia estudado zen-budismo durante dez anos e era um engenheiro muito bem-sucedido e criativo. Depois do exercício, ele comentou, "Muitas pessoas dirão que, ao reconhecer isso nunca poderemos decifrar a vida, estamos negando a racionalidade. Mas isso não é verdade. Estamos simplesmente recontextualizando a racionalidade. Procurar o entendimento, sabendo que não há uma resposta definitiva, torna-se um processo criativo — que envolve a racionalidade mas também algo mais."

Esse, claro, é o estado de abertura. Percebemos, como mostra a experiência com a "Parede", que qualquer "resposta" que temos é, na melhor das hipóteses, uma aproximação — sempre sujeita a melhorias, nunca definitiva. Podemos aperfeiçoar nossa capacidade racional de resolver problemas e usar essa capacidade da melhor maneira que pudermos, reconhecendo ao mesmo tempo que nunca será o bastante. Então a curiosidade, anteriormente escondida sob a crença do "sei a resposta", está livre para vir à tona. O medo do "eu não sei, mas talvez ele ou ela saibam" ou "eu não sei, mas deveria" desaparece. Ficamos em paz ao saber que não sabemos, ou, como disse Einstein, que "a coisa mais bela que podemos experimentar é o mistério. Ele é a origem de toda a arte e ciência verdadeiras".[5]

Infelizmente, a forma na qual o conhecimento é organizado e estruturado na sociedade contemporânea destrói esse sentido de mistério. A "compartimentalização do conhecimento" cria um falso sentimento de confiança. Por exemplo, as disciplinas tradicionais que influenciam a gestão dos negócios — disciplinas como economia, contabilidade, marketing e psicologia — dividem o mundo em subdivisões ordenadas dentro das quais cada um pode freqüentemente dizer: "esse é o problema e aqui está a solução." Mas as fronteiras que formam as subdivisões são fundamentalmente arbitrárias — como qualquer gerente descobre ao tentar tratar um problema como se fosse simplesmente "um problema econômico", "um problema contábil" ou "um problema de pessoal". A vida nos chega na totalidade. São apenas as lentes analíticas que nos impomos que fazem os problemas parecer isolados e resolvidos. Quando esquecemos que ela é "apenas uma lente", perdemos o espírito da abertura.

Isso não significa que todos os problemas sejam insolúveis. Alguns problemas realmente *têm* "soluções corretas", tais como descobrir as melhores localizações para refinarias de petróleo *depois* que os pontos de produção e distribuição final, o volume da demanda e os custos do transporte foram identificados; ou determinar a composição ideal de capital combinando dívidas e capital próprio *assim que* um novo projeto de investimento foi escolhido e as taxas de juros e de pagamento de dividendos são estabelecidas. Esses são os problemas nos quais quase toda a complexidade dinâmica pode ser ignorada, com efeitos colaterais mínimos. Infelizmente, com freqüência esses não são os problemas mais importantes que os gerentes enfrentam.

O economista inglês E. F. Schumacher, mais conhecido por ter escrito *Small is Beautiful*, argumentou (no seu livro *A Guide for the Perplexed*) que existem fundamentalmente dois tipos diferentes de problemas: os "problemas convergentes" e os "problemas divergentes".[6] Os problemas convergentes têm uma solução: "quanto mais inteligentemente você os estuda, mais as respostas *convergem*". Os problemas divergentes não têm solução "correta". Quanto mais são estudados pelas pessoas com conhecimento e inteligência, mais "aparecem respostas que se contradizem umas às outras". A dificuldade não está nos especialistas, mas na natureza do problema em si. Se estamos em Boston e queremos viajar de carro até Albany, existe uma resposta certa para a pergunta "qual é o caminho mais rápido para Albany?" Mas não existe resposta certa para a pergunta "por que você quer ir a Albany?" O exemplo favorito de Schumacher de um problema divergente clássico é: "Como educar as crianças de maneira mais eficaz?" Pessoas diferentes com boa vontade, integridade e inteligência chegarão inevitavelmente a conclusões diferentes.

É importante perceber que os problemas divergentes não são problemas convergentes que ainda não foram resolvidos. Ao contrário, são problemas para os quais não há uma solução única e melhor. Como diz Schumacher, "os problemas divergentes ofendem o pensamento lógico, que deseja remover a tensão pendendo para um lado ou para o outro".

"Qual é a melhor maneira de desenvolver nosso pessoal?" "Em que novos produtos investir?" "Qual o melhor modo de satisfazer nossos clientes?" — esses são problemas divergentes. Apenas uma abertura genuína permite que as pessoas lidem de maneira produtiva com eles.

O ESPÍRITO DE ABERTURA

Enquanto a abertura reflexiva se beneficia significativamente das habilidades de reflexão e indagação e das habilidades e dos conhecimentos sobre pensamento sistêmico, a abertura é mais do que um conjunto de habilidades. Como diz O'Brien, "deveríamos ter cuidado para não indicar um tratamento clínico para um assunto espiritual. A abertura vai além de uma qualidade pessoal. É um relacionamento que temos com os outros. É uma mudança espiritual, assim como um conjunto de habilidades e práticas".

É mais exato pensar na abertura como uma característica dos relacionamentos, não dos indivíduos. Até um certo ponto não faz sentido dizer "sou uma pessoa aberta". A mesma pessoa irá experimentar a abertura genuína com alguns e não com outros. Neste sentido, como diz o conceito de *diálogo* de David Bohm, a abertura surge quando dois ou mais indivíduos se dispõem a suspender suas certezas na presença um do outro. Eles se dispõem a partilhar seus pensamentos e a ser influenciados pelo pensamento uns dos outros. E, como Bohm indica, num estado de abertura, eles conseguem chegar ao âmago do entendimento não acessível de outro modo.

Se a abertura é uma qualidade dos relacionamentos, então criar relacionamentos caracterizados pela abertura pode ser uma das ações que mais influenciam a criação de organizações caracterizadas pela abertura. Isso é exatamente o que eu e muitos dos meus colegas temos observado repetidamente — que os relacionamentos "de muito aprendizado" entre membros-chave de uma organização têm um impacto extraordinário em toda a organização. Quando se tornam profundamente comprometidos e abertos, pequenos grupos de pessoas (tão pequenos quanto duas ou três pessoas) criam um microcosmo de uma organização que aprende. Esse microcosmo não só ensina a elas as habilidades que precisam como também se torna um modelo para os outros.

O impulso em direção à abertura, como diz O'Brien, "é o espírito de amor". É claro que o amor é uma palavra difícil de se usar no contexto dos negócios e da gestão de uma empresa. Mas O'Brien não está falando de amor romântico. Na verdade, o tipo de amor que está subjacente à abertura, o que os gregos denominam *agape*, tem pouco a ver com as emoções.[7] Tem tudo a ver com intenções — o comprometimento de servir um ao outro e a disposição de ser vulnerável no contexto desse serviço. A melhor definição do amor que está subjacente à abertura é o comprometimento total e incondicional com a "complementação" do outro, do outro ser tudo o que se possa ou queira ser.

"Posso praticar todos os passos analíticos do mundo em direção à abertura", diz O'Brien, "e isso não é suficiente. Se tivermos a disposição espiritual fundamental sem a habilidade, seremos ineficazes. Por outro lado, porém, se desenvolvemos a habilidade sem a disposição espiritual, ela também não funcionará por completo."

Essa é uma noção de amor dura e desafiadora (às vezes caracterizada pela expressão "compaixão desumana") que não tolera compromisso tanto na partilha de seus pensamentos e pontos de vista quanto na disposição de ter esses pontos de vista mudados.

LIBERDADE

Quando a maior parte das pessoas diz "sou livre para fazer o que quero", o que querem dizer é: "Tenho a liberdade de ação. Ninguém está me dizendo o que fazer; ninguém está me impedindo de agir como eu quero".

Mas a "liberdade", no sentido de estar livre de amarras externas, pode ser um prêmio sem valor. Por exemplo, no jogo da cerveja descrito no Capítulo 3, as pessoas podem dirigir suas operações locais da maneira que desejarem. No entanto, ironicamente, os resultados que produzem, em quase todos os casos, são contrários aos que pretendiam. Por causa disso elas freqüentemente se sentem indefesas, presas em um conjunto de forças que não podem controlar, apesar de serem livres para tomar as próprias decisões. Além disso, elas têm o poder de gerar resultados muito mais satisfatórios — se mudarem sua maneira de pensar e agir. Essa é a grande ironia da liberdade de ação; por si só ela pode resultar em desesperança, em sentimentos de prisão e impotência.

"As pessoas pensam que são livres por causa da ausência de controles externos", diz O'Brien. "Mas, de fato, são prisioneiras de uma espécie de ligação mais profunda e mais insidiosa — elas vêem o mundo por um único prisma."

A "liberdade para" (em vez da "liberdade de") é a liberdade para criar os resultados que realmente desejamos. É a liberdade que as pessoas que perseguem o domínio pessoal buscam. Este é o coração das organizações que aprendem, porque o impulso do aprendizado generativo é o desejo de criar alguma coisa nova, algo que tenha valor e significado para as pessoas.

14

LOCALISMO

COMO OBTER CONTROLE SEM CONTROLAR?

As pessoas aprendem mais rapidamente quando têm uma verdadeira noção de responsabilidade por suas ações. Infelizmente, a crença de que não podemos influenciar as circunstâncias sob as quais vivemos prejudica o incentivo de aprender, assim como a crença de que alguém, em um outro lugar, dita nossas ações. Da mesma forma, quando acreditamos que nosso destino está em nossas mãos, nosso aprendizado adquire importância.

É por isso que as organizações que aprendem serão, cada vez mais, organizações "localistas", expandindo o grau máximo de autoridade e poder o mais distante possível do "topo" ou do centro da empresa. Localismo significa mover as decisões em direção aos níveis mais baixos da hierarquia organizacional; desenhar unidades de negócio, nas quais os tomadores de decisão locais enfrentem, da melhor forma possível, toda a gama de questões e dilemas intrínsecos ao crescimento e sustentação de qualquer empresa. Localismo significa afrouxar as correntes do comprometimento das pessoas, concedendo-lhes a liberdade de agir, de experimentar suas próprias idéias e de serem responsáveis pelos próprios resultados. Ou, como diz Ray Stata, CEO da Analog Devices, Inc.: "Na organização hierárquica tradicional, o topo pensa e o local age. Na organização que aprende, é preciso mesclar pensamento e ação em cada indivíduo".

O localismo é especialmente vital em tempos de mudanças rápidas. Os atores locais freqüentemente têm mais informações sobre as preferências dos clientes, ações dos concorrentes e tendências do mercado; estão em uma posição melhor para gerenciar a adaptação contínua que a mudança exige.

No estudo da Royal Dutch/Shell sobre a longevidade das empresas (citado no início do Capítulo 2), as sobreviventes mais antigas, segundo Arie de Geus, ex-vice-presidente de Planejamento da Shell, foram as empresas que tiveram "a habilidade de fazer experimentos marginais, de explorar continuamente novas possibilidades de negócios".

Esses experimentos, de modo geral, originaram-se localmente.

O localismo é uma pedra fundamental no projeto de organizações que aprendem.[1]

Mas o localismo também significa novos desafios singulares, não enfrentados e não resolvidos pelas organizações hierárquicas tradicionais. Dois em especial destacam-se nas organizações que conheci e que lutam em busca do localismo. O primeiro refere-se aos conflitos que muitos gerentes, especialmente os de nível sênior, experimentam ao desistir da "posição de controle", repassando a autoridade do processo decisório aos gerentes locais. O segundo refere-se a como fazer com que o controle local funcione.

A ambivalência de muitos gerentes seniores em abrir mão da maior autoridade e controle do processo decisório é, em parte, resultante do medo da perda. Será que a gerência sênior ou a alta gerência se tornará desnecessária ou de certa forma menos importante — mera decoração — na organização controlada em nível local? Esse medo é desastroso, pois impede que muitos gerentes seniores descubram seu novo papel na organização controlada em nível local: a responsabilidade de aprimorar continuamente a capacidade de aprendizagem da organização. Um dos grandes problemas que afetam as organizações que estão se tornando mais localistas é que a alta gerência, paralisada pelo medo do que poderia perder, está negligenciando essa nova função extremamente importante.

A ambivalência de muitos gerentes em relação à descentralização também resulta de perguntas legítimas: como as organizações controladas em nível local podem conseguir coordenação, sinergia entre as unidades de negócios e esforços cooperativos em direção a objetivos comuns a toda a empresa? Em outras palavras, como a organização pode obter "controle" se os gerentes locais não estão sendo controlados? Como a organização controlada em nível local pode ser algo mais do que simplesmente uma holding, na qual a matriz impõe os padrões financeiros, deixando as operações locais totalmente isoladas?

A tendência constante em direção ao localismo nos últimos trinta anos está tornando essas perguntas cada vez mais importantes. A tendência é liderada por muitas das empresas mais respeitadas atualmente, como a Royal Dutch/Shell, Johnson & Johnson, 3M e Citicorp. É extremamente claro que as hierarquias autoritárias rígidas comprometem a aprendizagem, deixando de estimular o espírito, o entusiasmo e o conhecimento das pessoas em todos os níveis da organização e sua receptividade a condições dinâmicas. Contudo, as alternativas às hierarquias autoritárias são cada vez menos claras.[2]

A incapacidade de resolver os dilemas e quebra-cabeças inerentes ao localismo resultaram no fracasso dos mais ousados protótipos de organizações que aprendem. Alguns fracassaram porque, a despeito dos fortes sentimentos em relação a valores como liberdade e responsabilidade individual, os gerentes seniores não conseguiram desistir do controle que acompanha tradicionalmente suas posições. Outros fracassaram porque *desistiram* realmente do controle e então descobriram que o compromisso entusiasmado com o localismo não cria necessariamente um processo decisório eficaz. Outros ainda tentaram envolver mais as pessoas no processo decisório, mas não conseguiram avançar o suficiente para permitir que as pessoas desenvolvessem suas próprias visões, projetassem suas próprias estratégias e estruturas e assumissem a responsabilidade pela própria aprendizagem.

As disciplinas da organização que aprende podem ajudar a fazer com que o localismo funcione. Por exemplo, aprender como trabalhar com os modelos mentais dos gerentes pode ajudar a coordenar as organizações controladas em nível local. Não é coincidência que as organizações líderes no desenvolvimento da disciplina de modelos mentais, como, por exemplo, a Royal Dutch/Shell e a Hanover Insurance, tenham um alto grau de controle local. A combinação de modelos mentais e outras disciplinas pinta um novo quadro de como uma organização controlada localmente pode funcionar — "controle através da aprendizagem".

Enquanto as organizações tradicionais exigem sistemas gerenciais que controlam o comportamento das pessoas, as organizações que aprendem investem na melhoria da qualidade do pensamento, na capacidade de reflexão e aprendizagem em equipe e na habilidade de desenvolver visões compartilhadas e uma compreensão compartilhada de questões empresariais complexas. Essas capacidades permitirão que as organizações que aprendem sejam mais controladas localmente *e* mais bem coordenadas do que suas predecessoras hierárquicas.

A ILUSÃO DE "ESTAR NO CONTROLE"

O primeiro desafio central proposto pelo localismo é mais um desafio emocional do que intelectual ou até racional. Robert Swiggett, CEO aposentado da Kollmorgen Corporation, coloca diretamente: "Na transição da organização tradicional autoritária, hierárquica, para uma organização controlada localmente, a questão isolada mais importante é o controle. Além do dinheiro, da fama, o que impulsiona a maioria dos executivos das organizações tradicionais é o poder, o desejo de controle. A maioria desistiria de qualquer coisa, menos do controle".

Contudo, a percepção de que alguém "lá em cima" controla as coisas baseia-se em uma ilusão — a ilusão de que alguém pode dominar a dinâmica e a complexidade detalhada de uma organização a partir do topo.

Um exemplo simples, que aprendi há muitos anos com os gerentes da Kollmorgen, demonstra esse aspecto. Imagine dois patins, um na frente do outro, ligados por uma mola. Você usa o primeiro patim para controlar o movimento do segundo. É difícil, mas pode ser feito. Agora acrescente um terceiro patim, conectado com uma outra mola — e, além disso, atribua à nova mola uma "constante de elasticidade da mola" diferente (que facilite ou dificulte a extensão da segunda mola em relação à primeira). Agora tente controlar o terceiro patim movimentando apenas o primeiro. É muito mais difícil. Acrescente outros patins, ligados por outras molas, atribuindo-lhes constantes diferentes. Em pouco tempo, você não terá a menor esperança de controlar o último patim. As organizações são infinitamente mais complexas do que essa simples fila de patins e molas. Dá para começar a perceber que uma pessoa ditando ordens "de uma extremidade da linha" não pode controlar o que acontece em uma organização complexa.

A ilusão de estar no controle pode parecer extremamente real. Em organizações hierárquicas, os líderes dão ordens e os outros seguem. Mas dar ordens não é controlar. O poder pode estar concentrado no topo, mas ter o poder de decisão unilateral não significa ser capaz de alcançar seus objetivos. As figuras de autoridade podem ser tratadas de forma diferenciada, aduladas com os mais altos salários e outros privilégios, mas isso não significa que exerçam realmente controle comensurável com sua aparente importância.

Devido à antiga crença de que é possível controlar o processo decisório do topo, muitas empresas oscilam entre o localismo e a centralização. Quando os negócios vão bem, cada vez mais as decisões são tomadas localmente. Quando os negócios começam a piorar, o primeiro instinto é devolver o controle à gerência central. Esse padrão "novamente sim/novamente não" de processo decisório atesta a profunda falta de confiança que os gerentes seniores têm nas decisões locais. Além disso, esse ciclo de centralização/descentralização é uma estrutura de "transferência de responsabilidade". Ao menor sinal de crise, a empresa transfere a responsabilidade do processo decisório novamente aos staffs centrais. As habilidades de decisão em nível local atrofiam-se e a infra-estrutura que ajudaria as pessoas a experimentar, coordenar e aprender localmente não é desenvolvida.

Compreender que é normalmente impossível controlar uma organização complexa do topo pode ajudar os gerentes seniores a começar a desistir da necessidade de sentir que as coisas estão "sob controle". Mas para muitos isso não é suficiente. A influência emocional de sentir que as coisas estão sob controle só diminuirá se *eles realmente desejarem* o localismo. Se não acreditarem que a qualidade da aprendizagem, a habilidade de adaptação, o estímulo, o entusiasmo e o desenvolvimento humano alimentados pelo localismo compensam o risco, é improvável que decidam construir uma organização controlada localmente. É por isso que o localismo só se mantém quando é um aspecto da visão da organização. Isso significa que deve ser um aspecto das visões das pessoas. Os gerentes que ocupam posições tradicionais de autoridade devem realmente querer uma organização controlada localmente. Um número suficiente de pessoas nas operações locais deve realmente querer a responsabilidade e a liberdade de uma maior autonomia. Do contrário, não ocorrerá um movimento duradouro.

Em contrapartida, hoje, muitas organizações estão cortando níveis gerenciais e adotando cada vez mais o controle em nível local devido à adequabilidade, impulsionadas por pressões em prol do corte de custos. Essas tendências em direção ao localismo não tendem a levar a uma redistribuição duradoura e significativa da autoridade do processo decisório; quando há uma recessão, os gerentes das empresas "assumirão as rédeas" da situação e, mais uma vez, aumentarão os controles gerenciais para "vencer a tormenta".

Um exemplo do tipo de compromisso necessário para que o localismo funcione é a seguinte declaração de Bill O'Brien, da Hanover:

> Estamos vivendo um tempo no qual as pessoas acreditam que podem exercer cada vez menos influência sobre os eventos... Em quase todas as empresas, as pessoas aprendem a aceitar o mundo como ele é e a tratá-lo da forma como ele se apresenta. Na Hanover, uma parte essencial de nossas crenças é nossa capacidade de mudar a nossa parte do mundo, nossa importância como indivíduos e nossa possibilidade de influenciar nosso próprio ambiente, nosso crescimento e nossos resultados. É por isso que o localismo é um dos nossos valores essenciais.[3]

Em 1988, o ex-CEO da Johnson & Johnson, James Burke, expressou da mesma forma seu compromisso com o localismo, relembrando também suas implicações para a alta gerência.

> Temos 166 afiliadas em 59 países e um índice acelerado de crescimento. Nosso compromisso com o localismo exige uma organização flexível, que permita um processo decisório rápido.[4]

No mesmo ano, a *Fortune* citou James Burke em uma matéria sobre o assunto:

> "Nós, na alta gerência, dizemos freqüentemente uns aos outros que nos divertimos mais administrando a J&J do que fazendo qualquer outra coisa. Se você se diverte tanto administrando uma grande empresa quanto administrando uma parte dela, então provavelmente está interferindo demais no trabalho das pessoas que realmente fazem acontecer".[5]

Mas não existe garantia de que a energia e o compromisso tornam os responsáveis pelo processo decisório mais sábios. Essas pessoas podem ser míopes, não conseguindo avaliar os impactos das decisões nos sistemas maiores nos quais operam. Talvez não consigam perceber os benefícios da experiência. Pode ser a curto prazo. A qualidade do processo decisório local é o segundo elemento essencial do localismo: "Como as organizações podem exercer controle sem controlar?"

CONTROLE SEM "CONTROLAR"

O fato de que ninguém "exerce controle" não significa que não haja "controle". Na verdade, todos os organismos saudáveis têm processos de controle. Entretanto, são processos distribuídos, e não concentrados em um responsável autoritário pelo processo decisório. Como sugere Dan Kim, meu colaborador no MIT, imagine o que aconteceria se o sistema imunológico tivesse que esperar uma aprovação para liberar anticorpos para combater uma infecção. Imagine a seguinte conversa:

AGENTE LOCAL: Uma infecção horrível está se iniciando aqui.
AUTORIDADE CENTRAL: Observe-a de perto. E informe caso a infecção pareça estar fugindo de nosso controle.

No momento em que a autoridade central finalmente concede permissão para ação, a infecção já atingiu todo o sistema. A essência do controle orgânico é a capacidade de manter o equilíbrio interno crítico à estabilidade e ao crescimento. No corpo humano, a temperatura é controlada, assim como a pressão arterial, a freqüência cardíaca, os níveis de oxigênio, o equilíbrio físico e a disseminação de doenças, através de uma miríade de processos de controle.

Muitos autores que escrevem sobre teoria organizacional usaram a metáfora da "organização como organismo" para sugerir uma imagem do controle organizacional inteiramente diferente da imagem retratada na hierarquia autoritária tradicional.[6] É a imagem do controle local — incontáveis processos decisórios locais que respondem continuamente a mudanças, a fim de manter condições saudáveis que permitam a estabilidade e o crescimento.[7]

Para implementar nas organizações esse tipo de controle, encontrado na natureza, as disciplinas de aprendizagem são inestimáveis. A essência da disciplina de visão compartilhada, por exemplo, está em colocar as visões individuais em harmonia com uma visão maior. Se a visão da organização for imposta às unidades locais, o resultado, na melhor das hipóteses, será a aceitação, e não o compromisso. Quando existe um processo contínuo de construção da visão, as visões locais e as visões organizacionais interagem constantemente e se enriquecem mutuamente. A combinação de missão, visão e valores cria a identidade comum que pode conectar milhares de pessoas dentro de uma grande organização. Uma das principais tarefas dos líderes, tanto em nível local quanto de empresa, é estimular essa identidade comum. Um observador de Burke, da Johnson & Johnson, disse que "seu principal ponto forte... é o seu envolvimento diário, e em todos os níveis, em reconhecer, priorizar e articular os valores éticos da Johnson & Johnson."[8]

A disciplina de gerenciamento dos modelos mentais é comprovadamente vital à administração de uma organização controlada localmente. A Royal Dutch/Shell, com mais de cem empresas operacionais individuais, é administrada de uma forma altamente autônoma. A Shell desenvolveu seu estilo de "planejamento como aprendizagem" e sua ênfase nos modelos mentais exatamente porque precisava de uma alternativa para auxiliar e coordenar sua rede de negócios, sem infringir sua autonomia local. "As estratégias são produto de uma visão mundial", disse Pierre Wack, ex-planejador da Shell. "Quando o mundo muda, os gerentes precisam compartilhar uma visão comum desse novo mundo. Do contrário, as decisões estratégicas descentralizadas resultarão em uma anarquia gerencial."[9]

As disciplinas de aprendizagem em equipe e domínio pessoal também são importantes. As habilidades de aprendizagem em equipe ajudam, tanto dentro das equipes gerenciais locais quanto nas interações entre a gerência local e da empresa, que também é uma "equipe", embora normalmente não seja uma equipe oficial. Em ambos os níveis, a capacidade de misturar o diálogo e a discussão e tratar produtivamente as rotinas defensivas é importante. O domínio pessoal é vital porque o localismo impõe demandas enormes aos recursos de liderança da organização. Os gerentes locais devem ser líderes e, ao mesmo tempo, gerentes competentes.

Finalmente, na falta do pensamento sistêmico, o processo decisório local pode se tornar míope, vendo apenas o curto prazo. Isso ocorre porque os responsáveis pelas decisões locais não conseguem ver as interdependências e a forma como suas atitudes afetam elementos externos à sua esfera local.

Existe um arquétipo específico de sistemas, identificado inicialmente pelo ecologista Garret Hardin e denominado "A Tragédia dos Comuns", que é especialmente relevante para o funcionamento do localismo.[10] Descreve situações nas quais o que é certo para cada parte é errado para o todo. O arquétipo é útil para lidar diretamente com os problemas nos quais o processo decisório local aparentemente lógico pode se tornar totalmente ilógico para o sistema maior.

Por exemplo, a região de Sael, na África subsaariana, já foi uma área fértil de pastagens. Em meados desse século, mantinha mais de cem mil pastores e mais de meio milhão de cabeças de gado zebu. Hoje, é um deserto árido, que contém uma pequena fração da vegetação que produzia anteriormente. As pessoas que continuam lá sobrevivem com dificuldade, sob a ameaça contínua da seca e da fome.

A tragédia de Sael originou-se do crescimento contínuo da população e dos rebanhos da década de 20 até a década de 70. O crescimento foi acelerado de 1955 a 1965, resultante de chuvas fortes e da ajuda de organizações internacionais que financiaram inúmeros poços profundos. Os criadores de Sael receberam incentivos para expandir seus rebanhos de zebus, visando tanto o ganho econômico quanto o status social. Enquanto as pastagens comuns foram suficientes para acomodar esse novo gado, não havia problemas. Entretanto, no início da década de 60, os rebanhos tornaram-se tão grandes que começou a faltar pasto. A vegetação tornou-se mais escassa. Quanto mais escassa a vegetação, mais insuficientes os pastos. A erosão do solo pelos ventos e pela chuva aumentou a desertificação. A produção de vegetação diminuiu, agravando o problema de insuficiência de pastagens e aumentando ainda mais a desertificação. Esse círculo vicioso terminou numa seqüência desastrosa de secas nas décadas de 60 e 70. No início da década de 70, 50 a 80 por cento do gado tinha morrido e grande parte da população de Sael vivia na miséria.[11]

Outras Tragédias dos Comuns ocorreram no mundo inteiro — nos cardumes de peixes, nas áreas agrícolas dos países desenvolvidos, na floresta tropical brasileira, e com as chuvas ácidas e os gases do "efeito-estufa". Havia um tempo, em que era quase impossível ver o gramado do Boston Common devido à profusão de ovelhas com suas lãs. Em todas essas situações, a lógica do processo decisório leva inevitavelmente à tragédia coletiva. Hardin cunhou inicialmente o termo para descrever situações caracterizadas por duas condições: (1) existe um fator "comum", um recurso compartilhado por um grupo de pessoas, e (2) os responsáveis pelas decisões, livres para ditar suas próprias ações, obtêm ganhos a curto prazo a partir da exploração do recurso, mas não pagam nem têm consciência do custo dessa exploração — exceto a longo prazo.

A forma genérica desse arquétipo é:

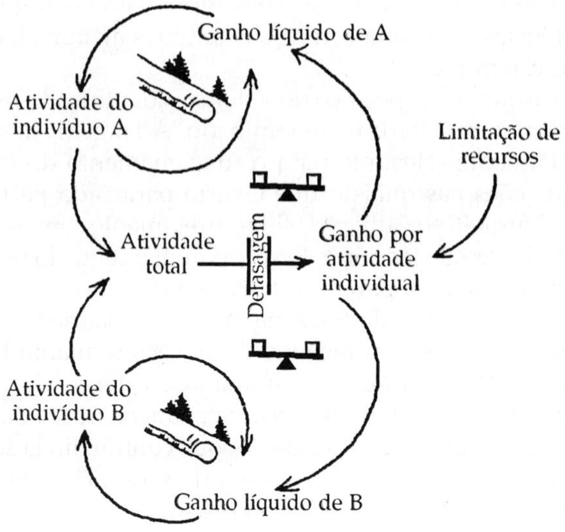

Cada indivíduo (aqui denominado "A" e "B") concentra-se apenas nas suas próprias necessidades, e não nas necessidades do todo. A curto prazo, as pessoas lucram quando agem egoisticamente. Esse egoísmo leva ao sucesso, que reforça as atitudes que levaram ao sucesso. (Esses são os dois processos de reforço no alto e na base do diagrama.) Os criadores aumentam os rebanhos e enriquecem, o que estimula o aumento adicional dos rebanhos. Mas a soma de todos os indivíduos agindo em seu próprio interesse (o diagrama mostra dois *loops* de reforço relativos a dois indivíduos — na realidade, pode haver centenas ou milhares de responsáveis pelas decisões locais) resulta em uma "atividade total" com vida própria. O insustentável "ganho por atividade individual" (lucro por zebu) começa a cair (isso pode demorar vários anos), revertendo o benefício de cada indivíduo. No momento em que percebem a importância desse erro comum, é tarde demais para salvar o todo e todos os indivíduos caem com ele. Não é suficiente que um indivíduo identifique o problema; o problema só pode ser resolvido quando a maioria dos responsáveis pelas decisões agem em conjunto em prol do bem do todo.

Não pense que a estrutura da Tragédia dos Comuns limita-se aos desastres ecológicos. As Tragédias dos Comuns ocorrem com freqüência em empresas nas quais o "localismo" é valorizado. Acontecem, por exemplo, quando várias divisões autônomas localmente compartilham um grupo de apoio comum — uma equipe de pesquisa, uma força de vendas ou um grupo de secretárias. Todos os chefes de divisão preocupam-se com a possibilidade de sua seção não receber atenção adequada do departamento compartilhado. Assim, um chefe de divisão aconselha sua equipe a classificar um maior número de suas solicitações como sendo de alta prioridade. Outras divisões vêem essa divisão exigindo mais apoio e decidem experimentar a mesma estratégia. Em pouco tempo, a maioria das solicitações que chegam são de "alta prioridade" e o staff começa a desvalorizá-las. Ou, pior ainda, o staff de apoio tenta fazer tudo o que foi solicitado, aceitando todas as solicitações adicionais; torna-se sobrecarregado com tantas prioridades, e compromete rapidamente a qualidade de seu trabalho, até não conseguir ser mais útil para ninguém.

As empresas têm muitos "comuns" deterioráveis para compartilhar: capital financeiro, capital produtivo, tecnologia, reputação na comunidade, boa vontade dos clientes, boa vontade e apoio dos fornecedores e moral e competência dos funcionários, apenas para citar alguns. Quando uma empresa se descentraliza, as divisões locais concorrem umas com as outras por esses recursos limitados.

As estruturas da Tragédia dos Comuns são mais insidiosas quando a combinação de atitude individual e conseqüência coletiva é inexpressiva a curto prazo e importante a longo prazo. Quando isso acontece, normalmente os "comuns" passam despercebidos. Os gerentes locais vêem suas atitudes como independentes, não percebem como podem estar ameaçando o futuro dos outros e o seu próprio futuro. Não conseguem ver como sua "atividade" individual pode reduzir o "ganho por atividade" de todos.

Os "comuns" podem ser tão simples e sutis quanto o tempo e a atenção limitados dos clientes. "Nosso compromisso forte, antigo e quase fanático com o localismo", lamentou-se um CEO recentemente, "resultou em diferentes divisões com produtos afins competindo pelo tempo e atenção dos clientes. Criamos um conjunto de forças que funcionam contra a compreensão sistêmica e contra um espírito de 'todos por um' sem um correspondente 'um por todos'".

Ed Simon, presidente da Herman Miller, argumenta que as recompensas e pressões sobre os responsáveis pelas decisões locais freqüentemente ameaçam os "comuns", intensificando o pensamento de curto prazo. (Entre os "comuns" afetados podem estar a reputação da organização, sua vitalidade financeira ou seu moral.) "Superficialmente", diz Simon, "acredita-se que dividir as empresas em unidades menores estimula a iniciativa local e a aceitação de riscos. Na verdade, ocorre exatamente o contrário. A divisão e a autonomia criaram mais gerentes voltados para o curto prazo, impulsionados pelo lucro mais do que nunca. A razão é simples. Esses agressivos presidentes de divisões são responsáveis pelos próprios lucros, avaliados pelos resultados trimestrais e anuais, e espera-se que ocupem essa posição durante um período de dois a quatro anos. Isso gera um sistema voltado para o curto prazo. Sempre conseguimos perceber quando estamos vendendo móveis de escritório para uma empresa altamente descentralizada. Quase sempre, essas empresas compram pelo preço. Tomam decisões baseadas quase exclusivamente no preço porque somente o preço afetará a lucratividade a curto prazo."

Para identificar as estruturas de Tragédia dos Comuns nas organizações, deve-se ter em mente duas perguntas: (1) quais são seus "comuns" atuais e futuros que poderiam ser esgotados por gerentes locais extremamente agressivos? E (2) que atitudes específicas levariam à eliminação ou ao esgotamento dos "comuns"?

Ao identificar uma estrutura de Tragédia dos Comuns, a organização enfrenta uma pergunta clara mas desafiadora: *quem administrará os "comuns"?* Há duas opções genéricas. A primeira é escolher um gerente dos "comuns" — alguém ou um grupo que possa influenciar as ações das unidades locais que colocam os "comuns" em risco. Por exemplo, o moral, as habilidades e o alinhamento das pessoas de uma organização são um dos "comuns" mais valiosos. Gerentes de recursos humanos talentosos trabalham com outros gerentes e sua equipe em toda a organização, a fim de gerenciar com eficácia esses comuns, assim como gerentes de vendas voltados para os sistemas podem representar a voz do cliente em toda a organização. Ser gerente de "comuns" pode ser desagradável e contraproducente se não houver uma compreensão abrangente em toda a organização das razões que tornam um recurso comum e das desvantagens de sua depleção para todos.

A segunda abordagem para a administração dos "comuns" é estabelecer sinais, talvez combinados a recompensas e custos, que alertem a equipe local de que um dos "comuns" está em perigo. Essa segunda abordagem atribui aos gerentes locais o ônus da auto-restrição. Por exemplo, se as reações adversas dos clientes aos múltiplos contatos de unidades locais concorrentes fossem comunicadas imediatamente às unidades locais, a pressão para limitar ou coordenar esses contatos seria percebida. Pressões semelhantes seriam geradas se as reclamações dos fornecedores que foram prejudicados pelos hábitos de pedidos de uma unidade local fossem comunicadas imediatamente a toda a organização.

Bill Gore, co-fundador da W. L. Gore and Associates, fabricante altamente lucrativa do Gore-tex e de outros produtos de fibra sintética, criou uma metáfora adorável para instilar em todos os funcionários a valorização do princípio dos "comuns". Denominou-a de princípio do "nível da água". Ele estimula continuamente todos os seus "associados" na W. L. Gore a se aventurar e a correr riscos. Mas disse que cada associado é responsável pela observação de onde está o "nível da água". Os erros cometidos acima do "nível da água" não afundarão o navio. Mas os erros que podem estar "abaixo do nível da água" podem afetar a todos nós. Os riscos "abaixo do nível da água" — atitudes que podem ameaçar "comuns" importantes — devem ser assumidos somente após uma consulta cuidadosa aos representantes de todas as outras partes que poderão ser afetadas.

Ainda assim, minha experiência é de que reconhecer as estruturas de Tragédias dos Comuns pode ser extremamente difícil para os gerentes locais — pois as principais interdependências podem ultrapassar as fronteiras de uma unidade local com a outra. Assim, a responsabilidade da identificação de "comuns" importantes e da determinação de como devem ser administrados deve ser atribuída à gerência central ou da empresa. Essa responsabilidade torna-se um elemento do novo e crescente papel da gerência central em uma organização controlada localmente — a responsabilidade pela capacidade de aprendizagem da organização.

O NOVO PAPEL DA GERÊNCIA CENTRAL

A mudança para organizações controladas localmente não será completa se os novos papéis dos gerentes centrais ou da empresa não forem esclarecidos. Se os gerentes locais assumem cada vez mais responsabilidade pelo crescimento e administração de unidades de negócios locais, o que vai restar aos gerentes seniores, que antes compartilhavam ou detinham por direito essas responsabilidades? Como observamos anteriormente, um elemento dessa função envolve a supervisão da organização, "idéias estratégicas", seus valores essenciais, sua missão e suas visões em constante desenvolvimento. Mas há elementos adicionais que ainda não foram identificados.

Como coloca Ed Simon, "a primeira descoberta importante [na criação de uma organização que aprende] é que existe um trabalho diferente a ser feito pelos executivos. Estamos dedicando uma certa quantidade do nosso tempo a esse 'novo trabalho', embora não saibamos exatamente do que se trata. Mas sabemos que tem alguma coisa a ver com uma nova geração de 'arquitetos organizacionais'". Essa visão é coerente com a observação de Bill O'Brien, da Hanover, citada anteriormente, sobre como "gerência, organização e controle" estão dando lugar a "um novo 'dogma' de visão, valores e modelos mentais".

Acredito que a essência desse novo papel será o que poderíamos chamar de o *gerente como pesquisador e idealizador*. O que busca esse gerente? Compreender a organização como um sistema e compreender as forças internas e externas que impulsionam a mudança. O que ele idealiza? Os processos de aprendizagem através dos quais os gerentes de toda a organização conseguem compreender essas tendências e forças.

Como exemplo, uma das mais importantes e novas ferramentas para acelerar a aprendizagem e estimular os modelos mentais sobre o sistema maior compartilhados entre os responsáveis pelas decisões locais são os micromundos. Estes são os microcosmos de ambientes reais de negócios onde as equipes de gerentes aprendem em conjunto, conduzindo experimentos difíceis ou impossíveis de conduzir na empresa real. (O Capítulo 17 descreve detalhadamente os micromundos.) O desenvolvimento de um micromundo envolve pesquisas que visam compreender as estruturas sistêmicas subjacentes a questões específicas da empresa e, em seguida, o desenvolvimento de um processo de aprendizagem para os gerentes que trabalham e vivem essas questões no dia-a-dia. Acredito que, no futuro, a pesquisa e idealização de micromundos se tornarão a principal tarefa da gerência central na organização que aprende.

Sob muitos aspectos, o papel do "gerente como pesquisador" já está sendo praticado. Por exemplo, em empresas que estão praticando com seriedade a qualidade total, os gerentes locais juntam-se aos operários na análise e melhoria contínua de processos de trabalho.

Isso não significa que os gerentes centrais ou da empresa não participam mais do processo decisório. Ao contrário, serão envolvidos em muitas decisões importantes, freqüentemente em conjunto com outros gerentes locais e da empresa. Entretanto, a idealização dos processos de aprendizagem da organização é uma função única, que não pode ser delegada. Não pode ser executada pelos gerentes locais porque eles estão envolvidos demais na administração de suas empresas e porque geralmente têm uma perspectiva menos ampla das questões e das forças maiores de longo prazo que determinarão a evolução da empresa. O trabalho dos gerentes como idealizadores é desenvolvido mais detalhadamente no Capítulo 18 ("O novo trabalho do líder"). Se isto não for visto como responsabilidade dos gerentes da empresa, mesmo dos gerentes de nível sênior, não será realizado ou não será bem realizado. O fato de que somente alguns dos que ocupam atualmente essas posições identificam esse papel é uma das principais razões pelas quais as organizações que aprendem ainda são raras.

PERDÃO

Para ser eficaz, o localismo deve encorajar a aceitação de riscos entre os gerentes locais. Mas encorajar a aceitação de riscos é praticar o perdão. O verdadeiro perdão inclui "perdoar" e "esquecer". Às vezes, as organizações "perdoam", ou seja, não demitem alguém porque cometeu um erro, mas esse erro pairará para sempre sobre a cabeça do indivíduo. O verdadeiro perdão inclui "reconciliação", recuperação dos relacionamentos que podem ter sido prejudicados pelo erro.

James Burke ilustra como aprendeu a perdoar na Johnson & Johnson, durante seus primeiros meses como chefe da divisão de novos produtos. Certo dia, Burke foi chamado à sala do presidente Robert Wood Johnson. Uma das primeiras idéias de produto de Burke, um bálsamo infantil, fracassara desastrosamente. Quando Burke entrou na sala, Johnson perguntou: "Foi você que nos fez gastar todo esse dinheiro?" Burke assentiu. O presidente disse: "Bem, eu queria parabenizá-lo. Se está cometendo erros é porque está tomando decisões e correndo riscos. E nós só cresceremos se corrermos riscos".[12]

Há também a história do capitão Kohei Asoh que, em 1969, pousou seu avião DC-8 da Japan Air Lines quatro quilômetros antes da pista de aterrissagem, nas águas da baía de San Francisco. O pouso foi perfeito. A tripulação manteve a calma. Os 96 passageiros desceram do avião para os botes de emergência preparados pela tripulação. Nem o avião sofreu grandes danos.

Após o acidente, a Comissão Nacional de Segurança nos Meios de Transporte conduziu um inquérito. O capitão Asoh foi o primeiro convocado a depor. O investigador-chefe esperou suas desculpas, prevendo as racionalizações ou acusações comuns. "Capitão Asoh, poderia nos contar com suas próprias palavras como conseguiu aterrissar o DC-8 na baía de San Francisco, quatro quilômetros antes da pista, alinhando-o perfeitamente a ela?" A resposta de Asoh, embora nunca registrada no relatório oficial da Comissão, entrou para o folclore da aviação: "Como dizem os norte-americanos, o capitão Asoh fez uma tremenda besteira!" O capitão assumiu total responsabilidade pelo erro. A tripulação, obedecendo as regras do decoro japonês, que proíbem que se critique um superior, mantivera-se em silêncio durante a aterrissagem. Como não havia nada mais a investigar, os investigadores encerraram o inquérito em tempo recorde, permitindo que o capitão retornasse ao Japão, onde se esperava que fosse demitido ou rebaixado, perdendo sua posição de comando.

Mas o capitão Asoh continuou sua carreira. Após uma série de encontros com os diretores da Japan Air Lines e um check-up médico, Asoh voltou à cabine. Continuou voando até se aposentar no final da década de 80.[13]

As organizações que aprendem praticam o perdão porque, como disse John Rollwagen, CEO da Cray Research: "Cometer o erro já é uma punição suficiente".

15

O TEMPO DO GERENTE

COMO OS GERENTES ENCONTRAM TEMPO PARA A APRENDIZAGEM?

Em um dos nossos recentes programas de Liderança e Domínio Pessoal, conversei com uma gerente que nasceu e foi criada na Índia, e que trabalhou tanto em empresas norte-americanas quanto em empresas japonesas. Ela disse que, quando uma pessoa em uma empresa japonesa se senta em silêncio, ninguém se aproxima e interrompe. Presume-se que a pessoa esteja pensando. Por outro lado, quando a pessoa está de pé e se movimenta, os colegas de trabalho se sentem à vontade para interromper.

"Não é interessante", ela comentou, "que seja exatamente o oposto em empresas norte-americanas? Nos Estados Unidos, consideramos que, quando uma pessoa está sentada calmamente, ela não está fazendo nada de muito importante."

Como podemos esperar que as pessoas aprendam quando elas têm pouco tempo para pensar e refletir, tanto individualmente quanto coletivamente? Conheço poucos gerentes que não reclamam da falta de tempo. Realmente, a maioria dos gerentes com os quais trabalhei lutava incessantemente para encontrar tempo para reflexão silenciosa. Seria esta uma norma cultural que damos como certa — a "ocupação" incessante de nossa vida cotidiana?

Donald Schön, no livro *The Reflective Practitioner*, observa que o impulso para a reação instantânea aparentemente é oriundo do aprendizado em sala de aula, onde os professores são cerceados por uma organização burocrática que desestimula o tempo para reflexão. "Se a professora deve, de alguma forma, administrar o trabalho de trinta estudantes em sala de aula, como ela pode realmente ouvir cada um deles?" Assim, na sala de aula, a aprendizagem torna-se sinônimo de absorção de informações apresentadas de forma atraente por um "especialista", e todos, tanto os estudantes como o professor, avançam o mais rápido possível de modo a absorver o máximo possível.[1]

Em uma organização, o gerente é o "especialista". Se não existe autoridade à qual recorrer, então os profissionais de sucesso (de acordo com Schön) devem desenvolver a capacidade de trabalhar em ciclos contínuos de pausas (para desenvolver hipóteses), ações, e pausa para refletir sobre os resultados. Schön chama isso de "reflexão-em-ação" e a define como uma característica dos profissionais que são aprendizes de sucesso. "Expressões como 'Pense com sua própria cabeça', 'Fique esperto' e 'Aprenda fazendo'", ele escreveu, "sugerem não apenas que podemos pensar sobre fazer algo, mas que podemos pensar sobre fazer algo enquanto estamos fazendo."

Entretanto, muitos gerentes norte-americanos estão muito ocupados para "pensar com suas próprias cabeças". Para a maioria de nós, nossas imagens internas sobre a natureza de nosso trabalho diz que atividade é algo bom, que o trabalho de um gerente é manter as coisas acontecendo. Bill O'Brien, da Hanover, chama isso de modelo de administração do tipo "bando de acorrentados". "A maioria dos gerentes parece pensar neles próprios como os líderes do bando: 'a velocidade do líder determina a velocidade do bando'."

É fácil colocar a culpa por essa atividade incessante e pela falta de tempo para reflexões nas pressões da empresa, mas pesquisas estão começando a sugerir o contrário. Realizamos vários experimentos como parte de uma pesquisa para o desenvolvimento de micromundos gerenciais (Capítulo 17), de modo a estudar os hábitos de aprendizagem dos gerentes. Surpreendentemente, esses experimentos mostram que mesmo quando existe tempo suficiente para a reflexão e meios para a recuperação de todas as informações relevantes (na forma de simulações baseadas em computadores, nas quais os gerentes simulam seus papéis da vida real), a maioria dos gerentes *não* pensa cuidadosamente sobre suas ações. Em geral, os gerentes que participam do experimento adotam uma estratégia e, assim que essa estratégia começa a gerar problemas, adotam uma outra estratégia, depois outra e mais outra. Em um exercício de simulação de quatro anos, os gerentes provavelmente utilizarão de três a seis estratégias, sem ao menos uma única vez examinar por que a estratégia parece estar falhando ou definir especificamente o que eles esperam alcançar através da mudança de estratégia.[2] Aparentemente, a atmosfera de "preparar, fogo, apontar" das empresas norte-americanas foi completamente assimilada e internalizada pelos que vivem em tal atmosfera.

Aprender leva tempo. Quando um indivíduo está trabalhando com modelos mentais, por exemplo, leva-se um tempo considerável para trazer à tona os pressupostos, examinar sua consistência e precisão, e ver como diferentes modelos podem ser associados em perspectivas mais sistêmicas sobre problemas importantes.

A administração do tempo e da atenção é uma área na qual a alta gerência tem uma influência significativa, não pela postura, mas pelo exemplo. O'Brien simplesmente não agenda reuniões curtas, por exemplo. "Assuntos que não mereçam uma hora de discussão não fazem parte da minha agenda." Em uma empresa bem planejada, os únicos assuntos que devem tomar a atenção da alta gerência devem ser complexos, questões "divergentes" e dilemáticas. Esses são os assuntos que exigem o pensamento e a experiência das pessoas mais seniores, junto a colaboração do pessoal menos experiente. Se a alta gerência lida com vinte problemas em um dia de trabalho, ou está desperdiçando muito tempo com problemas "convergentes" que deveriam ser resolvidos localmente na empresa ou está dedicando tempo insuficiente aos problemas complexos. Em todo caso, é um sinal de que o trabalho gerencial está sendo feito de forma inadequada. "Quando tomo doze decisões, é um grande ano para mim", complementa O'Brien. "Posso escolher alguém para ficar diretamente subordinado a mim. Posso definir uma direção. Mas meu trabalho não é consumido com a tomada de muitas decisões. É identificar aspectos importantes para os quais a empresa deve se direcionar no futuro, ajudando outras pessoas na escolha das decisões que devem tomar, e as tarefas mais abrangentes da modelagem empresarial". (Ver Capítulo 18 sobre as funções de projeto da liderança.)

O princípio é simples de ser dito e entendido, mas não é assim que a maioria das empresas opera. Ao contrário, as pessoas no topo da hierarquia organizacional continuamente tomam decisões sobre assuntos como a realização de uma promoção — em vez de pensarem sobre o porquê de precisarem fazer promoções. Ou discutem sobre como fazer uma venda para um cliente específico — em vez de investigarem como seus produtos atendem às necessidades expressas e latentes de seus clientes em geral.

Por outro lado, à medida que as disciplinas básicas de aprendizagem começarem a ser assimiladas nas empresas, desenvolver-se-á uma nova visão do trabalho gerencial. A ação continuará sendo crítica, porém ação incisiva não será confundida com atividade incessante. Haverá tempo para a reflexão, para a conceitualização e para a análise de assuntos complexos.

Ninguém sabe quanto tempo os gerentes das empresas do futuro utilizarão para refletir, modelar e definir os processos de aprendizagem. Mas será um tempo significativamente maior do que no passado. Ed Simon, da Herman Miller, pediu a sua equipe gerencial que se comprometesse a dedicar 25 por cento de seu tempo de trabalho ao que ele chama de "aprender o trabalho de arquitetura empresarial". Durante o último ano, a equipe se dedicou ao domínio das habilidades de "reflexão e indagação", que fazem parte da disciplina de "modelos mentais", e à aplicação dessas habilidades às suas questões mais estratégicas. Ele afirma que esse comprometimento de tempo é necessário porque, apesar de haver muito a se aprender sobre o "novo trabalho" de gerentes e líderes, "já sabemos o suficiente para começar".

Um ponto de partida interessante para todos os gerentes é dar uma olhada no tempo que se dedicam a pensar. Se o tempo dedicado não é adequado, por que não o é? As pressões do trabalho estão nos impedindo de nos dedicar esse tempo, ou, de certo modo, somos nós mesmos que estamos provocando isso? De uma forma ou de outra, onde está a alavancagem para a mudança? Para algumas pessoas, isto pode envolver a mudança de hábitos pessoais. Outros talvez precisem diminuir ou se desviar das demandas da empresa de estar incessantemente "ocupado". A forma pela qual cada um de nós e cada um de nossos colegas mais próximos administram seu próprio tempo dirá muito sobre nosso comprometimento com a aprendizagem.

16

ACABANDO COM A GUERRA ENTRE O TRABALHO E A FAMÍLIA

COMO PODE A APRENDIZAGEM E O DOMÍNIO PESSOAL FLORESCEREM NO TRABALHO *E* NO LAR?

Em 1990, uma matéria de capa da revista *Fortune*, intitulada "Por que Executivos Nota Dez Tiram Zero como Pais?", observava que filhos de executivos bem-sucedidos são mais propensos a sofrer de uma gama de problemas emocionais e de saúde do que os filhos de pais "menos bem-sucedidos".[1] Por exemplo, um estudo em Ann Arbor, Michigan, revelou que 36 por cento dos filhos de executivos passavam por tratamentos psiquiátricos ou contra uso de drogas, *versus* 15 por cento dos filhos de não-executivos das mesmas empresas. O autor chegou a citar as longas jornadas de trabalho dos executivos e suas características pessoais (perfeccionismo, impaciência e eficiência) como os principais culpados e aconselhou que os gerentes muito poderosos deveriam aprender a aumentar a "auto-estima" de seus filhos. O mais interessante a respeito do artigo, entretanto, era o que ele não dizia. Não era mencionado nada sobre como as empresas contribuem para o problema dos executivos enquanto pais, ou o que elas deveriam fazer para melhorar a questão. Parece que o autor, como a maioria de nós, simplesmente aceita o fato de que o trabalho é inevitavelmente conflitante com a vida familiar, e que a empresa não tem participação na amenização dos desequilíbrios entre o trabalho e a família.

Nos últimos anos venho observando um crescimento considerável da preocupação com a questão trabalho/família entre os participantes dos nossos programas de Liderança e Domínio Pessoal. Hoje, "encontrar o equilíbrio entre meu trabalho e minha família" é citado como a prioridade número um por mais participantes do que qualquer outro assunto em particular.

As empresas tradicionais inegavelmente nutrem os conflitos entre trabalho e família. Às vezes isso é feito conscientemente — através da simples ameaça de que "para crescer aqui dentro, você deve estar disposto a fazer sacrifícios". Na maior parte das vezes, isso é feito inadvertidamente, simplesmente criando-se uma série de exigências e pressões sobre os indivíduos, que inevitavelmente entram em conflito com o tempo para a família e para si próprio. Essas exigências incluem viagens, jantares e as cada vez mais comuns reuniões no café da manhã, retiros nos finais de semana, e as naturais longas jornadas no escritório. As pressões originam-se, a princípio, do foco restrito às metas e objetivos empresariais, que excluem os objetivos e metas pessoais. Em outras palavras, se tudo o que importa são as metas da empresa, simplesmente "não há espaço" para se pesar os custos dessas metas para o indivíduo ou para sua família.

As disciplinas das organizações que aprendem irão, acredito eu, colocar um fim no tabu que tem cercado a questão do equilíbrio entre trabalho e família, e que a tem mantido fora das agendas das empresas. A organização que aprende não pode apoiar o domínio pessoal sem dar apoio ao domínio pessoal em todos os aspectos da vida. Não se pode fomentar visões compartilhadas sem trazer à tona as visões pessoais, e visões pessoais têm sempre muitas faces — sempre incluem profundos desejos para nossa vida pessoal, profissional, empresarial e familiar. Por fim, a fronteira artificial entre trabalho e família é uma maldição ao pensamento sistêmico. Existe uma conexão natural entre a vida profissional de uma pessoa e todos os outros aspectos da sua vida. Nós vivemos apenas uma vida; porém, durante muito tempo nossas empresas funcionam como se esse simples fato pudesse ser ignorado, como se tivéssemos duas vidas separadas.

A ESTRUTURA DO DESEQUILÍBRIO ENTRE TRABALHO E FAMÍLIA

Existe um arquétipo de sistema subjacente ao desequilíbrio trabalho-família. Este arquétipo é chamado "sucesso aos bem-sucedidos" porque consiste em dois processos de reforço ao crescimento, cada qual tendendo a alimentar níveis crescentes de sucesso — embora para atividades que competem entre si. Esse arquétipo é a base de uma grande variedade de situações nas quais indivíduos, grupos ou empresas competem por um recurso limitado. O sucesso de um significa que este tende a conseguir mais do recurso, o que diminui, portanto, o sucesso dos outros. O recurso poderia ser uma quantidade limitada de dólares para investir em divisões de um negócio que competem entre si. Poderia ser o raro elogio de um professor em uma sala de aula lotada. Ou poderia ser o tempo limitado de um gerente ocupado:

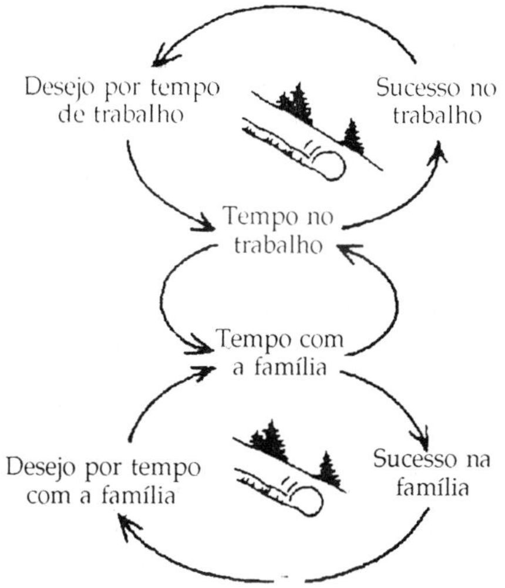

No alto do diagrama está o reforço (amplificação) do crescimento do tempo e do comprometimento de uma pessoa com o trabalho: mais tempo leva a maior sucesso, o que leva a mais e mais oportunidades interessantes e mais desejo de tempo no trabalho, o que leva a ainda mais tempo para o trabalho. Na base do diagrama existe um semelhante reforço do crescimento do tempo e do compromisso no lar: mais tempo em casa leva a maior "sucesso" (relacionamentos familiares satisfatórios, filhos saudáveis, divertimento em família) em casa, o que leva a um desejo de mais tempo em casa. Esses dois processos de reforço estão conectados porque se o tempo no trabalho aumenta sobra menos tempo disponível para o lar, e vice-versa.[2]

Assim como outras estruturas dominadas pelo *feedback* de reforço (lembre-se da "estrutura de escalada" subjacente à corrida armamentista), o arquétipo de "sucesso aos bem-sucedidos" é intrinsecamente instável. Depois que começar a inclinar para um ou outro lado, tenderá a continuar inclinando. E existem várias razões pelas quais ele tende a inclinar a favor de mais e mais tempo para o trabalho. Primeiro, existe a questão da renda. Se o tempo para o trabalho cai demais, a renda cai e cria pressões por mais tempo no trabalho (isso poderia ser representado como um processo de equilíbrio controlando o tempo no trabalho mas, para fins de simplicidade, foi omitido do diagrama). Segundo, o processo de reforço de "tempo em casa" tende a ser especialmente forte na direção negativa, na direção de "círculo vicioso". Se você se encontra em uma situação na qual menos tempo em casa está empobrecendo os relacionamentos familiares, podem existir fortes pressões psicológicas para evitar ainda mais os problemas familiares. "Esforçar-se" no trabalho se torna uma desculpa conveniente para evitar a angústia de ir para casa e encontrar um parceiro infeliz ou filhos problemáticos. Ficar menos tempo em casa diminui o "sucesso em família" ainda mais, levando a um desejo menor de tempo com a família. Terceiro, para a maioria dos profissionais altamente bem-sucedidos, existem mais pressões externas por tempo no trabalho do que por tempo em casa: normas de doze a quinze horas diárias para profissionais de alto desempenho, novas oportunidades que exigem mais viagens, pressões sutis feitas por colegas de trabalho que têm seus próprios problemas familiares.

Devido ao *feedback* de reforço dominante em "sucesso aos bem-sucedidos", os desequilíbrios não se corrigem sozinhos. Na realidade, pioram cada vez mais ao longo do tempo. Por isso os assuntos de trabalho/família são tão exasperantes.

Durante vários anos, nós trabalhamos com esse arquétipo nos programas de treinamento. Tem sido fascinante ver com que freqüência as pessoas se conscientizam da futilidade de tentar administrar suas vidas de dentro desta estrutura. Qualquer melhora num determinado momento, digamos, no sucesso em família, tende a ser oprimida pelas continuamente crescentes pressões para se dedicar cada vez mais tempo ao trabalho. Finalmente, as pessoas percebem que é preciso modificar a estrutura em si mesma — você não pode enfrentá-la satisfatoriamente a partir de seu interior se você quiser alcançar o equilíbrio entre trabalho e família, porque isso sempre o levará em direção ao desequilíbrio.

O PAPEL DO INDIVÍDUO

A primeira tarefa é sair da estrutura — perguntando a si mesmo se, dadas as suas ambições, é realmente a sua *visão* ter um equilíbrio entre o trabalho e a família. Você leva isso a sério? Essa não é uma pergunta trivial. Se fosse fácil atingir esse equilíbrio mais pessoas o fariam. Muitos se lamentam do problema, mas poucos fizeram uma escolha consciente de alcançar o equilíbrio no qual dizem acreditar.

Fazer uma escolha consciente implica a definição clara de metas pessoais para o tempo que se passa em casa. Por exemplo, a que horas você chegará em casa à noite? E as reuniões durante o jantar? E os finais de semana? O artigo da *Fortune* descrevia diversos executivos que haviam se comprometido a estar em casa para o jantar durante um determinado número de noites por semana, que abandonaram as partidas de golfe, e que reduziram as reuniões de negócios no fim da tarde. Parecem ser passos modestos, mas são exatamente os tipos de passos necessários para traduzir uma visão de equilíbrio em metas tangíveis. Apenas estabelecer metas, sem uma visão genuína, levará a um retrocesso quando as metas apresentarem dificuldades para ser realizadas.

Em algumas organizações os gerentes podem pagar um preço em suas oportunidades de carreira se tomarem uma posição por uma visão de equilíbrio entre o trabalho e a família. É muito comum que as pessoas que adotam essa posição obtenham o respeito de seus colegas — muitos dos quais provavelmente desejariam também poder fazer o mesmo tipo de compromisso. Entretanto, tal posicionamento também pode gerar conflitos, em especial entre os gerentes que se comprometeram a equilibrar trabalho e família e os que não têm tal compromisso. Não conheço nenhum conselho simples a oferecer em tais circunstâncias, exceto por esses princípios de domínio pessoal e envolvimento:

- Identifique o que é verdadeiramente importante para você
- Faça uma escolha (comprometimento)
- Seja sincero com aqueles ao seu redor a respeito da sua escolha
- Não tente manipulá-los a chegar a acordos ou apoios superficiais

Por fim, as conseqüências das escolhas dos indivíduos em relação ao trabalho e à família dependerão, num certo nível, do clima organizacional de um modo geral.

O PAPEL DA EMPRESA

Ironicamente, os conflitos entre trabalho e família podem ser uma das primeiras formas por meio das quais as empresas tradicionais limitam sua eficácia e habilidade de aprendizagem. Ao favorecerem este conflito elas distraem e diminuem a força dos seus membros — muitas vezes a um grau muito maior do que percebem. Além do mais, elas não exploram a sinergia potencial que pode existir entre organizações que aprendem, indivíduos que aprendem e famílias que aprendem.

"É irônico", diz Bill O'Brien, da Hanover, "que se perca tanto tempo e dinheiro tentando inventar programas inteligentes para desenvolvimento da liderança em nossas organizações, ignorando uma estrutura que já existe e que é ideal para o trabalho. Quanto mais entendo as verdadeiras habilidades de liderança em uma organização que aprende, mais eu me convenço de que estas são as habilidades dos pais eficazes. Liderar, em uma organização que aprende, envolve ajudar as pessoas a clarear e perseguir suas próprias visões, 'persuasão moral', ajudar as pessoas a descobrir as causas subjacentes de seus problemas e dar-lhes poder para fazer suas escolhas. Que melhor descrição poderia haver para o papel dos pais eficazes? O fato de muitos pais não obterem sucesso simplesmente mostra que não criamos o ambiente de aprendizagem para cumprimento do papel dos pais, assim como não criamos o ambiente de aprendizagem para desenvolvimento de líderes."

As reflexões de O'Brien nos dão a idéia do que, na minha opinião, será um tópico de importância crescente nos próximos anos: a busca da sinergia entre vida familiar produtiva e vida profissional produtiva. O velho mundo de rígidos limites entre trabalho e família está ficando para trás. Um novo mundo de limites flexíveis está presente, e é um mundo que apenas algumas empresas estão considerando.

Naquele velho mundo o homem trabalhava e a mulher ficava em casa para educar os filhos. Hoje, nas famílias com filhos nas quais pelo menos um membro tem posição de gerência, apenas 51,5 por cento dos pais ficam em casa — em 28 por cento dos casos ou ambos trabalham ou se trata de uma família de pai ou mãe solteiros.[3] E o percentual de famílias sem nenhum dos pais em casa continua a crescer.[4] Uma das implicações dessa mudança radical é que os assuntos de família afetam muito mais a vida dos gerentes, simplesmente porque não há ninguém em casa a quem se pode delegar os problemas. O que também significa que existem mais, e maiores, problemas de família.

No velho mundo os interesses particulares das pessoas diziam respeito apenas a elas próprias. A empresa queria apenas "um dia de trabalho honesto em troca de um pagamento honesto". Nas organizações que aprendem os limites entre o que é pessoal e o que é organizacional são intencionalmente obscuros. As organizações que aprendem entram em um novo acordo, ou "pacto", como diz Max de Pree, com seus membros. A essência desse acordo é o compromisso da empresa em apoiar o completo desenvolvimento de cada funcionário e o compromisso recíproco das pessoas para com a empresa.[5] Pressões intencionais ou inadvertidas que tornem o sucesso no trabalho e o sucesso em casa proposições na forma "ou/ou" violam esse acordo.

Acredito que essas mudanças levarão um número maior de empresas a reconhecer o que já deveriam ter reconhecido há muito tempo — que as empresas devem destruir as pressões e as demandas divisoras que fazem com que equilibrar trabalho e família seja hoje algo tão penoso. Isso é necessário por causa do seu comprometimento com seus membros. Mas também é necessário para desenvolver as capacidades e habilidades da empresa.

Existem muitos passos específicos que as empresas podem dar para começar a contribuir para um melhor equilíbrio entre trabalho e família. Alguns passos, como providenciar creches para pais solteiros, já foram dados em muitas empresas. Porém, existe um conjunto de passos mais amplo e desafiador à frente. Por exemplo:

- Apoiar o domínio pessoal como uma parte da filosofia e da estratégia da empresa (o Capítulo 9 discute o "como" e o caminho das pedras para tornar esse apoio eficaz).

- Tornar aceitável às pessoas reconhecer os problemas familiares, bem como os assuntos de negócios, e inseri-los em discussões pertinentes, em especial discussões que envolvam comprometimento de tempo.
- Quando necessário, ajudar as pessoas a obter aconselhamento e orientação sobre como usar, de forma proveitosa, o seu tempo com a família (muitos dos problemas difíceis dos pais e dos relacionamentos em família não são oriundos apenas da falta de tempo, mas de não saber como *lidar* com os problemas de forma eficaz).

Existem, sem dúvida, muitos outros passos concretos que podem ser tomados. Mas o passo mais importante é o primeiro passo — saber que não se pode construir uma organização que aprende alicerçada em lares desfeitos e relacionamentos pessoais desgastados.

O conflito entre trabalho e lar não é apenas um conflito sobre tempo, mas sobre valores. Todos os hábitos que um executivo aprende em uma empresa autoritária são exatamente os hábitos, como o artigo da *Fortune* mostrou, que os tornam pais malsucedidos. Como pode um executivo estimular a auto-estima de uma criança em casa quando está acostumado a destruir a auto-estima das outras pessoas no escritório? Os valores e hábitos aprendidos pela prática das cinco disciplinas de uma organização que aprende servem para nutrir a família, assim como os negócios. É um ciclo virtuoso: ser um bom pai não só é um treino para se tornar um gerente voltado para a aprendizagem, como também ser um gerente voltado para a aprendizagem também é uma boa preparação para ser um bom pai. O conflito entre trabalho e lar atenua-se radicalmente quando a empresa promove valores alinhados com a essência das próprias pessoas, valores que têm o mesmo significado no trabalho e em casa. Só assim será possível aos gerentes parar de viver de acordo com dois códigos de conduta e começar a ser uma só pessoa.

17

MICROMUNDOS: A TECNOLOGIA DA ORGANIZAÇÃO QUE APRENDE

COMO PODEMOS REDESCOBRIR A CRIANÇA APRENDIZ DENTRO DE NÓS?

Os seres humanos aprendem melhor através da experiência prática. Aprendemos a andar, andar de bicicleta, dirigir um automóvel e tocar piano por tentativa e erro: agimos, observamos as conseqüências de nossa ação e a ajustamos. Porém, a "aprendizagem pela prática" só funciona se o *feedback* de nossas ações for rápido e preciso. Quando agimos em um sistema complexo, as conseqüências de nossas ações não são imediatas nem precisas. Muitas vezes estão bem distantes de nós no tempo e no espaço. Isso leva ao "dilema de aprender pela experiência", uma das deficiências de aprendizagem descritas no Capítulo 2: aprendemos melhor a partir da experiência, mas nunca experimentamos as conseqüências de nossas decisões mais importantes. Como, então, podemos aprender?

Os micromundos fazem com que gerentes e equipes gerenciais comecem a "aprender através da prática" suas questões sistêmicas mais importantes. Especificamente, os micromundos "comprimem o tempo e o espaço" de forma que se torna possível experimentar e aprender quando as conseqüências de nossas decisões ocorrem no futuro e em partes distantes da organização. Embora os micromundos baseados em computador descritos abaixo sejam novos, o princípio da aprendizagem através dos micromundos é realmente familiar a todos nós.

Ao brincarem de boneca, as crianças ensaiam formas de interagir com as pessoas. Ao brincarem com blocos, ensinam a si mesmas princípios básicos de geometria espacial e mecânica. Mais tarde, aprenderão as propriedades gerais do pêndulo ao brincarem em um balanço, e tudo sobre alavancas através da gangorra do playground. A boneca, os blocos, o balanço e a gangorra são o que teóricos educacionais chamam "objetos transicionais"; o quarto de brincar ou o playground são um micromundo da realidade, onde é seguro brincar. Através da experimentação com objetos transicionais em micromundos, as crianças descobrem princípios e desenvolvem habilidades importantes para a realidade que está além da brincadeira.[1]

Também atingem um índice de aprendizado realmente surpreendente. Aos três ou quatro anos, as crianças já aprenderam os princípios básicos da geometria e da mecânica; dominaram uma língua, uma proeza cuja inteligência artificial das máquinas ainda está longe de alcançar, como admitem os pesquisadores; e aprenderam tudo sobre os "sistemas sociais" da vida em casa, como "se eu não limpar meu quarto, minha mãe limpa". Tudo sem nunca ter sido "ensinada".

A aprendizagem através de objetos transicionais e micromundos não está limitada às crianças. O modelo do engenheiro aeronáutico em um túnel de vento é um objeto transicional em um micromundo, assim como o modelo de um navio do projetista naval em um "tanque de ondas". Os gerentes também têm objetos transicionais e micromundos. Quando uma equipe de trabalho vai praticar canoagem em corredeiras ou participa de algum outro exercício ao ar livre para formação de equipe, está criando um micromundo para reflexão e para melhorar sua forma de trabalhar junto. Quando a equipe cria um exercício de dramatização para ser usado em um treinamento supervisionado, está criando um micromundo. Muitos retiros de equipe funcionam como micromundos, ilustrados pelas sessões de prática de "diálogos" discutidas no capítulo sobre aprendizagem em equipe. Muitas vezes, os consultores funcionam como um objeto transicional de várias classes — uma caixa de ressonância segura para a exploração de idéias de negócios novos e diferentes, sem os riscos de colocar diretamente essas idéias em prática.

Porém, os micromundos existentes para os gerentes são limitados. Por exemplo, exercícios de formação de equipe podem gerar poderosas novas idéias nos processos de aprendizagem, mas normalmente não levam a novas idéias referentes a questões estratégicas dos negócios. Exercícios de dramatização podem ajudar no desenvolvimento de habilidades de gerenciamento interpessoal, mas não nos mostrarão se nossas políticas de pessoal estão alinhadas com nossas políticas industriais e de marketing. Talvez de forma mais importante, poucos micromundos existentes desenvolvam capacidades individuais ou de equipe para lidar com a complexidade de forma produtiva. Poucos capturam a complexidade dinâmica que a equipe gerencial confronta quando procura desenhar novas estratégias, projetar novas estruturas e políticas operacionais, ou planejar uma mudança organizacional significativa.

Hoje, está surgindo um novo tipo de micromundo. Computadores pessoais estão possibilitando integrar o aprendizado das complexas interações de equipe com o aprendizado das complexas interações dos negócios. Esses novos micromundos permitem que os grupos reflitam, exponham, testem e aperfeiçoem os modelos mentais nos quais se baseiam ao enfrentarem problemas difíceis. São espaços tanto para conceber visões quanto para experimentar uma ampla gama de estratégias e políticas para alcançar essas visões. Gradualmente, estão se tornando um novo tipo de "campo de treino" para equipes gerenciais, lugares onde equipes aprenderão como aprender juntas enquanto se engajam em suas questões de negócio mais importantes.

Acredito que os micromundos serão comprovadamente uma tecnologia decisiva na implementação das disciplinas da organização que aprende. E irão realizá-la nos ajudando a redescobrir o poder da aprendizagem através do jogo ou brincadeira. Arie de Geus afirma que a aprendizagem organizacional ocorre de três formas: através do ensino, através da "mudança das regras do jogo" (a partir da abertura e localismo), e através dos jogos e brincadeiras. O jogo é o mais raro e potencialmente o mais poderoso. Os micromundos são lugares para "jogos relevantes". Aqui, as questões e as dinâmicas de complexas situações de negócio podem ser exploradas, ao experimentarmos novas estratégias e políticas e vermos o que poderia acontecer. Os custos de experimentos fracassados desaparecem. Sanções organizacionais contra a experimentação, quer implícitas ou explícitas, inexistem. As reflexões sobre as habilidades de aprendizagem individual e da equipe podem ser esclarecedoras e "iluminadoras" (como "acender a lâmpada"), pois essas reflexões podem ser dissociadas dos riscos e pressões do verdadeiro processo decisório.

Hoje, os micromundos para gerentes estão explorando diversas questões que vão do crescimento gerencial ao desenvolvimento de produtos e melhoria da qualidade, tanto em empresas de serviço quanto industriais. Esses experimentos desenvolvem e incorporam novas idéias sobre arquétipos de sistemas, aprendizagem em equipe e trabalho com modelos mentais. Ainda temos um longo caminho a percorrer antes que os "campos de treino para equipes gerenciais" sejam um estilo de vida nas organizações que aprendem. Porém, estão surgindo importantes princípios e ferramentas que mostram o caminho.

A seguir, apresento descrições de três diferentes micromundos extraídas de três ambientes de negócios bem diferentes. Elas ilustram a variedade de questões estratégicas e operacionais que os micromundos podem esclarecer:

1. *Aprendizagem sobre o futuro:* no qual uma equipe gerencial descobre contradições internas em uma estratégia que está apenas sendo delineada;
2. *Detecção de oportunidades estratégicas ocultas:* no qual uma equipe experimenta os modelos mentais de seus integrantes e descobre que os pressupostos sustentados podem moldar as preferências de seus clientes;
3. *Descoberta de alavancagens não exploradas:* no qual o convidamos a se imaginar desempenhando as funções dos gerentes locais

em uma empresa de seguros, com o objetivo de ver como é enganosamente fácil "parecer bom sem ser bom", gerenciando mal a carga de trabalho de tal forma que a qualidade diminui e se perde a possível alavancagem para se melhorar os serviços aos clientes e a lucratividade.

Micromundo 1

APRENDIZAGEM SOBRE O FUTURO: DESCOBRINDO CONTRADIÇÕES INTERNAS EM UMA ESTRATÉGIA

Subjacentes a todas as estratégias existem pressupostos, que geralmente permanecem implícitos e não testados. Com freqüência, esses pressupostos têm contradições internas. Quando isso ocorre, a estratégia também apresenta contradições internas, que comprovadamente tornarão difícil ou impossível a sua implementação. Um benefício dos micromundos é trazer esses pressupostos à tona e descobrir essas inconsistências.

Um caso assim ocorreu com um bem-sucedido fabricante de microcomputadores (chamado aqui de "Empresa de Computadores Index").[2] A equipe de alta gerência apresentou um micromundo como parte de um retiro de dois dias. Quatro meses antes, haviam estabelecido um objetivo estratégico: alcançar US$ 2 bilhões em vendas em quatro anos. Todos estavam comprometidos com o objetivo, do presidente da Index, Tom Jamison, para baixo. E todos pareciam felizes com o progresso obtido até o momento.

Por isso, o vice-presidente de vendas, James Sawyer, estava tão apreensivo. Era muito difícil manter e treinar sua atual força de vendas — como esperavam que ele a dobrasse? Ele havia compartilhado sua apreensão com outros altos gerentes, mas eles apenas respondiam com chavões: "Você vai dar um jeito. Afinal, tem orçamento para isso". Agora ele estava em um beco sem saída. Não queria que seus colegas executivos pensassem que ele não estava comprometido com aquele número mágico de US$ 2 bilhões. Não queria ficar com a reputação de "pessoa do contra". E certamente não queria deixar transparecer que pensava não estar à altura das circunstâncias, especialmente por ter uma reputação de "reparador", capaz de resolver qualquer problema. Mas todas as vezes em que pensava no futuro, sentia um calafrio involuntário no estômago.

Os executivos separaram-se em micromundos em equipes de três pessoas para jogar com as conseqüências do plano de vendas. Sua primeira tarefa foi desenvolver no computador um modelo explícito dos pressupostos subjacentes ao plano.[3] O plano exigia um crescimento anual de vendas de 20 por cento, uma continuação do índice de crescimento dos últimos dez anos. E também exigia um aumento de 20 por cento no número de vendedores a cada ano. Ao observarem os cálculos simulados de vendas para os próximos quatro anos, não demorou muito para que reconhecessem que o plano oficial presumia implicitamente que a produtividade dos vendedores permaneceria constante, à medida que a força de vendas se expandisse. Aumente em 20 por cento o número de vendedores e suas vendas aumentarão 20 por cento.

O esclarecimento do pressuposto levou Sawyer a afirmar: "Bem, espere aí. Nem todos os vendedores são iguais. Existe muita coisa que eles têm que aprender — sobre automatização do escritório, software, treinamento, contabilidade, engenharia, consultoria e fabricação — antes de poderem implementar um único sistema". "Muito de nosso crescimento histórico", continuou, "veio da contratação de vendedores experientes, que atraíamos de nossos concorrentes. Poderíamos fazer isso contanto que fôssemos pequenos. Mas hoje o número de novas contratações necessárias à manutenção de nosso crescimento de 20 por cento está ficando muito maior. Não poderemos contratar tantas pessoas vindas de nossos concorrentes. No futuro, estaremos contratando muitos vendedores inexperientes."

O comentário de Sawyer acendeu um intenso debate sobre as diferenças de produtividade entre vendedores experientes e inexperientes. Todos concordaram que era necessário distinguir os vendedores novos e inexperientes dos veteranos. Quando se dividiram novamente em equipes, cada uma modificou seus modelos para fazer pressupostos mais realistas. A equipe de Sawyer, por exemplo, admitiu que os veteranos seriam quatro vezes mais produtivos do que os novatos. Alguns grupos admitiam menos, outros mais, mas todos admitiam que, para treinar e desenvolver um vendedor experiente, seriam necessários de dois a quatro anos.

Desta vez, porém, nenhum dos modelos alcançou o objetivo de vendas de US$ 2 bilhões. O modelo de Sawyer projetou vendas abaixo de US$ 1,5 bilhão.

O problema originou-se na produtividade média da crescente força de vendas. À medida que simulava as conseqüências das contratações projetadas, o computador mostrava cada vez mais novatos, porque o índice de novos contratados excedia o índice no qual os novatos se tornavam veteranos. Embora o número total de vendedores contratados fosse suficiente para alcançar seu plano, a porcentagem de vendedores inexperientes e veteranos mudava progressivamente para o lado dos inexperientes, diminuindo a produtividade média. (Os efeitos do rápido crescimento sobre a mistura de pessoal experiente, talvez você se lembre, foram também uma importante dinâmica na People Express no Capítulo 8.)

As diferentes equipes de trabalho tentaram impetuosamente encontrar um conjunto de pressupostos que pudessem acreditar que produziria US$ 2 bilhões em vendas em quatro anos. Ninguém conseguiu. Para ver exatamente como os problemas poderiam se tornar extremos, um grupo fez a pergunta: "Quantos vendedores teríamos que contratar se simplesmente ficássemos contratando até atingir nossas metas de vendas?" Eles descobriram que "acabaríamos quase duplicando a força de vendas durante o quarto ano sozinho, se ficássemos obstinadamente acrescentando pessoas até atingir nossa meta de vendas". Todos sabiam que essa magnitude de crescimento de pessoal causaria danos na organização de vendas, sem mencionar o orçamento geral de pessoal.

Depois de uma hora, o presidente levantou-se e perguntou: "Existe alguém aqui que ainda acredita que nosso plano estratégico é internamente consistente?" Ninguém respondeu.

Os gerentes haviam conhecido as duas metades da contradição: que os novatos eram pessoas menos produtivas e que os novos objetivos de vendas exigiriam a contratação de mais novatos. Mas os pressupostos se juntaram somente quando foram colocados em um micromundo que simulava sua interação ao longo do tempo. Agora que cada um podia ver a inconsistência interna, Sawyer se viu capaz de articular, pela primeira vez, suas restrições gerais.

"Sinto há algum tempo que executar o novo plano estratégico causará problemas", disse ao grupo. "E os problemas podem ser até piores do que essas simulações sugerem. Temos uma tradição de não revisar nossos objetivos de negócios, depois que os anunciamos publicamente. Então, não só teríamos probabilidade de contratar muito mais profissionais do que o projetado em nosso plano oficial como também haveria muito mais pressão sobre nossos veteranos. Combinando isso com as distrações e frustrações de nossos veteranos, que têm de ajudar todos esses novos profissionais a obter êxito, não me surpreenderia se acabássemos com mais veteranos indo embora e uma menor produtividade dos que ficam. Poderíamos entrar em um verdadeiro ciclo vicioso. Muitos de nossos veteranos chegaram aqui pela primeira vez para escapar desse tipo de situação em outro lugar."

Os outros gerentes sentiram que os medos de Sawyer poderiam muito bem se materializar. "Talvez", disse o presidente, "seja a hora de retrocedermos e considerarmos alguns dos desafios que enfrentamos." Mal acabou sua frase quando Susan Willis, a vice-presidente de Recursos Humanos, acenou pedindo a palavra.

"Isso é crucial", disse Willis. "Nossa equipe tem alguns problemas com os gerentes de vendas que eu gostaria de colocar aqui." Willis então falou sobre o relacionamento tenso entre Recursos Humanos e Vendas. Afirmou que os gerentes de vendas resistiam especialmente a qualquer chamada para investir seu tempo no treinamento e desenvolvimento de novos vendedores. Por que, perguntou a Sawyer, eram tão relutantes?

"Bem, aumentamos nossa organização de vendas atraindo pessoas mais agressivas, do tipo que passam todo seu tempo 'no campo'", disse Sawyer. "Eles não querem aconselhar novos contratados. Eles prosperam ao fechar uma venda. E para eles, isso não é só um prazer, é como ganham dinheiro. Graças aos nossos fortes incentivos, os gerentes de vendas com altas quotas estão entre as pessoas mais bem pagas da Index. Não existem incentivos comparáveis para ajudar os recém-chegados; nossa organização é muito mais forte na recompensa dos feitos individuais."

Sawyer acrescentou então que o novo plano estratégico simplesmente reforçaria esse problema. "Você tem que ter em mente que toda nossa organização de vendas está equipada para atingir metas agressivas", ele disse. "Dê-lhes um alvo mais difícil, e eles responderão empenhando-se mais nas vendas. Será muito difícil para mim convencê-los a terem tempo para desenvolver novos contratados. Entendo os problemas de Susan. Tenho os mesmos problemas."

O micromundo trouxe à tona um conjunto de frustrações que vinha aumentando há algum tempo. Além disso, ele concentrou essas frustrações em mudanças críticas que precisavam ocorrer caso a organização esperasse manter o sucesso do passado. Mais importante, a queda na produtividade das vendas não havia conseguido estimular a ação até agora porque ainda não se colocara no mundo real. O micromundo proporcionou-lhes uma notável janela para o futuro.

À medida que seu retiro estratégico continuava, a equipe gerencial via como questão central a diminuição de suas metas de crescimento ou a transformação de sua organização de vendas. Concluiu-se que a meta de crescimento se realizaria caso os novos profissionais da área de vendas pudessem ser treinados muito mais rapidamente. Isso impôs um desafio enorme, pois significava que profissionais veteranos precisariam comprometer-se mais a aconselhar colegas inexperientes. Era necessário haver novas recompensas para gerentes de vendas que desenvolvessem suas equipes. E também mais apoio para vendedores seniores no aconselhamento e no treinamento. E eles precisariam olhar com mais atenção novos contratados que quisessem trabalhar em um ambiente onde todos colaborassem, onde essa ajuda mútua fosse mais eficaz. As mudanças eram significativas, mas alcançáveis.

Uma ferramenta de mudança seria outro micromundo — esse projetado para gerentes de vendas, no qual pudessem aprender a equilibrar, a cada semana, sua distribuição de tempo entre esforços de vendas diretas, recrutamento, treinamento e gerência. Os vendedores poderiam então descobrir os benefícios a longo prazo da alocação de tempo ao desenvolvimento de pessoal, e não aos esforços de vendas diretas.

Predições como essa, alcançadas na Index, são diferentes das previsões de negócios normais. Como observou Pierre Wack, ex-planejador da Shell: "Suponha que pesadas chuvas de monção atinjam a parte superior da bacia do rio Ganges. É quase certo você saber que algo de extraordinário acontecerá dentro de dois dias em Rishikesh, aos pés do Himalaia; em Allahabad, três ou quatro dias depois; e em Benares, dois dias depois disso".[4] Isso é um prognóstico, não uma previsão. É algo que podemos dizer com confiança a respeito do futuro porque não depende de projetar dados históricos, mas da compreensão da dinâmica de um sistema subjacente. Por analogia, alguns dos aprendizados mais interessantes que têm origem nos micromundos surgem a partir de descobertas de implicações para o futuro, quando as decisões são tomadas dentro do que foram sistemas organizacionais não reconhecidos.

Micromundo 2

OBSERVANDO OPORTUNIDADES ESTRATÉGICAS OCULTAS: COMO NOSSAS CRENÇAS INFLUENCIAM A PREFERÊNCIA DE NOSSOS CLIENTES

Alguns dos micromundos mais importantes ajudam equipes envolvidas em visões conflitantes de questões complexas. Aqui, os micromundos podem ser cruciais, trazendo à tona diferentes pressupostos e descobrindo como podem estar interligados em uma compreensão mais ampla. Com muita freqüência, nossa linguagem linear e nossas formas defensivas de apresentar nosso pensamento nos levam a captar dicotomias falsas e diferenças irreconciliáveis. Quando, na verdade, como os proverbiais "cegos", diferentes gerentes com diferentes tipos de experiência estão vendo simplesmente "diferentes partes do elefante". Às vezes, o micromundo os deixa "enxergar o elefante" pela primeira vez.

Bill Seaver e John Henry são presidente e vice-presidente de marketing, respectivamente, da bem-sucedida empresa de prateleiras Meadowlands.[5] (Como no primeiro caso, alguns aspectos específicos foram alterados, mas a história é verídica.) Seaver e Henry chegaram a um impasse básico em sua forma de ver seus clientes e mercado. Seaver acreditava que o segredo para o sucesso no mercado era ter bons produtos com preços competitivos. Henry concordava, mas também sentia que a qualidade do serviço poderia representar uma grande parcela na hora do cliente escolher ou não a Meadowlands. Acreditava que a empresa deveria investir na atualização de seus serviços treinando revendedores da empresa para desempenhar uma ampla gama de serviços, de uma melhor gerência de contas ao projeto de escritórios e reparação de defeitos para todo tipo de problemas que os clientes da Meadowlands pudessem ter. Seaver achou que essas eram boas idéias, mas não estava disposto a gastar muito mais com apoio ao revendedor do que já estava gastando, porque estava convencido de que não teriam um impacto significativo sobre as vendas da Meadowlands. "As pessoas esperam um serviço decente em nossos negócios", afirmou. "Não pagarão extra por ele."

Seaver parecia ter muitos indícios de seu lado. Um deles era que os vendedores retornavam continuamente ao escritório central com histórias de como era difícil vender, exceto quando podiam aumentar os descontos. "Nossos concorrentes estão dando descontos como loucos e só podemos nos manter se nos igualarmos ou fizermos melhor que eles", era o refrão típico. Quando os funcionários falavam com os clientes, Henry tinha que admitir, os clientes raramente pediam tipos de serviço melhores ou mais diversificados. Mesmo quando Henry insistia no ponto, os clientes normalmente respondiam: "Isso parece bom, mas o que realmente faria diferença para nós seria outro desconto de 5 por cento naquela compra grande que estivemos discutindo com seus representantes de venda". Ele tinha que admitir que era o único da equipe de alta gerência a levar a idéia do serviço a sério, e às vezes até ele tinha que duvidar.

E Henry ainda mantinha sua opinião de que deveria existir uma forma de obter uma vantagem competitiva através de um serviço melhor. Incapazes de resolver suas diferenças, os dois concordaram em tentar experimentar estratégias alternativas em um micromundo que a equipe projetou com base nos pressupostos que tinham em comum — a distinção entre grandes compras (ou seja, quando clientes montavam uma nova instalação) e pequenas compras (ou seja, substituir prateleiras antigas em um espaço já existente), quanto tempo os clientes esperavam entre grandes compras, o valor atribuído por clientes à qualidade do projeto e da fabricação, o efeito do preço sobre as aquisições, e o volume dos gastos atuais no apoio ao revendedor. No desenho e utilização do micromundo, juntaram-se a Seaver e Henry dois outros membros da equipe gerencial da Meadowlands: Jim Cortland e Tony Jaynes, os vice-presidentes de vendas e distribuição, respectivamente.

Os quatro dividiram-se em dois grupos. Seaver e Henry formaram a equipe de gerência empresarial, decidindo, conjuntamente, quanto investir para ajudar os revendedores locais da Meadowlands a desenvolver a infra-estrutura para prover serviços aos clientes. Cortland e Jaynes tornaram-se o departamento de vendas da Meadowlands, decidindo se dariam e de quanto seriam os descontos a cada trimestre, a fim de atingir as metas de venda. Como na vida real, essas duas decisões eram tomadas separadamente. Havia, porém, um objetivo comum: os maiores lucros possíveis para a empresa, durante um breve período de cinco anos.

No início da simulação, uma recessão temporária ocasionou uma queda inicial nos novos pedidos. Cortland e Jaynes, esperando manter a participação no mercado, responderam aumentando o percentual de desconto. A participação no mercado permaneceu relativamente estável, mas houve uma queda nas margens de lucro, o que significava que Seaver e Henry tinham que reduzir o investimento no apoio ao revendedor. Através de seus esforços combinados, a participação no mercado permaneceu estável e as margens caíram apenas superficialmente durante o primeiro ano.

Infelizmente, a tranqüilidade durou pouco. Durante os dois anos seguintes, Cortland e Jaynes acharam necessário aumentar os descontos gradualmente, mas de forma estável. A fim de compensar os lucros sempre em queda, Seaver e Henry deram cada vez menos apoio aos revendedores. Depois de três anos, os descontos haviam subido 25 por cento e as margens caído 20 por cento com relação ao início. Embora a participação no mercado tenha sido preservada, os membros da equipe ficaram pouco satisfeitos com o desempenho de seu negócio.

Na discussão que se seguiu, Cortland e Jaynes disseram que a simulação confirmava seus pressupostos de que um preço competitivo é crucial. "À medida que continuávamos", disse Cortland, "parecia-me que os clientes queriam até mais descontos do que tiveram no início. Quando tentamos manter os descontos fixados no ano anterior, o volume caiu drasticamente" — muito mais rapidamente, disse ele, do que quando fixaram descontos no início da simulação. Seaver disse que o experimento não tinha feito nada que mudasse sua idéia de que o preço era muito mais crucial do que o serviço; ele e Henry haviam descoberto que aumentos a curto prazo no apoio ao revendedor pareciam ter pouco impacto sobre os pedidos do cliente, embora cortar o apoio ao revendedor tivesse aparentemente pouca influência adversa sobre a demanda. Mas a queda geral nos lucros o perturbou, especialmente por corresponder ao que realmente vinha acontecendo no setor da Meadowlands nos últimos anos.

Bill Henry estava quieto, aparentemente absorto. Finalmente, sugeriu que tentassem outro experimento. "Por que não vemos o que acontece se, em vez de elevar os descontos, aumentarmos o apoio ao revendedor e mantivermos os preços? Não temos nada a perder. É só um jogo." Os outros não entenderam, mas também não viram nenhuma razão para recusar.

A princípio, seus medos foram compreendidos. Os pedidos dos clientes caíram e os lucros foram diminuídos, tanto pela queda na receita quanto pelo aumento ao apoio ao revendedor. No final do segundo ano, o volume ainda estava 5 por cento abaixo e as margens 12 por cento abaixo. Cortland e Jaynes perguntaram se realmente teriam que ficar com a política do "sem desconto". Henry mostrou que os pedidos não estavam mais caindo e que eles deveriam ter paciência. No terceiro ano, houve uma virada. O volume começou a aumentar, assim como as margens. Continuaram jogando. No quinto ano, o volume e as margens estavam bem acima de seus níveis iniciais. Os membros da equipe ficaram surpresos e um pouco incrédulos.

Ao examinar mais atentamente o que havia acontecido nas duas simulações, a equipe gerencial descobriu um processo de reforço desenvolvido na estrutura do modelo. O processo tendia a reforçar os pressupostos iniciais. Na primeira simulação, seus preços mais baixos levaram a lucros mais baixos, que, por sua vez, levaram a um menor investimento e a uma qualidade de serviço inferior. Isso desagradou os clientes, que por sua vez exigiram mais cortes nos preços. Os esforços no final da simulação para atrair os clientes com uma melhor qualidade de serviço não tinham credibilidade, porque eles haviam recebido um serviço de má qualidade até o momento. Isso pressionou ainda mais a empresa a baixar os preços, o que iniciou todo o ciclo novamente.

Por outro lado, na segunda simulação, a espiral viciosa tornou-se uma espiral virtuosa. Seguindo os pressupostos de Bill Henry de que o serviço era importante para os clientes, investiram no apoio ao revendedor, e a qualidade do serviço gradualmente melhorou. Isso não fez diferença a curto prazo porque os clientes tinham que experimentar um serviço melhor antes de o levarem a sério. Os benefícios do investimento no serviço deram frutos depois de vários anos, porque a defasagem de novos pedidos no setor de prateleiras é de dois a quatro anos. Essa defasagem nunca fora vista antes como um fator importante.

Entretanto, ver que tanto Henry quanto Seaver estavam certos foi crucial. Seaver estava certo ao defender que o serviço não era tão importante quanto o preço. Isso é verdadeiro a curto prazo, especialmente devido ao fato de que nenhum concorrente da Meadowlands oferece qualquer serviço exceto os mais superficiais (como separar mercadorias com defeito) que ainda são oferecidos friamente. Em conseqüência, os clientes não esperam serviço e não o pedem. Se um fabricante se oferecer para proporcionar um padrão de serviço mais alto, é compreensível que os clientes respondam com ceticismo. Por outro lado, Henry também estava certo. Potencialmente, de acordo com o modelo utilizado no micromundo, o serviço poderia ser uma arma competitiva.[6] O segredo está em compreender que primeiro os clientes teriam que experimentar os benefícios de um serviço melhor antes de valorizá-lo. Isso significava que qualquer estratégia direcionada ao serviço tinha que ser uma estratégia de longo prazo.

Além disso, o processo de gerenciamento no micromundo havia revelado alguns padrões fascinantes na forma como a equipe e outros gerentes da Meadowlands interagiam. No primeiro jogo, antes que tivessem adotado a estratégia alternativa de Henry, as duas equipes de responsáveis pela decisão rapidamente formaram fortes unidades e determinaram formas para tomar decisões que, em uma análise retrospectiva, pareciam muito familiares na Meadowlands. As pessoas do administrativo (Seaver e Henry) operaram em um mundo separado dos vendedores locais (Cortland e Jaynes). As duas equipes começaram fazendo estratégias e agindo quase como se fossem adversárias uma da outra. "Estaríamos ganhando dinheiro se não fosse por vocês", "Vocês estão acabando com a loja!", diziam Seaver e Henry, enquanto

Cortland e Jaynes continuavam aumentando os descontos, com o objetivo de manter o volume de vendas (que é obviamente a maneira como a força de vendas da Meadowlands é mensurada). Após uma breve discussão, esforçando-se para que houvesse uma coordenação, Cortland disse: "Vamos fazê-lo 'no estilo Meadowlands'; vocês fazem do seu modo e nós fazemos do nosso". Um pouco mais tarde, Seaver gritou: "Deixe-a sozinha", quando Cortland e Jaynes preparavam-se para aumentar os descontos mais uma vez.

Posteriormente, todo o grupo leu as transcrições das discussões, que todos consideraram hilárias. Quando estavam dando risadas, Henry deu a simples explicação: "É por isso que vendemos prateleiras". Refletindo sobre a transcrição, a equipe identificou vários temas que sentiam que caracterizavam a forma pela qual as equipes gerenciais da Meadowlands trabalhavam:

- Agir como se a sua dimensão do sistema fosse a mais importante
- Responsabilizar os outros pelos efeitos negativos das políticas que eu defino como negativas
- Defender sua visão, e não ficar indagando sobre o próprio raciocínio ou do seu parceiro ou de outros

O experimento do micromundo na Meadowlands não apenas revelou uma importante nova idéia estratégica, como também começou a revelar, de uma forma não ameaçadora, a necessidade de habilidades de aprendizagem individuais e em equipe. A equipe percebeu que suas formas de interação evitaram que resolvessem questões importantes como aquelas entre Henry e Seaver. Eles permaneceriam "cegos" enquanto perpetuassem o "estilo Meadowlands".

Micromundo 3

DESCOBRINDO A ALAVANCAGEM NÃO EXPLORADA: A TENDÊNCIA À BAIXA QUALIDADE NAS EMPRESAS DE SERVIÇOS

Os micromundos descritos até agora foram usados no contexto de reuniões gerenciais de um ou dois dias, destinados a trazer à tona pressupostos implícitos e catalisar uma reconsideração de importantes questões. No entanto, representam apenas noções dos "campos de treino do futuro", aos quais equipes gerenciais retornarão regularmente para elaborar estratégias, debater questões críticas à medida que surgirem, e ampliar continuamente sua compreensão dos negócios e suas habilidades de aprendizagem. O caso a seguir é extraído de um projeto contínuo de pesquisas com a Hanover Insurance, uma empresa de seguros, com o objetivo de criar um "laboratório de aprendizagem" que se tornará uma característica contínua do trabalho gerencial da Hanover. Esse laboratório de aprendizagem ilustra tipos de indagações e testes de idéias mais profundos, ausentes nas organizações atuais, os quais os micromundos estão qualificados para possibilitar.

As questões levantadas no laboratório de aprendizagem da Hanover não dizem respeito apenas a seguros. Subjacente aos aspectos específicos da administração da regulagem de sinistros existe um conjunto genérico de dinâmicas que recorrem em diversas organizações de serviços, de negócios bancários a serviços de entrega expressa, de hospitais e universidades a hotéis. Em todos esses ambientes, existem forças sistêmicas que trabalham contra a sustentação da alta qualidade. É muito fácil pensar que se está fazendo um bom trabalho, quando, na verdade, não se está. É fácil "gerenciar através de números" e acabar ficando com uma "subcapacidade" crônica — funcionários sobrecarregados e clientes insatisfeitos. É muito fácil ser modestamente lucrativo e perder completamente oportunidades de aumentar de forma significativa a qualidade e a rentabilidade. Em outras palavras, em todas as empresas de serviços, é fácil perder a alavancagem para o verdadeiro sucesso.

O LABORATÓRIO DE APRENDIZAGEM DE SINISTROS

Gerentes vêm ao Laboratório de Aprendizagem de Sinistros para desenvolver um conhecimento mais sistêmico de custos e qualidade — assuntos que nunca foram tão cruciais, tanto dentro do setor de seguros quanto entre seus muitos clientes. Crescentes custos de seguros estão atingindo as proporções de uma crise. Médicos estão desistindo de clinicar em muitos Estados norte-americanos por não poderem custear um seguro por imperícia. Os encargos trabalhistas e os custos do seguro-saúde dos funcionários estão se tornando um pesado fardo competitivo para muitas empresas nos Estados Unidos — por exemplo, correspondem a mais de 20 por cento do salário total dos operários de automóveis de Detroit, em oposição aos 8 por cento em seus concorrentes japoneses. Muitas empresas não têm mais condições de se segurar contra muitos riscos importantes — como o lixo tóxico — e estão mudando para formas de seguro pessoal. No final da década de 80, consumidores de todo o país protestavam contra o aumento dos prêmios de seguros de automóveis, liderados por um plebiscito na Califórnia que conseguiu a redução dos prêmios, independentemente do impacto sobre os lucros das seguradoras.

De sua parte, reagindo à crescente onda de criticismo, as seguradoras colocavam a culpa em tudo, de advogados avarentos e regulamentos governamentais antiquados a uma imprecisa moralidade pública e uma "sociedade litigiosa". Contra essa série de "forças externas", eles intensificaram a prática do lobby, aumentaram suas equipes jurídicas e cortaram custos. Poucas, porém, olharam seriamente a forma como suas próprias práticas poderiam estar contribuindo para a crise. Porém, como você descobrirá em breve, as práticas de prestação de serviços podem perfeitamente levar a um aumento dos custos e uma queda na qualidade — sem nenhuma ajuda de forças externas.

Imagine, então, que você seja o gerente de um escritório de regulagem de sinistros, sentado com seu parceiro, outro gerente do escritório de sinistros, em frente a uma tela de computador pessoal que mostra a situação do "jogo de sinistros".[7] Você está no segundo dia de um workshop de três dias, na sede da empresa. Ontem, compartilhou preocupações e frustrações com outros quinze gerentes locais — as dificuldades de manter bons profissionais (os índices de rotatividade entre reguladores normalmente alcançam de 30 a 50 por cento ao ano), a luta para dar conta da carga de trabalho, os dilemas de melhorar a qualidade e ao mesmo tempo manter o controle dos custos. Falou também de suas visões para o escritório local e para a empresa. Mais tarde, você passa um tempo aprendendo sobre o pensamento sistêmico, e agora tem uma compreensão intelectual dos seus conceitos básicos e uma noção de como poderia afetar sua rotina profissional. Mas hoje, ao sentar-se pela primeira vez na frente da tela do computador representando um típico escritório de regulagem de sinistros, você percebeu que ainda não se habituou com o pensamento sistêmico. A tela à sua frente não faz parecer mais fácil: é como a cabine de um avião a jato:

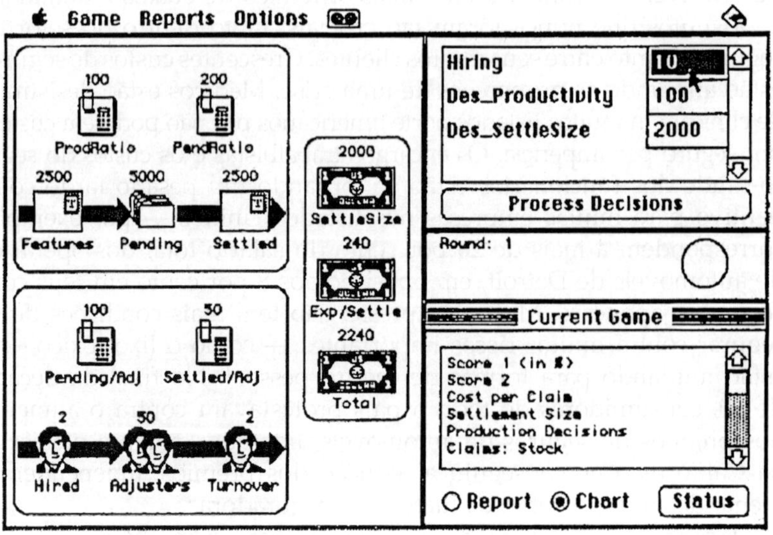

Não demorou muito para que você se familiarizasse com o layout — afinal, toda a linguagem veio exatamente de seu escritório —, o que foi uma sorte, porque uma crise bem conhecida ocorreu no mês três. Sem advertência, o número de sinistros (Features) aumentou 20 por cento. A fila de sinistros não resolvidos (Pending) aumentou alarmantemente. A pequena equipe de seu escritório não conseguiu agüentar o ritmo e as reclamações de clientes irritados, esperando ter seus sinistros resolvidos, explodiu. Felizmente, você e sua parceira, Rosabeth Harrold, do escritório Schenectady, já tinham passado por crises semelhantes na vida real e reagiram rapidamente. Aumentaram as metas de produção (Desired productivity) — afirmando na prática: "Vamos pedir a cada regulador para resolver 15 por cento a mais de casos por mês por enquanto". Também contrataram algumas pessoas a mais. E esperaram. Certamente, no oitavo ou nono mês, suas políticas já estavam estabelecidas. Agora, no décimo mês, os pedidos acumulados voltam ao normal, embora o número de sinistros continue alto; as reclamações dos clientes diminuíram e você e Rosabeth podem relaxar um pouco.

"Acho que estamos em muito boa forma agora", você afirma. "Superamos essa crise. Deixamos os problemas para trás."

Naquele momento, Bob Bergin, um gerente de sinistros sênior e co-líder do workshop, chega por trás de você e olha sobre seus ombros. "Vocês dois perceberam", pergunta Bergin, "que o valor do acordo é quase 10 por cento mais alto do que era há nove meses?" (Em outras palavras, você está pagando quase US$ 2 500, em média, por sinistro, enquanto antes pagava US$ 2 240.)

"Ah, sim", você respondeu confiante. "Nós observamos isso. Mas agora que a crise acabou, nossos reguladores poderão novamente ter mais tempo para investigar e negociar sinistros. A qualidade melhorará e seus acordos médios irão voltar a baixar."

Na regulagem de sinistros, um serviço de alta qualidade, do ponto de vista do cliente, não significa simplesmente pagamentos mais altos nos acordos. Mesmo clientes que recebem mais do que deveriam freqüentemente ficam insatisfeitos. Pense nas conseqüências de um acidente de carro. O regulador de seguros pergunta: "Qual o valor dos danos em seu carro?" O segurado afirma: "US$ 3 000". O regulador diz: "Bem, o cheque seguirá pelo correio". O cliente desliga o telefone e imediatamente sente uma pontada de arrependimento — deve ter pedido muito pouco. Se não fosse assim, será que o regulador teria cedido tão facilmente? Um "caso de qualidade" é aquele estabelecido de forma justa, no qual o cliente é tratado imediatamente e com consideração.

Bergin parece satisfeito. Ele vai embora; mas quando volta para verificar novamente alguns "meses" depois, o valor do acordo não diminuiu nem um pouco. "Não estamos satisfeitos com isso", você afirma, "mas ao que parece, não podemos fazer muito a respeito."

"Bem", afirma Bergin, "vamos analisar e ver o que está causando esses problemas." Ele estica o braço e pega um quadro histórico de seu progresso até agora.

Você descobre, para sua vergonha, que o acordo subiu radicalmente durante os primeiros meses e que depois disso nunca teve uma queda significativa. Você e Rosabeth fixaram a meta de seus acordos (*dessettlesize*, na tela do jogo) nos US$ 2 000 originais, mas o desempenho de seu escritório nunca atingiu este padrão. Nem mesmo por um mês.

"Não entendo", você afirma. "Está certo que a qualidade talvez diminua um pouco por enquanto. Isso sempre acontece quando há uma crise — nossos profissionais estavam sob uma imensa pressão de tempo. Mas a pressão de tempo diminuiu." Eles deveriam então novamente poder ter esse tempo no trabalho — para melhorar a qualidade e reduzir o valor excessivo nos pagamentos. Porém, a qualidade nunca voltou ao seu nível original, depois que a pressão de tempo se normalizou. Mas por que teria que voltar? De repente, você e Rosabeth percebem que a pressão de tempo voltou ao normal pela diminuição da qualidade! Como uma conseqüência imprevista de sua solicitação de uma produtividade maior, os reguladores agora gastam, em média, 7 por cento a menos do que o tempo que gastavam investigando e fixando o valor de cada sinistro. Você havia tentado exigir excelência por decreto — mas o resto de suas decisões trouxe mediocridade. Ao forçar a fixação do número de acordos, seus reguladores fizeram a única coisa que podiam — levaram menos tempo por sinistro. Passada a crise, a qualidade inferior tornou-se a norma — afinal, reguladores recém-contratados (lembre-se da rotatividade de 50 por cento) nunca tinham trabalhado em um escritório que operasse dentro de qualquer outra norma. Na verdade, você pagou para diminuir os pedidos pendentes e para reduzir a pressão de tempo através de um tempo menor por sinistro e uma média mais alta dos valores dos acordos.

Por que você não podia ver isso? Em parte, porque sua atenção estava direcionada para outro lugar: a fila de casos a serem resolvidos. Essas estatísticas, fáceis de medir e comparar, são a forma mais comum de medir-se o sucesso na gerência de sinistros. Demonstram eficiência; e, uma vez que os escritórios têm conhecimento dos números dos outros escritórios, há muita concorrência para manter alinhadas as "medidas de produção" (filas, sinistros resolvidos por mês, quanto tempo os clientes esperam para receber o que lhes é devido). Você e Rosabeth poderiam ter dito: "Vamos contratar e treinar mais pessoas, manter a qualidade mais alta do que nunca, e se pudermos fazer isto, não importa se nossas filas de pedidos aumentarem por alguns meses. Mais tarde, compensaremos o atraso, e com folga." Mas literalmente não lhes passou pela cabeça experimentar isso.

A essa altura, Bergin e a outra co-líder, Geraldine Prusko, reuniram novamente todo o grupo ao redor da mesa. Aconteceu que a maioria dos gerentes experimentou os mesmos resultados que Rosabeth e você.

Como todos passaram pela simulação no micromundo, o grupo começa a falar sobre qualidade medíocre, assunto sobre o qual nunca se sentira à vontade para discutir antes — se vocês todos não tivessem gerado esse problema, como resultado de seus próprios processos decisórios no jogo.

Alguns dos gerentes falam de suas fortes pressões orçamentárias, como isso os torna relutantes em contratar e treinar tantos novos reguladores quantos gostariam. De repente, há uma onda de constatação na sala: Se não fosse pelo excesso dos custos de todos aqueles acordos para pagamento de sinistros, todos teríamos mais capital para ampliar nossos departamentos até onde fosse realmente necessário!

A essa altura, Rosabeth afirma: "Dado o que aprendemos ontem, parece-me que existe em operação uma estrutura de 'transferência da responsabilidade'. Não sei ao certo se posso descrevê-la, mas vejam os sintomas. Passamos por estresse, sob a forma da pressão de tempo, mais trabalho para fazer do que podemos fazer. A 'solução fundamental' é aumentar a capacidade de regulagem. Mas 'escondemos' o estresse dizendo aos reguladores que trabalhem mais, e eles respondem diminuindo a qualidade, resolvendo os sinistros, e o estresse vai embora".

Um dos outros gerentes capta sua linha de pensamento. "Mas o valor dos acordos sobe", afirma, "o que ignoramos ou atribuímos a outra coisa — fatores realmente fora de controle, como furacões ou invernos rigorosos. Um valor mais alto significa custos totais mais altos e mais pressão para controlar os custos — o que significa controlar custos da equipe, levando a uma menor capacidade de regulagem, e no fim, mais crises, mais pressão de tempo, e mais queda na qualidade." Depois de discutir um pouco, o grupo elabora o seguinte diagrama de transferência de responsabilidade, resumindo suas novas idéias:

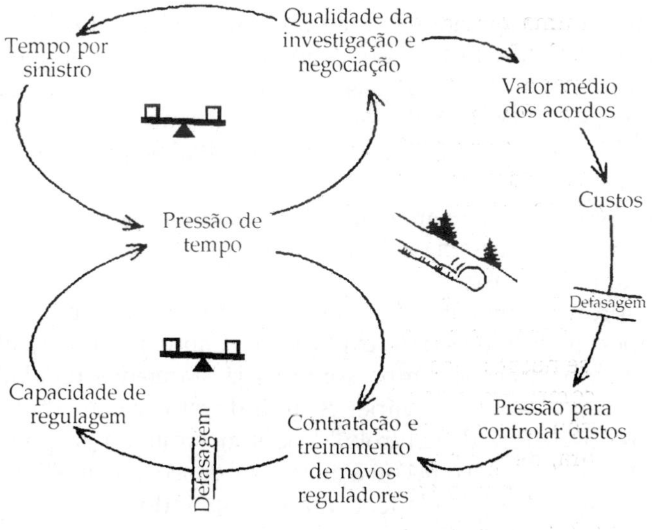

Você está começando a perceber que o problema vai além das políticas de qualquer empresa; ele se origina nas tendências culturais de um setor inteiro, que tem uma baixa capacidade crônica e não sabe disso. "Em meus trinta anos neste negócio", Bergin conta ao grupo, "tenho visto uma queda constante nos salários e no status do regulador de seguros. Já foi uma profissão respeitada. Hoje, a maior parte dos reguladores são jovens universitários, sem aspirações de uma carreira no ramo. Nossas práticas gerenciais tanto reagem a essa atitude quanto a reforçam."

Não é surpresa que seja tão difícil manter reguladores experientes — e, obviamente, quanto maior a rotatividade, mais difícil é suprir as demandas já difíceis desses pedidos acumulados.

"E se voltássemos ao micromundo", sugere Geraldine Prusko, "e experimentássemos algumas outras estratégias possíveis?"

Agora o jogo de computador assume vida própria. Rosabeth afirma: "Vamos ver se podemos melhorar a qualidade. Já que a pioramos da última vez, talvez possamos reverter nossas ações e melhorá-la". Esse parece um experimento válido, por isso define-se uma meta para uma melhor qualidade da regulação (faz-se isso no jogo da mesma forma que em um verdadeiro escritório de sinistros — estabelecendo uma meta mais baixa para os acordos). "Isso irá enviar um sinal definido à nossa equipe", você afirma, "de que estamos levando a qualidade a sério".

O sinal pode estar claro, mas seus resultados não são o que esperávamos. Após quinze meses, o acordo está até pior do que antes (quase US$ 2 500) e as coisas estão piorando rapidamente. Envergonhados, vocês dois começam a desistir da simulação, quando Prusco pára e pergunta: "Vejo que vocês tentaram melhorar a qualidade. Não aconteceu exatamente da forma como esperavam. Vocês imaginaram por quê?"

"Parece que os reguladores estão ignorando nosso sinal", você diz humildemente, sabendo que isso realmente não explica por que a campanha da qualidade estragou mais a situação. Mas então recorda: "Tentamos algo assim em 86 em nossa área e o mesmo aconteceu. Depois de seis meses, os reguladores estavam tão irritados que desistimos da campanha da qualidade".

"Veja se vocês conseguem imaginar o que está errado", afirma Prusko, "de forma que possam explicar isso aos outros, quando reunirmos novamente todo o grupo."

Leva aproximadamente meia hora, mas você e Rosabeth acabam encontrando uma interessante explicação. "Campanhas de qualidade aumentam a pressão de tempo sobre os já atarefados reguladores", dizem ao grupo. "Isso leva a várias espirais de reforço que rapidamente deixam as coisas fora de controle." Vocês mostram ao grupo como a pressão de tempo, que começou a aumentar quase que imediatamente com a campanha da qualidade, continuou subindo.

"Estamos ficando atrás da 'curva do poder'", vocês afirmam, utilizando-se de uma antiga metáfora transitória. "Quando os reguladores começam a tentar realizar um trabalho melhor, com o objetivo de chegar a valores mais baixos para o pagamento de sinistros", vocês dizem, "eles ficam atrás de seu volume total de sinistros, e os pedidos pendentes crescem. Os clientes ficam irritados. E, como todos sabemos, clientes irritados são clientes difíceis. Telefonam com freqüência para verificar a situação de seus pagamentos. Reclamam. Tomam até mais tempo. O regulador gasta um tempo cada vez menor em suas atividades, o que atrasa ainda mais a qualidade. Todos atravessamos essa 'espiral viciosa'."

"E existe outra espiral viciosa", acrescenta Rosabeth. "Uma vez que o pedido pendente e a pressão de tempo fogem ao controle, o estresse no trabalho dispara. Um número maior de reguladores sai da empresa e os que ficam têm mais trabalho e até mesmo mais pressão de tempo — causando maior rotatividade. Esse é o motivo pelo qual todos nós tentamos tanto controlar nossos pedidos pendentes. E é por isso que é tão difícil melhorar a qualidade".

A GESTÃO DA QUALIDADE NAS EMPRESAS DE SERVIÇOS

Esses contratempos dificilmente se restringem à gerência de sinistros, ou até mesmo ao negócio de seguros.[8] Na verdade, a dinâmica da gestão da qualidade e da capacidade não difere fundamentalmente em uma ampla gama de empresas de serviços.

Há vários anos, depois de uma apresentação da teoria básica e de uma versão preliminar do micromundo da gerência de sinistros a um grupo de visitantes no MIT, um executivo do Internal Revenue Service, a Receita Federal norte-americana, procurou-me e perguntou se eu estaria disposto a fazer a mesma apresentação em Washington. "Embora a regulagem de seguros e a auditoria de impostos sejam profissões bem diferentes", ele afirmou, "as pressões que o sistema faz pela subcapacidade e qualidade medíocre descritas por você existem em abundância no IRS. Há vários anos acho que talvez tenhamos apenas uma parte dos fiscais do que deveríamos ter para realizar um trabalho de qualidade, e que as pessoas a mais pagar-se-iam facilmente em receitas adicionais geradas pelos impostos."

A verdade é que a maior parte de nossas empresas de serviços não atendem muito bem. Linhas aéreas cujos *overbooks* são uma coisa natural, restaurantes que não dão treinamento às pessoas que servem, enfermeiras muito sobrecarregadas para oferecer um tratamento humano, oficinas de automóveis cujos funcionários são grossos e onde há abuso de preços — esses são apenas alguns dos abusos nos serviços regulares, tão comuns que passam quase despercebidos. Em "pesquisas e mais pesquisas", como escreveu Lynn Shostack na *Harvard Business Review*, "os serviços lideram a lista das insatisfações do consumidor".[9]

A gestão da qualidade em uma empresa de serviços é sempre um desafio. Primeiro, as empresas de serviços não produzem "algo" cuja qualidade possa ser medida, pesada e testada. A qualidade é determinada em transações individuais entre "servidores" e clientes, ocorrendo literalmente centenas de vezes todos os dias em grandes organizações. A qualidade do serviço é inerentemente subjetiva e pessoal. Depende da harmonia entre o prestador de serviços e o cliente. Depende do contentamento de quem serve e se ele está satisfeito com o emprego. Depende da satisfação das expectativas do cliente, expectativas que poderiam não estar claras, nem ser mutuamente apreciadas tanto pelo prestador de serviços quanto pelo cliente.

Como a qualidade do serviço é imponderável, existe uma forte tendência a se gerenciar empresas de serviços concentrando-se no que é mais evidente: o número de clientes servidos, os custos da prestação do serviço e as receitas geradas. Mas concentrar-se no que é facilmente medido leva a "parecer bom sem ser bom" — indicadores de desempenhos mensuráveis que são aceitos, embora não se ofereça um serviço de qualidade. O serviço é realizado, mas com um padrão de qualidade regularmente inferior, por prestadores de serviço que cada vez mais são sobrecarregados, mal pagos e pouco valorizados.

Setores inteiros na verdade são mais vulneráveis a essa tendência à mediocridade do que as empresas individuais. Para uma empresa de um setor competitivo, o desgaste da qualidade será corrigido relativamente rápido pela perda de clientes. Mas se não houver nenhum outro concorrente que os clientes possam procurar, o sinal de *feedback* do mercado pode ser fraco ou não existir. Além disso, as expectativas se adaptam às experiências passadas. Pouco depois, os clientes desistem de pedir um serviço melhor. As empresas estabelecem seus padrões observando as outras. Se a qualidade é desgastada em todo o setor, as empresas acabam aceitando padrões inferiores sem mesmo questioná-los.

Muitas vezes, esse "transe de mediocridade" só é rompido quando uma empresa completamente nova entra no mercado — por exemplo, um concorrente estrangeiro — que não foi vítima do transe. Esse transe repentino ocorreu em muitas fábricas norte-americanas nas décadas de 70 e 80, quando, de repente, descobriram que seus níveis de qualidade não eram competitivos em um mercado global. As empresas de serviços dos Estados Unidos foram protegidas da concorrência estrangeira, mas isso está começando a mudar — não pela invasão de mercadorias importadas, mas pela aquisição estrangeira de empresas norte-americanas. Proprietários estrangeiros acabam trazendo gerentes estrangeiros, que por sua vez transplantam práticas e padrões estrangeiros de gerência.[10] A crescente concorrência estrangeira nos serviços promete tornar-se uma das importantes tendências dos negócios na década de 90.

Micromundos como o da Hanover oferecem uma forma singular de se romper o transe imposto por padrões não questionados do setor. Fazem isso ajudando gerentes a desenvolver uma "teoria" de operações de negócios e as implicações estratégicas de mudanças básicas em políticas operacionais. Essa teoria baseia-se na aplicação de princípios e ferramentas sistêmicas, como os arquétipos, às particularidades de um determinado negócio.

Com a continuidade do workshop, os gerentes de sinistros começam a pensar sobre algumas lições gerenciais importantes. Agora está claro que os pedidos a serem atendidos de sinistros "pendentes" podem ser extremamente ilusórios. Em particular, nunca mostram se sua capacidade é ou não adequada. Se houver mais trabalho a ser feito do que pode ser feito no padrão atual, os prestadores de serviço podem sempre ajustar o tempo que gastam com cada cliente. Se pressionados, simplesmente fazem um trabalho com maior rapidez e muitas vezes de má qualidade. É simplesmente impossível avaliar a capacidade separadamente da qualidade em uma empresa de serviços. Se não pudermos avaliar a qualidade com segurança, não poderemos avaliar a capacidade com segurança. Por isso, muitas empresas de serviços têm uma subcapacidade crônica.

A fim de testar suas novas idéias, você e Rosabeth experimentam algumas outras estratégias. Aprendem que é necessário ir além da contratação de pessoal. Ao "jogarem mais pessoas no problema", contratando grandes números de novos reguladores, estão produzindo modestos ganhos de qualidade; os recém-chegados rapidamente adotam os padrões medíocres dos outros do escritório. Vocês devem desenvolver uma estratégia equilibrada de contratações agressivas e padrões de qualidade que aumentem de forma estável. O resultado, a longo prazo, é uma melhora estável em qualidade e custo.

No terceiro dia, a maior parte dos gerentes está aprendendo que estratégias bem-sucedidas não dependem de um único fator, mas da coordenação. Vocês contratam e treinam pessoas a uma taxa constante, reduzem a rotatividade da equipe, deixam, a princípio, os pedidos pendentes se acumularem de certa forma, e fortalecem de forma estável as metas de qualidade. Vocês prestam maior atenção aos bens intangíveis de qualidade e eficácia do regulador. Essa estratégia exige alguma paciência, mas depois de cinco "anos", vocês irão se admirar de como seu negócio na tela se tornou lucrativo. E o que é ainda mais interessante, ele ainda está melhorando. Os custos totais (custos dos acordos mais os das despesas) ainda estão caindo, à medida que a equipe de reguladores, expandida, mais experiente e hábil, continua a melhorar a qualidade.

O jogo dos sinistros não foi projetado para previsões; e somente o tempo irá dizer o que vocês e os outros gerentes de sinistro podem alcançar "quando voltarem ao batente". Mas o laboratório de aprendizagem proporcionou-lhe algumas novas idéias atraentes sobre o que poderia ser possível. Mostrou também alguns problemas perigosos da prática gerencial convencional, como gerenciar por meio de medidas de produção. Como diz Rosabeth: "Em minha carreira, desenvolvi certo 'tato' sobre como o gerenciamento do fluxo de trabalho, as pressões de tempo, o estresse e a rotatividade de reguladores, a qualidade de regulações e a imparcialidade nos acordos se inter-relacionam em meus anos como gerente. Mas aqui pudemos observar variáveis cuja mensuração é quase impossível na vida real — ver interações que são tudo, mas que são invisíveis para nós em nossos escritórios". Vocês saem com um quadro mais rico das interdependências dentro das quais vivemos todos os dias, e com a crença de que existe mais alavancagem para melhorias na sua mão e mão dos outros gerentes de sinistros do que jamais se sonhara.[11]

MICROMUNDOS E A APRENDIZAGEM ORGANIZACIONAL

Hoje, estamos começando a aprender como os micromundos podem acelerar a aprendizagem organizacional. A seguir, algumas das questões-chave que estão sendo estudadas.

- **Integração do micromundo com o mundo "real"**
  O poder singular dos micromundos está em trazer à tona pressupostos ocultos, especialmente os subjacentes às políticas e estratégias-chave, descobrindo sua inconsistência e seu caráter incompleto, e desenvolver hipóteses novas e mais sistêmicas para melhorar o sistema verdadeiro. Como tal aprendizado pode levar a experimentos "da vida real", projetados cuidadosamente, a fim de testar novas idéias obtidas em micromundos, e esses experimentos, por sua vez, permitir que gerentes projetem micromundos melhores?
- **Aceleração e desaceleração do tempo**
  Nos micromundos, o ritmo da ação pode ser diminuído ou acelerado. Os fenômenos que se prolongam por muitos anos podem ser comprimidos, a fim de vermos mais claramente as conseqüências de longo prazo das decisões. Muitas vezes, também queremos desacelerar as interações entre os integrantes da equipe, de forma que possam ver as formas sutis pelas quais elas suprimem investigações ou desencorajam o teste de

diferentes visões. Será que experiências repetidas em micromundos irão expandir a "janela do tempo" perceptiva dos gerentes, tornando-os tão perceptivos das lentas e graduais mudanças organizacionais e de negócios quanto das interações interpessoais e processos de pensamento de alta velocidade?

- **Compressão do espaço**
  Nos micromundos, os gerentes podem aprender sobre as conseqüências de ações que ocorrem em partes do sistema distantes de onde as ações foram feitas. Será que isso os ajudará a reconhecer tais conseqüências na vida real e a fazer "a escolha sistêmica"?
- **Isolamento de variáveis**
  Em laboratórios, cientistas podem eliminar variáveis exteriores intrusas e simplificar a complexidade dos processos reais. O mundo real da gerência não proporciona esse controle; mas o micromundo é um ambiente controlado, no qual quem experimenta pode fazer perguntas do tipo "E se?" sobre fatores externos. Os micromundos também permitem inserir possíveis fatores externos que ainda não aconteceram na realidade — por exemplo, "Suponha que reguladores nos forçaram a colocar um teto nos índices: o que poderia acontecer conosco?" Será que os micromundos ajudarão os gerentes a desembaraçar interações complexas em ambientes reais?
- **Orientação experimental**
  Os micromundos permitem que equipes experimentem novas políticas, estratégias e habilidades de aprendizagem. Ações que não podem ser revertidas ou revividas em empresas reais podem ser refeitas infinitas vezes no micromundo. Com o tempo, será que a aprendizagem no micromundo tornará equipes gerenciais mais abertas a considerar e testar uma grande variedade de hipóteses, e menos propensas a ficarem "presas" a formas específicas de ver os problemas?
- **Pausas para reflexão**
  Experimentos com micromundos revelaram que a maioria dos gerentes não faz reflexões. Apesar do pronto acesso às informações e da experimentação controlada no computador, os gerentes tendem a pular de uma estratégia a outra, sem ao menos definir claramente seus pressupostos e sem nunca analisar o porquê de as estratégias produzirem resultados decepcionantes. Será que, ao aprendermos a explicar os pressupostos e a refletir sobre os resultados dos experimentos em micromundos, incutiremos hábitos que serão carregados às decisões na vida real?
- **"Estratégia baseada em teoria"**
  As práticas de negócios da maior parte das empresas estão firmemente "ancoradas" às práticas-padrão do setor. Em con-

traste, o pensamento sistêmico e os micromundos oferecem uma base potencialmente nova para se avaliar a política e a estratégia. Levam a "teorias" de dinâmicas críticas do negócio que podem esclarecer as implicações de políticas e estratégias alternativas. A meio caminho das pesquisas de um ano de duração, que resultaram no Laboratório de Aprendizagem de Sinistros, o vice-presidente de sinistros observou: "Estou chegando à conclusão de que temos a metade da capacidade de reguladores de que precisamos para alcançar uma alta qualidade e minimizar os custos totais (custos dos acordos e custos de pessoal). Você não tem idéia da loucura que é dizer isso — nós já temos custos de pessoal mais altos do que a maioria de nossos concorrentes. Sem esses modelos seria até impossível considerar seriamente uma idéia como essa". Será que o desenvolvimento contínuo de micromundos levará a uma nova abordagem ao desenvolvimento estratégico menos vulnerável à aceitação de padrões medíocres implícitos do setor?

- **Memória institucional**
  "A aprendizagem baseia-se no conhecimento passado e na experiência — ou seja, na memória", escreveu Ray Stata, CEO da Analog Devices, em 1989, na revista de administração *Sloan Management Review*. "A memória organizacional deve depender de mecanismos institucionais", e não individuais, afirma Stata, ou então você arrisca "perder lições e experiências difíceis de ganhar, quando pessoas migram de um emprego para outro". Será que as pesquisas contínuas sobre os micromundos e as "estruturas genéricas" de teorias de dinâmicas de negócio — como a teoria de interações de qualidade/custo/capacidade, subjacente ao "jogo dos sinistros" — resultarão em uma "biblioteca de micromundos"? E será que uma biblioteca como essa, quando adaptada às necessidades de uma determinada empresa, vai gerar uma nova forma significativa de memória organizacional?

Os micromundos de hoje são simples precursores do que serão os micromundos do futuro. Há apenas quatro ou cinco anos seria impossível citar todos os exemplos acima, antes da atual geração de computadores pessoais com recursos gráficos avançados. Os próximos anos testemunharão grandes progressos, tanto na disponibilidade quanto nas capacidades de micromundos para gerentes.

Além desses avanços na tecnologia, os futuros micromundos serão mais sofisticados ao promoverem as múltiplas disciplinas da aprendizagem. Por exemplo, imagine uma simulação de computador que promova ativamente a reflexão, ao olhar suas decisões e perguntar: "Você percebe os padrões das decisões que tomou?" Os futuros micromundos para equipes permitirão que gerentes desempenhem suas funções do mundo real e compreendam mais profundamente como essas funções interagem. Isso ajudará equipes gerenciais a aprimorar seu pensamento sistêmico e habilidades de aprendizagem da equipe simultaneamente, além de também analisar como decisões individuais interagem para criar questões importantes. (O "jogo da cerveja" do Capítulo 3 e o caso da Meadowlands, acima, são realmente exemplos simples de tais micromundos.)

A longo prazo, acredito que os micromundos surtirão grandes efeitos tanto em indivíduos quanto em organizações. O computador ainda não é um artefato da vida cotidiana. Na próxima geração, será. Para Nathan, meu filho de oito anos, o computador não é muito mais importante do que seu lápis. (Ganhou o seu primeiro de presente aos quatro anos.) E ele o usa sem grande esforço. Crescerá vendo na simulação algo tão comum quanto uma representação. Com a mesma freqüência com que perguntamos "o que é isso?", ele perguntará "como as coisas funcionam?" e "como poderiam funcionar de forma diferente?" A representação é a ferramenta para a adaptação. A simulação é a ferramenta para a criação.

Na organização que aprende do futuro, os micromundos serão tão comuns quanto as reuniões de negócios nas organizações de hoje. E, assim como as reuniões de negócios reforçam o enfoque atual de enfrentamento da presente realidade, os micromundos reforçarão o enfoque na criação de realidades alternativas futuras.

18

O NOVO TRABALHO DO LÍDER

O QUE É NECESSÁRIO PARA LIDERAR UMA ORGANIZAÇÃO QUE APRENDE?

"Converso com pessoas de todo o país sobre organizações que aprendem e 'metanóia' e o resultado é sempre muito positivo", diz Bill O'Brien, da Hanover. "Se esse tipo de organização é tão amplamente desejado, por que as pessoas não as criam? Eu acredito que a resposta seja liderança. As pessoas não têm uma compreensão real do tipo de compromisso que é necessário para construir tais organizações."

Organizações que aprendem exigem uma nova visão de liderança. Meu colega, o consultor organizacional, Charles Kiefer, conta uma história sobre o trabalho com uma equipe de desenvolvimento de produtos cujos membros se tornaram comprometidos com uma visão compartilhada de um novo produto, que eles acabaram lançando no mercado em um terço do tempo normal necessário. "Uma vez que a visão do produto e como iriam desenvolvê-lo começou a tomar forma, a equipe começou a trabalhar de forma extraordinária", diz Kiefer. "A energia e o entusiasmo eram palpáveis. Cada indivíduo sentia um senso genuíno de responsabilidade sobre o funcionamento da equipe como um todo, e não apenas sobre 'fazer sua parte'. A abertura para novas idéias mudou drasticamente, e os problemas técnicos que estavam interferindo no progresso da equipe começaram a ser solucionados."

"Mas surgiu um novo problema. O estilo de liderança que prevalecia na organização era o estilo tradicional — orientações claras e manipulações bem-intencionadas para fazer com que as pessoas trabalhem juntas em busca de objetivos comuns. O líder da equipe entendeu que as habilidades e comportamentos que o fizeram um líder eficaz no passado seriam contraproducentes naquele momento. Pessoas com senso de visão e comprometimento pessoal naturalmente rejeitariam os esforços de um líder para 'levá-los a se comprometer'. Ele literalmente não sabia o que fazer, agora que tinha uma equipe autodirigida com uma visão clara, e que estava aprendendo a aprender em conjunto."

Nossa visão tradicional de líderes — como pessoas especiais que definem o caminho, que tomam decisões fundamentais, e que energizam as equipes — está profundamente enraizada em uma visão individualista e não-sistêmica do mundo. Especialmente no Ocidente, os líderes são heróis — grandes homens (e, ocasionalmente, mulheres) que "tomam a dianteira" em tempos de crise. Nossos principais mitos de liderança ainda estão ligados à imagem do capitão de cavalaria que lidera a tropa para salvar os colonos do ataque dos índios. Enquanto prevalecerem esses mitos, será reforçado o foco em eventos de curto prazo e heróis carismáticos, e não as forças sistêmicas e o aprendizado coletivo. Em sua essência, a visão tradicional de liderança baseia-se nos pressupostos de impotência das pessoas, na ausência de visão pessoal e na incapacidade de dominar as forças da mudança, déficits esses que só podem ser remediados por alguns grandes líderes.

A nova visão da liderança nas organizações que aprendem é centrada em tarefas mais sutis e mais importantes. Nas organizações que aprendem, os líderes são projetistas, regentes e professores. Eles são responsáveis por construir organizações onde as pessoas expandem continuamente suas capacidades de entender complexidades, esclarecer visões, e aperfeiçoar modelos mentais compartilhados — ou seja, eles são responsáveis pela aprendizagem.

Essa nova visão é vital. Quando tudo tiver sido dito e feito, as organizações que aprendem continuarão sendo 'uma boa idéia', uma intrigante porém distante idéia, até que as pessoas se posicionem pela construção de tais organizações. Tal posicionamento é o primeiro ato de liderança, o começo da inspiração (literalmente "soprar vida dentro de") da visão de organizações que aprendem. Na ausência desse posicionamento, as disciplinas de aprendizagem continuarão sendo meras coleções de ferramentas e técnicas — meios de resolver problemas, e não de criar algo realmente novo.

O LÍDER COMO PROJETISTA

Imagine que sua organização é um transatlântico, e que você é o "líder". Qual o seu papel?

Fiz essa pergunta a grupos de gerentes muitas vezes. A resposta mais comum, como era de se esperar, era "o capitão". Outros diziam "o navegador, determinando a direção". Outros, ainda, diziam "o timoneiro, que realmente controla a direção" ou "o engenheiro alimentando o fogo, fornecendo energia" ou "o diretor social, garantindo a participação e a comunicação de todos". Embora esses sejam papéis legítimos de liderança, existe outro que, de certa forma, ofusca toda a importância dos demais. Entretanto, raramente alguém pensa nele.

O papel de liderança negligenciado é o de projetista do navio. Ninguém tem maior influência do que o projetista. De que adianta o capitão dizer "vire 30 graus a estibordo", quando o projetista desenvolveu um leme que vai virar apenas para bombordo, ou que demora seis horas para virar a estibordo? É inútil ser líder em uma organização mal projetada. Não é interessante que tão poucos gerentes pensem no projetista do navio quando pensam no papel de líder?

Apesar de a idéia do "líder como projetista" ser negligenciada hoje, ela remonta a milhares de anos. Parafraseando Lao-tsé, o líder ruim é aquele que as pessoas desprezam. O bom líder é o que as pessoas elogiam. O grande líder é aquele sobre quem as pessoas dizem "nós fizemos sozinhos".

Lao-tsé também iluminou um pouco o motivo pelo qual o projeto tem uma dimensão negligenciada na liderança: o projetista recebe pouco crédito. As funções do projetista raramente são visíveis, eles agem nos bastidores. As conseqüências que aparecem hoje são resultado do trabalho feito no passado, e o trabalho de hoje mostrará seus benefícios no futuro. Quem aspira a liderar por desejo de controlar, ou de ganhar fama, ou simplesmente de ser "o centro da ação", terá pouca atração pelo calmo trabalho de definição de projetos da liderança. Não que a liderança do tipo "projetista" não tenha suas recompensas. Aqueles que a praticam encontram uma profunda satisfação em dar autonomia aos outros e em fazer parte de uma organização capaz de produzir resultados com os quais as pessoas realmente se importam. De fato, acreditam que essas recompensas são mais duradouras do que o poder e os elogios dados aos líderes tradicionais.

Por exemplo, considere o papel do pensamento sistêmico no trabalho de um líder. Joanne, presidente de uma nova divisão que está crescendo rapidamente, reconhece uma estrutura de limite ao crescimento que pode minar o crescimento contínuo: como o número de gerentes na nova divisão está aumentando, a diversidade de estilos gerenciais aumentará, minando a coerência da visão e os valores operacionais que fizeram da divisão o sucesso que é. O "fator limitante" será a capacidade da divisão de assimilar novos gerentes. Em vez de esperar que o problema surgisse para depois lidar com ele, Joanne desenvolveu um processo de seleção e auto-avaliação para ajudar os novos gerentes a entender a visão e os valores correntes e ver se o seu estilo pessoal era compatível; além disso, alocou uma parcela significativa de seu próprio tempo no trabalho com os novos gerentes. O resultado foi o crescimento contínuo da divisão. Dado nosso ponto de vista normal de encarar "líder como herói" — isso não é liderança. Não há crise — na verdade, não há nem problema a ser solucionado. O "problema" da inconsistência de valores e visões simplesmente nunca se desenvolveu; não foi "solucionado", foi "dissolvido". Essa é a marca do projeto efetivo.

Como essa história ilustra, o trabalho de projetista dos líderes envolve projetar as políticas, estratégias e "sistemas" da organização. Mas vai além disso. Projetar estratégias e políticas que ninguém pode implementar porque não entende ou concorda com o raciocínio subjacente tem pouco efeito. Para analisar a nova visão de "líder como projetista", vamos voltar ao DC-3.

A função crítica do projeto, sem a qual o DC-3 jamais teria tido sucesso, envolveu a integração de cinco componentes tecnológicos. Por exemplo, projetar as especificações do motor exigiu conhecimento das diferentes inclinações das hélices, dos *flaps* das asas, do trem de pouso retrátil, bem como das características de pressão do novo corpo de monobloco. Assim, os projetos da asa e do corpo também dependiam do impulso do equipamento. A tarefa de integrar as tecnologias componentes foi mais importante para o sucesso do DC-3 do que a tarefa de projetá-los individualmente.

Projetar é, por natureza, uma ciência integradora, porque *projetar significa fazer algo funcionar na prática*. "Não consideramos bem projetado um carro que tem a melhor caixa de marcha, os melhores bancos, e o melhor motor, mas que é terrível de se dirigir e impossível de controlar em estradas molhadas. A essência do projeto é descobrir como as partes se encaixam para funcionar como um todo", diz Ed Simmon, da Herman Miller.

Isso também se aplica ao trabalho crucial de projeto realizado pelos líderes das organizações que aprendem. Como apoio a este capítulo, entrevistei três líderes que fizeram parte de nosso programa de pesquisa do MIT durante vários anos: Simon, Bill O'Brien, da Hanover Insurance, e Ray Stata, da Analog Devices. Todos eles apontaram o ato de projetar como uma função crítica da liderança e cada um viu os projetos como uma tarefa integradora. "A nova descrição de cargos dos líderes", de acordo com Stata, "envolverá projetar a organização e suas políticas. Isso exigirá que se veja a empresa como um sistema, no qual as partes não são apenas internamente conectadas, mas também conectadas ao ambiente externo, e exigirá uma clara visão de como o sistema, como um todo, pode trabalhar melhor." Ou, como diz Simon: "Precisamos de uma nova geração de arquitetos organizacionais. Mas, para isso, precisamos primeiro corrigir os equívocos básicos sobre a natureza do projeto de negócios. Não basta rearrumar a estrutura da organização. Temos que nos afastar dos relatórios financeiros e projetar a longo prazo — baseados na compreensão das interdependências. A maioria das mudanças na estrutura organizacional são reações retalhadas aos problemas. Os verdadeiros projetistas estão sempre tentando entender os buracos".

Assim como os projetistas do DC-3 tiveram que integrar as cinco tecnologias componentes, o trabalho crucial de projeto dos líderes das organizações que aprendem diz respeito à integração de visão, valores e propósito, pensamento sistêmico e modelos mentais — ou, de forma mais ampla, a integração de todas as disciplinas de aprendizagem. É a sinergia das disciplinas que pode impulsionar uma organização a grandes avanços em termos de aprendizagem. Até agora, podemos dizer que todas as disciplinas são essenciais e devem ser desenvolvidas. Líderes devem se preocupar em não se acomodar a uma confortável posição de confiar em certas disciplinas, pois cada uma, isoladamente, é autolimitante. É por isso que as organizações impulsionadas em se tornar "viciadas em visão", da mesma forma que passam a acreditar no pensamento sistêmico como uma resposta aos problemas da vida, terão retornos cada vez menores nas suas análises contínuas de sistemas.

O que não significa que todas as disciplinas devam ser desenvolvidas simultaneamente. Mesmo todas sendo importantes, existem perguntas cruciais relacionadas ao seqüenciamento e às interações entre as disciplinas. Que disciplinas deveriam ser desenvolvidas primeiro? Como a compreensão em uma área pode levar ao domínio em outra? Como podemos sustentar movimentos em todas as dimensões críticas e não nos acomodar a feitos em uma área? Esses são o tipo de perguntas que os líderes devem ponderar.

Muitos líderes com quem eu trabalhei concordam que a primeira tarefa de liderança refere-se ao desenvolvimento de visão, valores e propósito ou missão. "Costuma-se confundir projeto organizacional com reorganização de organograma de empresa", diz Bill O'Brien. "A primeira tarefa do projeto organizacional refere-se a projetar as idéias governantes — propósito, visão e valores essenciais com os quais as pessoas conviverão." "Projetar a organização como um todo inclui aspectos intangíveis, inclusive os valores mais sutis que unem as coisas", diz Stata.

O desenvolvimento da visão compartilhada é importante desde cedo, porque fomenta a orientação de longo prazo e o imperativo para a aprendizagem. O pensamento sistêmico também é importante porque os gerentes são inerentemente pragmáticos e precisam de *insights* sobre "a realidade atual", assim como uma imagem do futuro para o qual estão caminhando. É importante também ter, no início, algum conhecimento sobre modelos mentais e dos aspectos básicos, para trazer à tona pressupostos fundamentais. Introduzir ferramentas conceituais como o pensamento sistêmico independentemente de se aprender a trabalhar com modelos mentais, tanto individualmente quanto em equipe, muitas vezes é decepcionante. Os gerentes acreditam que o propósito é descobrir o "sistema lá fora", e não descobrir inconsistências em sua própria forma de pensar.

Domínio pessoal normalmente é uma das últimas disciplinas a serem enfatizadas, pois os gerentes em geral, e com razão, estão mais preocupados em enfatizar o crescimento pessoal. A liberdade de escolha individual é essencial em qualquer esforço organizacional de estimular o domínio pessoal. Como já discutimos antes, o mais importante é o comportamento visível das pessoas em posições de liderança, no compartilhamento de visões pessoais e na demonstração de seu compromisso com a verdade.

Essas declarações são, na melhor das hipóteses, diretrizes amplas. A arte da liderança envolve o dimensionamento de integrantes e necessidades em cada situação, além da definição de estratégias adequadas ao tempo e ao contexto. Por exemplo, algumas organizações possuem uma alta ética de colaboração, o que as torna especialmente receptivas à aprendizagem em equipe e a visões compartilhadas. Entretanto, nas mesmas organizações, as pessoas podem ter dificuldade com o pensamento sistêmico, que talvez vejam como um confronto aos modelos mentais e às políticas operacionais estabelecidas. Em grandes organizações, diferentes combinações de disciplinas de aprendizagem desenvolver-se-ão em diferentes unidades operacionais; e liderança opera em muitos níveis, dos líderes locais, que aplicam as disciplinas aos problemas atuais, aos líderes centrais, que lidam com assuntos globais e processos de aprendizagem que envolvem a organização como um todo.

Os critérios a serem utilizados para se tomar essas decisões ainda não foram estabelecidos. Começa-se pelas "disciplinas mais fáceis", ou seja, as disciplinas nas quais há maior preparo e menor resistência? Em geral, encontro pessoas ansiosas por dominar as novas disciplinas de aprendizado logo que conseguem conectar essas habilidades a problemas importantes e a necessidades de aprendizagem pessoal. Mas se há resistência a certas disciplinas, é melhor forçar ou interromper o processo, até que chegue a oportunidade certa em outra área?

Em geral, meu conselho é não forçar. Normalmente é mais efetivo identificar a fonte de resistência, seja na falta de relevância observada, ou no medo do fracasso (por exemplo, "não serei competente na nova disciplina" — lembre-se de que todos nós já fomos estudantes), ou uma ameaça ao *status quo*. Os líderes mais bem-sucedidos são aqueles que se vêem continuamente como projetistas, não como expedicionários. Muitos dos esforços mais bem-intencionados para estimular as novas disciplinas de aprendizagem afundam porque os líderes se esquecem da regra básica de aprendizagem: as pessoas aprendem o que precisam aprender, não o que outra pessoa acha que precisam aprender.

Essencialmente, *a tarefa do líder é projetar os processos de aprendizagem* através dos quais as pessoas em toda a organização poderão lidar produtivamente com os problemas críticos que enfrentam e desenvolver domínio nas disciplinas de aprendizagem. Esse é um trabalho novo para os gerentes mais experientes, muitos dos quais chegaram ao topo da hierarquia organizacional em função de suas habilidades de tomar decisões e de solucionar problemas, não por suas habilidades como mentores, instrutores e auxiliares de aprendizagem de outros. Porém, como diz Ed Simon, isso não é razão para voltar atrás: "Ainda temos muito que aprender sobre o que será necessário para criar organizações que aprendem, mas uma coisa é certa — há *trabalho novo aqui*, e devemos estar dispostos a abandonar o paradigma de quem somos como gerentes, para dominar esse trabalho novo".

O LÍDER COMO UM REGENTE

As entrevistas que realizei para elaborar este capítulo levaram-me a uma descoberta, para mim, surpreendente. Embora os três líderes com quem conversei atuassem em setores completamente diferentes — uma empresa de serviços tradicional, uma indústria tradicional, e uma indústria de alta tecnologia — e embora seus pontos de vista específicos diferissem substancialmente, todos pareciam buscar sua inspiração na mesma fonte. Cada um deles tem um ideal que transcende os objetivos pessoais e o senso de propósito subjacente à sua visão, o que nós viemos a chamar de *história de propósito* — um "padrão de se tornar" mais amplo que dá sentido único às suas aspirações pessoais e às suas expectativas sobre a sua organização. Para O'Brien, a história tem ligação com a "evolução do homem". Para Ed Simon, tem ligação com "viver com uma orientação mais criativa". Para Ray Stata, tem ligação com "integração de pensamento e ação".

Essa compreensão veio tarde da noite, após uma dia exaustivo de transcrições de uma das entrevistas. Comecei a ver que aqueles líderes estavam fazendo algo além de apenas "contar uma história", no sentido de usar histórias para ensinar lições ou transmitir sabedoria. Estavam contando a história — a explicação geral dos motivos pelos quais fazem o que fazem, como suas organizações precisam evoluir, e como a evolução é parte de algo maior. Refleti sobre os líderes que conhecia e descobri que essa *história* maior era comum a todos eles, e que, por outro lado, muitos outros gerentes competentes, em posições de liderança, não eram líderes do mesmo gênero exatamente porque não viam uma história maior.

A história de propósito do líder é tanto pessoal como universal. Define o trabalho da vida do líder. Enobrece seus esforços, mas mantém uma certa humildade que o impede de levar seu próprio sucesso ou fracasso muito seriamente. Confere um sentido de profundidade única a sua visão, uma válvula de escape maior através da qual seus sonhos e objetivos pessoais tornam-se marcas em uma longa jornada. Mas, o mais importante: essa história é central para sua *habilidade de liderar*. Determina os propósitos de sua organização, sua razão de ser, dentro do contexto de "de onde viemos e para onde vamos", onde o "nós" vai além da própria organização e abarca a humanidade como um todo. Neste sentido, eles naturalmente vêem suas organizações como um veículo de aprendizagem e mudanças dentro da sociedade. Essa é a força da história de propósito — proporcionar um único conjunto de idéias que dão sentido a todos os aspectos do trabalho do líder.

A partir dessa história profunda e do sentido de propósito ou destino, o líder desenvolve um relacionamento único com sua própria visão pessoal. Passa a ser o *administrador* da visão.

A melhor forma de se analisar o "líder como um regente", no contexto do desenvolvimento de organizações que aprendem, é ver como os indivíduos comprometidos com tal trabalho descrevem seu próprio senso de propósito. Apresento a seguir trechos de minhas entrevistas:

Bill O'Brien
Presidente e CEO, Hanover Insurance

PMS: Bill, por que existem tais pressões pela mudança na administração hoje — seria principalmente por causa de pressões competitivas?

O'Brien: Não. Eu acredito que haja algo além de pressões competitivas.

Nossas organizações tradicionais estão preparadas para suprir às três necessidades humanas básicas, segundo Maslow: comida, abrigo e família.[1] Como atualmente essas necessidades são facilmente supríveis para os membros da sociedade industrial, nossas organizações não fornecem oportunidades significativas de exigir lealdade e comprometimento das pessoas. O tumulto na gerência continuará até que as organizações comecem a abordar necessidades de ordem mais elevada: auto-respeito e auto-realização.

Essa é uma questão que Hanover enfrenta há quase vinte anos — descobrir os princípios orientadores, o projeto e as ferramentas necessárias para construir organizações mais coerentes com a natureza humana.

PMS: Como você se interessou por "organizações que aprendem"?

O'Brien: Não estávamos concentrados em organizações que aprendem inicialmente. Nosso objetivo era identificar e eliminar os males que afetavam organizações hierárquicas e torná-los incompatíveis com os aspectos mais elevados da natureza humana.

Tudo isso baseou-se em determinadas crenças sobre as pessoas, como fazem todos os tipos de organização. Se você acredita que as pessoas estão preocupadas em se relacionar bem e fazer coligações para conquistar o poder, é um ambiente político. Se acredita que, uma vez que estiver no topo, o segredo é permanecer no topo, é um ambiente burocrático. Se acredita, como nós acreditávamos, que existe um enorme reservatório de potenciais inexplorados nas pessoas que pode ser canalizado de forma mais produtiva do que é, você tenta construir um ambiente baseado em valores e na visão.

Bem, acredito que o ser humano tenha um profundo desejo de aprender. Portanto, ao criar organizações mais alinhadas com a natureza humana, você está criando as organizações que aprendem. Assim, apesar de termos começado em um lugar diferente, terminamos no mesmo lugar.

---

1 Família, nesses termos, diz respeito a pertencer a um grupo que o aceite. (N. do E.)

PMS: Por que você acredita que organizações mais coerentes com a natureza humana são adequadas?

O'Brien: Meu ponto de vista pessoal é que isso está relacionado com a evolução da consciência. Faz parte da natureza humana ascender a um maior conhecimento de nosso lugar na ordem natural — entretanto, para onde quer que olhemos vemos sociedades em uma terrível bagunça devido ao egocentrismo, à ganância e à miopia. Na sociedade moderna, as empresas têm um grande potencial para oferecer uma forma de operação diferente. Seu potencial de contribuir para se lidar com uma ampla gama de problemas da sociedade é enorme. Mas nós devemos mostrar como, através de exemplos, não de moralismo. Devemos aprender a aproveitar o compromisso de nossas pessoas — só assim nosso compromisso em construir um mundo melhor terá algum significado.

Ed Simon
Presidente e COO, Herman Miller

PMS: Como o seu interesse pela aprendizagem organizacional está relacionado às mudanças que você acredita serem importantes para a Herman Miller?

Simon: Eu acredito que devemos nos transformar em uma empresa "liderada pela visão". O que significa que nosso ponto de referência, nossa âncora, é o futuro. Vejo a aprendizagem organizacional como aprender aceitar, adotar e buscar a mudança.

As organizações tradicionais mudam reagindo a acontecimentos. A razão para isso, em minha opinião, é que os "pontos de referência" das organizações tradicionais são externos, fora de nós mesmos. Normalmente esses pontos de referência são como as coisas eram no passado. Às vezes, incluem a forma de operar de nossos concorrentes. Mudar significa desistir desses pontos de referência. Por isso, naturalmente, se resiste a ela.

Ser direcionado pela visão significa que nossos pontos de referência são internos, são as visões do futuro que nós criaremos, não o que éramos no passado, nem o que nossos concorrentes estão fazendo. Uma organização só adotará a mudança se for direcionada pela visão.

PMS: Por que não existe um número maior de organizações lideradas pela visão, voltadas para aprender a criar o que querem?

Simon: Eu acredito que os seres humanos realmente procurem adotar uma orientação mais criativa. Mas as pessoas não se dão conta da incrível extensão na qual as organizações tradicionais estão destinadas a manter as pessoas à vontade e a inibir os riscos. O ciclo de aprendizado é um processo contínuo de experimentação. Não se experimenta sem correr riscos. Apesar de a retórica dizer o contrário, acredito que a maioria das empresas norte-americanas está tentando desenvolver ambientes "sem risco". Mesmo quando desmantelam suas antigas burocracias funcionais, o que claramente evitaria correr riscos, criam unidades de negócio descentralizadas onde os gerentes ficam em um mesmo cargo por dois anos. Certamente estão de olho nas promoções e os únicos tipos de riscos que correrão serão aqueles com uma alta probabilidade de produzir "sucesso" durante seu mandato.

PMS: Se devemos desistir de parte da segurança da organização tradicional, isso significa que uma organização que aprende está em um constante tumulto?

Simon: Nossa tarefa é encontrar um novo equilíbrio. Implementar mudanças não significa abandonar valores e preceitos essenciais. Temos que equilibrar nosso desejo de continuidade com nosso desejo de sermos criativos. Temos que aprender a não abandonar essa essência e, ao mesmo tempo, abrir mão das antigas formas de fazer as coisas. Acho que aprendemos algo sobre isso na Herman Miller, em nosso compromisso com o processo criativo em pesquisa e projeto. Agora é preciso estender esse compromisso com o processo criativo à empresa como um todo. Isso requer um novo paradigma, um novo modelo de como a empresa trabalha — organizações que operam em um modo contínuo de aprendizado, criando mudanças.

Ray Stata
Presidente e CEO, Analog Devices, Inc.

PMS: Como você se interessou pela "aprendizagem organizacional"?

Stata: A aprendizagem organizacional, como conceito, é o que surgiu ao fim do processo que estávamos atravessando. O ponto de partida foi no fim dos anos 70 e no início dos anos 80, quando ficou cada vez mais claro que nossa empresa, assim como outras empresas dos Estados Unidos, estava sob forte pressão japonesa. Aos poucos fui me convencendo de que uma crise de grande magnitude estava surgindo, uma crise que está ainda em andamento, na minha opinião, apesar do progresso que fizemos nos últimos anos.

Como resposta à crise, nós começamos a nos envolver com os vários processos de melhoria que vinham do Japão. Mas é fácil se perder com a "sopa de letrinhas" de TQC, JIT, QFD[i], e todos os consultores correndo de um lado para o outro com a mais recente acrossemia. Baseando-me no pensamento de Arie de Geus, da Shell (outro participante do programa de pesquisa do MIT), comecei a

i TQC, JIT, QFD: do inglês *Total Quality Control, Just In Time, Quality Function Deployment*. (N. do E.)

ver a aceleração da aprendizagem organizacional como um conceito integrante de ampla gama de ferramentas e métodos de melhoria. Mais importante, ao tentar ilustrar em um artigo para a *Sloan Management Review*, comecei a ver que a velocidade de aprendizagem das organizações poderia se tornar a única fonte sustentável de vantagem competitiva, especialmente em negócios intensivos em conhecimento.[1]

PMS: O que você enxerga como principais desafios na criação de organizações que aprendem?

Stata: A revolução da "administração científica" de Frederick Taylor levou a tradicional divisão do trabalho, entre trabalhadores e gerentes, e nos deixou de herança os "pensadores" e os "executores". Os executores eram basicamente proibidos de pensar. Acredito que nosso desafio fundamental seja deixar fluir a capacidade intelectual das pessoas, em todos os níveis, tanto individualmente quanto em grupos. Obter a verdadeira participação de todos — esse é o potencial a ser descoberto nas empresas modernas. Isso me leva à noção de uma organização como um organismo que aprende.

É fácil falar, mas acredito que existam novas idéias significativas que serão necessárias para transformar isso em realidade. Uma questão que me interessa profundamente é "quais são as regras dos processos cognitivos que governam o aprendizado válido?" Acredito que podemos usar o termo aprendizagem organizacional muito livremente, e ele continuará tendo pouco significado. Será apenas mais um modismo.

PMS: Como você difere aprendizado válido de aprendizado ilusório?

Stata: Um dos fundamentos é que o aprendizado válido só ocorre se voltarmos continuamente à realidade. Todo conhecimento é objetivo no sentido de que deve haver alguma correspondência com a realidade. Isso parece relativamente óbvio, mas, como observou Ayn Rand, os homens tendem a dar primazia à consciência e à supremacia ao pensamento, e é apenas com disciplina que você pode realmente aceitar a realidade como um julgamento.

Em resposta a isso, os "pragmatistas" da filosofia moderna partem do ponto de que não vale a pena preocupar-se com a teoria geral. Você deve fazer o que funciona, e o que quer que seja que funcione hoje pode não funcionar amanhã. Essa visão é fortemente reforçada pela administração contemporânea com sua ênfase na solução de problemas. É tão fácil simplesmente pular de um problema ao próximo, "do pilar ao poste", sem jamais enxergar um padrão mais amplo. O pragmatismo nega qualquer habilidade da mente humana de sintetizar, de ver o quadro geral.

O pragmatismo se tornou dominante, em parte, devido ao domínio prévio dos sistemas teóricos elaborados que não tinham nenhuma correspondência com a realidade. O século 19 foi uma excelente época para isso; e o fracasso óbvio desses grandes sistemas de pensamento, como o sistema de mundo de Marx, foi uma das justificativas para o pragmatismo.

É interessante observar que, assim como os trabalhadores locais ficaram restritos ao papel de "executores" nas organizações tradicionais, os gerentes ficaram restritos ao papel de "pensadores". Há uma enorme tendência das pessoas no topo da organização a se distanciarem da realidade e dos fatos, a começarem a tecer hipóteses e conjecturas sem nenhuma base formal em suas teorias. A maior manifestação da falácia dessa dicotomia entre "pensadores" e "executores" foi o modismo, na década de 60, de se criar equipes de planejamento estratégico separadas das equipes operacionais. Uma vez aceito, isso separou mais ainda o mundo do pensamento do mundo da realidade.

Eu penso, até certo ponto, que ficamos pulando entre esses dois extremos de superconceitualização e do pragmatismo puro porque não dispomos de ferramentas para conectá-los. O desafio essencial da organização que aprende é desenvolver ferramentas e processos para conceitualizar esse quadro geral e testar as idéias na prática. Tudo na organização deve dominar o ciclo de pensamento, ação, avaliação e reflexão. Sem isso não há aprendizado válido.

O ofício de criar uma história mais importante é um dos mais velhos domínios da liderança. Esse tipo de liderança possui, na verdade, um caráter mítico: "A tarefa real dos cavaleiros (da Távola Redonda) jaz agora diante dele", escreveu Heinrich Zimmer em seu livro sobre mitos, *The King and the Corpse*. Para Zimmer, Merlin era um mestre no domínio da "história de propósito", "primeiro unindo os cavaleiros no círculo da Távola Redonda, para depois distribuí-los novamente nos caminhos de suas várias transformações". Apesar de os cavaleiros viajarem em caminhos separados, eles estavam "unidos por um laço comum e seus caminhos, apesar de predestinados para cada um deles isoladamente, irão se encontrar, cruzar e se entrelaçar..."[2]

As histórias de propósito dos três líderes acima descrevem um contexto de assuntos profundos que transcende os problemas de qualquer organização, implica um sentido de urgência que torna a ação imperativa, e ilumina a própria visão pessoal deles. Para cada um deles, a história envolve um novo tipo de organização emergente, que é "mais consistente com a natureza humana" (O'Brien), que permite que as pessoas equilibrem "o desejo de continuidade com o desejo de serem criativas" (Simon), e que integra "a conceitualização do quadro geral e testa as idéias na prática".

Mas as histórias também são incompletas. Evoluem à medida que vão sendo contadas — na verdade, *são resultado do que é contado.* Essa é a razão pela qual sua visão tem um significado especial para tais líderes; a visão é um veículo para levar adiante a história maior.

Em uma organização que aprende, os líderes devem começar perseguindo suas próprias visões, mas, ao aprenderem a ouvir atentamente a visão dos outros, eles começam a ver que sua própria visão pessoal é parte de algo maior. Isso não diminui o senso de responsabilidade de nenhum líder pela visão — no máximo, torna-o mais profundo. "O desejo de abandonar o seu paradigma vem de sua regência para com a visão", diz Simon.

Ser o regente de uma visão muda o relacionamento do líder com sua visão pessoal. Ela deixa de ser uma posse, como "em *minha* visão", e passa a ser um chamado. Você é dela tanto quanto ela é sua. George Bernard Shaw expressou o relacionamento sucintamente quando disse:

> Isto é a verdadeira alegria na vida, ser usado para um propósito reconhecido por você mesmo como grandioso... ser uma força da natureza, e não um mísero punhado de aflições e ressentimentos reclamando que o mundo não quer se dedicar a fazê-lo feliz.[3]

Uma pequena diferença de tom e foco, mas não menos evocativa, é a caracterização do poeta libanês Khalil Gibran que, falando de pais e filhos, captou o senso especial de *responsabilidade sem possessividade* dos líderes em relação a suas visões:

Vossos filhos não são vossos filhos.
São os filhos e filhas da vida por si mesma.
Eles vêm através de vós, mas não de vós.
E embora vivam convosco, não vos pertencem.
Podeis outorgar-lhes vosso amor, mas não vossos pensamentos,
Porque eles têm seus próprios pensamentos.
Podereis abrigar seus corpos, mas não suas almas;
Pois suas almas moram na mansão do amanhã, que vós não podeis visitar nem mesmo em sonho.
Podeis esforçar-vos por ser como eles, mas não procureis fazê-los como vós.
Porque a vida não anda para trás e nem se demora com os dias passados.
Vós sois os arcos dos quais vossos filhos são arremessados como flechas vivas.
O arqueiro mira o alvo na senda do infinito e vos estica com toda sua força para que suas flechas se projetem, rápidas e para longe.
Que vosso encurvamento na mão do arqueiro seja vossa alegria:
Pois assim como ele ama a flecha que voa, também ama o arco que permanece estável.[4]

LÍDER COMO PROFESSOR

"A primeira responsabilidade de um líder é definir a realidade",[5] escreve Max de Pree, CEO aposentado da Herman Miller. "Embora esteja claro que os líderes tirem sua inspiração e suas reservas espirituais de seu senso de regência, grande parte da alavancagem que os líderes podem realmente exercer está em ajudar as pessoas a alcançar visões da realidade mais apuradas, mais inspiradas e mais capazes de lhes dar poder."

"Realidade", na acepção percebida por muitas pessoas em muitas organizações, significa pressões que devem aparecer, crises às quais se deve reagir, e limitações que devem ser aceitas. Devido a tais modos de se ver a realidade, visão é, na melhor das hipóteses, um sonho inútil e, na pior das hipóteses, uma desilusão cínica — mas não um fim que se possa alcançar. Por outro lado, para pintores, compositores ou escultores, criação envolve trabalhar com limitações — por exemplo, as limitações impostas pela sua mídia. Se tivéssemos apenas que estalar os dedos e a visão se tornasse realidade, não haveria processo criativo. Como, então, os líderes podem ajudar as pessoas a concretizar uma visão de realidade, como a do artista, como um meio de criar, e não uma fonte de limitação? Essa é a tarefa do "líder como professor".

Com base na hierarquia de explicações apresentada inicialmente no Capítulo 3, os líderes podem influenciar as pessoas a ver a realidade de quatro formas diferentes: eventos, padrões de comportamento, estruturas sistêmicas e "história de propósito". A questão-chave torna-se: *qual deve ser o foco predominante de sua atenção e da atenção da organização?*

Os líderes de nossas organizações atuais concentram sua atenção cada vez mais nos acontecimentos e nos padrões de comportamento — e, sob sua influência, suas organizações fazem o mesmo. É por isso que as organizações contemporâneas são predominantemente reativas, ou no máximo compreensivas — raramente generativas.

Por outro lado, os líderes, nas organizações que aprendem, prestam atenção a todos os quatro aspectos, mas enfocam predominantemente o propósito e a estrutura sistêmica. Mais ainda, eles "ensinam" as pessoas da organização a fazer o mesmo.

Estrutura sistêmica é o domínio do pensamento sistêmico e dos modelos mentais. Nesse nível, os líderes estão continuamente ajudando as pessoas a ver o quadro geral: como as diferentes partes da organização interagem, como diferentes situações assemelham-se por causa de estruturas subjacentes comuns, como ações locais têm impactos maiores e de mais longo prazo do que os atores locais normalmente se dão conta e por que determinadas políticas operacionais são necessárias para o sistema como um todo. Mas, apesar de sua importância, o nível da estrutura sistêmica não é suficiente. Sozinha, não tem sentido de propósito. Lida com o *como*, não com o *porquê*.

Através do foco "na história de propósito" — a explicação mais geral de por que a organização existe e do rumo que está tentando tomar —, os líderes acrescentam uma dimensão de significado adicional. Oferecem o que a filosofia chama de "explicação teleológica" (do grego *telos*, que significa "fim" ou "propósito") —uma compreensão do que estamos tentando nos tornar. Quando as pessoas em toda a organização começam a compartilhar um amplo senso de propósito, elas se unem em um destino comum. Elas têm um senso de continuidade e identidade inalcançáveis de outra forma.

Em minha experiência, líderes talentosos na integração da história e da estrutura sistêmica são raros. Sem dúvida, essa é uma das principais razões por que organizações que aprendem ainda são raras.

Uma pessoa que tinha esse dom era Bill Gore, fundador e por muito tempo CEO da W. L. Gore and Associates (fabricantes do Gore-tex e outros produtos de fibra sintética). Bill Gore não era um palestrante especialmente carismático. Mas era adepto de uma arte particular de contar histórias: histórias que integravam os valores essenciais e o propósito da organização e suas políticas operacionais e estruturas. Bill orgulhava-se muito de sua organização altamente igualitária, na qual não havia (e continua não havendo) "funcionários", apenas "associados", que possuíam ações da empresa e participavam de sua administração. Uma vez, ele explicou a política de crescimento controlado da empresa:

> Nossa limitação não é de ordem financeira. Nossa limitação é o índice de quantos novos associados conseguimos trazer para a empresa. Nossa experiência é a de que se tentarmos crescer mais de 25 por cento por ano, nós começaremos a nos atolar. Vinte e cinco por cento de crescimento anual é uma limitação real; pode-se fazer muito melhor do que isso com uma organização autoritária. Entretanto, uma das associadas, Esther Baum, foi para casa e conversou sobre essa limitação com o marido. Bem, o professor Baum era astrônomo e matemático; ele trabalhava no Lowell Observatory, e disse: "Esse é realmente um quadro muito interessante". Ele pegou um lápis e um papel e fez alguns cálculos e disse: "Você já percebeu que em apenas 57 anos e meio todas as pessoas no mundo estarão trabalhando para Gore?"[6]

Através dessa simples história, Gore explica a racionalidade por trás da política-chave, índice de crescimento limitado, uma política que, sem dúvida, causou muito estresse na organização. Ele reafirma o compromisso da organização com a criação de um ambiente único para os seus "associados" e ilustra o tipo de sacrifício que a empresa está preparada para fazer para se manter fiel a sua visão: "você pode se sair muito melhor [em índice de crescimento] do que com uma organização autoritária". (Lembre-se de que um dos erros do People Express foi a própria ausência de políticas que controlassem o crescimento com um índice adequado à assimilação de novas pessoas em *seu* sistema de trabalho inovador.) A última parte da história mostra que, apesar do limite auto-imposto, a empresa continua sendo, e muito, uma "empresa em crescimento", outro aspecto de sua visão.

Infelizmente, são muito mais comuns líderes com senso de propósito e visão genuína mas pouca capacidade de estimular entendimento sistêmico. Muitos grandes líderes "carismáticos", apesar de ter um profundo senso de propósito e visão, gerenciam quase que exclusivamente no nível dos eventos. Tais líderes lidam com visões e crises, e pouco com o que ocorre entre elas. Estimulam um senso de propósito e uma missão grandiosos. Geram muita energia e entusiasmo. Mas, sob sua liderança, uma organização pula de crise em crise. A visão de mundo das pessoas na organização acaba sendo dominada por eventos e reatividades. As pessoas são jogadas de uma crise para outra; não têm controle sobre seu tempo, menos ainda sobre seu destino. De vez em quando, isso pode despertar um profundo cinismo sobre a visão, e sobre visões em geral. O solo no qual uma visão deve plantar suas raízes — a crença de que podemos influenciar nosso futuro — se torna envenenado.

Tais "gerentes visionários de crises" muitas vezes tornam-se figuras trágicas. Sua tragédia se origina na profundidade e na veracidade de sua visão. Muitas vezes eles estão realmente comprometidos com aspirações nobres. Mas aspirações nobres não bastam para superar forças sistêmicas contrárias à visão. Como os ecologistas dizem, "a natureza rebate por último". Forças sistêmicas vencerão as mais nobres visões se nós não aprendermos a reconhecê-las, trabalhar com elas, e moldá-las gentilmente.

Problemas semelhantes ocorrem com o "estrategista visionário", o líder com um senso de visão que opera nos níveis dos padrões de mudança, bem como no nível dos acontecimentos. Esse líder está mais bem preparado para administrar mudanças, mas ensina as pessoas a ver direções, não estruturas subjacentes. Ele confere uma orientação compreensiva, não uma orientação generativa. Ironicamente, líderes com um senso de visão e uma compreensão das principais tendências dos negócios normalmente são considerados modelos de liderança efetiva. Isso porque eles são muito mais efetivos do que líderes que não possuem visão alguma ou líderes que lidam unicamente com visões e eventos.

Mas líderes das organizações que aprendem devem fazer mais do que apenas formular estratégias para explorar as novas tendências. Eles devem ser capazes de ajudar as pessoas a entender as forças sistêmicas que moldam a mudança. Não é suficiente apenas compreender intuitivamente essas forças. Muitos "estrategistas visionários" têm ótimas intuições sobre as causas da mudança, intuições que não conseguem explicar. Eles acabam se tornando líderes autoritários, impondo suas estratégias e políticas ou intervindo continuamente nas decisões. Acabam fazendo isso, mesmo que seus valores sejam contrários aos da liderança autoritária — porque *apenas* eles vêem as decisões que devem ser tomadas. Líderes nas organizações que aprendem têm capacidade de conceitualizar suas novas idéias estratégicas, a fim de torná-las públicas, abertas a questionamentos e melhorias futuras.

"Assumir o papel de líder como professor" não é "ensinar" as pessoas a como alcançar suas visões. É estimular a aprendizagem para todos. Tais líderes ajudam as pessoas de toda a organização a desenvolver a compreensão sistêmica. Aceitar essa responsabilidade é o antídoto para uma das derrocadas mais comuns de líderes que seriam considerados talentosos — a perda do compromisso com a verdade.

Quando Lyndon Johnson tornou-se presidente, sua "Grande Sociedade" inspirou apoio em todo o país, apesar da tragédia que o levou ao cargo. Johnson era um mestre em obter a participação dos outros, com paciência para conduzir o Congresso, em sua proposta de legislação, discutindo um assunto por vez, com resultados surpreendentes; de noventa e uma propostas, o Congresso rejeitou apenas duas. Seu reconhecimento pelo público não foi menos surpreendente: "Seus objetivos eram os objetivos do país", escreveu o historiador William Manchester. Porém os resultados da liderança de Johnson acabaram sendo decepcionantes, em parte porque Johnson não conseguiu manter seu compromisso com a verdade. Quando foi informado de que os Estados Unidos não poderiam arcar com a Grande Sociedade e a Guerra do Vietnã ao mesmo tempo, começou sistematicamente a mentir sobre os custos da guerra. "Se eu [informar ao Congresso] os custos da guerra, o velho [senador] Wilbur Mills se sentará aqui e me agradecerá gentilmente e me mandará de volta a minha Grande Sociedade", disse Johnson aos seus conselheiros, segundo Manchester. Aos poucos Johnson começou a se isolar das críticas, até mesmo de seus conselheiros; logo, muitos dos membros de seu Gabinete se demitiram. Por fim, o ciclo de mentiras de Johnson atraiu a atenção pública e se tornou uma "lacuna de credibilidade" — como foi batizado pelo *New York Herald Tribune* em 1965. Sua liderança havia chegado ao fim — a ponto de ele não poder tentar a reeleição em 1968.[7]

História, mitologia e negócios estão repletos de exemplos, de Édipo à atualidade, de líderes que fracassaram por sua falta de compromisso com a verdade.

Como diz meu colega, consultor de empresas Bryan Smith: "Encontrei muitos líderes que foram destruídos por suas visões". Isso acontece, quase sempre, porque os líderes perdem a capacidade de ver a realidade atual. Eles são coniventes com o seu desejo e com o desejo da organização de amenizar dificuldades e evitar incertezas fingindo que tudo está bem. Tornam-se palestrantes em vez de líderes. Tornam-se "crentes verdadeiros" em vez de aprendizes.

TENSÃO CRIATIVA

Líderes que são projetistas, regentes e professores vêem sua tarefa essencial de forma muito simples. "Assim como Sócrates sentiu que era necessário criar tensão na mente", disse Martin Luther King Jr., "para que os indivíduos possam vencer a servidão dos mitos e das meias-verdades... devemos... criar o tipo de tensão na sociedade que ajude os homens a se libertar das escuras profundezas do preconceito e do racismo."[8] A tensão à qual King se referiu é a *tensão criativa* do domínio pessoal. Essa tensão é gerada por se manter uma visão e, ao mesmo tempo, se dizer a verdade sobre a realidade relativa àquela visão — "dramatizar o assunto para que ele não possa mais ser ignorado", como disse King.

A tensão criativa do líder não é uma ansiedade: é uma tensão psicológica. A história do líder, seu senso de propósito, seus valores e visão estabelecem a direção e o alvo. Seu incansável compromisso com a verdade e com a investigação das forças subjacentes à realidade realça continuamente as defasagens entre realidade e visão. Os líderes geram e gerenciam essa tensão criativa — não apenas dentro de si, mas na organização inteira. É assim que eles energizam a organização. Esse é seu trabalho básico. É por isso que existem.

O domínio da tensão criativa em uma organização leva a uma visão da realidade profundamente diferente. As pessoas literalmente começam a ver cada vez mais aspectos da realidade como algo que eles, coletivamente, podem influenciar. Essa não é uma "crença" oca, de que as pessoas falam na tentativa de convencer a si mesmas de que são poderosas. É uma constatação silenciosa, enraizada na compreensão de que todos os aspectos da realidade atual — os eventos, os padrões de mudança, e até mesmo as próprias estruturas sistêmicas — estão sujeitos a ser influenciados através da tensão criativa. Essa mudança de visão, ou metanóia, foi expressada de forma bela pelo filósofo existencialista hebreu Martin Buber:[9]

> Nosso pensamento atual estabeleceu uma crença mais tenaz e opressiva no destino do que jamais existira. Não importa o que se diga sobre as leis que consideramos verdades da vida... na base delas está a posse pelo processo, que é de uma causalidade sem limites. Mas o dogma do processo não deixa espaço para a liberdade, cuja força calma altera a face da terra. Esse dogma não conhece o homem que sobrepuja o conflito universal, que faz em pedaços a teia dos instintos habituais, e move, renova e transforma as estruturas estáveis da história.
>
> A única coisa que pode se tornar destino para o homem é a crença no destino. O homem livre é aquele que deseja seu autodesejo arbitrário. Acredita no destino e acredita que o destino precisa dele. Não o mantém em suas rédeas, espera por ele, ele

deve alcançá-lo, mesmo que não saiba onde pode ser encontrado. Mas sabe que deve ir ao seu encontro com seu ser completo. O problema não vai se modificar de acordo com sua decisão; mas o que tiver de acontecer, acontecerá apenas quando ele decidir o que é capaz de desejar. Por seu desejo grandioso, que renuncia à limitação de ser preso a um destino, ele deve sacrificar seus desejos frágeis e contidos, controlados pelas coisas e pelos instintos.

Depois, ele não mais intervém, e ao mesmo tempo não deixa simplesmente que as coisas aconteçam. Ele ouve o que sai de dentro de si, o curso do ser no mundo; não em busca de apoio, mas para transpor isso para a realidade, como desejado.

COMO PODEM SE DESENVOLVER ESSES LÍDERES?

Em fevereiro de 1990, quando De Klerk, presidente da África do Sul, anunciou a suspensão da proibição de grupos políticos negros e a libertação de prisioneiros políticos, eu estava no país, como parte de uma iniciativa para estimular um grupo de líderes negros e brancos capazes de construir organizações e comunidades que aprendem. Com a libertação iminente de Nelson Mandela (que aconteceu uma semana depois), nós compartilhamos o mesmo sentimento de Corazón Aquino das Filipinas, quando seu marido, Benigno Aquino, saiu da prisão:

> Parecia claro para aqueles que o conheciam que ele havia mudado muito. O magnífico animal político — inteligente, rápido, eloqüente e corajoso — que colocou seus imensos talentos a serviço da República, na esperança de que as honras públicas o transformassem em um homem cujo amor pelo país era apenas a outra face de seu amor por Deus. E acredito que esse seja o tipo de patriotismo mais real e o melhor. É apenas nesse plano que o patriotismo deixa de ser, como se diz, o refúgio de patifes e se torna, ao contrário, a obrigação de um cristão...
>
> Nós não podemos, é claro, simplesmente dar uma ordem para que esses homens e mulheres sejam ou liderem a oposição. Tais pessoas não são feitas sob encomenda. Elas vão se construindo assim.
>
> Portanto, se você compartilhar da minha convicção crescente de que as mudanças que desejamos só acontecem através dessas pessoas, você deve compartilhar também da conclusão à qual cheguei: as mudanças acontecerão e a vitória será alcançada — uma vitória que significará mais do que uma mudança de rostos — apenas quando nós, em número suficiente, tivermos nos tornado como eles.[10]

Um dos aspectos mais chocantes dessa declaração é que "tais pessoas não são feitas sob encomenda. Elas vão se construindo assim". Muitos dos líderes de projeção com os quais trabalhei não são altos nem especialmente belos; muitas vezes são palestrantes medíocres; não se destacam na multidão; e não hipnotizam uma audiência atenta com seu brilho ou eloqüência. Ao contrário, o que os distingue é a clareza e a capacidade de persuasão de suas idéias, a profundidade de seu compromisso, e sua abertura a aprender sempre mais. Eles não "têm a resposta certa". Mas instilam a confiança, nos que estão ao seu redor, de que juntos "podemos aprender o que for necessário para alcançar os resultados que realmente desejamos".

Em minha opinião, a capacidade de tais pessoas como líderes naturais é um subproduto de uma vida de esforços — esforços para desenvolver habilidades conceituais e de comunicação, para refletir sobre valores pessoais e para alinhar o comportamento pessoal com valores, para aprender a ouvir e a apreciar outras pessoas e suas idéias. Na ausência de tais esforços, o carisma pessoal é um estilo sem substância. Deixa os que o possuem menos capazes de pensar por si mesmos e menos capazes de fazer escolhas inteligentes. E pode devastar uma organização ou uma sociedade.

É por isso que as cinco disciplinas de aprendizagem desenvolvidas nas Partes II e III são tão importantes para aqueles que lideram. Elas fornecem uma estrutura conceitual para se focalizar o esforço de desenvolvimento da capacidade de liderança. Pensamento sistêmico, domínio pessoal, modelos mentais, construção da visão compartilhada e aprendizagem em equipe — essas podem ser chamadas tanto de *disciplinas da liderança* como de disciplinas de aprendizagem. Aqueles que sobressaem nessas áreas serão os líderes naturais nas organizações que aprendem.

Em nosso próprio trabalho de ajudar as pessoas a desenvolver sua capacidade de liderança, salientamos "as disciplinas individuais" do pensamento sistêmico, trabalhando com domínio mental e pessoal. Essas disciplinas abarcam a extensão de capacidades conceituais, interpessoais e criativas vitais à liderança. É impossível reduzir liderança natural a um conjunto de habilidades ou competências. As pessoas acabam seguindo quem acredita em algo e que tem a capacidade de alcançar resultados a serviço dessas crenças. Ou, em outras palavras, quem são os líderes naturais nas organizações que aprendem? São os aprendizes.

TEMPO PARA ESCOLHER

Um dos paradoxos da liderança nas organizações que aprendem é tanto coletivo quanto altamente individual. Embora as responsabilidades de liderança sejam divididas entre homens e mulheres na organização, as responsabilidades são apenas o resultado da escolha individual.

Escolha é diferente de desejo. Tente experimentar. Diga "eu quero". Agora diga "eu escolho". Qual a diferença? Para a maioria das pessoas, "eu quero" é passivo; "eu escolho" é ativo. Para elas, querer é um estado de deficiência — queremos o que não temos. Escolher é um estado de suficiência — escolher ter o que realmente queremos. Para muitos de nós, quando olhamos para o passado, podemos ver que certas escolhas que fizemos tiveram papel fundamental no desenvolvimento de nossa vida. Da mesma forma, as escolhas que fizermos no futuro serão essenciais.

A opção por fazer parte de uma organização que aprende não é diferente. Se é uma "organização" de três ou três mil não importa. Só através da escolha o indivíduo pode se tornar o regente de uma visão mais ampla. Só através da escolha o indivíduo pode praticar as disciplinas de aprendizagem. Estar num ambiente que dê apoio pode ajudar, mas não previne a necessidade de escolher. As organizações que aprendem só podem ser construídas por indivíduos que se dediquem à tarefa de corpo e alma. São nossas escolhas que definem essa determinação.

O propósito desse livro não é convencer as pessoas de que elas devem escolher construir organizações que aprendem. Ao contrário, eu tentei pintar um quadro de como seria essa organização e como seria possível construí-la — para que as pessoas possam ver as opções existentes. A escolha, como em todos os casos, é sua.

PARTE V

Coda

19

UMA SEXTA DISCIPLINA?

O DC-3 revolucionou as viagens aéreas comerciais, mas o setor de transporte aéreo só se transformou em uma importante indústria após o uso disseminado de duas tecnologias adicionais, mais de dez anos depois — o motor a jato e o radar. É interessante observar que o radar foi um subproduto do esforço da guerra e não de pesquisas "aeronáuticas".

As cinco disciplinas, agora convergentes, parecem abranger uma massa crítica. Transformam a construção de organizações que aprendem em um empreendimento sistemático, e não num fruto do acaso. Mas haverá outras inovações no futuro. Se a analogia com o setor de transporte aéreo for adequada, talvez um ou dois acontecimentos emergentes em lugares aparentemente improváveis levem a uma disciplina totalmente nova, que hoje ainda não podemos sequer compreender.

O avião a jato e o radar estimularam o nascimento de uma infraestrutura de aeroportos, pilotos e mecânicos, fabricação de aviões e empresas aéreas comerciais. Esse foi o alicerce para o desenvolvimento do setor aeronáutico moderno. Da mesma forma, a tarefa imediata é dominar as possibilidades apresentadas pelas atuais disciplinas de aprendizagem, a fim de estabelecer uma base para o futuro.

19

UMA SEXTA DISCIPLINA?

20

REESCREVENDO O CÓDIGO[1]

O pensamento sistêmico ensina que existem dois tipos de complexidade — a "complexidade de detalhes" de muitas variáveis e a "complexidade dinâmica", quando "causa e efeito" não estão próximos no tempo e no espaço e intervenções óbvias não produzem os resultados esperados. As ferramentas para o pensamento sistêmico apresentadas neste livro destinam-se principalmente à compreensão da complexidade dinâmica. Ajudam a identificar estruturas e padrões de comportamento subjacentes, obscurecidos pelo frenesi dos eventos cotidianos e pela incessante atividade que caracteriza a vida do gerente. Ajudam a compreender por que as soluções convencionais estão falhando e onde podem ser descobertas ações de maior alavancagem.

Mas e a complexidade de detalhes? E as centenas, talvez milhares de processos de *feedback* em qualquer situação real de gerência, todos acontecendo simultaneamente? Como nós podemos lidar com tal complexidade? Afinal, para que serve o pensamento sistêmico, se só nos ensina a identificar alguns processos de *feedback* em meio a essa grande confusão de atividades?

No Capítulo 13 sugeri que uma das lições mais sutis da perspectiva sistêmica é o fato de essa enorme complexidade de detalhes tornar todas as explicações racionais inerentemente incompletas. Os sistemas humanos são infinitamente complexos. "Você nunca pode entendê-los", sugeri — porque são "não-entendíveis". Porém, nós *podemos* aumentar nosso domínio da complexidade.

As evidências de que os seres humanos têm "limitações cognitivas" são irrefutáveis. Os cientistas cognitivos demonstraram que só podemos lidar simultaneamente com um número muito reduzido de variáveis separadas. Nossos circuitos conscientes de processamento de informações sobrecarregam-se facilmente com a complexidade de detalhes, forçando-nos a recorrer a uma heurística simplificada para poder entender as coisas.

Mas como explicar o fato de dirigirmos um carro a quase 100 quilômetros por hora em um trânsito pesado — ou jogarmos tênis ou tocarmos uma sonata de Mozart? Todas essas tarefas são enormemente complexas, envolvendo centenas de variáveis e rápidas mudanças que devem ser imediatamente reconhecidas e respondidas. Além disso, até o momento em que as dominamos, essas tarefas são realizadas com pouca ou nenhuma "atenção consciente". Dirigimos no trânsito enquanto conversamos com a pessoa do nosso lado. O tenista profissional concentra-se inteiramente na estratégia da partida e no ponto que está sendo disputado. O pianista pensa apenas na estética da apresentação, não na mecânica.

Existe certamente um aspecto de nossas mentes que lida muito bem com a complexidade de detalhes — na verdade, que se destina exatamente a isso. No capítulo sobre domínio pessoal, chamamos isso de "subconsciente", sugerindo um aspecto da mente "por baixo" ou "por trás" dos nossos processos mentais conscientes normais. Outros rótulos são possíveis, como mente automática ou "conhecimento tácito", mas o rótulo não é importante.[2] O que é importante é reconhecermos que temos enormes capacidades para lidar com a complexidade de detalhes no nível do subconsciente, que não estão presentes no nível consciente.

É importante notar também que o subconsciente pode ser "treinado". Na verdade, toda aprendizagem envolve uma interação entre a mente consciente e a subconsciente, que resulta no treinamento do subconsciente. Não se começa a dirigir em um trânsito pesado; pratica-se antes, com calma, em um estacionamento ou em uma rua tranqüila, porque o subconsciente ainda não foi treinado para a tarefa de dirigir. Gradualmente, o subconsciente vai "dominando" uma parte cada vez maior da tarefa — mudanças de marcha tornam-se "automáticas", "naturais". Isso liberta nossa mente consciente (com sua limitada capacidade de processamento de informação) para se concentrar na próxima etapa da aprendizagem.[3]

Existem muitas formas de se programar o subconsciente. As culturas programam o subconsciente. Se você cresce em uma sociedade que discrimina radicalmente certas raças ou castas, você literalmente verá e interagirá com pessoas diferentemente da forma que agirá se crescer em uma cultura que tenha menos consciência de raça ou casta. As crenças também programam o subconsciente. Por exemplo, é bem demonstrado que as crenças afetam a percepção: se acreditar que as pessoas não são dignas de confiança, você "verá" continuamente hipocrisia e malícia que outros sem essa crença não veriam.

Embora talvez de forma mais sutil, a linguagem também programa o subconsciente. Os efeitos da linguagem são particularmente sutis porque ela não parece afetar tanto o *conteúdo* do subconsciente, mas a forma como o subconsciente *organiza e estrutura* o seu conteúdo. Entretanto, se isso for verdade, como, então, nós estivemos ensinando o subconsciente a organizar a informação?

Como foi mostrado no Capítulo 5, é extremamente inconveniente descrevermos os processos de *feedback* circulares na linguagem verbal normal. Então, de forma geral, desistimos e apenas dizemos na prática: "A causou B, que causou C". Mas essa taquigrafia conveniente sugere à mente subconsciente que "A *realmente* causou B". De forma subconsciente, tendemos a esquecer que "B também causou A". Se tudo que temos é a linguagem linear, então pensamos de forma linear e compreendemos o mundo linearmente — ou seja, como uma cadeia de eventos. É impossível para nós compreender o escopo das conseqüências, mas sabemos que são extensas.

Entretanto, se começarmos a dominar uma linguagem sistêmica, tudo isso começa a mudar. O subconsciente é treinado novamente de forma sutil para estruturar dados de forma circular, e não em linha reta. Descobrimos que "vemos" processos de *feedback* e arquétipos de sistemas em toda parte. Internaliza-se uma nova estrutura para o pensamento. Inicia-se uma mudança de forma bem semelhante ao que acontece ao dominarmos uma língua estrangeira. Começamos a sonhar na nova língua, ou a pensar espontaneamente em suas formas de expressão e suas construções. Quando isso ocorre com o pensamento sistêmico, entramos, como disse um gerente, "em *loop* pelo resto da vida".

Como disse o teórico organizacional Charles Kiefer, "quando se lança essa mudança no subconsciente, tornamo-nos adeptos do pensamento sistêmico deste momento para a frente. A realidade passa a ser automaticamente vista de forma sistêmica, assim como linear (ainda há muitos problemas para os quais uma perspectiva linear é perfeitamente adequada). Alternativas que são impossíveis de ver de forma linear são trazidas à tona pelo subconsciente como propostas de soluções. Soluções que estavam fora do nosso 'conjunto viável' tornam-se parte dele. O 'sistêmico' torna-se uma forma de pensar (quase uma forma de ser) e não apenas uma metodologia para resolução de problemas".

O subconsciente não é limitado pelo número de processos de *feedback* que é capaz de considerar. Assim como ele lida com muito mais detalhes do que a nossa mente consciente, também pode lidar com uma complexidade dinâmica muito mais intrincada. De maneira significativa, à medida que assimila centenas de relações de *feedback* simultaneamente, o subconsciente integra as complexidades de detalhes e dinâmica.

Por isso a prática é tão importante. Para qualquer interação significativa do consciente e subconsciente a prática é essencial. A aprendizagem conceitual não é suficiente, assim como acontece ao se aprender uma língua estrangeira ou a andar de bicicleta. Nesse contexto, ferramentas como micromundos tornam-se muito importantes — como um meio de comunicação cultural, como um lugar para praticar o pensamento e a ação sistêmicos.

O valor do pensamento sistêmico também ultrapassa o que se pode derivar de qualquer instituição. Para explicar isto, deixe-me voltar um pouco.

Existe uma certa ironia com relação à atual situação da humanidade, vista de uma perspectiva evolucionista. O ser humano está extremamente bem adaptado a reconhecer e reagir às ameaças à sobrevivência que surgem na forma de acontecimentos repentinos e surpreendentes. Bata palmas e as pessoas pulam, chamando uma memória geneticamente codificada dos tigres-dos-dente-de-sabre que saíam dos arbustos.

Entretanto, hoje, as ameaças básicas à nossa sobrevivência coletiva são acontecimentos lentos e graduais que surgem de processos complexos tanto em termos de detalhes quanto de dinâmica. A difusão de armas nucleares não é um evento; nem o "efeito estufa", a destruição da camada de ozônio; a subnutrição e o subdesenvolvimento no Terceiro Mundo; os ciclos econômicos que determinam nossa qualidade de vida, assim como a maioria dos outros problemas em grande escala de nosso planeta.

As próprias organizações que aprendem talvez sejam uma forma de alavancagem em meio ao complexo sistema de esforços humanos. O desenvolvimento de organizações que aprendem envolve o desenvolvimento de pessoas que aprendem a ver da mesma forma que os pensadores sistêmicos, que desenvolvem seu próprio domínio pessoal, e que aprendem a trazer à tona e a reestruturar modelos mentais de forma colaborativa. Dada a influência das organizações no mundo atual, isso pode ser um dos passos mais poderosos para nos ajudar a "reescrever o código", alterando não apenas o que pensamos, mas nossas *formas de pensamento* predominantes. Neste sentido, as organizações que aprendem talvez sejam uma ferramenta não apenas para a evolução das organizações, mas para a evolução da inteligência.

21

O TODO INDIVISÍVEL

Quando jovem, sempre quis ser um astronauta. Cheguei até a estudar aeronáutica e astronáutica na faculdade para me preparar. Mas depois fui fisgado pela "teoria de sistemas" e uma nova carreira terrestre havia nascido.

Mas eu ainda fico profundamente fascinado com a *experiência* de estar no espaço, um fascínio intensificado pelas primeiras fotos da Terra tiradas da nave Apollo. Logo, foi com grande interesse que finalmente tive a oportunidade de conhecer o astronauta Rusty Schweickart, que participou de um de nossos programas de liderança, há vários anos.

Aprendi com Rusty que muitos dos astronautas têm dificuldades, ao voltarem à Terra, para colocar em palavras seus sentimentos sobre o que significou para eles flutuar acima do planeta onde vivem. Rusty tentou durante cinco anos (ele voou na Apollo 9, que testou o módulo lunar na órbita do planeta, em março de 1969) até que as palavras adequadas a essa explicação começassem a se formar.

No verão de 1974, ele havia sido convidado a dar uma palestra sobre "cultura planetária" em Lindisfarne, uma comunidade espiritual em Long Island. Depois de considerar e descartar muitas formas de compartilhar sua experiência, percebeu que não poderia contá-la como a *sua* história. Porque era a nossa história. Ele percebeu que ele e os outros astronautas representavam uma "extensão do aparato sensorial da espécie humana. Sim, estava olhando com meus olhos e sentindo com meus sentidos, mas também eram nossos olhos e nossos sentidos. Nós, que fomos os primeiros a partir e olhar a Terra lá atrás, estávamos olhando-a por toda a humanidade. Embora lá estivessem somente alguns de nós, era nossa responsabilidade trazer o relato da nossa experiência". Ao perceber isso, ele decidiu simplesmente descrever o que aquilo parecia — como se você e eu, os ouvintes, estivéssemos lá também.[1]

Lá em cima, você dá uma volta a cada uma hora e meia, seguidamente, hora após hora. Acorda normalmente pela manhã. E, dependendo da direção da trajetória que sua órbita segue, você acorda sobre o Oriente Médio ou sobre a África do Norte. Ao tomar seu café da manhã, olha pela janela à medida que vai passando e lá está a região do Mediterrâneo e a Grécia, Roma, a África do Norte, o Sinai, toda a região. E percebe, em uma rápida olhada, que está diante do que foi toda a história do homem durante anos — o berço da civilização. E pensa em toda a história que puder imaginar olhando essa cena.

E você dá a volta, descendo e cruzando a África do Norte e passa sobre o Oceano Índico, e olha para aquele grande subcontinente, que é a Índia, apontado para baixo, em sua direção, à medida que passa por ele. E o Ceilão no ponto extremo, Burma, o sudeste da Ásia, passando sobre as Filipinas, e por cima do monstruoso Oceano Pacífico, uma grande porção de água — você nunca percebera antes como ele é grande. E finalmente você passa pela costa da Califórnia e procura por aquelas coisas amigáveis: Los Angeles e Phoenix, e cruzando El Paso lá está Houston, lá está a minha casa, e olha com a certeza de que lá está o Astrodome.[i] E você se identifica com isso, você conhece — é um vínculo.

E embaixo, ao cruzar Nova Orleans e depois olhar para o sul, está toda a península da Flórida. E todas as centenas de horas que passa voando através dessa rota, lá embaixo, na atmosfera, tudo aquilo é novamente amigável. E cruza o Oceano Atlântico e novamente passa pela África.

E essa identidade — você se identifica com Houston, e depois com Los Angeles e Phoenix e Nova Orleans, com tudo. A próxima coisa que reconhece em si mesmo é que você está se identificando com a África do Norte. Olha na direção dela e prevê sua chegada. E lá está. Todo aquele processo começa a mudar aquilo com o que você se identifica. Ao girar em torno dela em uma hora e meia, começa a reconhecer que sua identidade é com aquilo tudo. E isso provoca uma mudança.

Você olha lá para baixo e não pode imaginar quantas margens e fronteiras você cruzou repetidas vezes. E você nem mesmo as vê. Naquela cena em que acordávamos — no Oriente Médio — você sabe que existem centenas de pessoas matando umas às outras, sobre uma linha imaginária que você não pode ver. De onde você a vê, a coisa é um todo, e é muito bonita. E você gostaria de poder pegar pelas mãos uma pessoa de cada lado e dizer: "Olhe-a dessa perspectiva. Olhe para ela. O que é importante?"

E assim, um pouco mais tarde, seu amigo, novamente aqueles mesmos vizinhos, a pessoa próxima a você, vai para a Lua. E agora ele olha para trás e vê a Terra não como algo grande onde ele pode ver os maravilhosos detalhes, mas ele vê a Terra como uma coisinha lá fora. E agora aquele contraste entre o azul brilhante e o enfeite branco da árvore de Natal e aquele céu negro, aquele universo infinito, realmente torna-se realidade.

---

i Estádio de futebol americano, em Houston, Texas — EUA. (N. do E.)

Apêndice 1

AS DISCIPLINAS DE APRENDIZAGEM

Cada uma das cinco disciplinas de aprendizagem pode ser pensada em três níveis distintos:

- práticas: o que você faz
- princípios: idéias orientadoras e novas idéias, *insights*
- essências: o estado de ser daqueles que possuem altos níveis de domínio da disciplina

As práticas são atividades nas quais os praticantes da disciplina concentram seu tempo e energia. Por exemplo, o pensamento sistêmico vincula o uso dos "arquétipos de sistema" a fim de perceber as estruturas subjacentes em situações complexas. O domínio pessoal vincula o "esclarecimento da visão pessoal" e a "manutenção da tensão criativa" focalizando simultaneamente a visão e a realidade atual, e permitindo que a tensão entre os dois gere a energia para a concretização da visão. Trabalhar com modelos mentais envolve estabelecer uma distinção entre os "dados" diretos da experiência e as generalizações ou abstrações que formamos com base nesses dados.

As práticas são o aspecto mais evidente de qualquer disciplina. Constituem também o foco inicial de indivíduos ou grupos quando estes começam a seguir uma disciplina. Para o iniciante elas requerem "disciplina" no sentido de esforço consciente e consistente, porque seguir as práticas ainda não é uma segunda natureza. Em um debate acalorado, o novato no trabalho com modelos mentais precisa fazer um esforço para identificar os pressupostos que está usando, e por quê. Freqüentemente os esforços do iniciante em uma disciplina são caracterizados pelo deslocamento no tempo: só *depois* do debate é que conseguimos ver com clareza nossos pressupostos e distingui-los dos "dados" e do raciocínio sobre os quais se baseiam. No entanto, no final, as práticas de uma disciplina tornam-se mais e mais automáticas e ativas em "tempo real". Você se vê espontaneamente pensando nos arquétipos de sistema, recriando (o que é diferente de relembrar) a sua visão e reconhecendo seus pressupostos à medida que eles entram em ação, ao mesmo tempo que enfrenta problemas urgentes.

Igualmente centrais a qualquer disciplina são seus princípios subjacentes. Eles representam a teoria subjacente às práticas das disciplinas. Por exemplo, "a estrutura influencia o comportamento" é um princípio central subjacente ao pensamento sistêmico, assim como a "resistência às políticas", a tendência dos sistemas complexos de resistir aos esforços para modificar seu comportamento. O primeiro implica a capacidade de influenciar a realidade advir da observação das estruturas que estão controlando os comportamentos e eventos. O último implica os esforços para manipular o comportamento, por exemplo através de programas bem-intencionados como a construção de casas para a população urbana carente, que irão, geralmente, só melhorar as coisas a curto prazo e muitas vezes levarão a ainda mais problemas a longo prazo. Da mesma forma, o poder da visão é um princípio do domínio pessoal, bem como a distinção entre "tensão criativa" e "tensão emocional".

Os princípios subjacentes a uma disciplina são importantes tanto para o iniciante quanto para o mestre. Para o iniciante eles ajudam a entender o raciocínio por trás da disciplina e o sentido das práticas da disciplina. Para o mestre são pontos de referência que ajudam no aperfeiçoamento contínuo da prática da disciplina e na sua explicação aos outros.

É importante reconhecer que o domínio de cada uma das disciplinas requer esforço no nível da compreensão dos princípios *e* na adoção das práticas. É tentador pensarmos que só porque entendemos determinados princípios já "aprendemos" a disciplina. Essa é a conhecida armadilha de confundir compreensão intelectual com aprendizagem. A aprendizagem sempre envolve novas compreensões e novos comportamentos, "pensando" e "fazendo". Esta é a razão pela qual é preciso distinguir princípios de práticas. Ambos são vitais.

O terceiro nível, as "essências" das disciplinas, é diferente. Não faz sentido concentrarmos nossa atenção e esforços conscientes nessas essências ao aprender uma disciplina, da mesma forma que não faria sentido *fazer um esforço* para experimentar amor, alegria ou tranqüilidade. As essências das disciplinas são *o estado de ser* que passa a ser experimentado naturalmente pelos indivíduos ou grupos com altos níveis de domínio nessas disciplinas. Embora seja difícil expressar isso em palavras, sua compreensão é vital para que se possa entender inteiramente o significado e o propósito de cada disciplina. Cada uma das disciplinas altera seu praticante em determinadas formas básicas. Por isso nos referimos a elas como disciplinas *pessoais*, mesmo as que devem ser praticadas de forma cooperativa.

Por exemplo, o pensamento sistêmico nos leva a experimentar cada vez mais da interconexão da vida e a ver o todo, em vez das partes. A qualquer momento em que surgem problemas, numa família ou em uma organização, um mestre do pensamento sistêmico automaticamente os vê como originários das estruturas subjacentes, e não dos erros ou da má vontade individual. Da mesma forma, o domínio pessoal leva a um grande senso de "ser", consciência do momento presente, tanto o que está acontecendo dentro quanto fora de nós, e a uma experiência mais elevada da "generatividade", de ser parte das forças criativas que moldam nossa vida.

No nível das essências as disciplinas começam a convergir. Existe uma sensibilidade comum unindo as disciplinas — a sensibilidade de sermos aprendizes em um mundo intrinsecamente interdependente. Entretanto, ainda existem diferenças entre as disciplinas. Mas tais diferenças tornam-se cada vez mais sutis. Por exemplo, "interconectividade" (pensamento sistêmico) e "conectividade" (domínio pessoal) são distinções sutis. A primeira tem a ver com a consciência de como as coisas se inter-relacionam umas com as outras; a última tem a ver com a consciência de se fazer parte do mundo, e não de se estar separado dele. Assim, também, é uma boa distinção aquela entre "comunidade de propósito" (visão compartilhada) e "alinhamento" (aprendizado em equipe). Enquanto o primeiro conceito tem a ver com uma direção comum e uma razão de ser, o segundo tem a ver com "funcionamento como um todo" quando realmente trabalhamos juntos. Embora sutis, essas distinções são importantes. Da mesma forma que o *connoisseur*[i] de bons vinhos faz distinções que um novato não faria, os indivíduos e grupos que desenvolvem altos níveis de domínio nas disciplinas vêem distinções que poderiam ser obscuras para os iniciantes.

Por fim, as disciplinas da construção de uma visão compartilhada e aprendizado em equipe diferem das outras três na medida em que são de natureza inerentemente coletiva. As práticas são atividades exercitadas por grupos. Os princípios devem ser entendidos pelos grupos. E as essências são estados de ser experimentados coletivamente.

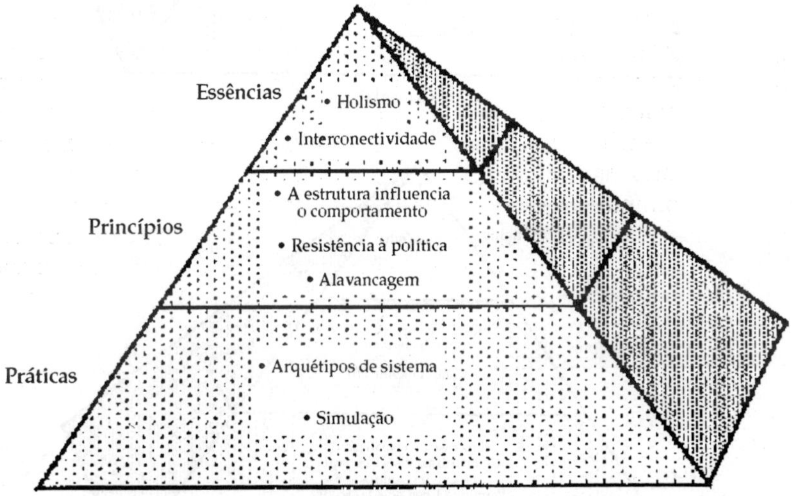

i Especialista, conhecedor profundo do assunto. (N. do E.)

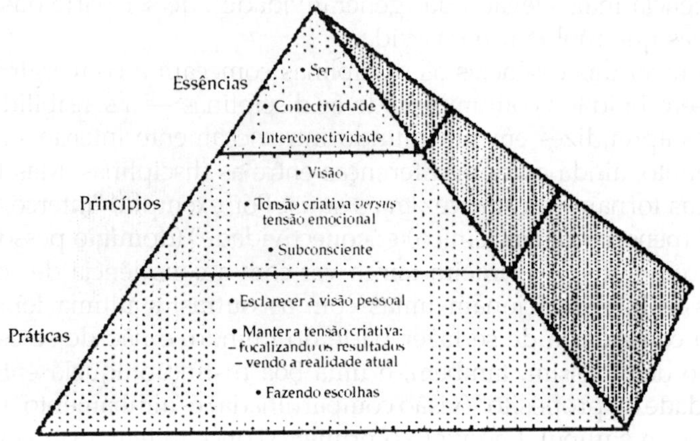

Domínio pessoal

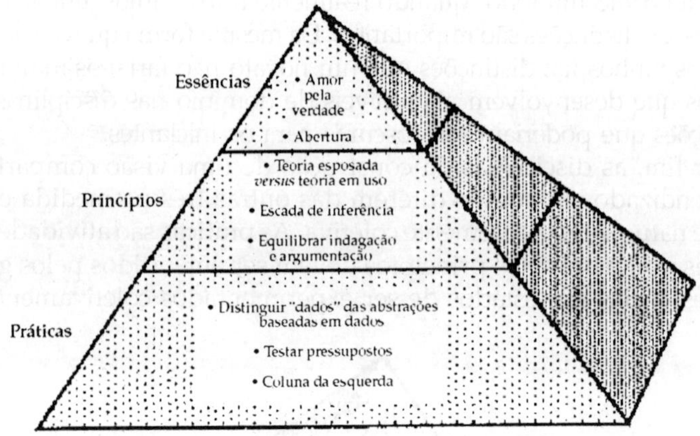

Modelos mentais

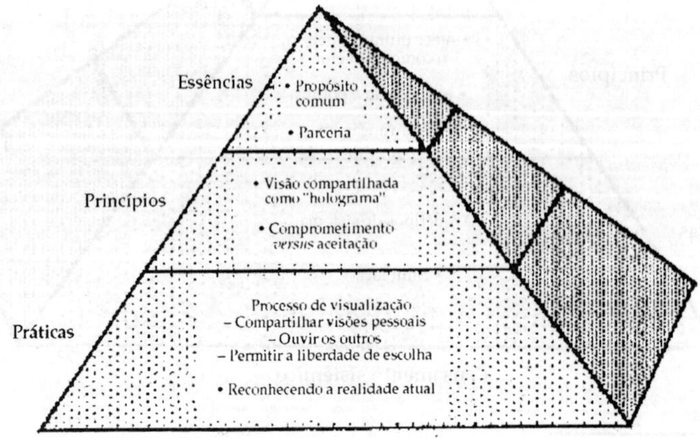

Construção da visão compartilhada

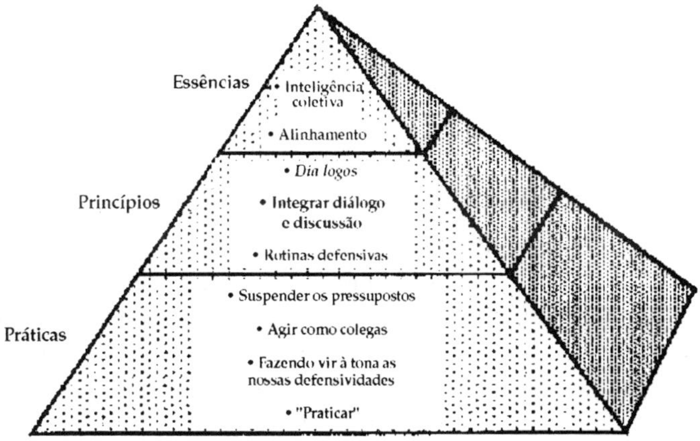

Aprendizagem em equipe

Não se domina uma disciplina de uma única vez. Existem fases distintas na aprendizagem pelas quais todos nós passamos. Diana Smith elaborou um *continuum* de três etapas para o desenvolvimento de novas capacidades que pode ser útil na abordagem de todas as disciplinas de aprendizagem:

Novos valores e pressupostos

Etapa três: valores e pressupostos operantes
As pessoas podem reunir as regras que refletem novos valores de ação e pressupostos operantes. Podem aprovar essas regras sob estresse e ambigüidade, continuando a ajudar a sua aprendizagem e a dos outros.
Nessa etapa, as pessoas terão adaptado as regras a seu modelo particular, expressando-o na sua própria linguagem.

Novas regras de ação

Etapa dois: novas regras de ação
À medida que os velhos pressupostos se "afrouxam" como resposta às novas idéias cognitivas da Etapa Um, as pessoas começam a experimentar regras de ação baseadas em novos pressupostos, a fim de ver o que elas podem gerar. Talvez precisem se basear na nova linguagem para produzir novas ações e terão dificuldade de acessar ou reunir novas regras quando estiverem sob estresse.

Novas capacidades cognitivas e lingüísticas	**Etapa um: novas capacidades cognitivas** As pessoas vêem coisas novas e podem falar uma nova linguagem. Isso lhes permite ver com maior clareza os pressupostos, as ações — seus próprios e dos outros, e as conseqüências de ambos. Em geral, elas têm dificuldade de traduzir essas novas competências cognitivas e lingüísticas em ações fundamentalmente novas. Podem começar a se comportar de forma diferente, mas as regras, os pressupostos e os valores básicos continuam os mesmos.

Apêndice 2

ARQUÉTIPOS DE SISTEMA[1]

PROCESSO DE EQUILÍBRIO COM DEFASAGEM

Estrutura:

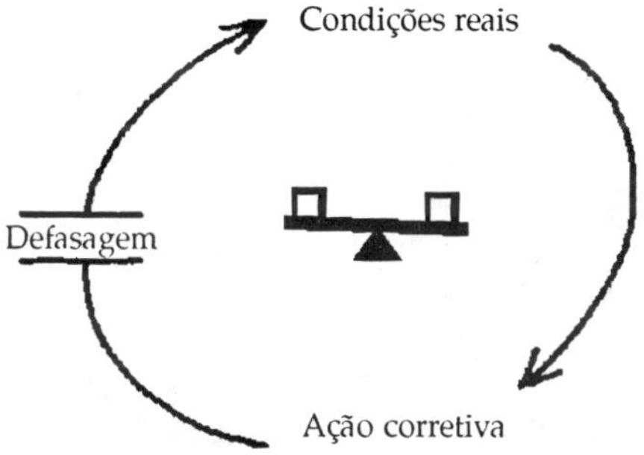

Descrição: Uma pessoa, um grupo ou uma organização, agindo para a concretização de uma meta, ajusta seu comportamento em resposta a um *feedback* com defasagem. Se não estiverem conscientes da defasagem acabam realizando mais ações corretivas do que o necessário, ou (às vezes) simplesmente desistem, pois não vêem progresso algum sendo realizado.

Sinais de Advertência Iniciais: "Achamos que estávamos em equilíbrio, mas ultrapassamos o limite". (Mais tarde, você pode ultrapassar a marca também na outra direção.)

Princípio Gerencial: Em um sistema lento a agressividade produz instabilidade. Seja paciente ou torne o sistema mais responsivo.

História de Negócios: Os construtores continuam levantando novos imóveis até o mercado se desaquecer — a essa altura, já existem imóveis adicionais ainda em construção suficientes para garantir a superabundância.

Outros Exemplos: Um chuveiro no qual a água quente responde com lentidão às mudanças na regulagem das torneiras; ciclos de superabundância e escassez de produção/distribuição (como no jogo da cerveja); ciclos nas taxas de produção e estoque em processo devidos ao longo tempo de ciclo de fabricação; o massacre da Praça Tiananmem, no qual o governo atrasou sua reação aos protestos para depois atacar as pessoas de forma inesperadamente violenta; altas e baixas inesperadas no mercado de ações.

LIMITES AO CRESCIMENTO

Estrutura:

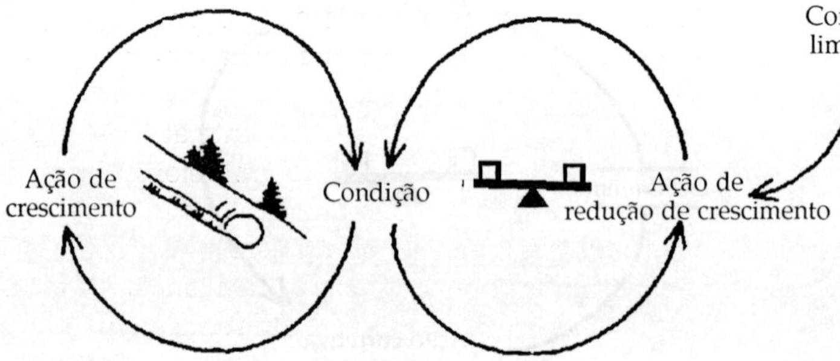

Descrição: Um processo se auto-alimenta para produzir um período de crescimento ou de expansão acelerada. Em seguida, o ritmo de crescimento começa a se desacelerar (muitas vezes inexplicavelmente para os participantes do sistema) e finalmente pára, e pode até mesmo reverter-se e iniciar um colapso acelerado.

A fase de crescimento é causada por um processo de *feedback* de reforço (ou por vários processos de *feedback* de reforço). A desaceleração surge devido a um processo de equilíbrio que entra em ação pela aproximação de um "limite". Tal limite pode ser uma limitação de recurso ou uma resposta externa ou interna ao crescimento. O colapso acelerado (quando ocorre) surge do processo de reforço operando na direção contrária, gerando mais e mais contração da atividade.

Sinais de Advertência Iniciais: "Por que deveríamos nos preocupar com problemas que não temos? Estamos crescendo tremendamente". (Um pouco depois: "É claro que temos alguns problemas, mas tudo o que temos a fazer é voltar ao que funcionava antes". Mais tarde: "Quanto mais corremos, parece que menos saímos do lugar".)

Princípio Gerencial: Não force o processo de reforço (do crescimento), elimine (ou enfraqueça) a fonte de limitação.

História de Negócios: Uma empresa instituiu um programa de ação afirmativa, que cresceu em termos de apoio e atividade à medida que uma minoria de funcionários bem-qualificados foi introduzida, com sucesso, em diferentes equipes de trabalho por toda a empresa. Mas acabou surgindo resistência; os novos membros das equipes começaram a ser vistos como não tendo "conquistado" suas posições com relação a outros aspirantes qualificados. Quanto mais cada uma das equipes era pressionada a aceitar os novos membros, mais elas resistiam.

Outros Exemplos: Ao aprender uma nova habilidade, como jogar tênis, por exemplo, você faz rápidos progressos no início, à medida que aumenta a sua competência e confiança, mas logo você começa a encontrar limites às suas habilidades naturais que só podem ser superados pelo aprendizado de novas técnicas que inicialmente podem vir com "menos naturalidade".

Um novo empreendimento que cresce rapidamente até chegar a um tamanho que requer habilidades de gestão mais profissionais e uma organização formal; uma equipe de um novo produto que funciona muito bem até que seu sucesso a faz incorporar um número excessivo de novos membros que não compartilham o estilo de trabalho nem os valores dos membros fundadores; uma cidade que cresce uniformemente até que toda terra disponível é ocupada, levando ao aumento dos preços dos imóveis; um movimento social que cresce até encontrar crescente resistência dos "não convertidos"; a população de um animal que cresce rapidamente quando se eliminam seus predadores naturais, apenas até causar a depleção da terra e declínio em função da fome.

TRANSFERÊNCIA DE RESPONSABILIDADE

Estrutura:

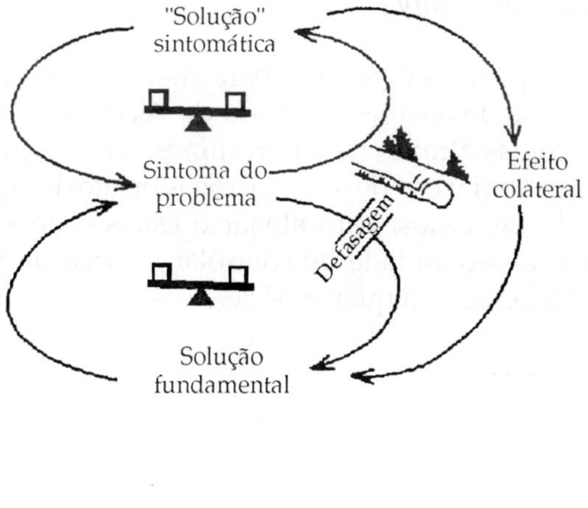

Descrição: Uma "solução" de curto prazo é utilizada para corrigir um problema, o que produz resultados imediatos aparentemente positivos. Quanto mais essa solução vai sendo aplicada, menos se utilizam as medidas corretivas fundamentais de longo prazo. Com o tempo, as capacidades e habilidades para a solução fundamental podem se atrofiar ou se tornar incapazes, levando a uma utilização ainda maior da solução paliativa.

Sinais de Advertência Iniciais: "Veja bem, essa solução funcionou até agora! O que quer dizer afirmando que encontraremos problemas mais adiante?"

Princípio Gerencial: Foco na solução fundamental. Se a solução sintomática for imperativa (devido a defasagens na solução fundamental), use-a para ganhar tempo enquanto estiver trabalhando na solução fundamental.

História de Caso: Uma tecnologia de placa de circuito radicalmente nova pode ser usada para desenvolver funcionalidade e economias de custos únicas em muitas novas aplicações de produtos, mas também pode ser substituída pelas placas existentes nos produtos atuais. Os vendedores podem tentar vender para "clientes especializados" que apreciam as propriedades especiais da tecnologia e acabarão projetando novos produtos que a explorem inteiramente (a "solução fundamental") ou vender para "clientes de *commodity*" que não se importam com suas propriedades especiais e simplesmente a substituirão por outras placas (a "solução paliativa"). Dadas as pressões gerenciais para atingir os alvos trimestrais de vendas, os vendedores vendem para qualquer um que estiver pronto para comprar, normalmente os clientes de *commodity*, uma vez que são mais numerosos e as defasagens no ciclo de vendas são menores. Com o tempo, a nova tecnologia não consegue desenvolver uma base de clientes leais e fica sujeita às pressões para redução de preços e margens de lucro que caracterizam os produtos de *commodity*.

Outros Exemplos: Vender mais para clientes já existentes, em vez de ampliar a base de clientes (O "Caso da ATP", no Capítulo 12); pagamento de contas através de empréstimos, em vez de praticar a disciplina orçamentária; uso do álcool, drogas ou até de algo benigno, como a prática de exercícios, para aliviar o estresse do trabalho e, assim, não encarar a necessidade de controlar a carga de trabalho em si; e qualquer vício, de qualquer espécie.

CASO ESPECIAL: TRANSFERÊNCIA DE RESPONSABILIDADE PARA O INTERVENTOR

Estrutura:

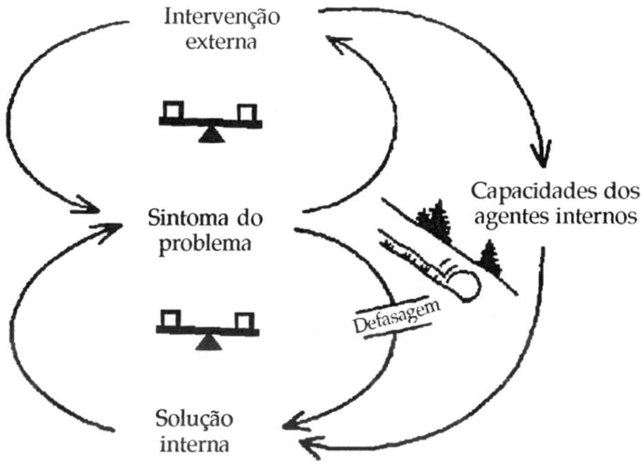

Uma situação na qual as estruturas de transferência de responsabilidade são tão comuns e perniciosas que merecem ser mencionadas ocorre quando "interventores" externos tentam ajudar a resolver problemas. A intervenção tenta melhorar os sintomas óbvios do problema, e faz isso com tanto sucesso que as pessoas dentro do sistema nunca aprendem a lidar com os problemas por si próprias.

Princípio Gerencial: "Não dê o peixe, ensine as pessoas a pescar". Concentre-se em ampliar as capacidades do "sistema hospedeiro", para que ele resolva seus próprios problemas. Caso seja necessário recorrer à ajuda externa, os "ajudantes" devem ser estritamente limitados a uma única intervenção (e todos devem saber disso com antecedência) ou ser capazes de ajudar as pessoas a desenvolver suas próprias habilidades, recursos e infra-estrutura, a fim de serem mais capazes no futuro.

História de Negócios: Uma seguradora inovadora estava comprometida com o conceito de filiais locais independentes que deveriam recorrer à sede apenas em busca de ajuda ocasional. Inicialmente o conceito funcionou bem, até que o setor passou por uma crise. Diante de prejuízos repentinos e sérios, as filiais locais recorreram à ajuda da gerência central, mais experiente, para a redefinição das estruturas de taxas — um processo que levou meses. Enquanto isso, os gerentes locais concentraram sua atenção na administração da crise. A crise foi resolvida, mas para a próxima vez que as estruturas de taxas foram colocadas em questão, as filiais locais haviam perdido parte de sua confiança. Recorreram aos gerentes centrais, por uma questão de "segurança". Depois de vários anos com este comportamento as filiais locais viram-se sem agentes de seguro capazes de gerenciar independentemente as mudanças na estrutura de taxas.

Outros Exemplos: Depender de terceiros, em vez de treinar seu próprio pessoal. Diversas formas de ajuda governamental que tentam resolver problemas urgentes apenas estimulam a dependência e a necessidade de mais ajuda: sistemas de previdência social que estimulam lares de uma única família; programas habitacionais ou de treinamento profissionalizante que atraem pessoas carentes para as cidades onde existem os melhores programas; ajuda alimentar aos países em desenvolvimento que reduz o nível de mortalidade e aumenta o crescimento populacional; sistemas de seguridade social que reduzem as economias pessoais e estimulam a dissolução da família estendida.[i]

METAS DECLINANTES

Estrutura:

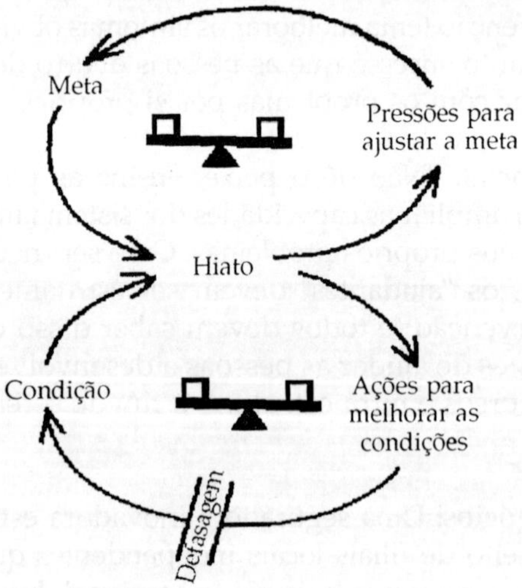

Descrição: Um tipo de estrutura de transferência de responsabilidade

i A família estendida é entendida, no campo das ciências sociológicas, como sendo aquela que comporta três ou mais gerações. Por exemplo, as famílias em que os avós, pais e filhos compartilham do mesmo lar. (N. do E.)

na qual a solução de curto prazo envolve permitir o declínio de uma meta fundamental de longo prazo.

Sinais de Advertência Iniciais: "Não vejo problema se os padrões de desempenho caírem um pouco, é só até a crise acabar".

Princípio Gerencial: Mantenha a visão.

História de Negócios: Um fabricante de alta tecnologia vê-se perdendo participação de mercado, apesar de contar com um excelente produto e com melhorias em andamento. Mas a empresa, voltada para seus "gênios" de projeto, nunca conseguira controlar a programação da produção. Um investigador externo descobriu que os clientes estavam cada vez mais insatisfeitos com os atrasos nos cronogramas e, por isso, começaram a procurar os concorrentes. A empresa manteve sua posição: "Mantivemos um índice de sucesso consistente de 90 por cento no cumprimento do prazo de entrega prometido ao cliente". Portanto, ela procurou o problema em outro lugar. No entanto, toda vez que a empresa começava a descumprir seus cronogramas, reagia alongando o prazo de entrega um pouco mais. Assim, o tempo de entrega para os clientes estava ficando cada vez maior, maior e maior...

Outros Exemplos: Pessoas bem-sucedidas que reduzem as expectativas para si mesmas e aos poucos tornam-se menos bem-sucedidas. As empresas que reduzem tacitamente seus padrões de qualidade cortando orçamentos em vez de investir no desenvolvimento de novas formas de fazer as coisas com maior qualidade (e provavelmente com menores custos), ao mesmo tempo que proclamam seu compromisso contínuo com a qualidade. Redução das metas governamentais para "emprego total" ou o equilíbrio do déficit federal. Reduzir os alvos para controle de poluentes perigosos ou proteção das espécies ameaçadas.

ESCALADA

Estrutura:[2]

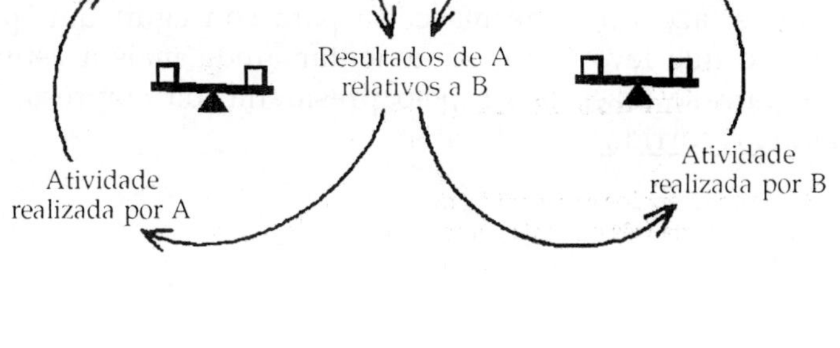

Descrição: Duas pessoas ou organizações vêem sua prosperidade como dependente de uma vantagem relativa sobre a outra. Toda vez que um lado sai na frente o outro fica mais ameaçado, levando-o a agir de forma mais agressiva para restabelecer sua vantagem, o que ameaça o primeiro, aumentando sua agressividade, e assim por diante. Muitas vezes cada lado vê seu próprio comportamento agressivo como uma resposta defensiva à agressão do outro: mas cada lado agindo "na defesa" resulta em uma escalada que vai muito além do desejado pelos dois lados.

Sinais de Advertência Iniciais: "Se o nosso adversário diminuísse o ritmo, poderíamos parar de lutar e realizar algumas outras coisas por aqui".

Princípio Gerencial: Procure uma forma de os dois lados "saírem ganhando" ou de concretizarem seus objetivos. Em muitos casos, um lado pode reverter unilateralmente a espiral viciosa adotando ações agressivas "mais pacíficas" que levam o outro a se sentir menos ameaçado.

História de Negócios: Uma empresa desenvolveu um engenhoso projeto para um carrinho de bebês que era capaz de levar três crianças ao mesmo tempo e que, mesmo assim, era leve e conveniente para viagens. O projeto foi um sucesso entre as famílias com vários filhos pequenos. Quase simultaneamente surgiu no mercado um concorrente com um produto semelhante. Depois de vários anos, com ciúmes da participação da outra empresa no mercado, a primeira reduziu em 20 por cento seus preços. A segunda empresa sentiu uma queda nas vendas e resolveu reduzir seus preços também. Foi então que a primeira empresa, ainda comprometida com o aumento da participação de mercado, reduziu ainda mais seus preços. A segunda empresa fez o mesmo, com relutância, embora seus lucros estivessem começando a sofrer. Vários anos depois as duas empresas operavam próximas aos seus pontos de equilíbrio e a sobrevivência do carrinho triplo era questionável.

Outros Exemplos: Guerras de anúncios. Crescente confiança em advogados para estabelecer acordos. Guerra de gangues. Dissolução de um casamento. Estimativas orçamentárias em aumento: à medida que alguns grupos aumentam suas estimativas, outros vêem-se fazendo a mesma coisa para conseguir um "pedaço do bolo", o que leva todos a aumentar ainda mais a estimativa. A luta para se fazer ouvir pelo presidente da empresa. E, obviamente, a corrida armamentista.

SUCESSO PARA OS BEM-SUCEDIDOS

Estrutura:

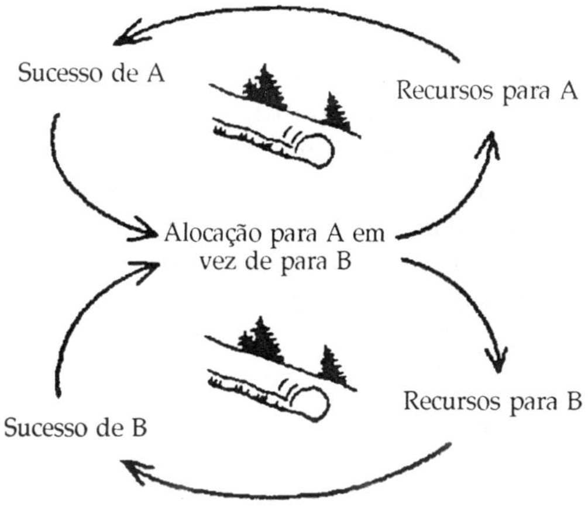

Descrição: Duas atividades competem por apoio ou por recursos limitados. Quanto mais bem-sucedida uma delas se torna, mais apoio ganha, deixando a outra à míngua.

Sinais de Advertência Iniciais: Uma das duas atividades, grupos ou indivíduos inter-relacionados está começando a se sair muito bem e o outro está lutando.

Princípio Gerencial: Procure o objetivo geral para uma conquista equi librada das duas opções. Em alguns casos, desfaça ou enfraqueça o elo entre as duas, para que elas não precisem mais concorrer pelos mesmos recursos limitados (isso é desejável nos casos em que a ligação não é intencional e cria uma competição pouco saudável pelos recursos).

História de Negócios: Um gerente tem dois protegidos e gostaria de ajudá-los a crescer igualmente na empresa. No entanto, um dos dois acaba recebendo tratamento preferencial porque o outro falta ao trabalho por motivo de doença durante uma semana. Quando o segundo protegido volta ao trabalho, o gerente sente-se culpado e evita a pessoa, dando ainda mais oportunidades ao primeiro protegido. O primeiro, sentindo a aprovação, floresce, e assim consegue mais oportunidades. O segundo, sentindo-se inseguro, realiza um trabalho menos eficaz e recebe ainda menos oportunidades, embora os dois tivessem habilidades iguais no início. Por fim, o segundo sai da empresa.

Outros Exemplos: O equilíbrio entre trabalho e vida familiar, no qual o profissional vê-se trabalhando mais e mais; seu relacionamento em casa se deteriora e torna-se cada vez mais "doloroso" ir para casa, o que torna o trabalhador cada vez mais propenso a deixar de lado a vida familiar no futuro. Dois produtos competem pelos limitados recursos financeiros e gerenciais dentro de uma empresa: um é um sucesso imediato no mercado e recebe mais investimentos, acabando com os recursos disponíveis para o outro, iniciando assim uma espiral de reforço que alimenta o crescimento do primeiro e deixa o segundo à míngua. Um aluno tímido tem um mau começo na escola (talvez em função de problemas emocionais ou uma deficiência de aprendizagem não identificada), é rotulado de "lento" e recebe cada vez menos estímulo e atenção do que seus colegas mais extrovertidos.

TRAGÉDIA DOS COMUNS

Estrutura:

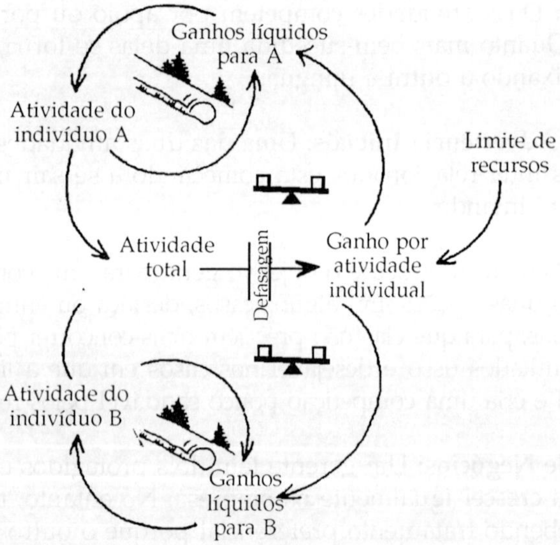

Descrição: Indivíduos utilizam um recurso comumente disponível, porém limitado, exclusivamente com base nas suas necessidades individuais. Inicialmente, eles são recompensados por usá-lo; acabam obtendo retornos cada vez menores, o que faz com que intensifiquem seus esforços. Por fim, o recurso acaba sofrendo depleção significativa, erosão ou é totalmente utilizado.

Sinais de Advertência Iniciais: "Antes, existia a fartura para todo mundo. Agora as coisas estão ficando mais difíceis. Para conseguir gerar algum lucro esse ano vou ter que trabalhar ainda mais".

Princípio Gerencial: Gerencie os "comuns", seja por meio da educação de todos ou da criação de formas de auto-regulação e pressões iguais, ou através de um mecanismo de regulamentação oficial, que, em condições ideais, deveria ser elaborado pelos participantes.

História de Negócios: Várias divisões de uma empresa concordaram em compartilhar uma equipe de vendas no varejo. O gerente de cada distrito, inicialmente, preocupou-se com a possibilidade de a equipe de vendas compartilhada não dar atenção suficiente ao seu negócio específico, e por isso o volume de vendas poderia cair. Um gerente particularmente agressivo aconselhou todos os seus gerentes de contas a definir metas de vendas mais altas do que era realmente necessário, para que assim a equipe de vendas lhes desse pelo menos o mínimo apoio necessário. A outra divisão viu que essa divisão estava exigindo trabalho extra e resolveu empregar a mesma estratégia. Os gerentes da nova equipe de vendas queriam suprir todos os seus "clientes", por isso continuavam a aceitar os pedidos maiores das divisões. Isso criou uma tremenda sobrecarga de trabalho, prejudicou o desempenho e aumentou a rotatividade de pessoal. Logo, juntar-se à equipe de vendas era apenas um pouco mais popular do que juntar-se à Legião Estrangeira Francesa, e cada divisão teve que voltar a manter a sua própria equipe de vendas.

Outros Exemplos: Exaustão de uma equipe de secretárias compartilhadas. Deterioração da reputação de serviço ao cliente depois que os clientes tiveram que ouvir seis vendedores diferentes, de seis divisões diferentes da mesma empresa, oferecendo produtos concorrentes. (O "recurso compartilhado", nesse caso, era a reputação positiva da empresa em relação ao cliente.) Uma cadeia de varejo altamente bem-sucedida desiste das promoções de vendas conjuntas com fabricantes depois de ter sido bombardeada com inúmeras propostas de fabricantes entusiasmados, ou estabelece termos para *joint ventures* que deixam poucos lucros para os fabricantes. A depleção de um recurso natural por empresas concorrentes que o exploram. E, obviamente, problemas de poluição de toda espécie — da chuva ácida à diminuição da camada de ozônio e o "efeito estufa".

CONSERTOS QUE ESTRAGAM

Estrutura:

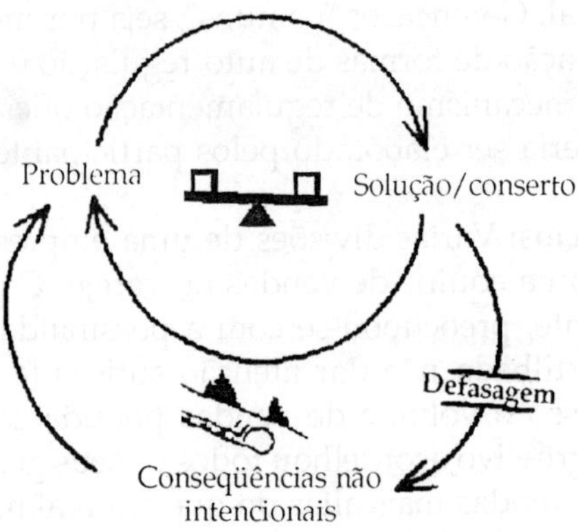

Descrição: Uma solução, eficaz a curto prazo, tem conseqüências imprevistas a longo prazo que talvez exijam uma utilização ainda maior da mesma solução.

Sinais de Advertência Iniciais: "Isso parecia sempre funcionar anteriormente; por que não está funcionando agora?"

Princípio Gerencial: Mantenha o foco ao longo prazo. Esqueça as soluções de curto prazo, se possível, ou utilize-as apenas para ganhar tempo enquanto trabalha em uma solução de longo prazo.

História de Negócios: Uma fábrica lançou um novo conjunto de peças de alto desempenho, que inicialmente tiveram grande sucesso. No entanto, o principal executivo estava voltado para a maximização de seu retorno sobre o investimento, por isso adiou a compra de novos e dispendiosos equipamentos para produção. A qualidade da produção sofreu um impacto, o que levou à reputação de baixa qualidade. A demanda dos clientes caiu drasticamente ao longo do ano seguinte, o que achatou o retorno e tornou o principal executivo ainda menos disposto a investir em novos equipamentos de produção.

Outros Exemplos: Pessoas e organizações que pegam dinheiro emprestado para pagar juros, garantindo assim que terão de pagar ainda mais juros depois. Redução no cronograma de manutenção como medida de redução de custos, o que acaba levando a maiores paralisações de máquina e maiores custos, criando ainda mais pressões para a redução de custos.

CRESCIMENTO E SUBINVESTIMENTO

Estrutura:

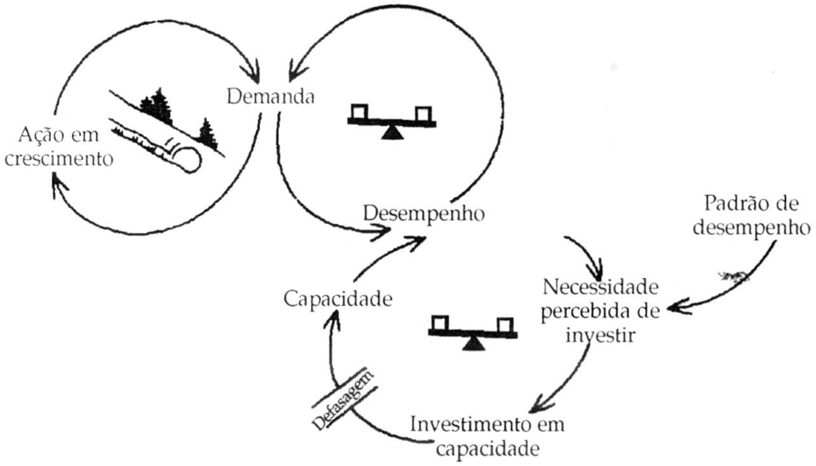

Descrição: O crescimento se aproxima de um limite que pode ser eliminado ou empurrado para o futuro se a empresa, ou indivíduo, investir em "capacidade" de produçã adicional. Mas o investimento precisa ser agressivo e suficientemente rápido para impedir um menor crescimento, ou jamais será feito. Muitas vezes, reduzem-se metas importantes ou padrões de desempenho para justificar o subinvestimento. Quando isso acontece, existe uma profecia auto-realizável segundo a qual as metas menores levam a expectativas menores, que são confirmadas pelo desempenho ruim causado pelo subinvestimento. (Essa é a estrutura da WonderTech descrita no Capítulo 7.)

Sinais de Advertência Iniciais: "Bem, costumávamos ser os melhores, e voltaremos a ser, mas nesse exato momento temos que conservar nossos recursos e não investir demais".

Princípio Gerencial: Se houver um potencial de crescimento genuíno, desenvolva capacidade antes da demanda, como estratégia para a criação de demanda. Mantenha sua visão, especialmente no que diz respeito à avaliação dos padrões de desempenho-chave e à avaliação da adequação da capacidade para suprir a demanda potencial.

História de Negócios: Conforme descrito no Capítulo 8, a People Express Airlines descobriu-se incapaz de desenvolver capacidade de serviço para acompanhar o ritmo da explosão na demanda. Em vez de investir mais recursos em treinamento e crescer mais lentamente (por exemplo, aumentando um pouco os preços), a empresa tentou "ser maior" que seus problemas. O resultado foi a deterioração da qualidade do serviço e a maior concorrência, além da deterioração do moral. Para lidar com o estresse contínuo, a empresa passou a utilizar cada vez mais a "solução" do subinvestimento na capacidade de serviço, até que os clientes não mais se sentissem atraídos pela possibilidade de voar pela People Express.

Outros Exemplos: Empresas que deixam a qualidade do serviço ou do produto cair, culpando simultaneamente a concorrência ou seus gerentes de venda por não se esforçarem o suficiente para manter as vendas. Pessoas com visões grandiosas que nunca avaliam realisticamente o tempo e o esforço necessários para concretizar sua visão.

NOTAS

1

"DÊ-ME UMA ALAVANCA LONGA O BASTANTE... E, COM UMA DAS MÃOS, MOVEREI O MUNDO"

1. Daniel Yankelovich, *New Rules: Searching for Self-Fulfillment in a World Turned Upside Down*, Nova York, Random House, 1981.
2. Sou imensamente grato a Alan Graham, meu colega no MIT, pela percepção de que a inovação básica ocorre através da integração de diversas tecnologias em um novo conjunto. Veja A. K. Graham, "Software Design: Breaking the Bottleneck", IEEE Spectrum, março de 1982, págs. 43-50; A. K. Graham e P. Senge, "A Long-Wave Hypothesis of Innovation", *Technological Forecasting and Social Change*, 1980, págs. 283-311.
3. Arie de Geus, "Planejamento como Aprendizado", artigo do livro *Como as Organizações Aprendem*, Ken Starkey, Editora Futura, 1997, págs. 115-125.

2

SUA ORGANIZAÇÃO TEM UMA DEFICIÊNCIA DE APRENDIZAGEM?

1. Arie de Geus, "Planejamento como Aprendizado", artigo do livro *Como as Organizações Aprendem*, Ken Starkey, Editora Futura, 1997, págs. 115-125.
2. Esses números vêm do Departamento de Comércio norte-americano, *U. S. Industrial Outlook*, em 1962, págs. 58-59; 1970, pág. 355; 1975, pág. 355; 1979, pág. 287; 1981, pág. 320, e 1989, págs. 34-35; e da Comissão de Avaliação Tecnológica do Congresso dos EUA, *Technology and the American Economic Transition: Choices for the Future*, Washington: Imprensa do governo dos EUA, 1988, pág. 326.
3. Draper Kauffman Jr. — *Systems 1: An Introduction to Systems Thinking*, Mineápolis: Future Systems Inc., 1980, disponível através da Innovation Associates, 100 Fifth Avenue, Waltham, MA 02152 — EUA.
4. Chris Argyris, *Enfrentando Defesas Empresariais*, Editora Campus, 1992.

5. Barbara Tuchman, *A Marcha da Insensatez: de Tróia ao Vietnã*, Rio de Janeiro, José Olympio.
6. Ibidem.

3

PRISIONEIROS DO SISTEMA OU PRISIONEIROS DO NOSSO PRÓPRIO PENSAMENTO?

1. Instruções sobre o jogo interativo podem ser obtidas no System Dynamics Group na MIT Sloan School of Management, Cambridge, MA 02139. Conjuntos completos de material e orientações podem ser obtidos junto à Innovation Associates, 100 Fifth Avenue, Waltham, MA 02152 — EUA. No Brasil as informações e materiais podem ser adquiridos junto à ZUMBLE Aprendizagem Organizacional (referências nas páginas finais deste livro).
2. Na simulação do processo decisório real existem quatro posições, uma das quais (o distribuidor) é omitida com o objetivo de simplificar a história -- que já é complicada o suficiente como está.
3. No entanto, é claro que qualquer simulação é uma simplificação. Você talvez imagine que se alterasse algum dos detalhes do jogo mudaria os resultados. Pensando exatamente nisso nós realizamos várias modificações ao longo dos anos. Às vezes, como na história contada aqui, existem três jogadores. Normalmente, jogamos com quatro. Variamos as penalidades impostas para o excesso de estoque e para os pedidos pendentes. Outras vezes, usamos uma simulação por computador para realizar os cálculos; na maioria dos casos, montamos um grande tabuleiro de jogo em uma mesa comprida, movendo moedas de quadrado em quadrado a fim de representar as entregas de cerveja. Os jogadores receberam com antecedência diferentes quantidades de informação sobre as variações de demanda dos clientes que os varejistas podem esperar. Experimentaram-se diferentes padrões de demanda do cliente. Algumas dessas variações tornam a crise um pouco mais aguda; outras a tornam ligeiramente mais branda. No entanto, nenhuma afeta o padrão geral de crises.
4. Comissão de Avaliação Tecnológica do Congresso dos EUA, *Technology and the American Economic Transition: Choices for the Future*, Washington, Imprensa do Governo dos FUA, 1988, pág. 324.
5. Steven Burke, "Chip Manufactures Find a Pot of Gold in DRAM Shortage", *PC Week*, 31 de maio de 1988, pág. 107; Steven Burke e Ken Siegmann, "Memory-Board Prices Surging in the Wake of Growing Chip Shortage", *PC Week*, 1º de março de 1988, pág. 1.
6. J. Rhea, "Profits Peak as Semiconductor Sales Boom", *Electronic News*

18:1, 6 de agosto de 1973; "Boom Times Again for Semiconductors", *Business Weekly*, 20 de abril de 1974, págs. 65-68; "Semiconductors Take a Sudden Plunge", *Business Week*, 16 de novembro de 1974, págs. 64-65; F. Pollare, "Inventory Buildup: Semiconductor Distress Sales Emerge", *Electronic News* 20:45, 10 de fevereiro de 1975.

7. Joseph B. White e Bradley A. Stertz, "Auto Industry Battens Down for a Slump", *Wall Street Journal*, 30 de maio de 1989, seção A.

8. MacNeil-Lehrer Newshour, documentário em vídeo sobre o jogo da cerveja e os ciclos de negócio (entrevista com John Sterman no MIT), levado ao ar em novembro de 1989, Public Broadcasting System.

9. Donella H. Meadows, "Whole Earth Models and Systems", *Co-Evolution Quarterly*, verão de 1982, págs. 98-108.

10. Leon Tolstói, *Guerra e Paz*.

11. Ibidem.

12. Janice T. Gibson e Mika Haritos-Fatouros, "The Education of a Torturer", *Psychology Today*, novembro de 1986, pág. 50. Veja também: "The Mind is a Formidable Liar: A Pirandellian Prison", *New York Times Magazine*, 8 de abril de 1973.

13. Uma amplificação semelhante é característica dos ciclos de negócio reais, onde os setores de produção de matéria-prima normalmente flutuam muito mais do que os setores de varejo e de serviços. Ver Gottfried Haberler, *Prosperity and Depression*, Londres, Allen & Unwin, 1964; Alvin H. Hansen, *Business Cycles and National Income*, Nova York, Norton, 1951.

14. John Sterman, "Modeling Managerial Behavior: Misperceptions of Feedback in a Dynamic Decisionmaking Experiment", *Management Science*, vol. 35, nº 3, março de 1989, pág. 335.

15. Quando simulados por computador, os resultados para a estratégia de "não adotar estratégia alguma" mostram que o varejista tem os piores pedidos pendentes, porque só começa a receber o total das mercadorias que pediu quando os pedidos pendentes do fornecedor são eliminados. Isso significa que os varejistas seriam especialmente vulneráveis nessa estratégia — exatamente o motivo pelo qual a maioria deles faz pedidos maiores na vida real.

16. No jogo de simulação, os custos totais são calculados avaliando-se o custo de $ 1,00 para cada unidade de pedido pendente (a cada semana) e de $ 0,50 para cada unidade de estoque (a cada semana) e somando-se os custos resultantes de cada posição para calcular o custo total da equipe. O custo médio de um jogo com as quatro posições da cadeia durante 35 semanas é de $ 2.028,00, (Sterman, "Modeling Managerial Behavior", págs. 331-339), correspondente a um custo de cerca de $ 1.270,00 para 30 semanas e três posições

na cadeia. O custo total da equipe para a estratégia de "não adotar estratégia alguma" é de aproximadamente $ 825,00.

17. Potencialmente os jogadores poderiam aprender com sua experiência no jogo, de um modo que os atuantes dos sistemas de produção/distribuição da vida real não poderiam, se pudessem jogar várias vezes e entender, colaborativamente, como as suas decisões interagem com o sistema maior. O jogo da cerveja seria então um "micromundo". Ver Capítulo 17.
18. Como normalmente o jogo da cerveja não é aplicado com as diferentes posições em contato regular, existem poucas oportunidades de se observar como os jogadores se saem nas interações pessoais. No entanto, à medida que as equipes começam a funcionar, a maioria dos membros da equipe se preocupa mais em culpar uns aos outros por seus problemas. Outras simulações de processos decisórios destinam-se a lidar mais diretamente com a dinâmica da aprendizagem em equipe.
19. Um exemplo comum da identificação de padrões de comportamentos no ambiente de negócios é a "análise de tendências", de forma que permita a uma empresa *reagir* melhor às mudanças nas tendências demográficas ou às mudanças nas preferências dos clientes.
20. William Manchester, *The Glory and the Dream*, Boston, Little, Brown, 1974, págs. 80-81.
21. Também é possível redesenhar a estrutura física do jogo, embora essa não fosse uma opção para os jogadores quando o jogo teve início. Por exemplo, você poderia redesenhar o sistema de informação, para que os atacadistas e as cervejarias, bem como os varejistas, tivessem informações atualizadas sobre as vendas no varejo. Ou poderia eliminar inteiramente os intermediários e fazer com que as cervejarias fornecessem diretamente aos varejistas. A reconcepção do sistema físico (fluxos físicos de mercadorias, pessoas e materiais; informação; recompensas e outros fatores fora do controle imediato dos responsáveis pelas decisões) é uma importante função de liderança na vida real. Mas o sucesso depende da compreensão sistêmica do líder, da mesma forma que as mudanças na maneira de fazer pedidos individualmente depende da compreensão sistêmica. Assim, alcançar a compreensão sistêmica é a principal tarefa, a partir da qual podem se seguir o redesenho dos sistemas físicos, bem como suas políticas operacionais.

4

AS LEIS DA QUINTA DISCIPLINA

1. Essas leis foram destiladas do trabalho de diversos autores da área de sistemas, Garrett Hardin, *Nature and Man's Fate*, Nova York,

New American Library, 1961; Jay Forrester, *Urban Dynamics*, Capítulo 6, Cambridge, Massachusetts — EUA, MIT Press, 1969; Jay Forrester, "The Counterintuitive Behavior of Social Systems", *Technology Review*, janeiro de 1971, págs. 51-68; Donella H. Meadows, "Whole Earth Models and Systems", *Co-Evolution Quarterly*, verão de 1982, págs. 98-108; Draper Kauffman Jr., *Systems 1: An Introduction to Systems Thinking*, Mineápolis, Future Systems Inc., 1980 (disponível através da Innovation Associates, 100 Fifth Avenue, Waltham, MA 02152 — EUA).

2. Esse e muitos outros contos sufistas podem ser encontrados nos livros de Idries Shah, *Tales of the Dervishes*, Nova York, Dutton, 1970, e *World Tales*, Nova York, Harcourt Brace Jovanovich, 1979.
3. George Orwell, *Animal Farm*, Nova York, Brace, 1954.
4. D. H. Meadows, "Whole Earth Models and Systems".
5. Lewis Thomas, *The Medusa and the Snail*, Nova York, Bantam Books, 1980.
6. Charles Hampden Turner, *Charting the Corporate Mind: Graphic Solutions to Business Conflicts*, Nova York, Free Press, 1990.

5

UMA MUDANÇA DE MENTALIDADE

1. Um resumo abrangente das escolas de pensamento "cibernética" e "servo/mecânica" nas ciências sociais pode ser encontrado na obra de George Richardson *Feedback Thought in Social Science and Systems Theory*, Filadélfia, University of Pennsylvania Press, 1990.
2. Provavelmente existem mais indivíduos que se autodenominam "analistas de sistemas" no Departamento de Defesa dos Estados Unidos, na Agência de Segurança Nacional e na CIA do que em todos os outros órgãos do governo. Os soviéticos, por sua vez, foram os pioneiros na teoria dos sistemas; nos últimos quarenta anos os matemáticos soviéticos provavelmente deram um número maior de contribuições do que os matemáticos de qualquer outro país. Em parte, o governo soviético patrocinou pesquisas sobre sistemas em função do grande sonho de usar sofisticadas ferramentas para computadores, visando o controle da economia nacional por parte do Estado.
3. É uma ironia que os soviéticos devessem iniciar uma verdadeira abordagem sistêmica à corrida armamentista porque, mais do que os Estados Unidos, eles sofreram muito com o fascínio do combate da complexidade com complexidade. A economia controlada pelo Estado foi um fracasso total porque, em parte, descobriu-se ser impossível exercer um controle centralizado da dinâmica e da enorme "complexidade de detalhes" de uma economia nacional. Isto,

associado ao dreno econômico representado pela continuidade da corrida armamentista, acabou forçando reconsiderações fundamentais, a perestroika e a glasnost — os novos grandes sonhos dos soviéticos — que nasceram literalmente das cinzas de um antigo grande sonho da economia controlada pelo Estado. Portanto, efetivamente a visão da complexidade dinâmica da corrida armamentista está surgindo agora exatamente porque o ponto de vista da complexidade de detalhes fracassou, tanto para o controle da corrida armamentista quanto de uma forma mais ampla.

4. Veja Nancy Roberts, "Teaching Dynamic Feedback Systems Thinking: An Elementary View", *Management Science,* abril de 1978, págs. 836-843, e Nancy Roberts, "Testing the World with Simulations", *Classroom Computer News,* janeiro/fevereiro de 1983, pág. 28.

5. Os princípios e as ferramentas do pensamento sistêmico emergiram de diferentes raízes na física, engenharia, biologia e matemática. As ferramentas específicas deste capítulo foram extraídas da abordagem da "dinâmica de sistemas", cujo pioneiro foi Jay Forrester, no MIT. Veja, por exemplo, *Industrial Dynamics,* Cambridge, Massachusetts — EUA, MIT Press, 1961; *Urban Dynamics,* Cambridge, Massachusetts — EUA, MIT Press, 1969 e "The Counterintuitive Behavior of Social Systems", *Technology Review,* janeiro de 1971, págs. 52-68. Devo agradecimentos especiais a Donella Meadows por essa seção específica. Seu artigo "Whole Earth Models and Systems", *Co-Evolution Quarterly,* verão de 1982, págs. 98-108 proporcionou o modelo e a inspiração para o desenvolvimento dessa seção.

6. Por outro lado, muitas línguas "orientais", como o chinês e o japonês, não se baseiam em seqüências lineares de sujeito-verbo-objeto. David Crystal, *The Cambridge Encyclopedia of Language,* Nova York, Cambridge University Press, 1987.

7. O *Bhagavad-Gita,* ou "The Lord's Song", traduzido para o inglês por Annie Besant, reimpresso em Robert O. Ballou, *The Bible of the World,* Nova York, Viking, 1939.

8. Robert K. Merton, "The Self-Fulfilling Prophecy", em Robert K. Merton, *Social Theory and Social Structure,* Nova York, Free Press, 1968.

9. R. Rosenthal, "Teacher Expectation and Pupil Learning", e R. D. Strom, ed., *Teachers and the Learning Process,* Englewood Cliffs, Nova Jersey., Prentice-Hall; R. Rosenthal, "The Pygmalion Effect Lives" *Psychology Today,* setembro de 1973.

10. Isso não sugere que as forças do mercado livre sejam suficientes para todas as formas de equilíbrio e controle necessárias nas sociedades modernas — defasagens, informações inadequadas, expectativas não realistas e distorções como o poder monopolista também reduzem a eficiência dos "mercados livres".

6

MODELOS DA NATUREZA: IDENTIFICANDO OS PADRÕES QUE CONTROLAM OS EVENTOS

1. Dois são apresentados em detalhes a seguir e ao todo são usados oito neste livro. É aproximadamente a metade dos arquétipos que os profissionais adeptos do pensamento sistêmico "têm em suas mentes".
2. Foram desenvolvidos currículos iniciais baseados em estruturas genéricas. Veja Mark Paich, "Generic Structures", na *System Dynamics Review*, vol. 1, nº 1, verão de 1985, págs. 126-132; Alan Graham, "Generic Models as a Basis for Computer-Based Case Studies", Cambridge, Massachusetts — EUA, System Dynamics Group Working Paper D-3947, 1988; Barry Richmond et alli, *An Academic User's Guide to STELLA*, Capítulos 8, 9, Lyme, New Hampshire, High Performance Systems, 1987; David Kreutzer, "Introduction to Systems Thinking and Computer Simulation", Lesley College Graduate Course Comp 6100, 1987.
3. Nesse caso, o processo de *feedback* de equilíbrio passa em torno da parte externa da figura: do orçamento de P&D ao aumento da complexidade administrativa, maior tempo para desenvolvimento de produtos, menor índice de lançamento de novos produtos e, por fim, de volta a menores orçamentos de P&D.
4. Que eu saiba, Barry Richmond foi o primeiro a analisar essa estrutura, que a partir daí consideramos praticamente endêmica nas empresas de consultoria empresarial, para não mencionar os departamentos acadêmicos que crescem rapidamente e depois ficam apinhados de professores titulares.
5. Para uma discussão sobre os fracassos dos Círculos da Qualidade e sugestões para assumir uma perspectiva sistêmica, veja Gordon Meyer e Randall Stott, "Quality Circles: Panacea or Pandora's Box?", *Organizational Dynamics*, primavera de 1986, págs. 34-50. Consulte também Edward Lawler III e Susan Mohrman, "Quality Circles: After the Honeymoon", *Organizational Dynamics*, primavera de 1987, págs. 42-54.
6. *Facts on File 1990*, Nova York, Facts on File.
7. Ibidem.
8. Esse e os outros modelos de "arquétipo do sistema" foram reproduzidos com a permissão da Innovation Associates, onde são usados nos workshops de *Liderança e Domínio Pessoal e Pensamento Negocial: Uma Abordagem Sistêmica*.
9. Informações sobre os Alcoólatras Anônimos podem ser encontradas nos seguintes livros: *Alcoholics Anonymous*, 1976; *Living Sober*, 1975;

Twelve Steps and Twelve Traditions, 1953; todos publicados pelo Alcoholics Anonymous World Services, Inc., P.O. Box 459, Grand Central Station, Nova York, NY 10163 — EUA.

7

O PRINCÍPIO DA ALAVANCAGEM

1. O modelo desenvolvido a seguir é derivado dos estudos originais de Jay Forrester sobre crescimento corporativo: Jay W. Forrester, "Modeling the Dynamic Processes of Corporate Growth", IBM Scientific Computing Symposium on Simulation Models and Gaming, dezembro de 1964, e J. W. Forrester, "Market Growth as Influenced by Capital Investment", *Industrial Management Review*, 1968, págs. 83-105.
2. David Birch, *Job Creation in America*, Nova York, The Free Press, 1987, pág. 18.
3. Esse número foi gerado pela simulação em computador dos inter-relacionamentos da estrutura da WonderTech com um padrão fixo de prazo de entrega. A simulação incorpora um pressuposto simplificador de um potencial de mercado ilimitado, o que foi, na essência, verdade nos primeiros anos da WonderTech. Contudo, mesmo com limites realistas ao potencial de mercado, ocorre uma melhoria radical no comportamento quando o padrão do prazo de entrega se mantém fixo.

A simulação é realizada com STELLA, um programa de desenvolvimento e simulação de modelos de pensamento sistêmico que pode ser obtido junto à High Performance Systems (que tem como distribuidor no Brasil a ZUMBLE Aprendizagem Organizacional — ver referências nas páginas finais do livro). O modelo de simulação real usado é apresentado em Jay Forrester, 1968, e em P. Senge, "Systems Principles for Leadership", em *Transforming Leadership*, J. Adams, ed., Alexandria, VA — EUA, Miles River Press, 1984.

8

A ARTE DE VER A FLORESTA E AS ÁRVORES

1. *Facts on File 1990*, Nova York, Facts on File, 1990.
2. A análise a seguir baseia-se no estudo realizado por John Sterman sobre a People Express Airlines, "Strategy Dynamics: The Rise and Fall of People Express", anotações de aula, Cambridge, Massachusetts — EUA, MIT System Dynamics Group Working Paper D-

3959/3967, março de 1988. Ver também D. Whitstone, "People Express (A)", estudo de caso da Harvard Business School, 1983, doc. 482-103.

3. Whitstone, "People Express (A)"
4. Ibidem.
5. Ibidem.
6. Esses gráficos foram produzidos pelo modelo de simulação desenvolvido por John Sterman (explicado em "People Express Management Flight Simulator", Cambridge, Massachusetts — EUA, MIT Sloan School of Management, 1988), com base nas interações apresentadas no diagrama da página 133. O modelo reproduz padrões de comportamento históricos na People Express de forma bastante precisa, mesmo sem nenhum dos eventos externos (como o sistema Sabre de reservas da American Airlines) ou das mudanças nas condições do setor que ocorreram ao longo da história da People Express. Isso sugere que o padrão básico de "crescimento e colapso" devia-se a interações sistêmicas e não a fatores externos fora do controle da People Express.
7. Na verdade, a dinâmica de crescimento e subinvestimento da People Express era muito mais complicada do que está colocado na estrutura acima. Havia vários "motores de crescimento" de reforço, inclusive a expansão da frota e das rotas, publicidade e "propaganda boca a boca" positiva entre os satisfeitos clientes iniciais da People. Havia também uma espiral de reforço envolvendo o moral do funcionário, a rentabilidade e o preço das ações da empresa: o crescimento rápido e os altos preços das ações contribuíram para o alto moral e o excelente serviço ao cliente; quando o preço das ações estava em queda o moral ficava baixo e afetava de forma adversa o serviço. A demanda do cliente na People Express relacionava-se diretamente à qualidade do serviço e ao preço relativo. O sucesso da People Express gerou forte reação dos concorrentes; por exemplo, a disputa de preço da American e de outras grandes empresas aéreas. Esse preço da concorrência criou um processo de equilíbrio adicional. A capacidade de prestação de serviço envolvia a contratação e treinamento de pessoal de serviço com níveis de experiência variáveis, além da rotatividade. O desempenho financeiro da People Express estava associado aos seus passageiros e às suas receitas; à frota, marketing e custos de pessoal; ao patrimônio líquido e aos custos da dívida; e, por sua vez, afetava seus investimentos na frota e em pessoal, além do preço das ações. Todas essas interações estão representadas no modelo de Sterman, conforme descrito no "Simulador de Vôo Gerencial da People Express" (ibidem), mas a estrutura básica do modelo se encaixa na forma de crescimento e subinvestimento.

9

DOMÍNIO PESSOAL

1. K. Inamori, "The Perfect Company: Goal for Productivity". Palestra proferida na Case Western Reserve University, em 5 de junho de 1985.
2. H. Ford, *Detroit News*, 7 de fevereiro de 1926.
3. R. Fritz, *The Path of Least Resistance*, Nova York, Fawcett-Columbine, 1989.
4. B. O'Brien, "Advanced Maturity", disponível na Hanover Insurance, 100 North Parkway, Worcester, MA 01605.
5. Daniel Yankelovich, *New Rules: Searching for Self-Fulfillment in a World Turned Upside Down*, Nova York, Random House, 1981.
6. M. de Pree, *Leadership is an Art*, Nova York, Doubleday, 1989.
7. George Bernard Shaw, *Man and Superman*, Prefácio, Penguin, 1950.
8. Pierre Wack, "Scenarios: Uncharted Ahead", *Harvard Business Review*, setembro/outubro de 1985, págs. 73-89.
9. Bill Russell e Taylor Branch, *Second Wind: The Memoirs of an Opinionated Man*, Nova York, Random House, 1979.
10. *Path of Least Resistance*, de Robert Fritz, investiga as razões por trás desse hábito.
11. Ibidem.
12. Ibidem.
13. David Kantor e William Lehr, *Inside the Family: Toward a Theory of Family Process*, San Francisco, Jossey-Bass, 1975.
14. O termo "subconsciente" foi usado por muitas outras pessoas, como Freud e Jung, representando fenômenos ligeiramente diferentes dos que discutimos aqui.
15. O livro de W. Timothy Gallwey, *The Inner Game of Tennis*, Nova York, Bantam Books, 1979, concentra-se especificamente na interação entre consciente e inconsciente no aprendizado, mostrando que, se pudermos manter o consciente em um "estado de observação" tranqüilo, isento de julgamentos e descontraído, o subconsciente internaliza novas capacidades com mais rapidez.
16. A curta discussão a seguir toma emprestado aspectos de muitas tradições espirituais, do cristianismo desenvolvimentista ao zen, mas possui uma dívida especial com o trabalho de Robert Fritz (veja nota 3). Entre as leituras mais úteis dessas diferentes tradições estão *Finding Grace at the Center*, editado por Thomas Keating et alli, Still River, Massachusetts — EUA, St. Bede Publications, 1978, e Shunryu Suzuki Roshi, *Zen Mind, Beginner's Mind.*, Nova York e Tóquio, Weatherhill, 1975.

17. Citado em Fritz, *The Path of Least Resistance.*
18. Weston Agor, *Intuitive Management: Integrating Left and Right Brain Management Skills*, Englewood Cliffs, N. J., Prentice-Hall, 1984; Henry Mintzberg, "Planning on the Left Side and Managing on the Right", *Harvard Business Review*, julho/agosto de 1976, págs. 49-58; Daniel Isenberg, "How Top Managers Think", *Harvard Business Review*, julho/agosto de 1976, pág. 49.
19. Os casos descritos no Capítulo 17 sobre micromundos ilustram o desenvolvimento de explicações sistêmicas para explicar intuições antes inexplicáveis.
20. Karen Cook, "Scenario for a New Age: Can American Industry Find Renewal in Management Theories Born of Counterculture?" *New York Times Magazine*, 25 de setembro de 1988; Robert Lindsey, "Gurus Hired to Motivate Workers are Raising Fears of Mind Control", *New York Times*, 17 de abril de 1987.

10

MODELOS MENTAIS

1. H. Gardner, *The Mind's New Science*, Nova York, Basic Books, 1984, 1985.
2. C. Argyris, *Reasoning, Learning and Action: Individual and Organizational*, San Francisco, Jossey-Bass, 1982.
3. Thomas S. Kuhn, *A Estrutura das Revoluções Científicas*, Editora Perspectiva, 1989 — 3ª Edição.
4. Departamento de Comércio dos Estados Unidos, Agência de Análise Econômica, "National Income and Product Accounts", Survey of Current Business, vol. 67, nº 6, julho de 1987, Tabela 1.17. Citado pela Comissão de Avaliação Tecnológica, *Technology and the American Economic Transition: Choices for the Future*, Imprensa do Governo dos EUA, 1988.
5. Ian Mitroff, *Break-Away Thinking*, Nova York, John Wiley, 1988.
6. O exemplo de Detroit também sugere que setores inteiros podem desenvolver modelos mentais cronicamente fora de contato com a realidade. De certo modo, setores são especialmente vulneráveis porque todos os seus membros buscam uns nos outros padrões das melhores práticas. Talvez seja necessário alguém de "fora do sistema", como concorrentes estrangeiros, com modelos mentais diferentes, para quebrar o encanto.
7. Pierre Wack, "Scenarios: Uncharted Waters Ahead", *Harvard Business Review*, setembro/outubro de 1985, pág. 72, e "Scenarios: Shooting the Rapids", *Harvard Business Review*, novembro/dezembro de 1985, pág. 139.

8. "Depois que os países do Oriente Médio e do norte da África se firmaram e assumiram o controle do petróleo em suas terras, a posição da Shell ficou mais forte... A empresa desfrutou de uma grande vantagem que lhe permitiu chegar perto da meta de (seu fundador) Deterding: tomar o lugar da Exxon como a maior empresa de petróleo do mundo." — Milton Moskowitz em *The Global Marketplace,* Nova York, Macmillan, 1987.
9. Os valores essenciais da Hanover, além de abertura e mérito, incluem o "localismo" (as decisões devem ser tomadas em níveis superiores apenas quando for absolutamente necessário) e a racionalização (o aumento contínuo da capacidade de produzir mais, com melhor qualidade e com menos recursos).
10. C. Argyris e D. Schön, Organizational Learning: *A Theory of Action Perspective,* Reading, Massachusetts — EUA, Addison-Wesley, 1978; C. Argyris, R. Putnam e D. Smith, Action Science, San Francisco, Jossey-Bass, 1985; C. Argyris, *Strategy, Change, and Defensive Routines,* Boston, Pitman, 1985.
11. Por exemplo, veja Peter Checkland, *Systems Thinking, Systems Practice,* Nova York, John Wiley, 1981, e Colin Eden, *Management Decision and Decision Analysis,* Nova York, John Wiley, 1975.
12. A. de Geus, citado em Art Kleiner, "Consequential Heresies", 1990; originais não publicados.
13. Donald Schön, *The Reflective Practitioner: How Professionals Think in Action,* Nova York, Basic Books, 1983.
14. G. A. Miller, "The magical number seven plus or minus two: Some limits on our capacity for processing information". *Psychological Review,* vol. 63, 1956, págs. 81-97.
15. Stuart Gannes, "Sun's Sizzling Race to the Top", *Fortune,* 17 de agosto de 1987, pág. 88, a análise da Sun e da Apple deve muito aos *insights* de Alan K. Graham.
16. Sou grato a Diana Smith por me permitir reproduzir essas diretrizes.
17. John Sterman, "Misperceptions of Feedback in Dynamic Decisionmaking", Cambridge, Massachusetts, MIT Sloan School of Management Working Paper WP-1933-87, 1987.

11

VISÃO COMPARTILHADA

1. Alguns fatos sobre o homem Spartacus vieram do posfácio de Arthur Koestler ao seu romance *The Gladiator,* traduzido para o inglês por Edith Simon, Nova York, Macmillan, 1939.

2. Esses casos de visão empresarial foram analisados por G. Hamel e C. K. Prahalad em "Strategic Intent", *Harvard Business Review*, maio/junho de 1989.
3. Kazuo Inamori, "The Perfect Company: Goal for Productivity", palestra proferida na Case Western Reserve University; Cleveland, Ohio — EUA, 5 de junho de 1985.
4. Max de Pree, *Leadership is an Art*, Nova York, Doubleday/Currency, 1989.
5. John Sculley com John A. Byrne, *Odyssey: Pepsi to Apple*, Nova York, Harper and Row, 1987.
6. A. Maslow, *Eupsychian Management*, Homewood, Illinois — EUA, Richard Irwin e Dorsey Press, 1965.
7. William Manchester, *The Glory and the Dream*, Boston, Little, Brown and Company, 1974.
8. G. Hamel e C. K. Prahalad, "Strategic Intent".
9. Ibidem.
10. As idéias expressas nesta seção vieram de muitas horas de discussão com meus colegas da Innovation Associates, principalmente Charles Kiefer, Alain Gauthier, Charlotte Roberts, Rick Ross e Bryan Smith.
11. Por exemplo, o estudo de Daniel Yankelovich e John Immerwahr em 1983, revelando que apenas 25 por cento dos trabalhadores norte-americanos disseram estar trabalhando o máximo que podiam. "Are U. S. workers lazy?" de Joani Nelson-Horchler, *Industry Week*, 10 de junho de 1985, pág. 47.
12. M. Moskowitz, The Global Marketplace, Nova York, Macmillan Publishing Company, 1987.
13. "IBM's $5,000,000,000 Gamble", *Fortune*, setembro de 1966, e "The Rocky Road to the Marketplace", *Fortune*, outubro de 1966 (artigo em duas partes).
14. Sculley com Byrne, *Odyssey*.

12

APRENDIZAGEM EM EQUIPE

1. W. Russell e T. Branch, *Second Wind: Memoirs of an Opinionated Man*, Nova York, Random House, 1979.
2. Este diagrama apareceu originalmente em C. Kiefer e P. Stroh, "A New Paradigm for Developing Organizations", em J. Adams, *Transforming Work*, Alexandria, Virginia — EUA, Miles Riler Press, 1984.
3. Esta seção beneficiou-se especialmente de conversas com Bill Isaacs

e David Bohm, que também foi muito gentil em me deixar reproduzir muitas de suas observações.

4. David Bohm, *The Special Theory of Relativity*, Nova York, W. A. Benjamin, 1965.
5. Muitas das afirmações de David Bohm contidas aqui provêm de uma série de "diálogos" nos quais David participou em Cambridge e outros lugares no último ano (1989). Sou profundamente grato por sua permissão de incluí-las aqui, bem como muitos trechos de seu próximo livro, em co-autoria com Mark Edwards, cujo título provisório é *Thought, the Hidden Challenge to Humanity*, San Francisco, Harper & Row. Outros livros afins são *Wholeness and the Implicate Order*, Nova York, Ark Paperbacks, 1983 e com F. D. Peat, *Science, Order and Creativity*, Nova York, Bantam, 1987.
6. Veja, por exemplo, E. Schein, *Process Consultation*, vol. 2, Reading, Massachusetts — EUA, Addison-Wesley, 1987.
7. C. Argyris, *Strategy, Change, and Defensive Routines*, Boston, Pitman, 1985.
8. Ibidem.
9. Ibidem.
10. Veja, por exemplo, D. C. Wise e G. C. Lewis, "A Fire Sale in Personal Computers", *Business Week*, 25 de março de 1985, pág. 289, e "Rocky Times for Micros", *Marketing Media Decisions*, julho de 1985.
11. Argyris, *Strategy, Change, and Defensive Routines.*
12. É interessante observar que a menor ameaça ao se conversar sobre assuntos delicados é exatamente o que acontece nas "sessões de diálogo", onde as regras básicas são tais que a preocupação com idéias "certas" ou "erradas" desaparece rapidamente. À medida que as sessões de diálogo tornam-se uma parte regular de como as equipes trabalham conjuntamente, tais ameaças percebidas pelos membros da equipe podem diminuir de um modo geral.
13. Para ir além das defesas, uma ajuda é criar um ambiente de aprendizagem — o que chamamos de micromundo — no qual as pessoas possam explorar abertamente suas hesitações sobre a adoção de uma maior abertura. Quando as pessoas expressam suas hesitações nesse contexto, é possível elaborar miniexperiências que as ajudam a experimentar de forma incremental novas formas de agir em face de suas preocupações.
14. Donald Schön, *The Reflective Practitioner: How Professionals Think in Action*, Nova York, Basic Books, 1983.
15. Os nomes e outros detalhes específicos dessa história são fictícios, mas o diálogo em si e o pano de fundo das questões organizacionais que eles abordam são reais. O diálogo é reproduzido a partir de transcrições da reunião real (um recurso comum das nossas pes-

quisas sobre aprendizagem em equipe), que foram apenas reduzidas e não editadas, na tentativa de preservar a sensação do diálogo em si. Sou grato a Bill Isaacs por sua ajuda na organização desse material.

16. Michael Porter, *Vantagem Competitiva: Criando e Sustentando um Desempenho Superior*, Editora Campus, 1990, e Michael Porter, *Estratégia Competitiva: Técnicas para Análise de Indústrias e da Concorrência*, Editora Campus, 1996.

13

ABERTURA

1. Obviamente estou usando o termo "politicagem" no sentido pejorativo, como é usado comumente hoje. Ele é muito diferente do significado original da palavra "político". De muitas formas, o espírito de abertura, localismo e mérito que deve prevalecer em uma organização que aprende recupera grande parte da noção do original grego *polis*, como local onde se obtinha a governabilidade através do diálogo e do equilíbrio entre argumentação e indagação. O coração da definição de Aristóteles de *polis* está expresso no atual uso que fazemos da expressão "círculo de amigos", que representa um "grupo finito de pessoas unidas por conhecimento, sentimentos comuns e interesses — em suma, uma associação". Extraído de Terence Dall, *Political Theory and Praxis*, Mineápolis, University of Minnesota Press, 1977.
2. Badaracco, Joseph L. Jr. e R. Ellsworth, *Leadership and the Quest for Integrity*, Boston, Harvard Business School Press, 1989.
3. Um famoso exemplo disto é o processo "Scanlon" de gestão participativa, que geralmente envolve reuniões semanais onde trabalhadores e gerentes trocam pontos de vista sobre quaisquer assuntos que considerem os mais importantes. Veja Barrie T. Smith, "A Way to a Competitive Tomorrow", *Production Engineering*, fevereiro de 1986, pág. 28 e Kenneth O. Alexander, "Democracy in the Workplace", *Technology Review*, novembro/dezembro de 1983, pág. 12.
4. O exercício da "Parede" faz parte dos seminários sobre Liderança e Domínio, ministrados pela Innovation Associates, Waltham, Massachusetts — EUA.
5. Albert Einstein, citado em *Bartlett's Familiar Quotations*, 15ª edição, Emily Morrison Beck, Boston, Little, Brown & Company, 1980.
6. E. F. Schumacher, *A Guide for the Perplexed*, Nova York, Harper and Row, 1977.

7. Os tradutores da versão da Bíblia, do Rei James, no século 17, tiveram o mesmo problema. Traduziram a palavra nas cartas de Paulo aos Coríntios como "caridade".

14

LOCALISMO

1. Segundo muitos teóricos organizacionais, localismo também significa inovações fundamentais nas estruturas organizacionais formais: redes de unidades de negócios altamente autônomas, dezenas, talvez centenas de centros de lucros independentes, mudanças radicais nas hierarquias corporativas tradicionais. Jay Forrester, "A New Corporate Design", *Sloan Management Review*, 7, 1, outono de 1965, e Russell Ackoff, *Creating the Corporate Future*, Nova York, Wiley, 1981.
2. Um estudo recente realizado por Michael Gold e Andrew Campbell da London Business School, *Harvard Business Review*, novembro/dezembro de 1987, pág. 70, revelou que diferentes empresas, porém com níveis de sucesso semelhantes, equilibraram o controle local e corporativo de variadas formas: algumas enfatizam um forte desenvolvimento de estratégia centralizado com liberdade local para implementar as estratégias; outras definem padrões financeiros no nível corporativo e deixam que as unidades de negócios definam suas próprias estratégias e planos operacionais; outras praticam uma mistura. Todas buscavam os benefícios da autonomia local sem desistir do controle corporativo.
3. A declaração filosófica da Hanover sobre localismo pode ser obtida junto ao Escritório Nacional da Hanover Insurance, 100 N. Parkway, Worcester, MA 01605 — EUA.
4. Comunicado à imprensa da Johnson & Johnson, 24 de outubro de 1988, por ocasião da indicação do seu novo executivo-chefe.
5. *Fortune*, 6 de junho de 1988, pág. 50.
6. Veja Gareth Morgan, *Imagens da Organização*, 1995, Editora Atlas, e Stafford Beer, *Brain of the Firm*, Nova York, Herder and Herder, 1972.
7. Peter Lorange, M. F. Scott Morton e S. Ghoshal, *Strategic Control Systems*, St. Paul, Minnesota, West, 1986.
8. Anthony G. Miller, "Corporate Heirlooms: Productivity Tools of the Nineties", *Business Quarterly*, vol. 54 (4), verão de 1989, págs. 80-84.
9. Pierre Wack, "Scenarios: Uncharted Waters Ahead", *Harvard Business Review*, setembro/outubro de 1985, págs. 73-89.
10. Garret Hardin, "The Tragedy of Commons", *Science*, 13 de dezembro

de 1968; Dennis Soden, *The Tragedy of the Commons: Twenty Years of Policy Literature*, 1968-1988, Monticello, Illinois — EUA, Vance Bibliographies, 1988.

11. Lester R. Brown et alli, *State of the World 1986: A Worldwatch Institute Report on Progress Toward a Sustainable Society*, Nova York, W. W. Norton and Company, 1986.
12. *Fortune*, 6 de junho de 1988, pág. 50.
13. Jerry B. Harvey, *The Abilene Paradox and Other Meditations on Management*, Lexington, Massachusetts — EUA, Lexington Books, 1988.

15

O TEMPO DO GERENTE

1. Donald Schön, *The Reflective Practitioner: How Professionals Think in Action*, Nova York, Basic Books, 1983.
2. Relatos preliminares dessas pesquisas podem ser encontrados em Daniel H. Kim, "Designing a Reflective Learning Environment", e Peter Senge, "Organizational Learning: A New Challenge for System Dynamics", ambos em *Computer-Based Management of Complex Systems: Proceedings of the 1989 International Conference of the System Dynamics Society*, Stuttgart, 10-14 de julho de 1989, Peter M. Milling e Erich O. K. Zahn, Berlim, Springer-Verland, 1989.

16

ACABANDO COM A GUERRA ENTRE O TRABALHO E A FAMÍLIA

1. Brian O'Reilly, *Fortune*, 1º de janeiro de 1990, págs. 36-46.
2. Tecnicamente, esse terceiro processo de *feedback* também é de reforço, mas não gera um desvio porque existe um limite, o tempo total disponível (horas de vigília durante uma semana).
3. Departamento de Comércio dos Estados Unidos, Agência do Censo, *Statistical Abstract of the United States*, 1982-1983 e 1989, Washington, Imprensa do Governo dos EUA, 1983 e 1989.
4. *Technology and the American Economic Transition: Choices for the Future*, Washington, Comissão de Avaliação Tecnológica do Congresso dos EUA, maio de 1988.
5. Max de Pree, *Leadership is an Art*, Nova York, Doubleday/Currency, 1989.

17

MICROMUNDOS: A TECNOLOGIA DA ORGANIZAÇÃO QUE APRENDE

1. O termo "micromundo" foi cunhado pelo educador e cientista de computação Seymour Papert, criador do "Logo", o pioneiro sistema de aprendizado via computador para crianças pequenas. Os micromundos de Papert são projetados da realidade; dentro deles as crianças aprendem através da experimentação com objetos transicionais baseados em computadores, como a famosa "Logo turtle", com os quais crianças *descobrem* os princípios da geometria aprendendo a instruir a tartaruga a desenhar quadrados, retângulos, triângulos e círculos. Veja Seymour Papert, *Mindstorms: Children, Computers, and Powerful Ideas*, Nova York, Basic Books, 1980.
2. O nome e os detalhes da empresa foram alterados, mas as idéias baseiam-se em um caso real que envolveu meu colega Barry Richmond, do Dartmouth College e da High Performance Systems.
3. As equipes estavam usando um software chamado STELLA, que permite a construção de modelos de simulação na tela de um computador com recursos gráficos avançados. O software STELLA pode ser adquirido na High Performance Systems, Inc., Lyme, N. H. (que tem como distribuidor no Brasil a ZUMBLE Aprendizagem Organizacional — veja referências nas páginas finais deste livro).
4. Pierre Wack, "Scenarios: Uncharted Waters Ahead", *Harvard Business Review*, setembro/outubro de 1985.
5. A história baseia-se em um caso envolvendo Jennifer Kemeny e eu. Os nomes e os detalhes da empresa foram alterados.
6. O modelo incorporou pressupostos relacionados à reação potencial dos clientes ao melhor serviço, com base na própria pesquisa de mercado da empresa. Esses pressupostos variaram nas diversas outras vezes em que o jogo rodou, a fim de testar a sensibilidade ao *grau* de resposta do cliente para o melhor serviço. Descobriu-se que ainda havia um potencial de alavancagem maior no investimento em serviço considerando-se uma ampla gama de pressupostos.
7. O jogo e o modelo subjacente foram desenvolvidos originalmente por Nathan B. Forrester e eu, com a ajuda de Ernst Diehl. Veja P. Senge, "Catalysing Systems Thinking in Organizations", em *Advances in Organization Development*, F. Masarik, Norwood, N. J. — EUA, Ablex, 1990. Para obter mais detalhes sobre o processo de aprendizagem descrito abaixo, ver D. Kim, "Designing a Reflective Learning Environment", e P. Senge, "Organizational Learning: A New Challenge for System Dynamics", ambos em *Computer-Based Management of Com-*

plex Systems: Proceedings of the 1989 International Conference of the System Dynamics Society*, Stuttgart, 10-14 de julho de 1989, Peter M. Milling e Erich O. K. Zahn, ed., Berlim, Springer-Verland, 1989.

8. Várias pessoas que fazem contratos de seguro afirmaram que, como tais, eles também enfrentam dinâmicas semelhantes.
9. G. Lynn Shostack, "Designing Services that Deliver", *Harvard Business Review*, janeiro/fevereiro de 1984.
10. Observe a tendência à propriedade estrangeira de empresas de serviços norte-americanas. Por exemplo, em 1989, 25 por cento dos ativos bancários na Califórnia eram controlados por bancos de propriedade japonesa, comparados a menos de 5 por cento em 1980, *Fortune*, outono de 1989 e "How the Japanese Attract the California Depositor", *Euromoney*, junho de 1980.
11. Na verdade, o processo de aprendizagem descrito vem da primeira série de workshops Claims Learning Laboratory. Os gerentes da Hanover estão planejando atualmente a segunda etapa do trabalho concentrado na elaboração e realização de experimentos com as estruturas, sistemas de recompensa e práticas operacionais dos escritórios e regiões de sinistros. O importante é que por trás desses experimentos na "vida real" estará a compreensão compartilhada da dinâmica do sistema de pagamento de sinistros e dos objetivos. Os resultados esperados serão formulados com antecedência através da experimentação e discussão no micromundo.

18

O NOVO TRABALHO DO LÍDER

1. Ray Stata, "Organizational Learning — The Key to Management Innovation", *Sloan Management Review*, primavera de 1989, págs. 63-64.
2. Heinrich Zimmer, *The King and the Corpse*, Princeton, Nova Jersey — EUA, Princeton University Press, 1948.
3. George Bernard Shaw, longa dedicatória de *Man and Superman*, Londres, 1903.
4. Khalil Gibran, *O Profeta*.
5. Max de Pree, *Leadership is an Art*, Nova York, Doubleday/Currency, 1989.
6. William F. Gore, "The Lattice Organization", palestra dada no Reinventing the Corporation Workshop, Washington, D.C. — EUA, The Naisbitt Group, 1985.
7. William Manchester, *The Glory and the Dream*, Boston, Little, Brown and Company, 1974.

8. Martin Luther King Jr., "Letter from Birmingham Jail", *American Visions*, janeiro/fevereiro de 1986, págs. 52-59.
9. Martin Buber, *I and Thou*, Nova York, Charles Scribner's Sons, 1970.
10. Corazón C. Aquino, palestra em 10 de março de 1984.

20

REESCREVENDO O CÓDIGO

1. Agradeço a meu colega de muitos anos Charlie Kiefer pela sugestão da idéia desenvolvida neste capítulo.
2. O termo "subconsciente" foi usado por muitas outras pessoas, como Freud e Jung, para representar fenômenos ligeiramente diferentes dos que discutimos aqui.
3. Muitas técnicas de aprendizagem acelerada como "superaprendizagem" ou o "jogo interno de tênis", de Tim Gallwey, concentram-se especificamente na interação entre consciente e subconsciente na aprendizagem, mostrando que quando é possível manter o consciente em um "estado de observação" tranqüilo, isento de julgamentos e descontraído, o subconsciente assimila novas capacidades com mais rapidez. Veja Sheila Ostrander e Lynn Schroeder, *Superlearning*, Nova York, Laurel/Confucian Press Book, 1982, ou Timothy Gallwey, *The Inner Game of Tennis*, Nova York, Bantam, 1979.

21

O TODO INDIVISÍVEL

1. O texto a seguir é uma reimpressão autorizada de "Whole Earth", de Russell Schweickart, em *The Next Whole Earth Catalog*, Stewart Brand, Nova York, Point Foundation/Random House, 1980.
2. Um produto recente foi o belo livro *The Home Planet*, editado por Kevin Kelley, com fotografias e reflexões de muitos astronautas e cosmonautas. O livro foi lançado no Natal de 1988, o primeiro livro a ser publicado simultaneamente nos Estados Unidos, Reading, Massachusetts — EUA, Addison-Wesley, e na União Soviética.
3. Essa hipótese tem sido desenvolvida por vários cientistas. Para uma boa introdução à idéia e aos dados que a sustentam, consultar J. Lovelock, Gaia: *A New View of Life on Earth*, Nova York, Oxford University Press, 1979.

APÊNDICE 2

ARQUÉTIPOS DE SISTEMAS

1. Muitas pessoas no campo de dinâmica de sistemas contribuíram para a identificação e codificação desses arquétipos ou (como são chamados com freqüência) "estruturas genéricas". Gostaria de agradecer particularmente a Jennifer Kemeny, Michael Goodman, Ernst Diehl, Christian Kampmann, Dan Kim, Jack Nevison e John Sterman por suas contribuições.

Este livro foi composto na tipologia Zapf Calligraf BT, em corpo 10/12, e impresso em papel off-set 63g/m², no Sistema Cameron da Divisão Gráfica da Distribuidora Record.